공작 부인은
오늘만 산다

공작 부인은 오늘만 산다 Ⅲ

초판 1쇄 인쇄일 2023년 03월 03일
초판 1쇄 발행일 2023년 03월 16일

지은이 | 개스켈
펴낸이 | 김기선

편집부 | 박신혜, 김수린, 한혜정, 강연정, 이아림, 강지원, 김수정, 황신애, 김은희
표지디자인 | 우물
내지디자인 | 한주희

펴낸곳 | 주식회사 와이엠북스(YMBOOKS)
출판등록 | 2021년 5월 27일 (제2021-000014호)
주소 | 서울특별시 중랑구 신내역로3길 40-36 B동 710호 (신내동)
전화 | 02)906-7768 / 팩스 | 02)906-7769
E-mail | ymbooks@nate.com

ISBN 979-11-322-6937-3 (04810)
ISBN 979-11-322-6934-2 (set)

값 13,000원

공작 부인은
오늘만 산다

⬥ III ⬥

개스켈 장편소설

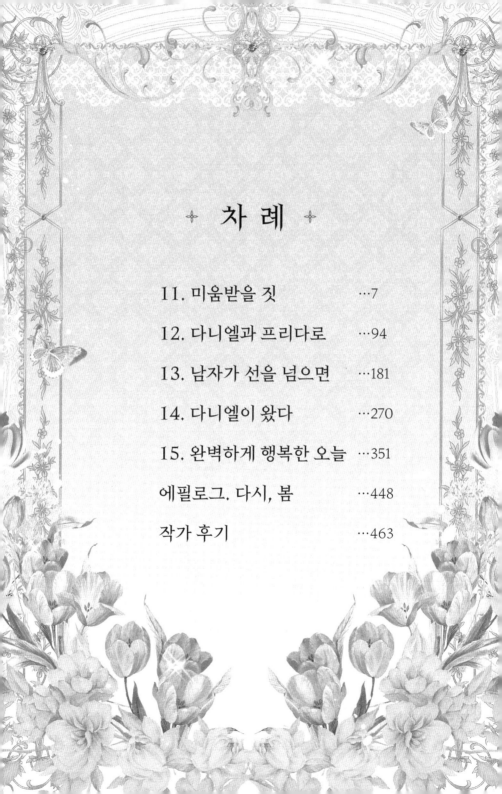

✦ 차 례 ✦

11. 미움받을 짓

도미닉의 말대로였다. 자상한 남편의 겉가죽을 두른 다니엘은 사람들의 시선을 단박에 사로잡았다.

"주군께서 입은 구정물이어도 겉가죽은 멀쩡하잖아요. 세상없을 다정하고 자상한 남편 행세를 해 보십시오. 다들 리하르트 공작이 미쳤다며 신이 나서 떠들어 댈 겁니다."

"내가 자상한 남편이면 미친 게 되는 건가?"

"······아마도요. 어쨌든 공작 부부에게 이목이 쏠려야 제가 마음 편히 쉔달 성을 휘젓고 다닐 수 있습니다."

기억에 없는 자신이 이땠을지야 뻔하다. 상처 입은 짐승처럼 잔뜩 날을 세우고 사방에 벽을 쳤겠지. 말이나 곱게 했으면 다행이다. 곱게 자란 귀족 아가씨가 접해 보지 못한 거친 말로 적잖이 놀라게 했을지도 모른다. 아니면 철저히 무관심으로 일관했으려나.

'아니. 다정한 남편이었다고 했지, 참.'

제가 아내를 어찌 대했는지 도무지 감이 오지 않는다. 지난 아홉 달 동안 엉망이 된 몸을 회복하는 데 집중하며 일부러라도 아내의 존재를 떠올리지 않으려 애썼다. 하지만 문득 정신을 차리고 보면 저도 모르게 상념에 빠져 있는 경우가 허다했다.

지금도 그렇다. 다른 때라면 황태후의 세세한 반응을 감지하려 잔뜩 날을 세우고 있었을 텐데 오늘은 이상하게 감각이 무뎌졌다. 아마 제게 뺨을 내어 준 채 얼굴을 붉히고 있는 아내 때문인 것 같다. 눈물을 모두 훔쳐 냈으니 더는 해야 할 일이 없는데도, 다니엘의 손과 눈길이 프리다에게서 떨어지지 못하고 있다.

감각이 무뎌졌다는 건 착각이었다. 무뎌진 게 아니라 방향을 튼 거였다. 황태후가 아니라 그의 아내에게로. 계획에 없던 아내의 등장에 따라 생각을 정리할 틈도 없었다. 정수리부터 발끝까지 모든 감각이 자연스럽게 그녀를 향해 버렸다.

대체 제게 무슨 짓을 한 거냐고 소리쳐 물어보고 싶다. 우리가 함께했던 시간을 다 합쳐 본들 기껏해야 몇 달이라던데. 수년의 기억을 잊어버린 내가 왜 이토록 당신에게서 눈을 뗄 수 없게 되어 버린 거냐고.

다니엘이 야릇한 분위기를 풍기자 루이즈 황후가 알아서 몇 발자국 뒤로 물러나 주었다. 어느 틈에 알현실 한편에 두 사람만 덩그러니 서서 서로를 마주 보고 있게 되었다.

"저…… 다니엘. 손 좀……."

프리다가 주위를 흘끔대며 그에게 눈짓을 보냈다. 하고픈 말을 완벽한 문장으로 늘어놓지 않아도 다니엘이 다 알아들어 줄 거란 듯 말끝을 흐리며. 마치 과거의 두 사람이 서로를 깊게 이해하는 사이였다는 듯. 옅고 뜨거운 한숨이 다니엘의 잇새로 흘러나왔다.

어쩌라고. 내가 얌전히 보고만 있길 바랐다면 당신도 가만있었어야 했다. 당연하다는 투로 내 이름을 부르지도 말고, 불쑥 나타나 날 뒤죽박죽 흩트려 놓지도 말았어야지.

프리다가 그를 부를 때면 심장은 두근거리는데 희한하게 머릿속이 아득해진다. 깊이를 알 수 없는 비겔란 호수 속으로 끊임없이 빨려 들어가는 느낌이랄까. 대체 이 여자를 보고 있으면 왜 이런 기분이 드는지 모르겠다. 가만히 눈을 들여다보고 싶기도 하고, 저를 부르며 벌어지는 입술에 살며시 입을 맞춰 보고 싶기도 하다.

"다니엘?"

그가 대답하지도 않고, 그렇다고 얼굴에서 손을 떼지도 않자 프리다가 다시 그를 부르며 재촉했다.

'미치겠네.'

눈을 들여다보고 싶다는 건 취소. 조심스럽게 입을 맞춰 보고 싶다는 것도 헛소리다. 본심은 이 작고 붉은 입술을 머금고, 맘껏 핥아 보고 싶다는 거였으면서. 두 사람을 보는 눈이 정확히 마흔여덟 개나 되는 방 안에서 이딴 음흉한 생각을 하고 있으면서 괜한 고상을 떨었다.

"말해요."

제 입에서 나오는 목소리가 낯설었다. 한 번도 관심을 기울여 본 적 없는 자신의 음성이 귀가 화끈댈 정도로 뜨거웠다.

"다니엘, 그만 손 떼세요. 사람들이 보잖아요."

행여나 누가 들을까 목소리를 낮추고 웅얼거리는 모습에 그만 참지 못하고 입술을 물 뻔했다. 이 깜찍한 아가씨야. 보라고 이러는 겁니다. 정상이 아닌 다니엘 리하르트를 실컷 감상하라고. 그래야 당신과 내가 가려 준 보호막 뒤에 숨어 도미닉이 로시발트를 살릴 방법을 찾을 테니까.

'만약 그런 게 있다면.'

예쁘게 구불거리는 머리칼을 정돈해 주는 척하며 다니엘이 프리다의 귓가에 입술을 대고 속삭였다.

"내가 아내에게 눈 돌아간 다정한 남편이었다면서요. 이 정도 애정 행각은 보여 줘야 할 것 같은데."

쉔달 성엔 다니엘을 어린 시절부터 보아 온 인간들이 득실거린다. 이쯤

낯간지럽게 굴지 않고는 그들을 속일 수 있을 리가. 솔직히 지금 제가 하는 짓이 누굴 속이려고 하는 건지, 그냥 꼴려서 이러는 건지 헷갈리긴 하지만.

"누, 눈이 돌아갔다는 말은 안 했는데……"

웅얼거리는 목소리와 함께 흘러나온 가는 숨결이 그의 목을 간지럽혔다. 등골을 타고 환장하게 짜릿한 기운이 뻗쳐 올랐다. 말을 안 하면 모르냐고.

"그냥 돌아간 걸로 합시다."

이렇게 사람 혼을 쏙 빼놓는데 당연히 눈이 돌아갔겠지.

"말도 마십시오. 완전히 눈이 돌았다니까요. 차라리 기억을 잃어서 다행입니다. 아니라면 지금쯤 쉔달 성으로 쳐들어가다 모두 개죽음을 당했을 테니."

도미닉이 그냥 나불대는 소리인 줄로만 알았는데, 아무래도 맞는 말이었던 모양이다. 그게 아니고서야 언제부터 제가 여자에게 배려심 넘치는 인간이었다고, 꼴사납게 구부정히 몸을 숙이고 눈을 맞추는 짓을 하겠냐고. 아슬아슬 맺혀 있을 뿐 흐르지도 않는 눈물을 닦아 준다고 눈시울을 훔치는 짓도 할 턱이 없다.

"잠시만 가만히 있어요."

다니엘은 우는 아내를 달래는 척 기어이 프리다를 끌어안았다. 가증스럽다는 눈으로 그를 노려보는 레오폴드를 똑바로 응시하며.

'내 아내에게서 눈 떼. 이 개자식아.'

다니엘은 한 손에 들어오는 가냘픈 허리와 작은 등을 토닥이며, 레오폴드의 시선에 답을 건넸다.

'미친 자식.'

다니엘의 정신 나간 짓거리에 짜증이 난 레오폴드는 지그시 입 안의 살을 깨물었다. 안 본 사이 다니엘 리하르트가 미친 게 틀림없다. 그러지 않고서야 사람들, 특히 모친이 있는 곳에서 저따위 촌극을 벌일 리가. 혹여 어머니가 해코지라도 할까 싶어 다니엘이 프리다에게 푹 빠져 있다는 걸 알면서도 아닌 척해 주었더니.

"다니엘이 아내를 제법 위한다고 들었습니다만."

"제가 보기엔 겉으로만 깍듯하지 서로 데면데면하던데요. 아니면 저를 따라가라고 순순히 보내 줬을 리 없죠. 아시잖아요. 다니엘이 제 사람들에게 얼마나 병적으로 집착하는지."

기껏 거짓말까지 해 가며 관심을 덜게 해 줬더니.

'저게 뭐 하는 짓거리냐고.'

안 그래도 미움을 받고 있는데 기름을 들이부어도 유분수지. 한편으론 감탄스럽기도 했다. 쉔달 성에 오자마자 한다는 짓이 황태후를 도발하는 거라니. 다니엘은 제게 그랬듯 황태후에게도 경고를 던지고 있는 거였다. 기꺼이 전부를 걸어 줄 테니 자신 있으면 어디 건드려 보라고. 이 여자는 내 거라는 뻔뻔한 소유욕. 그러니 지키고 말겠다는 당당한 용기.

'그래, 더럽게 잘 어울린다. 이 재수 없는 자식아.'

불편한 장면을 피하려 눈을 돌린 자리에 루이즈 황후가 서 있었다. 얼굴 가득 미소를 꽃피운 채 리하르트 공작 부부를 바라보며.

황태후의 기세에 눌려 존재감을 잃고 살던 허수아비 황후 주제에 요즘 들어 표정이 많아졌다. 그러고 보니 레오폴드의 주변에 많아진 게 또 하나 있다. 페트리샤의 투정.

"황후 폐하 때문에 불편해 죽겠어요. 하루건너, 아니, 거의 매일 벨뷔 궁에 오신다고요. 내가 리하르트 공작 부인의 시녀로 있다는 걸 알면서도 거길 오고 싶냐고. 속은 모르겠어, 정말."

"알아서 피해."

"하루 이틀이어야 말이죠. 남편인 당신보다 내가 황후 얼굴을 더 자주 볼걸요. 이러다 정들겠어요."

폐트리샤와 정이 들었을 린 없지만, 황후가 프리다와 가까워진 건 맞는 모양이다. 좀처럼 시선을 떼기 어려운 저 눈부신 드레스를 프리다에게 선물한 사람은 황후일 테니. 아무튼 그 하얗고 맑은 얼굴로 사람 꼬드기는 재주는 타고났지, 아주.

'그렇다고 저렇게까지 흐뭇해할 건 뭐야? 젠장.'

레오폴드는 왕좌의 팔걸이에 새겨진 사자 머리 조각을 꽉 틀어쥐며 불쑥 치미는 욕설을 삼켰다.

떨떠름하게 황후를 바라보던 레오폴드의 눈길이 따스한 봄 햇살을 닮은 화사한 드레스를 갖춰 입은 프리다에게 다시 옮겨 갔다. 쉔달 성에서 지내는 동안 드레스고 보석이고, 레오폴드가 하사하는 건 단 하나도 받지 않고 돌려보내던 그녀다. 진짜 성녀도 아니면서 수도자라도 된 듯 어지간해선 벨뷔 궁에서 나오는 법이 없더니.

심지어 해 질 녘에 황궁 연회에 참석하는 귀부인들처럼 꾸미고 나타나? 왜? 다니엘이 보고 싶어 애가 달아서?

별안간 쓴 물이 울컥 레오폴드의 목을 타고 넘어왔다. 이를 세워 입술 안을 잘근잘근 물고 있던 레오폴드는 그만 여린 살을 꽉 깨물어 피를 보고 말았다. 혀끝에 감도는 피 맛이 썼지만 개의치 않았다.

눈꼴사납게 구는 다니엘도 싫지만, 무엇보다 그가 당당히 프리다의 눈물에 손을 대도 되는 유일한 사내라는 사실에 울화통이 터졌다.

이럴 거면 희망을 품게 하지 말았어야지. 아홉 달이 되도록 그리 내버려 두는 걸 보며, 다니엘이 아내에게 품은 마음이 퍽 대단한 건 아니었을 수도 있겠다 생각했다. 어쩌면 더럽게 갑갑한 이 쉔달 성에서 유일하게 그의 숨통을 터 주는 프리다를 오래오래 볼 수도 있겠다 기대했다.

그녀가 딱히 제게 무슨 의미가 되지 않아도 좋으니, 그저 가끔 들러 소소한 대화를 나누고 산다면 어떨까. 그러면 저도 더 나은 황제가 될지도 모르는데. 이따위 꿈을 꾸지 못하게 득달같이 달려와 데려갔어야지. 내내 무시하고 모른 체하다, 이제 와 찾으러 오는 심보는 뭔데? 프리다 당신은 그런 남편이 뭐가 반갑다고 한달음에 달려와 울고 지랄이냐고.

'빌어먹을!'

천박한 욕설을 내뱉지 못한 목 안이 불에 타는 것처럼 화끈거렸다. 성난 손톱이 사자의 눈알을 몇 차례 긁고 난 후에야 겨우 레오폴드의 입이 열렸다.

"마음 같아선 형님과 밤새 긴 대화를 나누고 싶습니다만, 먼 길을 오느라 지치셨을 테니 인사는 이쯤 끝내시죠."

솔직히 지친 건 다니엘이 아니라 레오폴드 자신이다. 그가 첼리노로 오고 있다는 소식을 들은 뒤 단 하루도 편히 잠을 이루지 못해 피곤이 덕지덕지 엉긴 상태다.

"피해!"

번쩍, 불꽃을 내뿜으며 반으로 갈라지는 나무와 저를 감싸 안던 다니엘의 얼굴이 매일 밤 꿈에 나타났다. 양손을 넓게 벌린 레오폴드는 욱신대는 미간을 꾹꾹 누르며 눈을 감았다. 다니엘의 넋 빠진 짓거리를 보는 것도 더는 사양이다.

"오늘은 푹 쉬시고 나머지 얘기는 내일 오찬 때 듣겠습니다. 빈더만 자작이 숙소로 안내해 드릴 겁니다. 세바스티안!"

"네, 폐…… 하."

"배려에 감사드립니다, 폐하."

세바스티안 빈더만의 답에 다니엘의 말소리가 겹쳐졌다.

"하지만 숙소를 따로 내려 주실 필요는 없습니다. 저와 기사단은 아내가 있는 벨뷔 궁에 머무르겠습니다."

지 자식이 진짜…….

곱게 보내 줄 테니 머무는 동안만이라도 유난 떨지 말고 조용히 있다가라고, 좀. 스르르 눈을 뜬 레오폴드는 머리를 누르고 있던 손을 내려 팔걸이를 쥐었다.

"벨뷔 궁은 본디 요양을 목적으로 지어진 터라 데리고 오신 기사단이 머물기엔 비좁습니다."

네놈이 데리고 온 인간들 절반도 못 들어간다고.

"좁은 건 괜찮습니다. 아시다시피 리하르트 공작가의 기사들은 고매하신 귀족이 아닌 용병 출신들입니다. 비를 피하고 바람을 막을 곳만 있으면 됩니다."

여기저기 굴러먹던 떠돌이 용병 출신들로 기사단을 꾸린 게 자랑이다.

"형님의 마음을 모르는 바는 아니나 쉔달 성에 오신 손님을 그리 소홀히 대할 순 없습니다. 우선은 제가 마련한 숙소에서 편히 지내십시오. 일단 지내 보시고 불편하거나 마음에 들지 않으시면 다른 곳을 준비하라고 이르겠습니다."

그 전에 떠나 주면 더 좋고. 황제가 이쯤 인내심을 베풀었으면 수긍할 법도 하건만, 다니엘은 조금도 그럴 마음이 없어 보였다.

"아니요. 전 아내 곁에 머물러야겠습니다, 폐하."

슬며시 입꼬리를 끄집어 올린 다니엘이 사냥을 끝낸 사자처럼 나른한 표정으로 말했다.

"폐하의 과분한 배려엔 항상 감사드리고 있습니다. 하지만 제가 있어야 할 곳이 아내의 곁임도 이해해 주시리라 믿습니다."

프리다는 돌연 서늘해지는 다니엘의 모습에서 전과 확연히 달라진 차이점을 발견했다. 그녀가 아는 다니엘은 속내가 어떻든 시종일관 예의를 갖추는 사내였다. 하지만 지금의 남편은…….

"누구 덕분에 그 곁을 오래 비워 둔 터라 더는 안 되겠습니다."

조금 거침없어졌다고 해야 하나? 분명 말투는 전과 같이 바르고 행동도 깍듯한데 묘하게 상대를 들이받는 느낌이다. 프리다는 또 뭐가 달라졌으려나 고심하며 다니엘을 살폈다. 살이 빠지니 인상이 날카로워지긴 했지만, 여전히 근사한 건 그대로. 살짝 안겨 본 가슴팍은 전보다 더 단단해진 것 같다.

'음, 마비가 왔던 다리는 말을 타고 먼 길을 와도 될 만큼 멀쩡한 듯하고.'

그녀를 대하는 방식도 크게 다르지 않아 기억을 잃었다는 말을 듣지 않았다면 다니엘의 상태를 몰랐을 것 같다. 남편은 전과 다름없이 저돌적이고, 직설적이며, 허브밭에 휘몰아치던 돌풍 같았다.

"이제 두 번 다시 당신을 혼자 두지 않을게."

그래서 다니엘에게 그 말을 들었을 때 마음이 아팠다. 순간 그의 숨겨진 진심을 본 듯해서.

"그럼 당신은 어떤 아내를 원하는데요?"

"옆에 있어 주는 아내. 날 위해 뭘 하려고 하지도 말고, 애쓰지도 말고, 떠나지도 말고. 그저 내 옆에서 나와 함께 삶을 살아 주는 아내, 그거면 충분해요."

옆에 있어 달라고만 했는데, 그거면 된다고 했는데.

이유를 불문하고, 프리다는 다니엘을 떠났다. 그래서 제게 화가 난 줄 알았다. 깨어났다는 소식 이후로, 편지를 보내오지 않는 까닭도 그 때문이려니 했는데, 기억에 문제가 있을 거라곤 정말 상상도 못 했었다. 마음이 아파 또 눈시울이 뜨거워졌다. 따끔대는 눈을 깜박이며 눈물을 참으려 애쓰느라 다니엘이 하는 말에 집중하지 못했을 때.

"또한 이 시간부터 제 아내의 호위는 리하르트 공작가에서 직접 맡겠습니다."

다니엘의 말이 끝나자 알현실 안이 술렁였다. 프리다는 영문도 모른 채 손등으로 붉어진 얼굴을 식히며 급히 주변을 살폈다. 낯빛이 확연히 어두워진 근위대장. 언제나 그렇듯 당최 의미를 짐작하기 힘든 모호한 미소를 짓고 있는 황태후. 그리고 황제는……

'믿소사.'

당장이라도 왕좌 옆에 놓인 카를 1세의 대리석 조각상을 다니엘에게 집어 던질 것만 같은 분위기였다.

"공작 부인의 호위를 직접 맡겠다니. 지금 형님께서 무슨 얘기를 하고 계시는지 알고는 계십니까?"

뭐야, 다니엘이 그런 말을 했다고? 누가 들어도 황제를 믿을 수 없다는 말로 들리는 얘기를? 황제의 서슬 퍼런 분노를 뒤집어쓰고도 다니엘은 전혀 기죽지 않고 담담하게 말을 이어 갔다.

"저는 남편으로서 아내의 안전을 지키기 위한 정당한 권리를 주장하고 있을 뿐입니다."

"그 말은 리하르트 공작 부인께서 지금은 안전하지 못하다는 얘기로 들립니다."

"맞게 들으셨습니다. 저는 아내의 안전이 몹시 우려스럽습니다."

"리하르트 공작!"

큰 소리로 다니엘을 부른 이는 근위대장. 황제의 옆을 지키고 있던 그는 어느새 다니엘의 바로 옆까지 다가와 있었다.

"지금 그 말씀은 폐하에 대한 무례일 뿐만 아니라 황실 근위대에 대한 모욕입니다. 당장 철회하십시오."

"싫다면?"

다니엘이 싸늘하게 눈꼬리를 꿈틀대며 근위대장을 돌아보자 황태후를 따르던 몇몇 시녀의 입에서 옅은 탄식이 흘러나왔다. 원체 감정의 변화가 없는 무덤덤한 얼굴이라 냉소를 짓는 것만으로도 이미지가 확 달라졌다.

자신이 선과 악을 아슬아슬하게 넘나드는 외모라는 평가를 받고 있다는 걸 알 리 없는 다니엘이 입꼬리를 씰룩이며 근위대장을 비웃었다.

"황실 근위대의 명예를 지키기 위해 결투라도 신청할 텐가?"

상대를 자극하는 직설적인 말투와 너 정도는 한주먹 거리도 안 되니 까불지 말라고 도발하는 비열한 미소.

무심함을 가장하고 초연함의 가면을 쓴 채 살아가는 리하르트 공작이 오랜만에 보여 주는 솔직함에 반가움마저 들었다. 근위대장이 한결 풀어진 투로 말했다.

"망신이라면 지난여름 멘하임 성에서 톡톡히 당했습니다. 더는 사양하고 싶으나, 필요하다면 기사의 명예를 지키기 위해 피하지 않겠습니다."

"오늘은 피하세. 그깟 명예 좀 지키자고 황실 근위대장의 목숨을 거둘 수는 없으니."

다니엘이 품 안에서 둘둘 말린 서류 한 장을 꺼내 옆에 서 있는 빈더만 자작에게 건넸다.

"폐하께 올려라."

얼떨결에 서류를 받아 든 빈더만 자작이 어찌할까 문득 황제를 바라보자, 레오폴드가 가지고 오라며 고개를 까닥였다. 빈더만 자작이 레오폴드에게 서류를 올리는 동안 다니엘이 황태후에게 눈을 고정한 채 말했다.

"내용을 보시기 전에 약속을 하나 해 주십시오, 폐하."

다니엘의 눈길이 닿는 곳에 누가 있는지 확인한 레오폴드가 서류를 손에 든 채로 고개를 끄덕였다.

"말씀하세요."

"그 서류에 적힌 내용이 제 아내가 안전하지 않음을 증명한다면, 이 시간 이후로 아내의 호위는 공작가에서 맡아도 되겠습니까?"

"……얼마든지요."

다니엘의 속내를 짐작해 보려 빤히 눈을 바라보던 레오폴드는 이내 서류로 눈을 돌렸다.

다른 건 몰라도 프리다를 지키기 위해서만큼은 부단히 노력해 왔다. 레오폴드는 나름대로 자신이 있었다. 프리다를 벨뷔 궁에 머물게 한 이유는 사람들의 눈이 닿지 않는 외딴곳에 두어 대중의 호기심을 불러일으키기 위해서다.

하지만 애초에 무엇보다 안전을 우선으로 고려해 내린 결정이다. 모친의 첩자들이 하인을 가장해 숨어들지 못하도록 관리하는 데는 벨뷔 궁만 한 곳이 없었으니까.

벨뷔 궁에 머무는 하인들은 모두 레오폴드가 직접 엄선한 자들이며, 호위들은 능력이 출중한 기사 중에 외가와 연관이 없는 가문의 자제들로만 골랐다. 다니엘이 어디서 얼토당토않은 말을 듣고 와서 어깃장을 부리는지는 몰라도 코를 납작하게 해 주리라 다짐했다.

그런데……. 서류에 적힌 익숙한 이름과 그 옆에 적힌 숫자를 읽어 내려가던 레오폴드가 눈을 들어 다니엘에게 물었다.

"이게…… 뭡니까?"

"그동안 제 아내의 안전이 위협받고 있었음을 증명하는 서류입니다. 그것에 적힌 내용에 한 치의 거짓도 없다는 건 업다이크 후작 영식이 증명할 겁니다."

다니엘이 건넨 서류엔 레오폴드가 프리다를 위해 엄선해 고른 하인과 기사들의 이름이, 그 이름 옆엔 의미를 짐작하기 힘든 숫자가 나란히 적혀 있었다.

"먼저 폐하께서 벨뷔 궁에 들이신 자들을 시험한 점에 대해선 사과드립니다. 하지만 아내를 홀로 둬야 하는 저로서는 최소한의 안전장치가 필요했습니다."

"그러니까 이 명단이……."

"네. 제게 매수된 자들입니다. 단 한 놈도 빠짐없이 모두 돈을 받고 제 아내의 일거수일투족을 고해바쳤습니다. 저희에게 돈을 준 이가 누군지는 신경도 쓰지 않더군요."

덕분에 다니엘은 펜하임 성에 가만히 앉아 프리다가 어찌 지내는지 보고받았다.

"저 말고 다른 누구에게도 정보를 팔았는지는 지금부터 조사해 봐야겠지요. 다만 확실한 건……."

다니엘이 목소리에 힘을 실었다.

"폐하는 실패하셨습니다."

절대 물러서지 않겠다는 의지를 담아.

"그러니 이젠 제가 직접 아내를 지키겠습니다."

벨뷔 궁의 하인과 경비들이 모두 교체되는 한바탕 소동이 한밤까지 이어졌다. 프리다는 루이즈 황후의 배려로 황후 궁에서 이 모든 소란이 끝나기를 기다리는 중이었다. 황후의 숙면을 돕기 위해 프리다가 추천한 멜리사 차가 원탁의 테이블 위에 올라왔다.

"많이 놀랐죠?"

따끈한 차를 한 모금 마신 루이즈 황후가 프리다에게 다정히 말을 걸었다.

"그래도 난 공작께서 아주 현명하게 일을 처리하신 것 같아 기뻐요. 절대 감춰서는 안 되는 일이었어요."

솔직히 프리다는 놀랐다기보다 화가 났다. 특히 하인리히에게.

"하인리히에게 정말 실망했어요. 그런 일을 꾸미면서 내게 한마디도 안 해 주다니."

심지어 다니엘과 연락을 주고받고 있다는 말도 하지 않았다. 그뿐이면 말도 안 하지. 말끝마다 다니엘의 사랑이 식었다며 프리다를 놀려 댔는데.

"만나면 가만두지 않을 거예요."

씩씩대는 프리다가 귀여워 루이즈 황후는 빙그레 웃었다.

"난 업다이크 후작 영식이 왜 그랬는지 알 것 같은데요."

"네?"

"공작 부인처럼 속이 훤히 보이는 사람에게 비밀을 털어놨다가는 다 들통날 게 뻔하잖아요. 후후."

너무하다며 입술을 삐죽이는 프리다가 귀여워 웃던 황후가 부드럽게 미소 지으며 말했다.

"리하르트 공작의 눈빛이 왜 그토록 열렬했는지 알 것 같네요. 나라도 부인같이 사랑스러운 아내를 두었다면 사람들의 눈 따위 신경 쓰지 않았을 거예요."

"으. 아까는 죄송해요."

민망한 순간이 떠오른 프리다가 목을 움츠렸다. 더 크게 웃던 루이즈 황후가 이내 말끝을 흐렸다.

"정말 부러워요. 서로 아껴 주는 두 사람의 모습……."

다행히 황후 궁을 책임지는 시녀장이 곧바로 안으로 들어온 덕에 어색한 침묵이 깨졌다.

"리하르트 공작께서 사람을 보내셨습니다. 이젠 벨뷔 궁으로 돌아오셔도 된다고 합니다."

"정리가 끝났나 보네요. 어서 가 봐요."

황후의 배웅을 받으며 문을 나서던 프리다는 복도에서 그를 기다리고 있는 남자를 발견하곤 만면에 미소를 띠며 이름을 불렀다.

"도미닉!"

기사단의 정복을 갖춰 입은 도미닉이 우스꽝스럽도록 정중하게 허리를 숙였다.

"오랜만에 뵙습니다, 리하르트 공작 부인. 절 그렇게 고생시켜 놓고 부인께선 아주 멀쩡히 잘 계신 듯 보이네요. 사고를 치시는 것도 여전하시고요."

장난스레 비꼬는 말투마저 반가웠다. 프리다는 종종걸음으로 그에게 다가가 질문을 쏟아 냈다.

"정말 보고 싶었어요. 성 식구들도 모두 잘 있죠? 뮤리엘은요? 의식을 찾았다는 소식은 들었는데, 몸은 완전히 회복된 건가요?"

도미닉의 입술이 떨어지기 전, 연달아 다음 질문이 이어졌다.

"리카르도 님은요? 나한테 많이 서운해하죠? 보일드 남작 부인은 아들을 낳았다면서요. 고생이 많았다고 들었는데, 이제 건강은 괜찮은 거예요?"

"자자, 우선 마차에 오르십시오. 가면서 말씀드리겠습니다."

도미닉은 정신없이 쏟아지는 질문을 듣는 중 마는 둥 하며 프리다를 황후 궁 밖으로 이끌었다. 프리다는 마차 안에 들어가서도 고개를 빼꼼히 내밀고 질문을 던졌다.

"도미닉, 남작 부부의 아이는 건강해요? 그것만 말해 줘요."

"네, 건강합니다. 도망가는 와중에 유능한 산파까지 구해 놓으신 안주인 덕에 산모와 아이 모두 목숨도 구했고요. 딸이면 '프리다'라고 이름을 지었을 텐데 아들이라 아쉽다고 하시더군요."

"그런데 뮤리엘은……."

"질문은 그만하고 얌전히 앉아 계세요. 그러다 넘어지십니다."

황후 궁에서 벨뷔 궁까지의 거리는 마차를 타고도 제법 멀었지만, 창문 너머로 도미닉과 대화를 나누다 보니 금방이었다.

"아, 마틸다는 건강해요?"

궁에 도착 후 마차 문을 열고 나오면서까지 질문을 멈추지 않는 프리다에게 도미닉이 졌다며 고개를 절레절레 흔들었다.

"정말 변한 게 없으시네요. 하지만 질문은 여기까지입니다. 지금 목이 빠져라 부인을 기다리는 분이 있거든요."

도미닉이 가리키는 손끝을 따라 눈을 돌려 보니 수풀과 나무 곳곳에 놓인 등이 정원을 밝히고 있었다. 길 끝에 선 남자의 인영을 알아볼 수 있을 정도로 주변이 환하게 밝았다.

"가 보십시오. 기다리고 계십니다."

쉔달 성에 온 이후 해가 진 뒤에는 한 번도 방 밖으로 나오지 못했었다. 눈이 어둡다는 걸 알리고 싶지도 않았고, 무엇보다 무서워서. 든든한 로잘린이 항상 곁에 있고 저만 믿으라고 큰소리치는 하인리히가 있었어도, 왜 그토록 불안했는지 이제야 알 것 같다.

단 한 사람. 저 남자가 곁에 없어서 그리 불안했던 모양이다. 천천히 정원을 가로지르는 프리다의 눈에 다니엘이 보였다. 가까이 가고서야 알았다. 다니엘이 계속 자신을 보고 있었다는 걸.

프리다는 두 발자국을 남기고 다니엘 앞에 걸음을 멈췄다. 캄캄한 밤이었지만 그의 얼굴이 모두 눈에 들어왔다. 다듬은 지 좀 되었는지 이마를 덮은 까만 앞머리 사이로 보이는 눈가에 드리워진 짙은 피로까지.

"저, 다니엘……."

오늘은 이만 쉬자고, 대화는 내일부터 해도 되지 않냐고. 궁금한 게 많지만, 물어볼 게 산더미 같지만. 당신에겐 지금 휴식이 필요해 보인다고 말하려던 찰나, 그가 뒷짐을 쥐고 있던 손을 불쑥 앞으로 내밀었다.

"리카르도 말이, 당신이 좋아할 거라더군요."

투르크인들이 쓰는 터번을 닮은 하얀색과 분홍색의 랄레로 만든 꽃다발이었다.

족히 프리다의 손바닥 하나는 될 법한 크기의 이파리가 휘감고 있는 굵은 줄기. 그 위에 소담하게 피어난 우아한 꽃봉오리. 꽃잎이 한데 모여 오므리고 있는 모습은 소문대로 투르크인들의 터번을 연상시켰다.

얼핏 성탑 같기도 하고. 짙은 초록빛 이파리에 둘러싸인 꽃봉오리가 꼭 녹음이 우거진 알타스 산에 비죽이 솟은 윔터 호른을 닮은 듯도 했다. 각양각색의 꽃이 피어나는 '꽃의 도시' 첼리노에서도 본 적 없는 기품 넘치는 아름다운 꽃이었다.

'뮌하임 성에서 성공적으로 랄레를 피워 냈구나.'

다니엘이 건넨 꽃다발을 차마 받아 들지 못한 프리다는 두 손으로 감격에 겨워 벌어지는 입을 막고 중얼거렸다.

"성공…… 했군요. 해냈어요. 세상에……. 숙련된 투르크 정원사들도 피워 내기 힘든, 까다로운 꽃이라고 했었는데."

지난해 크고 작은 일이 끊이지 않는 어수선한 첼리노의 여름을 보내며 생각했었다. 뮌하임 성에 있는 구근은 썩지 않고 이 더위를 잘 버티고 있을까. 혹 리카르도 님이 다른 일로 바빠 랄레의 구근을 돌보는 걸 잊어버리진 않았을까.

귀족들이 본격적으로 황제와 황태후의 편으로 갈라져 다투기 시작하던 가을. 시시때때로 남쪽 하늘을 바라보며 근심에 빠진 날이 많았다. 지금쯤 땅에 구근을 심어야 하는데, 때를 놓쳤으면 어쩌나. 따로 신경 쓰라는 당부를 하고 오지 못했으니, 아무도 돌보고 있지 않으면 어떡하나.

첼리노에서 처음 맞던 겨울. 꽁꽁 얼어붙은 슈프렌 강과 꽃이 져 버린 을씨년스러운 벨뷔 궁의 정원을 보며 랄레의 구근이 유트레히트의 땅속에서 긴 겨울을 잘 버틸까 염려했었는데. 이토록 고운 꽃을 피워 냈을 줄이야.

"예뻐요. 정말 너무 예뻐요, 다니엘."

울먹이던 프리다가 양팔을 뻗어 랄레 꽃을 받아 들려 하자 다니엘이 줄기가 축 처진 이파리를 바로 세워 주며 말했다.

"오는 동안 좀 시들었습니다."

족히 스무 송이는 되어 보이는 꽃을 가슴에 품자 향긋하고 기분 좋은 꽃 향기가 났다. 꽃잎에 코를 대고 향기를 깊게 들이마시던 프리다는 다니엘과 눈이 마주치자 환한 미소를 지으며 웃었다.

"꽃을 가지고 와 줘서 고마워요. 나, 진짜 궁금했거든요. 리카르도 님이 이렇게 잘 해내실 줄은 몰랐어요."

어쩐지 리카르도가 꼭 가져가야 한다며 끝끝내 우기더라니.

'저리 좋을까.'

다니엘은 고작 꽃다발 하나에 세상을 얻은 듯 기뻐하며 아이같이 들뜬 아내를 물끄러미 바라보았다.

"흙이 마르기 전에 물 주는 거 잊지 마시고요. 더위에 약한 꽃이니 가는 도중에 시들지 않게 신경 쓰셔야 합니다."

"첼리노에 가면 지천으로 깔린 게 꽃이야. 귀찮게 왜 이딴 걸 가져가라는 거야?"

"가져가 보시면 압니다. 공작 부인께서 엄청나게 기뻐하실 테니 두고 보십시오."

의식이 돌아온 다니엘이 가장 이해할 수 없었던 인물 중 하나가 리카르도였다. 자기가 언제부터 농사꾼이었다고. 낮이고 밤이고 밭일에 매달리는 것도 모자라 꽃을 키운다며 희한한 짓을 해 대니 그럴 수밖에.

첼리노의 귀족들처럼 꽃으로 돈벌이를 할 것도 아니면서 길어야 한 달도 버티지 못하고 시들어 버릴 꽃밭을 애지중지 가꾸는 것도 웃겼다. 보다 못해 헛짓거리 그만하라고 타박했더니 오히려 리카르도가 그를 비웃었다.

"헛짓거리라니요? 두고 보십시오. 공작 부인께서 이 꽃이 우리 공작령을 먹여 살릴 거라고 하셨으니 꼭 그리될 겁니다. 그때 가서 부인께 고맙다고 인사나 하십시오."

가끔 머리를 다친 건 자신이 아니라 리카르도가 아닐까 의심이 들었다. 하긴 다니엘이 이해하지 못한 자가 어디 리카르도 몰리뿐일까. 그중 가장 크고 높은 난관이 지금 그의 눈앞에 서 있었다.

눈물을 글썽이며 좋아하던 아내는 어느새 눈가의 물기를 지워 내고 이번엔 세심하게 꽃송이를 하나하나 살피느라 바빴다.

"랄레는 다른 꽃들에 비해 확실히 이파리가 넓네요. 줄기도 굵어 튼튼해 보여요."

게슴츠레 눈을 뜨고 집중하는 모습이 꼭 전투를 앞두고 적진이 주둔하고 있는 지도를 꼼꼼히 훑는 장수 같다. 앞이 잘 보이지 않는지 프리다는 간간이 눈을 크게 뜨거나 찡그리기를 반복했다.

그 모습을 보던 다니엘은 나다니는 사람이 없음에도 습관처럼 복도와 계단에 불을 밝혀 두던 뮌하임 성의 하인들을 떠올렸다. 불이 나면 어쩌려고 관리를 소홀히 하냐는 다니엘의 호통에 몰리 부자가 들려주었던 답도.

"공작 부인께서 시력이 좋지 않으셨거든요. 밤에도 불을 켜 두는 게 버릇이 되다 보니 아직도 끄는 걸 깜박하나 봅니다."

"해가 지면 앞도 잘 보지 못하는 분이 못 말리게 부지런하셨지요. 밤이고 낮이고, 잠시도 가만히 있는 법이 없으셨답니다."

하인들이 자리를 비운 안주인을 그리워하고 있음을 알게 된 다니엘은 조심시키라는 가벼운 지적 외엔 다른 언급은 하지 않았다.

이 정도 어둠도 아내에겐 무리가 되었으려나. 달이 구름 속으로 숨어들었지만, 주변에 불을 켜 두어 대낮처럼 밝은 정원. 다니엘은 달과 주변, 뮌하임 성의 산등성이를 가득 채운 이름 모를 노랗고 하얀 들꽃을 닮은 프리다를 차례차례 눈에 담았다. 가슴에 이유를 알 수 없는 묵직한 통증이 찾아왔다.

"어두운 곳을 불편해한다고 들었습니다. 힘드시면 안으로 들어갈까요?"

"아니요. 우리 여기서 얘기 나눠요, 다니엘. 밤공기가 따스해서 좋아요."

활짝 웃으며 대답한 프리다는 아홉 달이나 이곳에 머문 사람답지 않게 신기한 듯 주변을 둘러보았다.

"벨뷔 궁의 밤 풍경은 저도 처음이에요. 그동안 해가 진 후론 한 번도 성 밖으로 나와 보지 못했거든요."

"한 번도요?"

"네."

발랄하게 답한 프리다는 즉시 그의 궁금증을 해결해 주었다.

"좀 무서워서요. 여긴 뮌하임 성이 아니니까."

내 집이 아니잖아요. 여리고 작은 속삭임이 스치듯 들려왔다. 다니엘의 가슴이 또 먹먹해졌다. 그는 손을 들어 멀리 떨어져 정원 주변을 경계하고 있던 도미닉을 불렀다.

"도미닉, 주위를 더 환하게 밝혀라."

"네, 주군."

"아니요, 다니엘. 이 정도도 충분해요. 이미 충분히 밝은걸요."

프리다의 만류에도 두 사람이 마주 선 꽃길 주위에 놓인 무쇠 화로에 장작이 더해졌다. 점점 넓게 퍼져 가는 빛을 응시하던 다니엘이 프리다를 정원 한편에 놓인 나무 의자로 이끌었다.

"편하게 앉으십시오. 혹 어둠이 불편하거나 힘드시면 말씀하세요."

꽃다발을 안은 채 다니엘이 가리킨 의자에 앉던 프리다가 갑자기 맑은 웃음소리를 흘렸다. 자신이 왜 아내를 웃게 했는지 모르는 다니엘의 눈에 몇 번째인지도 모를 의문이 서렸다. 예쁘게 눈을 접은 채 웃던 프리다가 다니엘을 보며 말했다.

"그냥, 당신이 너무 정중해서요."

타닥타닥 소리를 내며 흔들리는 불꽃의 그림자를 덮은 다니엘의 한쪽 눈썹이 희미하게 위로 치켜 올라갔다. 자신의 정중함이 왜 그녀를 웃게 했는지 전혀 이해하지 못한 표정이었다. 팔에 안고 있던 꽃다발을 얌전히 옆으로 내려놓은 프리다가 치맛단의 주름을 펴며 미소 지었다.

"당신이 삼 년 만에 깨어났을 때가 떠올랐어요. 한동안 말투가 꼭 지금 같았거든요."

시종일관 한 치의 흐트러짐도 없는 반듯한 자세로 예의를 갖추던 그 시절의 다니엘이 생각났다. 프리다는 주먹으로 입을 가리고 쿡쿡 소리를 감추며 웃었다.

"그때만 해도 당신에게 들을 수 있는 말이라곤 '신경 쓰지 마십시오', '괜찮습니다', '상관없습니다'가 대부분이었어요."

표정도 언제나 똑같았다. 입술을 꾹 다물고 간혹 미간을 좁혔었지. 지금처럼.

"보통은 온종일 얼굴 한번 못 보고 지나치는 경우가 허다했으니, 그런 대화라도 할 수 있는 날은 운이 좋은 편이었죠."

근엄하게 굴던 과거의 다니엘이 시간의 문을 건너뛰어 다시 그녀 앞에 뚝 떨어진 기분이 들었다.

"솔직히 가끔 서운했었어요. 난 어떻게든 다가가 보려 애쓰는데 당신이 줄곧 벽을 쳐서."

말을 끝낸 프리다는 갑자기 깊은 한숨을 내쉬었다. 그러곤 조금 지친 듯 낮게 혼잣말을 내뱉었다.

"마치 하늘까지 솟은 높은 담벼락 아래 서 있는 기분이었어요."

다니엘은 속을 알 수 없는 고요한 눈으로 약간 지쳐 보이는 아내를 가만히 응시했다. 그가 전해 들은 바에 따르면 자신이 세운 그 벽은 아내에겐 전혀 소용이 없었던 것 같던데, 아니었나?

무수한 밤을 잠들지 못한 채 지새며 생각하고 또 생각했다. 대체 자신은 얼굴도 목소리도 떠오르지 않는 아내란 여자에게 왜 그토록 쉽게 경계를 풀었을까.

온종일 뻣뻣하게 굳은 다리를 움직여 보려 애쓰다가도 한 번씩 넋을 놓고 상념에 빠진 적이 있다. 그럴 때면 전혀 관심 없었던 창문 너머의 꽃을 바라보고 있거나, 멍하니 하늘의 별을 올려다보고 있는 낯선 자신을 발견하곤 했다.

기억에 없는 누군가가 자신을 조종하는 마뜩잖고 아련한 느낌. 이름만 아는 아내가 다니엘에게 준 감상은 내내 그랬다. 결국 다니엘은 쭉 품고 있던 궁금증을 털어놓았다.

"내가 미움받을 짓을 꽤 한 것 같던데. 날 많이 원망했습니까?"

"그러려고 했는데……. 잘 안 되더라고요."

프리다는 쑥스러워하며 고개를 숙였다.

"당신이 제게 잘해 준 게 참 많았거든요."

돌이켜 보면 그가 프리다 앞에 쳐 두었던 벽은 그다지 높지도, 견고하지도 않았다. 차갑게 굴긴 했어도 다니엘은 프리다의 부탁을 대부분 거절하지 않고 들어주었다. 그녀가 세운 계획을 듣고도 얼토당토않다며 비웃는 일도 없었다. 기꺼이 금고를 열어 자신이 가진 것을 아낌없이 쓰라고 했고, 물심양면으로 도왔다.

그래서였는지도 모르겠다. 잃어버린 기억쯤 금세 돌아올 거라고, 어쩌면 일부는 이미 돌아왔을지도 모른다고 자신했던 건. 설혹 돌아오지 않는다고 해도 큰 문제 없다며 대수롭지 않게 여겼던 까닭도. 알현실에서 그녀에게 보여 주었던 다정함에 어느 정도는 진심이 담겼을 거라 기대했다.

노력하면 얼마든지 전과 같은 사이로 돌아갈 수 있다고. 사라진 기억 따 위 아무것도 아니라고. 그런데…… 그래도 조금은 섭섭하다. 그녀의 말에 웃지 않는, 감정이 보이지 않는 차분한 얼굴을 보니 이젠 진정 알 것 같다. 고개를 든 프리다는 마치 이 사실을 오늘 처음 들은 사람처럼 물었다.

"다니엘, 내가 하나도 기억나지 않나요? 조금도?"

"……네."

담담히 답해 오는 목소리를 듣는 순간 참고 있던 눈물이 기어이 뺨을 타 고 흘러내렸다.

"하지만 도미닉은 기억하잖아요. 로잘린도, 리카르도 님도 다 기억하잖 아요."

"쉔달 성도 기억합니다. 이곳에서 있었던 일들도 하나하나 모두."

담담하게 답하는 모습에 불현듯 서럽고 분한 마음이 들어 왈칵왈칵 눈 물이 쏟아졌다.

"그런데 왜 난 몰라요? 다른 건 기억하면서…… 어떻게 날 잊을 수가 있 어요? 난 항상 당신을 생각했는데."

나는 잊은 적이 없는데. 하나도 빠짐없이 다 기억하고 그리워했는데. 느 닷없이 쏟아진 눈물은 멈추지 않았다.

"말없이 떠나온 게 미안해서…… 내가 얼마나 당신을……."

거울을 비춰 보지 않아도 알 수 있었다. 자신이 얼마나 볼썽사납게 울고 있는지. 프리다는 양손으로 쉴 새 없이 흘러내리는 눈물을 닦고 또 닦았다. 그의 잘못이 아니란 걸 알면서도 저도 모르게 건네는 말 속에 서운함이 실 리고 말았다.

이러려던 게 아니었다고 서둘러 사과하려고 했지만, 눈물은 멈추지 않고 입에서 계속 듣기 민망한 소리가 흘러나왔다. 결국 입을 틀어막고 흐느끼는데 다니엘이 그녀의 앞에 한쪽 무릎을 꿇고 몸을 숙였다.

"위로가 될지는 모르겠습니다만."

그의 따뜻한 손이 눈물로 뒤범벅된 프리다의 뺨을 부드럽게 감싸 쥐었다.

"내 머리는 당신을 잊었어도, 몸은 기억하는 것 같습니다. 그러니 프리다, 제발 그만 울어요."

더는 침착하지 않은, 무겁고 갈라진 목소리가 한숨과 함께 프리다의 이마에 닿았다.

"안고 싶어 돌아 버리겠으니까."

빌어먹을.

뜻하지 않게 낯 뜨거운 본심을 내뱉어 버린 다니엘은 난감함에 질끈 눈을 감았다 떴다. 순간 '아차' 싶었지만 도로 주워 담기엔 이미 늦어 버렸다. 그의 말을 온전히 알아들은 프리다가 눈물이 그렁그렁 맺힌 눈을 크게 뜨고 다니엘을 빤히 바라보고 있었으니까.

"그러니까 내 말은……"

프리다의 뺨을 감싼 다니엘의 손 위로 차곡차곡 쌓이던 눈물이 그의 손등을 타고 흘러내려 팔을 간지럽혔다.

"내가 하려던 말은……"

뭐라고 변명이라도 해야 할 것 같아 입술을 달싹이던 다니엘은 잠시 할 말을 잊은 채 물기에 젖은 보랏빛 눈을 바라보았다. 막 잠에서 깨어나 기억나지 않는 꿈의 흔적을 헤집던 새벽처럼 정신이 아득해졌다.

아마 이 느닷없는 눈물 때문이었을 것이다. 당신이 울면 내 머리통이 갈라지려 하니 제발 진정해 달라는 말 대신 뜬금없는 소리를 해 댄 건. 그동안 우는 여자건 웃는 여자건 누구에게든 스치는 눈길로라도 감정을 내보인 적 없었다.

그런데 어쩌자고 프리다를 눈앞에 두면 시선이 떨어지지 않는 것도 모자라 자꾸만 심장이 먹먹해지는 건지. 습관처럼 얼굴에 올리던 적당히 무심한 표정도 지어지지 않는다.

'역시…… 그랬던가.'

깨달음 하나가 쑤셔 박듯 머릿속을 파고들어 왔다. 말로 설명할 수 없는 당혹감도 함께.

'설마설마했는데.'

다니엘, 이 파렴치한 개자식. 꼴에 남편이라고, 이 작고 여린 여자에게 뻔뻔스럽게 잠자리를 강요했던 것이 분명하다. 그렇지 않고야 간간이 제 몸에 찾아들던 낯선 감각들의 원인을 설명할 방법이 없다. 아내를 가까이에 두고 보니 심증이 더욱 굳어졌다.

"후우……."

긴 한숨을 내쉰 다니엘은 프리다의 뺨에서 손을 뗐다. 그리고 목 끝까지 채운 예복의 매듭을 풀었다. 사실을 확인하기 전, 몸과 머리를 식힐 필요가 있었다. 자신이 아내를 안았다면 얘기가 아주 많이 달라지니까. 프리다의 집요한 시선을 피하고 싶었던 다니엘은 멀찌감치 떨어져 주변을 경계하고 있는 기사들을 둘러보는 척 고개를 돌렸다.

'젠장, 계획을 수정해야 하나.'

골치 아픈 일을 만들고 말았다는 생각에 머리가 지끈거렸다. 세우고 있던 한쪽 무릎에 팔을 접은 다니엘은 약간 거칠게 앞머리를 쓸어 넘겼다. 어쩌자고 본인의 자제력에 대해 그토록 자만했는지 모르겠다.

얼굴, 목소리, 체취. 무엇 하나 떠오르지 않는 아내였지만 그녀와 저 사이에 둘만 아는 뭔가가 있었다는 걸 어렴풋이 감지했는데……. 정신이 돌아온 이후 간혹 한 번씩 못 견디게 무기력해질 때가 있곤 했다.

머리부터 발끝까지 온몸이 물속에서 흐물흐물 풀어져 형체도 없이 흩어져 버리는 것만 같은 날. 허무함이 그를 꽁꽁 싸매고 놔주지 않아 몸을 가

누기가 더 힘들어지는 날. 그런 날의 끝엔 어김없이 격한 분노가 치밀어 올랐다.

뜻대로 움직여 주지 않는 다리와 힘이 빠져 너덜너덜해진 팔을 분질러 버리고 싶을 만큼 쉴 새 없이 화가 들끓었고. 무수히 치른 그 어떤 전투에서도 느껴 보지 못했던 진한 살의가, 다름 아닌 자신을 향해 뿜어져 나왔다. 초기엔 손에 잡히는 대로 집어 던지고 깨부쉈다. 그러고도 직성이 풀리지 않아 툭하면 방을 난장판으로 만들기 일쑤였다.

"다니엘. 너. 본인이 잘나디잘나고 고매하신 십이 공작 전하라는 것까지 잊어버린 건 아니지?"

도미닉은 설마 애써 익힌 귀족 나리의 예법마저 홀라당 까먹은 거냐며 혀를 찼다.

"네놈이 내는 어쭙잖은 귀족 흉내에 겨우 익숙해지고 있었는데. 진짜 이럴 거야? 하인들에게 의심받기 전에 제발 그 더러운 성질머리 좀 어떻게 해 봐. 감추려는 노력이라도 해, 이 자식아!"

아무리 참아 보려 해도. 기어이 침대에 머리를 들이박고 피를 봐도, 답답함이 가시질 않았다.

"욕구 불만인 거 알겠으니까 적당히 좀 하라고."

도미닉이 장난스레 던진 말을 듣고서야 다니엘은 자신이 미쳐 날뛰는 원인이 뭔지 흐릿하게나마 깨달았다.

차마 도미닉에게 부부간의 은밀한 침실 안 사정까지 물어볼 수 없어 질문을 피했던 게 실수였다. 짧은 심호흡으로 생각을 정리한 다니엘은 고개를 들어 프리다의 눈을 바라보았다.

물기가 사라진 보랏빛 눈동자 안에 춤을 추듯 이리저리 흔들리는 불꽃을 거느린 혼란스러운 자신이 있었다. 홀린 듯 그 모습을 응시하던 다니엘은 심사숙고하며 할 말을 골랐다. 옴짝달싹 못 하고 닫혀 있던 입술은 찰나보다는 조금 긴 시간이 흐른 후에 천천히 열렸다.

"부인, 아주 중요한 일이니까 솔직하게 대답해 줬으면 합니다. 혹시……
내가 말입니다."

그러고도 밀려드는 긴장감을 떨쳐 내지 못해 침을 꼴깍 삼켰다.

"당신에게 의무를 강요했습니까?"

"의무요?"

훌쩍, 콧물을 들이마신 프리다가 손바닥 안쪽으로 남은 눈물을 훔쳐 내
며 되물었다. 다니엘은 아랫배가 등가죽에 달라붙고 가슴이 출렁거릴 정도
로 깊게 숨을 들이마셨다 내쉬었다.

"그러니까…… 우리가 한 침대를 썼다든가……."

휘둥그레 커진 눈동자가 그를 담은 채 거침없이 쑥 다가왔다. 옅은 바람
에 실린 짙은 체취에 별안간 숨이 턱 막혔다.

"그건 기억나요? 우리가 침대에서 보냈던 시간은 기억나는 거예요?"

순간 다니엘의 몸 어딘가에서 아내의 체취를 기억해 냈다는 신호를 보
내왔다. 아주 강렬하게.

대화를 마친 공작 부부는 정원을 떠나 3층에 있는 공작 부인의 침실로
들어갔다. 침실 문이 닫히는 걸 확인한 도미닉은 경비를 맡은 기사에게 긴
당부를 남기고 계단을 걸어 한 층 더 위로 올라갔다. 방 안으로 들어서던
도미닉은 상체를 일으켜 세우는 뮤리엘을 말리기 위해 빠른 걸음으로 침
대를 향해 다가갔다.

"일어나지 말고 그대로 누워 있어요. 안톤이 챙겨 준 약은 먹었습니까?"

도미닉의 만류에도 기어이 침대맡에 등을 기대고 앉은 뮤리엘이 고개

를 끄덕였다.

"약도 먹었고 잠깐 눈도 붙였어요. 아가씨는요? 우리 아가씨 봤어요?"

"이젠 아가씨라고 부르지 않겠다고 하지 않았던가?"

피식, 특유의 가볍게 쪼개는 미소를 짓던 도미닉이 이내 심각한 얼굴로 뮤리엘의 이마, 뒤이어 턱과 목 사이를 짚었다. 자주 있었던 일인지 뮤리엘은 살짝 눈을 찡그렸을 뿐 별다른 반응을 보이지 않았다. 열이 내린 것을 확인한 도미닉은 아예 의자를 끌고 와 뮤리엘을 마주 보고 앉았다. 진찰하듯 찬찬히 저를 살피는 모습에 뮤리엘이 픽 실소를 터트렸다.

"누가 보면 의사라도 되는 줄 알겠어요."

"안톤만은 못해도 나도 웬만큼은 압니다. 아무렴 평생 다니엘을 돌봐 왔는데 그쯤도 모를까."

몇 달 새 살이 쪽 빠져 광대가 도드라진 뮤리엘의 얼굴은 빈말이라도 괜찮아 보인다고 하긴 힘들었다. 탄식을 목 안으로 삼킨 도미닉은 애꿎은 타박만 늘어놓았다.

"언제 또 열이 오를지 모르니 침대에서 한 발짝도 나올 생각하지 말아요. 이 몰골로 뵈었다가는 당신이 죽고 못 사는 그 아가씨 기절시키기에 십상이니."

"……"

대답하지 않는 뮤리엘이 영 미덥지 않은지 도미닉은 가늘게 눈을 좁히고 그녀를 노려봤다.

"기억 잃은 남편만으로도 충분히 머리 아픈 분입니다. 더 힘들게 하지 말고, 내 말 명심해요. 내가 어떻게든 당신에게 쓴 약의 정체가 뭔지 알아낼 테니까 우선 회복부터 하고……."

"도미닉, 아가씨를 만나게 해 줘요."

내 이럴 줄 알았지. 도미닉은 어깨가 툭 내려갈 정도로 큰 한숨을 내뱉었다.

"어휴, 진짜……. 방금 내가 한 말은 대체 어디로 들은 겁니까?"

"당신도 알잖아요."

뮤리엘이 버석하게 마른 입술을 힘겹게 끌어 올리며 빙긋 웃었다.

"내게 시간이 많지 않다는 거."

그녀는 싸늘하게 표정을 굳히는 도미닉을 바라보며 더 진한 미소를 지었다.

"내 말대로 해 줘요. 나 혼자 편해지자고 이런 부탁 하는 거 아니니까. 말했듯이 난 아가씨에게 이별을 준비할 시간을 주려고 따라온 거예요."

긴 대화에 숨이 찬 뮤리엘은 말을 멈추고 짧게 숨을 골랐다.

"약속했거든요. 로테 아가씨처럼 마지막 인사도 없이 떠나지 않겠다고."

"마지막 인사는 무슨. 말했잖아요. 내가 당신의 몸속에 남은 그 거지 같은 독약의 정체를 알아내고 말겠다고."

뮤리엘의 몸 안에 남은 지독한 독은 그녀를 하루하루 서서히 말려 가며 생명을 갉아먹는 중이다. 어디에서 추출한 독인지 알 수가 없으니 해독제를 만들 수도 없었다.

"내일부터 쉔달 성을 이 잡듯이 뒤질 겁니다. 잠깐이라도 황실 근위대에 몸을 담았던 놈이니 분명히 꼬리가 잡힐 거예요. 운이 좋으면 아직 이 성안에 있을 수도 있고."

안톤은 표창에 묻은 독을 알아내지 못하면 완벽한 해독은 어렵다고 했다. 그걸 알아내려면 표창을 던진 놈, 지난해 황실 근위대에 섞여 멘하임 성에 온 그 자식을 찾아야 한다. 도미닉이 그놈을 꼭 잡고 말겠다며 의지를 불태웠지만 그게 쉬울 리 없다. 말을 돌리는 게 좋겠다고 느낀 뮤리엘은 재차 프리다의 안부를 물었다.

"우리 아가씬 어때요? 건강하신 거죠?"

"첼리노 물이 좋긴 좋나 봅니다. 미모가 만개하셔서 눈이 부실 지경입니다."

"공작 전하의 상태를 아셨으니 많이 놀라셨겠네요."

"놀라요? 우리 공작 부인께서?"

도미닉이 어이없다며 입술 새로 바람 소리를 터트리며 웃었다. 전부터 말했지만 로시발트는 공작 부인의 실체를 몰라도 너무 모른다.

"그분이 얼마나 강인한 분인데 남편이 기억을 잃은 거 따위로 낙담을 하신답니까? 그럴 시간에 새로운 일을 벌이고 말지."

"후후. 그럴지도 모르겠네요."

딴엔 맞는 말이다 싶어 동의를 표한 뮤리엘은 뒤통수를 침대에 기댄 채 물끄러미 도미닉을 바라보았다. 차분한 암갈색 눈동자의 사내가 고개를 갸웃거렸다.

"불안하게 왜 그렇게 봐요? 할 말 있으면 그냥 해요."

"진짜 해요?"

"하지 말라면 안 할 겁니까?"

도미닉이 들어주지 않을 것 같아서 그동안 못 한 말이 하나 있는데, 이젠 할 때가 되었다. 뮤리엘이 옅은 미소를 지으며 물었다.

"프리다 아가씨를 지켜 달라고 부탁해도 소용없겠죠?"

당신은 언제나 누구보다 리하르트 공작을 우선할 테니.

"당연한 소리. 난 다니엘만 지킵니다."

예상대로 도미닉은 즉각 콧방귀를 뀌었다.

"쓸데없는 생각 말고 잠이나 자요."

툴툴대면서도 뮤리엘의 어깨를 안아 침대에 눕히는 손길은 퍽 다정하고 조심스러웠다.

오랜만에 제대로 된 푹신한 침대에 누웠으니 잠이 올 만도 하건만. 다니엘은 또 지난밤을 뜬눈으로 지새우고 말았다. 그 옆에서 잠든 아내가 의식

되어 도저히 눈을 붙일 수가 없었다. 황실 사람들이 보는 앞에서 적잖은 소란을 피워 댄 뒤라 애초에 아내와 같은 방을 쓸 계획이었다. 하지만 한 침대에서 아침을 맞이하게 될 줄은 몰랐다.

"우리가 침대에서 보냈던 시간은 기억나는 거예요?"

그럴 리가. 다만 후각을 마비시키는 강렬한 향기에 취해 바로 답을 하지 못한 것뿐이다. 본능적으로 반응하는 솔직한 사내의 몸뚱이에 당황해서. 그런데 프리다는 그의 침묵을 긍정으로 받아들였다.

"그거라도 잊지 않은 게 어디예요. 희망이 있다는 거잖아요. 같이 지내다 보면 더 많은 게 떠오를 거예요. 다니엘. 나 힘껏 도울게요."

"다음에…… 이 얘기는 다음에 다시 합시다."

프리다에게 해 둬야 할 말이 적지 않았음에도 다니엘은 즉시 몸을 일으켰다. 더는 멀쩡한 척 그녀 옆에 있을 수가 없었다. 어릴 적 다니엘을 가르쳤던 리하르트 공작가의 가정 교사는 인간의 감각 중 후각이 가장 예민하다고 했었다.

그러니 적을 교란할 시 눈에 보이는 공포 외에도 혼란을 줄 만한 냄새를 적절히 더해 사용하는 게 효과적이라고. 뛰어난 전략가인 아내에게 불시에 뒤통수를 맞았다. 그것도 연달아.

"다니엘. 전처럼 팔베개해 줄래요?"

매우 적극적인 성격이라고 듣긴 했지만, 남녀 간의 일에도 대담할 줄이야.

"……돌겠네."

프리다는 밤새 그의 팔을 베고 잔 것도 모자라, 아침이 된 후에도 옆구리로 바짝 달라붙어 떨어지지 않았다. 다니엘은 목과 가슴팍에 규칙적으로 와 닿는 아내의 숨결을 느끼며 부르르 몸을 떨었다.

창을 타고 들어온 이른 아침 햇살이 침실 바닥에 아치 모양의 창문을 그렸다. 다니엘은 짧게 빛난 뒤 사라질 빛의 흔적을 보기 위해 고개를 틀었다.

"으음……"

하지만 가벼운 뒤척임이 느껴지자 즉시 자세를 바로잡았다. 품으로 파고드는 하얀 머리칼이 목을 간지럽히며 턱을 스쳤다. 다니엘은 프리다의 잠을 깨우지 않기 위해 조심히 몸을 틀어 옆으로 누웠다.

소문으로만 듣던 새하얀 얼굴이 지난밤의 흥분 때문인지 약간 붉어져 있었다. 왜 저를 잊은 거냐고 따지며 울더니 느닷없이 팔베개해 달라고 조르질 않나. 다니엘은 아내에 대한 그의 예상이 완전히 빗나갔음을 순순히 인정했다.

이마 위로 내려온 머리칼이 간지러운지 프리다가 콧잔등을 씰룩였다. 다니엘은 손가락을 들어 흘러내린 머리카락 몇 가닥을 슬며시 귀 뒤로 넘겼다. 방해물이 사라지자 프리다의 내쉬는 숨결이 오롯이 다니엘에게 닿았다. 따뜻한 온기에 상념은 사라지고, 피곤함이 일시에 풀리는 기분이었다. 분명 낯선데, 신기하게 익숙한 느낌.

'머리는 잊어도 몸이 기억한다.'

검술을 연마할 때나 쓰던 말을 아내에게 하게 될 줄이야. 웃는 듯 아닌 듯 희미한 미소가 굳게 다물려 있던 입술을 비집고 흘러나왔다. 다니엘은 프리다에게 뺏긴 오른팔을 고정한 채 조금 더 몸을 돌렸다. 옆으로 누운 채 마주 보자 아내의 숨결이 점점 더 진하게 느껴졌다.

지난겨울, 치우는 사람이 없어 뮌하임 성 곳곳에 차곡차곡 쌓여 가던 눈을 닮은 하얀 머리칼. 같은 색의 눈썹. 그보다는 조금 붉은 볼. 그리고 푸른 핏줄이 훤히 드러나 보이는 투명한 피부와 가는 목.

하나하나 세심히 훑어가다 보니 뺨과 귀 사이에 드문드문 생겨난 상처가 보였다. 혹, 지난여름에 입었다는 화상 자국인가. 손끝으로 상처를 쓸자 프리다가 간지럽다며 살짝 몸을 뒤척였다. 밤새 그의 팔에 올려진 머리는 무게감을 느낄 수 없을 만큼 가벼웠다.

규칙적인 숨소리와 뮌하임 성의 허브밭을 떠올리게 하는 향긋한 몸 내음. 그리고 기분을 나른하게 만드는 따스한 온기가 아니었다면, 누가 제 팔을 베고 있다는 것도 인지하지 못할 정도였다. 새삼 자각하게 된다. 토끼를 닮았던 꼬맹이가 정말 제 아내가 되었다는 걸.

혹 아내를 그의 인생에 다시 들여놓게 되는 일이 생기더라도 이런 방식이 될 줄은 몰랐다. 서서히 시간을 두고 스며든다면 거부감 적게 받아들일 수 있을지도 모르겠다고 여겼건만. 이리 단숨에 폭풍처럼 다가올 줄이야. 하루아침에 낯간지러운 소문의 주인공이 되어 있다는 걸 알았을 때도 이보다는 덜 황당했던 것 같다.

"그러니까 내가 아내를 위해 기사단을 만들어 바친 것도 모자라, 무릎을 꿇고 충성 맹세를 한 넋 빠진 놈이라는 건가?"

"정확하십니다. 주군."

얼토당토않다며 무시했던 도미닉의 우스갯소리도 모두 다 진실이라고 믿어야 할지도. 이쯤 되면 라파스 산의 금광을 다 털어 주지 않은 것만도 다행이라고 해야 할지.

똑…… 똑.

잠을 깨운다기보단 일어났으면 나와 보라는 듯한 소심한 인기척이 들렸다. 다니엘은 숨을 죽인 채 곤히 잠든 프리다의 머릿밑으로 왼손을 밀어 넣었다. 달라지지 않은 숨소리를 확인한 그는 팔베개해 주고 있던 오른팔을 슬며시 빼냈다.

뒤이어 머리를 받치고 있던 왼손마저 천천히 빼내자 침대 위에 깔린 하얀 시트 위로 작은 머리가 사뿐히 내려앉았다. 다니엘은 계속 숨을 죽인 채 밤 고양이처럼 소리 없이 침대 밖으로 나왔다.

그가 떠난 침대 위의 광경은 얼핏 비현실적이었다. 하얀 시트 위에 몸을 누인 프리다는 마치 눈밭에 잠든 천사 같았다. 고요히 서서 규칙적인 아내의 숨소리를 듣고 있던 다니엘은 이내 문 쪽으로 발을 돌렸다.

한 걸음 한 걸음 내딛는 걸음걸이가, 묵직한 나무문을 여는 손길이 그답지 않게 무척이나 조심스러웠다. 문밖에서 다니엘을 기다리고 있던 도미닉이 그를 보자 까닥 고개를 숙여 인사를 건넸다.

"황태후께서 아침 식사를 같이하고 싶다며 사람을 보내 왔습니다."

복도 중앙에 닿은 다니엘의 눈길 끝에 화려한 드레스를 입은 귀부인이 보였다. 그와 눈이 마주친 여인이 다소곳이 무릎을 구부려 예를 표했다. 가벼운 묵례로 답한 다니엘이 도미닉에게 조용히 물었다.

"황제는?"

역시나 한껏 소리를 낮춘 도미닉이 낮게 속삭였다.

"어젯밤 황제 궁이 발칵 뒤집혔습니다. 주군께서 건넨 명단에 있는 자들은 물론이고 가솔들까지 죄다 잡아들였답니다."

"우리 황제께서 화가 단단히 나신 모양이군."

"대체 자존심을 얼마나 건드려 놨길래 저 난리를 피우는 겁니까?"

손을 까닥여 물 항아리를 들고 온 로잘린을 돌려보낸 다니엘은 봄바람이 불어오는 복도 창가로 다가가 창틀을 짚었다.

"한마디밖에 안 했어."

"그러니까 그 한마디가 뭐였냐고요."

아침저녁으로 아직 차가운 기운이 느껴지는 유트레히트와 달리 첼리노는 완연한 봄이었다. 하인리히의 말대로 하얗게 꽃이 핀 나무가 줄지어 선 슈프렌 강의 전경도 제법 볼만했다. 바람이 흩트려 놓은 머리칼을 쓸어 넘긴 다니엘이 창틀에 비스듬히 어깨를 기대며 말했다.

"'폐하께선 실패하셨습니다.'라고 했던 것 같은데."

"아이고……."

도미닉이 손으로 얼굴을 감싸며 외마디 한탄을 쏟아 냈다.

"자존심을 제대로 건드리셨네요. 당분간 황제가 주군을 찾을 일은 없을 것 같은데, 계획대로 황태후부터 만나시겠습니까?"

"그러지."

아침 이슬에 젖어 축축해진 공기에 진하지 않은 꽃향기가 섞여 들었다.

밝을 때 보니 왠지 프리다를 떠올리게 하는 벨뷔 궁의 정원에 눈을 두던 다니엘이 도미닉에게 물었다.

"로시발트 경은 어때?"

"자기 말로는 괜찮다고 하는데, 상태가 안 좋습니다. 로시발트 경 때문에라도 황태후 궁에 자주 들러야겠습니다."

"그래야겠군."

"로시발트 경이 공작 부인을 뵙고 싶다고 우기는데 어쩔까요? 이별을 준비할 시간을 가지고 싶답니다. 나 참, 살 수 있다는데 왜 포기부터 하려드는 건지 원."

다니엘은 잔상이 남는 문장을 속으로 되뇌었다.

'이별을 준비할 시간이라.'

뮤리엘 로시발트는 명예를 아는 기사답게 죽음을 담담히 받아들이고 있었다. 다니엘의 어머니 라우라가 그랬던 것처럼.

"이번 기회가 아니면 영영 아가씨를 뵙지 못하고 세상을 떠날지도 모릅니다. 공작 전하. 제발 저를 데려가 주십시오. 절대 일정을 방해하지 않겠습니다."

문제는 프리다였다. 여려 보이지만 의외로 당찬 구석이 있는 그녀는 과연 자매처럼 가까웠다는 호위 기사의 마지막을 의연하게 지켜보기만 할까? 그리고 최악의 순간이 온다면 그 슬픔을 견뎌 낼 수 있을까?

어찌 됐든 이별을 준비할 시간을 가지고 싶다는 로시발트의 말은 그의 마음을 움직였다.

"만나게 해 줘. 해독제를 찾을 수 있을지 없을지 누가 알겠어, 찾아낸다 해도 때를 놓치면 소용없는 일이고. 진짜로 마지막이 될지도 모르는데 두 사람의 시간을 방해할 순 없지."

도미닉이 피식 웃음을 흘리는 소리가 들렸다. 창밖을 향하고 있던 고개를 돌려 눈으로 웃음의 의미를 묻자 도미닉이 입꼬리를 더 크게 실룩였다.

"이럴 때 보면 기억이 사라진 게 오히려 잘된 일이다 싶어서요."

다니엘은 계속 말해 보라며 도미닉을 지그시 바라봤다.

"전엔 부인과 로시발트 경을 떨어트려 놓지 못해 안달하셨거든요."

"내가?"

"네. 주군께서요. 로시발트 경뿐이겠습니까. 부인께서 관심을 보이는 거라면 뭐든 다 질투부터 시작하고 보셨습니다. 로시발트 경을 도로 공사 현장으로 보낸 것도 두 사람을 갈라놓으려고 일부러……."

"그만."

도미닉의 말을 멈추게 한 다니엘은 다시 방으로 돌아가기 위해 기대고 있던 몸을 일으켜 세웠다.

"……그럼 아침 식사를 함께하겠다고 황태후 궁에 답을 보내겠습니다."

"아침이 아니라 점심."

침실 안으로 돌아가기 전, 다니엘은 도미닉에게 지시를 내리며 손을 들어 로잘린을 불렀다.

"리하르트 공작은 오랜만에 만난 아내와 회포를 푸느라 아침 식사를 함께할 수 없다고 해. 점심이 싫으면 내일 봐도 상관없다고."

"알겠습니다."

도미닉이 다니엘의 답을 전하기 위해 뜬 자리에 로잘린이 다가와 섰다.

"말씀하십시오, 공작 전하."

"지금 정원에 피어 있는 꽃의 이름을 아나?"

리하르트 공작이 꽃 이름을 궁금해한다고? 로잘린은 자신이 맞게 들은 것인지 확인하기 위해 멀뚱멀뚱 다니엘을 바라보다 입을 열었다.

"하얀색과 보라색, 두 가지 종류의 꽃을 말씀하시는 거라면 '크로커스'입니다. 마님께서 직접 골라 심으셨습니다."

'크로커스.'

속으로 꽃 이름을 읊조린 다니엘이 알았으니 가 보라며 손을 까닥였다. 발길을 돌리려던 로잘린이 막 문고리를 붙드는 다니엘을 불렀다.

"저, 공작 전하, 크로커스 꽃의 꽃말도 알려 드릴까요?"

"아니."

꽃말 같은 건 관심 없다. 애초에 꽃 이름을 물어본 것도 프리다를 닮았다고 느꼈기 때문이다. 단호히 고개를 저은 다니엘이 문고리를 당기려는데 로잘린이 따라와 기어이 꽃말을 알려 주었다.

"난 언제나 당신을 기다리고 있습니다."

"……."

뭔 소리냐며 시큰둥하게 쳐다보자 로잘린이 느닷없이 실실댔다.

"마님께서 크로커스를 심으며 꽃말을 알려 주셨어요. 왠지……."

다니엘이 문고리를 잡은 채 멈춰 있자 로잘린이 한 발 앞으로 다가와 나머지 말을 건넸다.

"전하께선 알고 계셔야 할 것 같아서."

무슨 뜻인지 아시죠? 작게 속삭인 로잘린이 부리나케 그의 시야에서 사라졌다.

황태후 궁으로부터 점심을 같이하긴 어려우니 집무실에서 간단히 차를 마시자는 연락이 왔다. 초대에 감사한다는 답을 전한 다니엘은 그날 오후 거의 다섯 해 만에 황태후 궁을 찾았다. 갑갑한 옷은 질색이라며 손사래를 치던 도미닉도 오늘은 군소리 없이 기사단의 제복을 갖춰 입고 그의 뒤를 따라나섰다.

마그리트 황태후의 집무실은 전과 다름없이 화려했다. 커튼의 색이 달라지고 벽등이 더 고급스러운 것으로 교체된 것을 제외하면, 딱히 다른 점이 눈에 띄지 않았다. 황태후는 짙은 장밋빛 커튼을 두른 창 옆에 놓인 책상에 앉아 있었다.

곁눈질로 대충 집무실 안을 둘러본 다니엘은 서류를 읽고 있는 황태후를 향해 깊숙이 허리를 숙였다. 그가 온 것을 알렸을 텐데도 저러고 있는 걸 보면 아침 식사 초대를 거절당한 것에 적잖이 화가 난 듯싶었다.

"소신 다니엘 요하네스 리하르트, 황태후 폐하를 뵙습니다."

우아하게 고개를 든 황태후 마그리트는 매서운 눈으로 다니엘을 한번 살핀 후 다시 서류로 눈을 돌렸다.

"어제 알현실에서 벌인 그 우스꽝스러운 짓거리가 내 제안에 대한 너의 답이냐?"

생각해 보면 본심을 숨기고 모사를 꾸미는 데 탁월한 바이첸 가문의 핏줄인 황태후가 유독 다니엘 앞에서는 강한 모습만 보였던 것 같다. 마치 너 같은 건 얼마든지 힘으로 눌러 버릴 수 있다는 듯이. 그녀가 의도한 대로 어린 다니엘을 지배했던 공포는 제법 대단했다.

하지만 죽을 고비를 몇 번이나 넘기며 어른이 된 지금, 황태후는 더는 그에게 두려움의 대상이 아니다. 그저 경계하는 정도라면 모를까. 상대를 끊임없이 긴장하게 하는 능력이 있으니 여러모로 뛰어난 여자인 건 맞지만, 다니엘도 과거의 어린아이가 아니다. 그는 차분한 얼굴로 거리낌 없이 거짓말을 할 줄 아는 어른이 되었다.

"그럴 리가요. 황태후 폐하께서 정식으로 하신 제안이시니 저도 고심에 고심을 거듭한 뒤 정식으로 답을 드릴 참이었습니다."

서류에서 눈을 뗀 마그리트가 등을 바로 세웠다. 세월이 흘러 주름이 늘었을 뿐 상대를 꿰뚫어 보는 날카로운 눈빛은 그대로였다.

"네가 뭐라 답할지 궁금하구나."

"그보다 먼저 제 궁금증을 해결해 주셨으면 합니다, 폐하."

"궁금증?"

황태후의 표정이 싸늘해졌다. 천한 사생아 따위가 제가 하는 일에 의문을 제기하는 게 몹시 기분 나쁘다는 듯이. 조소를 머금은 다니엘이 태연히 시선을 맞추며 물었다.

"제 씨를 필요로 하는 바이첸의 숙녀는 어떤 분입니까?"

"……안 본 사이 말본새가 몹시 천박해졌구나."

황태후 마그리트가 근엄한 목소리로 다니엘을 나무랐다. 어떤 식으로든 다니엘이 바이첸 가문의 이름을 입에 올린 것이 매우 불쾌하다는 듯 내뱉는 말소리에 바짝 날이 섰다.

"너는 스베르겐 제국의 근간인 위대한 십이 공작 중 한 명이다. 그 이름에 누를 끼치는 언행을 보여선 안 된다는 걸 명심하거라."

그 위대한 십이 공작의 씨를 말리려던 게 누구였더라. 언제나 그랬듯이 황태후를 향한 비웃음은 다니엘의 덤덤한 표정을 비집고 새어 나오지 못했다.

"네 천한 어미가 다른 건 몰라도 예법만은 제대로 가르쳤다고 생색을 내더니, 그것도 아니었구나."

'천한 어미.'

황태후가 습관처럼 내뱉는 문장을 듣고 나니 어디서부터 기억이 사라진 건지 대충 알 것 같았다. 다섯 해 전, 다니엘은 진즉부터 노팅겐 공작이 반란 혹은 그에 맞먹는 일을 벌일 거라고 예상하고 있었다. 그와 도미닉이 사방에 거미줄처럼 쳐 놓은 정보망에 노팅겐 가문의 수상한 금전 거래가 잡힌 지 오래였으니.

하지만 쉔달 성에 그 사실을 보고하지 않았다. 은밀히 돈의 출처를 조사하며 이 일이 온전히 수면 위로 올라오기를 기다렸다. 섣불리 나서서 경고해 봐야 의심 많은 황태후에게 오해만 사게 될 게 뻔했기에 모르는 척 뭰하임 성에 처박혀 꿈쩍도 하지 않았다.

황태후와 다니엘 사이에 이뤄진 계약상 그가 할 일은 오직 레오폴드를 지키는 것뿐. 스베르겐 제국을 수호하는 거창한 책무는 그의 몫이 아니었으니까. 황태후 또한 후일 반란이 시작되고 난 후에도 바로 다니엘을 찾지는 않았다. 노팅겐 공작의 반란이 수도 첼리노 근처가 아닌 멀리 떨어진 북부에서 시작되었기 때문이다.

그러나 예상보다 전황이 불리하게 돌아가며 변경백이 지원을 청해 오자 어김없이 다니엘을 불렀다. 군사를 꾸려 첼리노로 올라오라는 명령을 받고 쉔달 성에 도착했던 날. 황태후는 다니엘에게 목을 축일 물 한잔 권하지 않고 그를 전쟁터로 쫓아냈다.

"천한 것이 과분한 이름을 가졌으니 어깨가 무겁겠구나. 절대 자만하지 말고. 네 본분에 충실하거라. 네 어미가 널 대신해 죽어 가며 한 맹세를 한시도 잊지 않아야 할 것이다."

그날 이후부터 기억이 가물가물하다. 황태후 마그리트는 다니엘의 기를 누르고 싶을 때면 종종 돌아가신 어머니를 언급하며 그의 죄책감을 건드렸다.

하지만 천하의 황태후도 다니엘이 어른이 되는 걸 막을 수는 없는 법. 세월의 무게가 더해진 심장의 상처는 나날이 견딜 만해졌다. 상처가 벗겨지고 아물기를 반복하며 무뎌져 버린 손바닥처럼 심장에도 굳은살이 생긴 것이다. 고름이 흐르고 따끔거리며 여전히 아프다 해도.

그런데 오늘은 다니엘의 심장이 유난히 차분하다. 황태후의 도발에 딱히 마음이 동요하지 않는 것도 좀 수상하고. 마치 누군가 오랫동안 공들여 그를 토닥이고 달래 놓기라도 한 것처럼 맥박도 안정적으로 뛰었다. 사라진 기억과 함께 그 안에 응어리져 있던 죄책감의 일부가 같이 떨어져 나가기라도 한 걸까.

불현듯 평화로운 한낮, 울창한 숲길의 풍경이 떠올랐다. 동시에 누구의 것인지 알 수 없는 목소리들이 연달아 희미하게 들려왔다.

"내…… 얘기…… 들어 줄래요?"

귀에 익은 사내의 목소리.

"……해요. 내가…… 들어 줄게요."

분명 낯선데 묘하게 그리운, 봄바람을 닮은 여인의 음성까지. 다니엘은 돌연 멍해지는 정신을 빠르게 붙들었다. 황태후 앞에서까지 긴장을 풀다니. 정말 머리가 어떻게 된 모양이다. 황태후의 노여움이 의문으로 바뀌기 전 서둘러, 그러나 티 나지 않게 차분히 대답했다.

"송구합니다, 폐하. 의식을 찾은 이후 제 기억이 예전 같지 않습니다."

완벽하게 상대를 속이고 싶다면 진실 속에 교묘히 거짓을 섞으면 된다. 다니엘은 저를 노려보고 있는 황태후를 향해 정중히 허리를 숙였다.

"제가 간혹 예법을 잊더라도 사정이 있어 그런 것이니 크게 실망하지 않으셨으면 합니다."

지그시 다니엘을 마주 보던 황태후는 책상 위로 양손을 올려 깍지를 꼈다. 솔직히 그녀에겐 다니엘을 책망하는 것보다 더 급한 일이 있었다.

"내 제안을 고민 중이라면서, 어제 그따위 촌극을 벌인 까닭은 무엇이냐?"

"아홉 달 만에 만난 아내가 반가워 마음을 표현한다는 것이 좀 과했었나 봅니다. 불편하셨다면 주의하겠습니다."

마그리트는 언제나처럼 감정이 드러나지 않는 침착한 다니엘의 얼굴을 찬찬히 바라보았다. 언젠가부터 다니엘의 속내가 보이지 않는다. 어른이 된 이후, 벌벌 떨지 않을 뿐 그녀의 눈을 오래 마주 보지 못하던 다니엘이 점차 그녀의 시선을 피하지 않게 되었다. 짐짓 고개를 조아리는 행동에 담긴 두려움도 눈에 띄게 옅어져 갔다.

그때부터 마그리트는 다니엘을 더 강하게 눌러 밟았다. 딴마음을 먹는 즉시 네 주변 사람들을 모조리 도륙하겠다, 끊임없이 도발하고 시험하며 경고를 건넸다. 마그리트는 라우라의 아들을 다룰 더 좋은 방법을 알지 못했다. 안다 한들 그녀의 자존심이 다니엘에게 채찍 대신 당근을 쓰는 걸 허락하지도 않았을 테지만.

"그 정도로 두 사람 사이가 애틋한 줄은 몰랐구나."

"제가 잠들어 있던 지난 삼 년 동안 영지를 홀로 지켜 낸 아내입니다. 애정이 생기지 않는 것이 오히려 이상하지요."

다니엘이 여자에게 정을 느꼈다니. 생경한 대답에 눈꼬리가 위로 치켜떠졌다.

"영지와 아내에게 가지는 그 애정을 스베르겐에도 보여 준다면 좋을 텐데 말이다."

무겁고 고요한 집무실 안에 순간 '픽' 하고 이질적인 소리가 퍼져 나갔다.

"지금까진 아니었을지라도, 조만간 제 자식이 제국의 주인이 된다면……곧 그리될지도 모르겠네요."

준비 없이 일격을 당한 황태후의 얼굴에 분노가 너울거렸다.

"정말 건방져졌구나, 다니엘."

덤덤한 의붓아들의 얼굴 위로 돌연 환하게 웃는 라우라가 겹쳐졌다. 그런 정부를 응시하던 남편의 애정이 담뿍 서린 미소도.

마그리트의 외모를 물려받은 레오폴드와 달리 다니엘은 커 갈수록 남편을 닮아 갔다. 특히 세상의 온갖 빛을 다 담은 듯 해맑게 웃다가도 자신만 나타나면 이내 미소를 잃고 냉담해지던 표정이 유독.

그래서였는지도 모르겠다. 제 앞에서 천진하게 미소 짓는 다니엘에게 눈이 갔던 건. 남편을 닮은 얼굴로 저를 동경하던 소년을 잠시나마 연민을 가지고 대했던 것도. 마주 보고 있기 불편해진 마그리트는 오히려 더 차갑게 표정을 굳혔다.

"비록 반쪽뿐이라 해도 저는 엄연히 리하르트입니다. 폐하께서 바이첸 가문의 귀한 공녀가 리하르트의 씨를 품을 수 있는 방법을 찾고 계신다면, 해결책은 오직 저 하나뿐이라는 말이 되겠지요."

얼핏 드러내 보인 감정을 순식간에 지워 낸 다니엘이 다시 무감한 얼굴로 돌아왔다.

"클리마 백작이 밤 고양이 흉내를 내며 수차례 뭰하임 성을 드나드는 이유도 그래서일 텐데요."

황태후의 최측근인 클리마 백작이 황태후의 전언을 가지고 처음 찾아온 것이 지난겨울. 백작은 그 후로도 황제와 귀족들의 눈을 피해 다니엘을 만나러 왔고, 그동안 황태후의 계획은 점점 구체화되어 갔다.

"조금 전까지 고심 중이라더니. 그새 마음을 정한 게냐?"

"고심 중입니다. 솔직히 말씀드리면 폐하를 어디까지 믿어야 할지 아직 결정하지 못했습니다."

"아내에게 정이 들어서가 아니고?"

가볍게 웃은 뒤 미소를 갈무리해 버린 다니엘의 입매는 전과 다름없이 말끔했다.

"짐작하고 계신다니 답을 드리는 데 시간이 걸리더라도 너그러이 양해해 주시리라 믿습니다."

마그리트의 파란 눈동자가 분노로 차갑게 타올랐다. 그녀에게 시간이 없음을 누구보다 잘 아는 주제에 시간이 걸려도 양해해 달라고?

본심은 당장이라도 볼썽사나운 보라색 넝마 무리와 함께 다니엘의 목을 베 버리고 싶은 심정이다. 벨뷔 궁에 처박혀 꼼작도 하지 않는 그 눈에 거슬리는 하얀 것도 함께.

대수롭지 않게 여겼던 것치곤 하크본 백작의 딸은 여러모로 마그리트의 신경을 곤두서게 했다. 계획대로라면 한참 전에 죽어 없어져야 했건만 여태 살아 있는 것도 그렇고. 아무것도 쥔 것 없는 주제에 성녀니 뭐니 하며 레오폴드의 든든한 뒷배가 되어 주고 있다는 것도 그랬다.

약점이 될까 봐 아닌 척할 뿐, 다니엘은 하크본의 딸을 꽤 아끼는 것이 틀림없다. 여인들에게 모질지 못한 리하르트 남자들의 성정이 쉽게 변할 리 없으니까. 남편 브루노 리하르트 선대 공작은 온 마음을 정부에게 주고도 아내인 제게 깍듯하게 예의를 지켰다. 심지어 그녀의 강요로 억지로 남편의 의무를 이행하는 순간에도.

레오폴드도 마찬가지다. 마그리트가 아무리 싫은 눈치를 줘도 그 건방지고 눈치 없는 페트리샤 뷔테인을 버릴 듯 버리지 않고 챙긴다. 그러나 다니엘은 야망이 있는 사내였다. 저를 돋보이고 증명하고 싶어 한다. 그래서 아내를 이곳에 보내고도 조용히, 제 몸값이 오를 때까지 영지에 처박혀 있었던 것이 틀림없다.

바이첸보다 더한 냉정함, 영악함 그리고 치밀함. 다니엘은 마그리트가 레오폴드에게 원하던 바로 그 자질을 모두 갖췄다.

'건방진 놈.'

제 녀석이 평생 꿈꿔 오던 야망을 이뤄 주겠다는데, 어디서 감히 같잖은 핑계로 저를 시험하려 든단 말인가.

"사흘 내로 답을 가져와라. 그 이상의 너그러움은 기대하지 않는 것이 좋을 거다."

싸늘한 일갈에도 다니엘은 놀라기는커녕 과장되지 않은 우아한 동작으로 반듯하게 펴고 있던 허리를 숙였다.

"존명. 과분하신 처사에 감사드립니다, 폐하."

황태후의 집무실을 나온 다니엘이 뚜벅뚜벅 복도를 걷자 멀찌감치 서 있던 도미닉이 다가와 그와 보폭을 맞췄다.

"시간은 얼마나 버셨습니까?"

"최소 사흘."

도미닉이 '흠' 콧숨을 내쉬며 고개를 끄덕였다.

"나쁘지 않네요."

복도에 일렬로 늘어선 경비병들의 시선을 한 몸에 받으며 걷던 다니엘이 소리를 낮추고 물었다.

"어디까지 살펴봤어?"

"두루두루요."

"괜한 의심만 준 건 아니고?"

"날 뭐로 보고……."

황태후 궁을 빠져나온 도미닉이 목을 가린 불편한 제복 깃을 끌어 내리며 본격적으로 투덜댔다.

"화장실 찾는 척하며 몇 놈에게 말을 걸어 봤습니다. 낯이 익은데 지난해에 황제 폐하와 리하르트 공작령에 오지 않았냐고 물었더니, 자기는 아니지만 같은 숙소를 쓰는 기사 중에는 황제의 외유 당시 근위대로 다녀온 사람이 있다고 하더라고요."

"그래서?"

"당시 황제를 호위했던 근위대원 중 여러 명이 교체되고, 보직도 변경되었답니다. 며칠 드나들다 보면 얼굴을 아는 이가 나타날지도 모르겠습니다."

도미닉이 뮌하임 성에서 황실 근위대와 소란을 일으켰던 때 부러졌던 코뼈를 만지작대며 으르렁거렸다.

"그때 날 때린 놈들 얼굴, 내가 똑똑히 기억해 뒀거든요. 어제 알현실 앞에서도 두 놈 봤습니다."

외진 곳에 떨어진 벨뷔 궁으로 돌아가기 위해 말에 오른 다니엘은 어제 알현실에서 근위대장과 나눴던 대화를 떠올렸다.

"황실 근위대의 명예를 지키기 위해 결투라도 신청할 텐가?"

"망신이라면 지난여름 뮌하임 성에서 톡톡히 당했습니다."

근위대장은 허언이 없는 진중한 자였다. 그마저 지난해 다니엘이 황실 근위대원 수십 명과의 결투에서 압도적으로 이긴 사실을 언급하는 걸 보면 도미닉의 말이 허풍이 아닌 건 확실하다.

말고삐를 쥔 다니엘의 손에 꽉 힘이 들어갔다. 지금 이 몸 상태로 다시 대결을 펼친다면, 과연 그때와 같은 실력이 나올까. 연달아 일곱? 아니, 다섯? 중간에 근위대장처럼 무거운 검을 쓰는 자가 끼어 힘으로 밀어붙인다면 다섯조차 감당하지 못할지도.

실력이 전과 같지 않음을 인정하는 건 퍽 씁쓸하고 언짢지만, 실수를 줄이기 위해선 꼭 필요한 일이다. 그래야 괜한 객기로 감당하지 못할 일을 벌이지 않게 된다.

누가 다니엘에게 잃어버린 기억과 사라져 버린 능력 중 무엇을 돌려받고 싶냐고 묻는다면, 다니엘은 망설임 없이 능력을 선택했을 것이다.

부드러운 봄바람을 따라 유영하듯 흔들리는 꽃밭 사이에서 로시발트를 끌어안고 있는 프리다를 발견하기 전, 그 질문을 들었다면. 로시발트의 품속에서 흩날리는 새하얀 머리칼을 응시하던 다니엘이 싸늘하게 중얼거렸다.

"형 말이 또 맞았네."

질투가 심했다더니.

"전엔 부인과 로시발트 경을 떨어트려 놓지 못해 안달하셨거든요."

"내가?"

"네. 주군께서요. 로시발트 경뿐이겠습니까. 부인께서 관심을 보이는 거라면 뭐든 다 질투부터 시작하고 보셨습니다."

낯선 듯 익숙한 충동이 들끓었다. 득달같이 달려가 서로를 부둥켜안고 있는 두 사람을 떼어 놓고 싶다는 과격한 충동이. 기억보다 먼저 찾아온 본성이 다니엘의 눈을 붉게 물들였다.

프리다는 뮤리엘의 허리를 감은 손에 꽉 힘을 주며 울먹였다.

"진짜 뮤리엘이야? 뮤리엘 맞아?"

조금 전 꽃길 사이로 걸어오는 뮤리엘을 발견한 순간, 프리다는 땅속 깊이 뿌리 내린 나무처럼 그 자리에 굳어 버렸다. 다시 만났다는 게 믿어지지 않았다. 정신을 차리고 한달음에 달려와 뮤리엘을 안은 지금도 꿈같기는 마찬가지다. 머리 위에 쓰고 있던 모자가 벗겨져 바닥으로 나뒹굴었지만 주워 들 겨를이 없었다. 뮤리엘이 왔다. 나의 뮤리엘이.

"뮤리엘, 나 꿈꾸는 거 아니지? 이거 꿈 아니지?"

"볼 꼬집어 드릴까요?"

장난기 어린 다정한 목소리.

"네. 아가씨의 호위 기사 뮤리엘 로시발트입니다. 설마 몇 달 못 봤다고 절 잊어버리신 건 아니죠?"

프리다의 등을 토닥이는 따스하고 부드러운 손길. 코끝에 느껴지는 특유의 풀꽃 향기, 의심할 바 없는 최고의 친구이자 프리다의 수호신 뮤리엘 로시발트였다.

"뮤리엘. 맙소사, 정말 뮤리엘이구나. 나의 뮤리엘이야……."

프리다는 울먹이며 뮤리엘의 품으로 더 깊이 파고들었다. 뮤리엘을 벨뷔궁에서 보게 되다니 꿈만 같았다. 돌이켜 보니 오늘 하루 내내 꿈속을 걷는 기분이다.

오랜만에 늦잠을 자고 일어나 굼뜨게 눈을 떴을 때부터 그랬다. 평소보다 늦게 일어났다는 걸 인지하고도 프리다의 눈꺼풀은 느리게 올라갔다. 아마도 눈앞에 펼쳐진 광경이 낯설어 머리가 멍해졌던 것 같다. 새까만 하늘이나 희미하게 밝아 오는 여명이 아닌 화사한 햇살 속에서 눈을 뜬 게 얼마 만이었더라.

조금씩 초점을 잡아 가는 눈에 잡힌 햇살은 화사하고…… 좁았다. '가늘다'가 아니라 '좁다'라고 느낀 까닭은 햇살이 지나가는 길목에 앉아 있는 남자 때문이었다. 그의 얼굴 반쪽에만 걸쳐져 있는 빛이 조금만 더 넓었으면 좋겠다 싶어서.

햇살은 나무토막처럼 무감하게 앉아 책을 읽고 있는 다니엘의 머리칼을 반쯤 금빛으로 물들이고 있었다. 비록 반쪽뿐이었지만 다니엘에겐 금빛이 무척 잘 어울렸다.

'금발 머리의 다니엘이라.'

그 모습도 근사했겠다 싶어 입꼬리가 비스듬히 올라갔다. 때마침 고요히 책을 읽고 있던 다니엘이 책장을 넘기기 위해 팔을 들었다. 어깨가 미세하게 틀어지며 나머지 머리칼이 햇살 속에 담겼다.

다니엘은 눈이 부신 듯 간간이 눈을 좁히면서도 자리를 옮기지 않았다. 그사이 프리다의 소망대로 창을 넘어온 햇살은 점점 더 넓어졌고, 그의 머리칼은 조금씩 더 금빛이 되어 갔다.

햇살로 만들어진 금가루가 그의 머리 위로 소복이 내려앉았다. 좀처럼 눈이 떨어지지 않는 평화롭고 황홀한 광경이었다. 눈꺼풀이 무겁고 따끔거려도, 깜빡이고 싶지 않을 만큼. 이게 꿈이라면 매일 꾸고 싶다고 생각할 즈음. 책장에 눈을 고정한 채, 말 그대로 '스르르' 다니엘의 입술이 열렸다.

"감상은 끝나셨습니까?"

자신이 침대에 누워 그를 물끄러미 바라보고 있었다는 사실을 깨닫자 민망함이 몰려왔다.

"아침잠이 많으신 편이군요. 피곤하시면 더 쉬셔도 됩니다. 오랜만에 재회한 부부이니 아침 식사가 다소 늦는다고 해도 다들 이해할 겁니다."

나직하게 읊조리는 입가에 무미건조한 미소가 떠올랐다 사라졌다. 쥐구멍을 찾아 숨고 싶을 만큼 창피했다. 그 순간엔 할 수만 있다면 오늘 하루를 통째로 지워 버렸으면 하고 바랐지만 더는 아니다.

오늘은 프리다의 인생에서 가장 행복한 날 중 하나가 될 테니까. 뮤리엘이 눈앞에 있다는 게 믿어지지 않아 프리다는 확인하듯 연이어 그녀의 품 안으로 깊이 안겼다.

"보고 싶었어, 뮤리엘. 매일매일 하루도 빠지지 않고 뮤리엘을 생각했어."

미는 힘을 이기지 못하고 다리를 휘청이며 뒤로 물러선 뮤리엘이 빙긋 웃으며 프리다의 뒤통수를 쓸어내렸다.

"저도 매일 아가씨를 그리워했습니다."

뮤리엘은 손을 아래로 내려 그녀의 허리를 꽉 붙들고 있는 프리다의 팔을 풀었다. 얼굴을 마주 볼 수 있게 거리를 벌린 뮤리엘이 물기로 촉촉이 젖어 들고 있는 프리다의 눈을 마주 보며 게슴츠레 눈을 좁혔다.

"고작 며칠 누워 있었다고 절 두고 혼자 내빼시다니. 다시 만나면 이 천방지축 아가씨를 어떻게 혼내야 하나 고민하면서 말이죠."

"그, 그건……."

프리다의 뺨을 타고 도르르 눈물이 흘러내렸다. 손끝으로 능숙하게 눈물을 닦아 준 뮤리엘이 눈을 더 크게 부릅떴다.

"불쌍한 척하셔도 어림없습니다. 이번엔 적당히 넘어가 드리지 않을 거니까요."

엄포를 놓는 말투임에도 표정은 애정으로 가득했다. 누가 봐도 뮤리엘이 화를 내는 것처럼 보이지는 않는데, 프리다의 얼굴은 점점 사색이 되어 갔다. 뮤리엘에게 잡혀 있던 팔을 빼낸 프리다는 재빨리 눈물을 훔쳐 냈다.

그러곤 시야가 밝아지도록 몇 번 눈을 깜박인 뒤 뮤리엘의 얼굴을 빤히 바라보았다. 뮤리엘이 맞는데, 뮤리엘이 아닌 듯한 묘한 느낌. 뭔가 아주 많이 이상했다. 아나나 다를까 그녀의 눈앞에 있는 뮤리엘은 프리다가 알던 예전의 그녀가 아니었다.

"뮤리엘. 얼굴이 왜 이래? 살은 왜 이렇게 많이 빠진 거야?"

건강한 구릿빛으로 빛나던 얼굴은 혈색이 사라져 창백했고, 입술에도 푸른 기가 돌았다. 얼핏 봤을 땐 잘 어울린다고만 느꼈던 아메티스 기사단의 검은 제복도 자세히 보니 여기저기 헐거운 데가 한두 곳이 아니었다.

무엇보다 팔목이 너무 가늘었다. 툭하면 프리다의 앞을 막아서며 안 된다고 얄밉게 양쪽으로 저어 대던 고개 아래 목선도. 눈으로 보고도 믿기지 않아 뺨을 감싸자 축축한 식은땀이 손바닥을 적셨다.

"뮤리엘······."

프리다는 병색이 완연한 뮤리엘의 모습에 할 말을 잃고 멍하니 그녀를 바라볼 수밖에 없었다. 그러자 뮤리엘이 제 뺨에 닿은 프리다의 손을 토닥이며 힘겹게 미소 지었다. 허리를 굽혀 바닥에 떨어진 모자를 집어 든 그녀는 프리다의 머리 위에 모자를 씌운 뒤 턱 아래로 단단히 끈을 묶었다.

"아가씨와 나눠야 할 말이 아주 많은데, 우리 좀 앉을까요?"

멀리 보이는 하늘의 끄트머리. 파랗고 맑은 하늘이 끝나는 부분 어딘가에서 물기를 가득 품은 검은 구름이 천천히 피어나 다가오고 있었다.

연한 크림색과 차분한 회색으로 장식된 벨뷰 궁의 응접실은 아담하고 고풍스러웠다. 화려한 색감으로 장식된 다른 건물들과는 확연히 비교되어 쉔달 성이 아닌 다른 곳에 온 듯한 느낌이다.

'이것도 내 아내의 취향인가.'

어딘가 뭰하임 성을 연상시키는 요란스럽지 않은 응접실의 전경이 마음에 들었다. 벽지의 색과 비슷한 등받이가 있는 넓은 회색 의자에 기대앉은 다니엘의 눈빛에서 점차 짜증이 사라졌다.

지난여름, 의식이 돌아오던 날. 천장에 새겨진 낯익은 물푸레나무를 봤을 때만 해도 자신이 뭰하임 성에 누워 있구나 했었다. 하지만 불과 몇 분도 지나지 않아 주변의 모든 것이 낯설어졌다. 눈에 들어오는 것마다 죄다 처음 보는 것투성이. 여기가 어딘가 경계하느라 잠시 넋을 빼놓고 두리번거릴 정도였다.

사실 다니엘은 기억을 잃었다는 진단보다 아내가 생겼다는 사실에 더 놀랐는지도 모르겠다. 삭막한 기운으로 가득했던 성 곳곳이 전과 달라져 있는 까닭이 아내의 손길 때문임을 알고 나서도, 일부러 외면하고 싶었던 걸 보면. 먼저 몸부터 회복해야 한다는 핑계를 대며 아내라는 존재를 묻지도, 궁금해하지도 않았다. 그렇다고 귀에 들려오는 것까지 막을 도리는 없으니 자연히 이것저것 알게 되긴 했지만.

뮌하임 성에선 도미닉과 리카르도가 그러더니, 오늘은 하인리히가 그 역할을 맡았다. 아침나절부터 들이닥친 하인리히는 다니엘이 나타날 때까지 온종일 이 응접실에서 뒹굴뒹굴하며 버텼다고 한다.

"말도 마. 프리다 지키느라 나까지 팔자에도 없는 감금 생활을 해야 했다고"

그동안 제 공을 생색내고 싶어 얼마나 참았을까. 다니엘의 뒤편에 서 있던 도미닉은 입을 다물 기미가 보이지 않는 하인리히를 보며 쯧쯧 혀를 찼다.

"새벽에 눈 뜨자마자 부리나케 달려와서 저녁까지. 작년 여름부터 내내 이 좁아터진 벨뷔 궁에 처박혀 있었다니까."

귀만 열었을 뿐 입을 꾹 다물고 있는 다니엘 대신 도미닉이 간간이 질문을 건넸다.

"지난해 가을에 쉔달 성이 제법 시끄러웠다고 들었습니다만. 연회가 끊이지 않았으니 업다이크 후작 영식께서도 꽤 즐거운 시간을 보내셨을 것 아닙니까?"

"연회 좋아하네. 프리다가 그런 곳에 나다닐 성격이야? 연회장 문턱 한번 밟아 보는 게 내 소원이었다, 이 인간아."

팔짱을 낀 하인리히가 인상을 쓰며 불퉁댔다.

"허구한 날 방에 처박혀 뭘 하는지 나오질 않는데 연회는 개뿔. 사람이 찾아와도 가끔 얼굴만 삐죽 내밀고 말이야. 아무리 남편의 친우라도, 외간 사내와 단둘이 자주 만나면 오해를 살 수 있으니 찾아오지도 말래. 아니, 내가 누구 때문에 여기 이러고 있었는데!"

곱씹을수록 분통이 터지는지 목소리 높이가 점점 올라갔다. 도미닉이 의

아해하며 고개를 갸웃거렸다.

"지난해 온 첼리노가 리하르트 공작 부인에 대한 소문으로 들썩였습니다. 떠도는 소문 중엔 황제 폐하와 부인이 연회장에서 춤을 췄다는 얘기도……."

"당연히 헛소문이지. 프리다 혼자 췄다면 모를까, 나랑도 안 춘 춤을 황제랑 왜 춰?"

띠껍다는 듯 눈꼬리를 쳐든 하인리히가 도미닉을 째려봤다.

"너는 그걸 믿냐?"

"믿은 게 아니라……."

하인리히가 억울하다는 도미닉의 하소연을 냉정하게 비웃었다.

"말했잖아. 작년 여름에 황제가 프리다를 데리고 첼리노 주변 영지를 빙빙 돌았다고."

"들었습니다. 그때 입은 화상과 피로로 공작 부인께선 가을이 끝나도록 심하게 앓으셨고, 저희는 그 소식을 겨울이 다 돼서야 들었지요."

이번엔 도미닉이 반격할 차례였다. 쉔달 성에서 꼼짝하지 말고 공작 부인을 지키고 있다가 뭐든 알리라고 신신당부를 했건만. 그런 중요한 소식을 한참 뒤에나 전해? 그 점은 저도 찔렸는지 하인리히는 도미닉의 책망하는 시선을 피해 고개를 돌렸다.

"프리다가 자기가 아프다는 소식을 펜하임 성에 알렸다간 나랑 다시는 안 볼 거라고 협박했다니까? 도미닉, 너도 프리다 고집 센 거 알잖아. 세상 여리게 생겨선 황소고집에, 화나면 또 얼마나 살 떨리게 구는지 원."

하긴 그 고집을 누가 말린다고. 익히 짐작이 가고도 남아 도미닉도 더는 하인리히를 채근하지 않았다. 테이블 위에 놓인 포도주로 목을 축인 하인리히는 이 자리에 없는 사람처럼 조용히 앉아 있는 다니엘을 흘깃 본 뒤 다시 입을 뗐다.

"한차례 죽을 고비를 넘긴 이후론 황제도 식겁한 모양이야. 더는 사람들

앞에 얼굴을 비추라고 하지 않더라고. 효과는 오히려 좋아졌지. 프리다가 모습을 보이지 않게 되자 귀족들의 관심이 폭발했거든."

"황태후가 엄청 거슬려 했겠네요."

"말도 마. 눈엣가시로 보는지 벨뷔 궁 주변이 온통 황태후 궁의 첩자로 득실거렸어. 잡아서 족쳐 놓으면 뭘 해, 다음 날이면 또 새로운 놈을 보내는데. 그래서 아예 돈을 뿌려 매수해 버렸지."

당시 일을 떠올리는 것만으로도 몸서리가 쳐졌다. 하인리히는 절레절레 고개를 저으며 어깨를 부들부들 떨었다.

"내 덕에 그 늙은 여우가 잠잠한 줄이나 알아. 프리다를 못 잡아먹어 난리도 아니었어."

"하인리히, 너……."

가만히 있던 다니엘이 갑자기 하인리히를 불렀다. 다니엘의 몸에서 돌연 냉기가 뿜어져 나왔다. 전쟁터라면 만만치 않게 겪어 본 도미닉조차 한 걸음 뒤로 물러서야 할 정도로 차가운 기운이.

"내 아내 이름 들먹이지 마."

도미닉은 하인리히가 마주한 다니엘의 눈빛이 어떤 색일지 보지 않아도 알 것 같았다.

"거슬려."

담담한 목소리와 어울리지 않는 살벌하게 붉은 핏빛 눈동자가 하인리히를 응시하고 있을 거란 것도.

"뭐, 뭐야? 대체 왜 눈이 벌게지는 건데?"

하인리히는 다니엘이 왜 화가 난 건지 알 수 없어 어리둥절한 채로 잠시 쩍 얼어붙었다. 그러나 이내 흐물흐물 풀어진 그는 평소보다 더 반짝반짝 눈을 빛내며 정신 나간 인간처럼 실룩샐룩 웃었다. 핏빛으로 눈동자를 물들인 다니엘이라니. 너무 매혹적이지 않은가 말이다. 하인리히는 자신이 한순간이나마 겁을 먹었다는 것도 잊고 입꼬리를 들썩였다.

"이러지 마, 다니엘. 알잖아, 네가 화내면 내 심장이 주체할 수 없이 미치도록 설렌다는 거."

어느 틈엔가 다니엘에게서 두어 걸음 떨어져 있던 도미닉이 기막혀하며 혀를 찼다. 하인리히가 하는 넋 빠진 짓거리가 어디 하루 이틀이던가. 보고 있으면 제정신이 맞나 하다가도, 정신세계가 저쯤은 독특해야 다니엘 곁에 남지 싶기도 하고. 아무튼 지난 아홉 달 동안 큰 도움을 받았으니 적어도 그 점은 다니엘에게 상기시켜 줄 필요가 있어 보였다.

"주군. 업다이크 후작 영식께서 보일드 남작의 소송 때 공작 부인을 물심양면으로 도와주셨습니다. 아마 그때 쌓인 친분으로……."

"다 아는 얘기야. 주절주절 설명할 필요 없어."

다니엘이 싸늘한 어조로 도미닉의 말을 끊었다. 하인리히를 보는 눈빛 역시 말투만큼이나 차가웠다.

"하인리히, 네 녀석과 내 아내의 사연엔 관심 없어. 다만 내 아내는 너와 달리 정식 작위가 있는 귀부인이다. 그녀는 네가 사사로이 대해도 되는 친구가 아니다. 예의를 갖춰 대해."

"우리 친구 맞는데?"

하인리히는 장난기 가득한 얼굴을 다니엘의 코 앞에 들이댔다. 진즉부터 다니엘의 면전에 대고 이 소식을 알리고 싶어 입이 근질거렸더랬다.

"프리다랑 나 친구 맞아. 이름을 불러도 좋다고 정식으로 허락도 받아."

처음엔 단순히 놀리고 싶다는 마음이 컸지만 이젠 궁금해서라도 다니엘을 도발해 볼 참이다. 기억을 잃은 다니엘에게 프리다가 차지하는 위치는 어느 정도일까. 여전히 맨 앞 순위려나? 아니면 도미닉과 리카르도 사이 어디쯤?

"내 말 못 믿겠으면 직접 물어보든가. 아, 이따 같이 보면 되겠네. 프리다가 날 뭐라고 부를지 맞혀 볼래? 내기할까?"

어깨가 짓눌리다 못해 부서질 정도로 무거운 짐을 지고 살아가는 다니엘이 어떤 선택을 할지도 궁금했다. 버티고 버티다 끝내 벼랑 끝에 몰리게 되면 이 답답한 자식은 과연 무엇부터 버릴까. 과연 단 하나라도 버리긴 할까.

"쓸데없는 소리 집어치우고 꺼져."

하인리히가 더는 듣기 싫다며 저를 외면하려는 다니엘의 시선을 끝끝내 붙들었다.

"내기하자니까. 아, 콜다르를 거는 건 어때? 어차피 그거 도로 돌려주려고 했는데 로시발트가 싫다고 했다면서? 너 가지기 꺼림직하면 나한테 넘겨."

"하인리히 업다이크!"

날이 바짝 선 날카로운 목소리가 인제 그만하라고 경고를 건네도 무시해 가며.

"내 소원인데 좀 들어주지. 난 로시발트처럼 곧 죽을 목숨이 아니라서 리하르트 공작의 자비심을 못 보여 주겠냐?"

"피가 나도록 얻어터지는 게 소원이라면 기꺼이 은혜를 베풀어 주지."

이건 뭐 어린애들 싸움도 아니고. 일부러 깐죽대는 하인리히나 오늘따라 어쩐 일로 그걸 받아 주고 있는 다니엘이나 유치하긴 마찬가지. 결국 보다 못한 도미닉이 두 사람 사이에 끼어들어 지루하게 이어지는 신경전을 말렸다.

"두 분 모두 그만하십시오. 해야 할 일이 산더미처럼 남았습니다. 어쩌자고 벌써 예민하게 구십니까?"

도미닉이 만류하고 나서자 하인리히가 피식거리며 순순히 뒤로 물러섰다.

하지만 입을 닫지는 않았다는 것이 문제였다.

"예민한 건 다니엘 이 녀석이지. 내 평정심은 언제나 고요하고 평화로워, 도미닉. 뭐, 제국의 운명을 결정할 전쟁을 앞두고 계셔서 부담이 클 테니 성격 좋은 내가 이해해 드려야지 어쩌겠어?"

알면 그만 좀 하라는 도미닉의 눈짓에도 하인리히는 못 본 척 태연히 말을 이어 갔다. 황제의 허락도 받지 못한 전쟁 계획을 입에 올리는 철없는 아들을 봤다면 변경백이 목덜미를 잡고 쓰러졌을 것이다.

"프리다는 남편이 자신을 친정으로 돌려보낼 계획을 세우고 있다는 거 알아?"

더 말려 봐야 듣지도 않겠네. 그래, 저 미친 꽃사슴을 누가 말리겠어. 긴 한숨을 내쉰 도미닉이 하인리히의 말을 정정해 주었다.

"돌려보내다니요. 업다이크 후작 영식께선 말을 가려 하십시오. 주군께선 공작 부인을 안전한 북부로 피신시키려는 겁니다."

"웃기고 있네. 전쟁이 시작되면 이 땅에 안전한 곳은 없어. 특히 이번처럼 양쪽에서 밀려들어 온다면 더더욱. 온 제국이 불바다가 될 거라고."

아무래도 하인리히 이 인간이 다니엘을 들쑤시려 작정하고 벼르고 있었던 모양이다. 원래도 할 말 못 할 말 가릴 줄 모르는 인간이긴 했지만, 오늘은 유독 몽니가 심했다. 아닌 척해도 적잖이 긴장하고 있는 건가.

하긴 아무리 사전에 완벽하게 준비해 두었다 해도 전쟁을 앞두고 예민해지지 않는 인간이 있을 리가. 게다가 이번 전쟁은 투르크와의 전면전이 될지도 모르니 변경백의 아들인 그가 긴장하는 건 당연했다.

도미닉이 제국에 찾아든 심상치 않은 조짐을 발견한 건 지난해 가을이다. 바이마르의 쿠펀 항에서 발생한 큰불을 조사하다 그 일의 배후에 투르크의 왕자들이 있다는 걸 알게 됐다.

'5 왕자'가 바이마르에 숨어든 걸 안 '4 왕자'와 '1 왕자'가 힘을 모아 그를 암살하려다 되려 반격당했는데, 그 와중에 쿠펀 항에 불을 낸 것이다. 그 일이 커져 결국 든든한 외가를 등에 업은 5 왕자 '오르한'이 1 왕자 '유수프'의 세력을 쓸어버리고 술탄의 후계자가 되었다고 한다.

스베르겐 제국의 입장에선 반갑지 않은 소식이었다. 투르크의 왕자 오르한은 솔론족과 손을 잡고 끊임없이 제국의 국경을 도발해 온 호전적인 인간이기 때문이다. 그런 자가 투르크의 후계자가 되었으니, 가까운 시일 내에 제국을 도발할 거라 건 기정사실.

도미닉의 예상대로 봄이 되자 동쪽 국경과 남쪽 바다에 심상치 않은 움직임이 포착되었다. 그런데 귀족이란 인간들은 제국 밖에서 무슨 일이 벌어지는 줄도 모르고, 눈만 뜨면 두 편으로 나눠 권력 다툼이나 하고 있으니.

"후."

답답해진 도미닉이 긴 한숨을 내쉬었다.

"말이 피신이지 솔직히 걸리적거리지 않게 프리다를 치워 놓겠다는 심보잖아. 아냐?"

하인리히가 보탠 말은 주름이 깊어 가는 도미닉의 미간에 더 깊은 골을 만들었다.

"아닙니다. 업다이크 후작 영식의 말대로 제국 전체가 전쟁의 소용돌이에 빠지게 된다면 북부와 첼리노가 그나마 안전한 지역입니다. 이 판국에 부인을 유트레히트로 모시고 갈 수도 없고 첼리노에 둘 수도 없으니 잠시 친정에 모셔다 두었다가……."

"왜 유트레히트로 가면 안 되는데?"

하인리히가 정말 모르겠다는 표정으로 다니엘을 노려봤다.

"프리다는 유트레히트의 안주인이야. 자신의 땅을 지키고 보호할 의무가 있어. 적어도 결정 정도는 프리다가 할 수 있게 해 줘야 하지 않아?"

조용히 듣고 있던 다니엘이 담담히 되물었다.

"무슨 결정?"

"그걸 몰라서 물어? 프리다는 명예를 아는 훌륭한 귀족이야. 홀로 도망쳐 비겁한 삶을 사느니 당당하고 명예로운 죽음을 선택할지도 모른다고."

다니엘이 갑자기 양어깨를 동시에 들썩이며 크게 실소를 터트렸다. 너무나 우스운 얘기를 들었다는 듯 보기 드물게 오래. 생경한 장면에 놀란 하인리히도 더는 말을 보태지 못하고 입을 다물었다. 그렇게 한참을 웃던 다니엘이 자리에서 일어나 천천히 창가로 걸어갔다.

'명예로운 죽음?'

곱씹을수록 우스워 한 번 더 짧은 웃음을 흘렸다. 어둑해진 하늘과 진홍색 노을이 넓게 퍼진 슈프렌 강가를 바라보던 다니엘이 돌연 혼잣말하듯 중얼거렸다.

"세상에 명예로운 죽음 같은 건 없어. 죽음보다 못한 삶도, 삶보다 나은 죽음도…… 없지."

화려한 미사여구로 장식해 봐야 소용없다. 죽으면 다 끝이다. 문득, 꽃밭 사이에 서서 뮤리엘을 안고 있던 프리다의 모습이 떠올랐다. 지금쯤이면 많은 대화를 나눴을 테고 자신을 지켜 줬던 호위 기사가 죽음을 앞두고 있다는 사실도 들었겠지.

울었을까? 많이 울었겠지. 지금도 울고 있을지도……. 심장이 또 무거운 돌에 깔린 듯 먹먹해졌다. 다니엘은 점점 겁게 변하는 창밖의 풍경에 눈을 주며 말했다.

"내 아내는 나의 영지, 작위, 내 이름. 그 어떤 것을 위해서도 희생할 필요가 없는 사람이야. 그녀가 원해서 리하르트 공작 부인이 된 것도 아니니 희생은 지난 삼 년과 첼리노에서의 생활로 충분해."

"하지만 다니엘……."

"내겐 오래오래 죽지 않고 사는 것이 명예다. 살아남았다는 이유로 욕을 먹어야 한다면 기꺼이 욕먹는 쪽을 택하겠다. 난 반쪽짜리 귀족이라 내가 아는 명예가 하인리히 너와는 다를지도 모르겠군."

"그런 말이 아니잖아."

벌떡 일어선 하인리히가 빠른 걸음으로 다니엘 옆으로 다가와 외쳤다.

"황태후가 너와 바이첸 가문의 여식을 재혼시키려 한다며? 이 비밀이 얼마나 지켜질 것 같아? 쉔달 성에 퍼지는 건 금방이야."

하인리히의 말대로 조만간 모두 다 알게 될 거다. 다니엘이 직접 레오폴드에게 말해 줄 거니까.

"이 와중에 프리다가 친정으로 돌아간다는 소문까지 돌면 사람들이 뭐라고 수군대겠어?"

본격적으로 말이 돌기 전에 해결할 생각인데 누가 수군대든 무슨 상관인가. 중요한 건 황태후와 레오폴드의 싸움이 끝나지 않는 한 제국에 안정은 없다는 사실이다. 그리고 다니엘은 두 사람이 공생하는 아름다운 결말을 꿈꿀 만큼 순진하지 않았다. 한쪽에 힘을 실어 다른 한쪽을 완벽하게 무너트리거나, 그게 어렵다면…….

'둘 다 무너지게 만들 수밖에.'

그래서 더더욱 프리다는 이곳에 있으면 안 된다. 상념에 빠진 다니엘의 팔을 휙 잡아끈 하인리히가 그답지 않게 분노를 드러냈다.

"그딴 더러운 소문이 돌면, 설혹 거짓이라 해도 프리다에겐 상처가 될 거란 거 몰라?"

프리다, 프리다……. 지금은 피도 눈물도 없는 황태후보다, 제 앞가림도 못 하는 황제보다. 코앞에 닥친 전쟁보다 더. 하인리히의 입에서 나오는 그 이름이 미치도록 거슬렸다.

"하인리히."

다니엘은 차분하게 가라앉은 어조로 침착하고 싸늘하게 경고를 건넸다.

"마지막으로 말하지. 내 아내 이름, 함부로 부르지 마. 그 잘난 얼굴 계속 목에 붙여 두고 싶으면."

다니엘이 문을 열었을 때 프리다는 방 한편에 놓인 의자에 멍하니 앉아 있었다. 미처 눈물의 흔적을 다 지우지 못한 얼굴이 차가운 겨울바람을 쐰 아이처럼 붉었다. 기척을 느낀 프리다는 자리에서 일어나 다소곳이 인사를 해 왔다. 그러나 눈을 살포시 아래로 내리뜬 채 말이 없었다.

"얘기는 잘 나누셨습니까?"

"……네."

다니엘의 질문 뒤에 짧은 답 하나가 돌아왔다. 오늘은 정말 이상한 날이다. '아니요'도 아니고 고분고분 '네'라고 했음에도 희한하게 거슬리고 까닭 없이 짜증이 치민다. 오늘은 따로 잘 테니 편히 쉬라는 말로 끝맺으려던 대화가 다른 방향으로 흐른 건, 그래서였을지도 모르겠다.

"로시발트 경이 부인을 많이 보고 싶어 했습니다."

많이 보고 싶으니 그 몸으로 여기까지 따라왔겠지. 하나 마나 한 소리였다. 좀처럼 다니엘을 보지 않는 작고 하얀 아내가 신경 쓰여서, 평소라면 하지 않았을 시답잖은 이야기를 건넸다.

"뮤리엘이 여기까지 올 수 있도록 많이 배려해 주셨다 들었습니다. 감사합니다."

적당히 오가는 인사치레도 끝났고, 대화를 종료하기에 적당한 순간이었으나 다니엘은 그러지 않았다.

"도미닉이 로시발트 경에게 독을 쓴 자를 찾고 있습니다."

어깨를 움찔댈 정도로 동요해 놓고도 프리다는 여전히 고개를 들지 않았다.

"네. 들었어요. 감사합니다."

또 감정 없는 짧은 답.

"도미닉이 눈썰미가 남다릅니다. 조만간 좋은 소식을 들려줄 테니 너무 걱정하지 말아요."

"네……."

"그자를 찾지 못한다 해도 첼리노엔 훌륭한 의사가 많으니, 수소문하면 로시발트 경의 병을 고칠 만한 자를 찾을 수 있을 겁니다."

"저도 도미닉이 잘해 줄 거라 믿어요. 감사합니다."

이런 소리나 듣자고 꾸역꾸역 대화를 이어 가고 있는 게 아니기에 기어이 묻고 말았다.

"감사하다면서, 왜 내 눈을 피하는 겁니까?"

그를 외면하며 눈을 피하는 프리다의 모습은 예상보다 훨씬 다니엘의 신경을 긁어 댔다.

"정말로 감사 인사를 할 거라면 나를 보면서 해요."

진심이라곤 털끝만큼도 느껴지지 않는 감사 말고, 그녀의 진짜 속내가 듣고 싶어 기어이 제게로 눈을 돌려세웠다. 예상대로 그를 마주한 눈동자엔 슬픔과 원망이 그렁그렁 맺혀 있었다.

'이럴 것 같더라니.'

무너진 마음을 부여잡은 채 어쩌지 못하고 있을 줄 알았지, 내가.

뮤리엘, 뮤리엘, 뮤리엘……. 어미젖을 찾는 갓난아이처럼 찰싹 달라붙어 수없이 그 이름을 불러 댈 때부터 알아봤다.

오늘은 눈물로 얼룩진 보랏빛 눈동자를 보게 되겠구나. 뻔히 종일 젖었다 말랐다를 반복하며 탁해진 눈을 보게 될 줄 알았으면서 뭘 확인하고 싶어 기어코 저를 보게 만들었는지 모르겠다. 설마 이 와중에 생글생글 웃으며 반길 거라 말도 안 되는 기대를 했었던가. 우습게도 이런 눈이나마 마주하고 있으니 무언가에 꽉 짓눌려 있던 심장에 피가 도는 것 같았다.

비록 프리다의 낯빛에 시시각각 피어나는 감정이 그를 향한 비난이라 해도 이 편이 한결 나았다. 다니엘은 눈으로 프리다를 매만지며 끝끝내 시선을 붙잡았다. 작은 입술이 떠듬떠듬 열리는 찰나의 순간에도 놔주지 않고 꽉.

"나, 나는……."

도저히 말문이 떨어지지 않는다는 듯 끝내 말을 잇지 못하고 입을 닫아 버릴 때도 고개를 떨구는 걸 허락하지 않았다.

"내 눈 피하지 말아요. 정작 하고 싶은 말은 따로 있으면서, 언제까지 '네' 아니면 '괜찮습니다' 이따위 영혼 없는 대답만 할 겁니까? 정말 괜찮아요? 당신…… 안 괜찮잖아."

이 기회를 놓치면 영영 그녀의 본심을 들을 수 없을 것 같아 회피하지 못하게 윽박질렀다. 그렇게 서로의 눈을 놓지 않은 채 시간이 흘러갔다.

고집스레 입을 다물고 있는 프리다를 보고 있자니 불현듯 공작 부인은 황소고집이라며 툴툴대던 하인리히의 말이 떠올랐다. 심각한 상황인 걸 알면서도, 희미하게 지어지는 미소를 참기가 어려웠다. 길어지는 침묵에 애가 탄 다니엘은 조심히 프리다를 달랬다.

"얼마든지 원망해도 좋으니 하고 싶은 말이 있으면 솔직하게 말해요. 화를 내도 좋고 소리를 쳐도 됩니다. 우리의 말도 안 되는 결혼이 당신을 많이 힘들게 했다는 거 압니다."

귀족의 결혼이란 으레 본인의 의지와 상관없이 이뤄진다지만, 그래도 이건 좀 심했지. 명망 있는 백작 가문에서 귀하게 자란 귀족 아가씨에게 황실의 개 취급을 받는 사생아 남편이라니. 그것뿐인가. 유난하기 이를 데 없는 이 문제 많은 집구석은 어떻고.

"참지 말고 화…… 내요. 당신은 그래도 됩니다."

다니엘의 애틋한 눈길에 뜨겁지도 서늘하지도 않은 적당히 은은한 봄바람을 닮은 온기가 담겼다.

"……화를 낸다고."

뜸을 들이던 프리다가 하나로 엉킨 시선을 흐트러트리며 입을 뗐다. 열린 입술 새로 습기를 잔뜩 머금은 아침 숲처럼 차분히 가라앉은 스산한 목소리가 흘러나왔다.

"뭐가 달라지는데요?"

체념이 묻어나는 답 또한 감정 없는 짧은 답만큼이나 다니엘의 신경을 긁었다.

"글쎄요. 최소한 속은 시원해지겠죠."

아내가 자신을 책망하고, 마구 짜증을 피우고, 있는 대로 신경질을 냈으면 좋겠다. 그렇게 힘껏 미워할 만큼의 마음만이라도 보여 줬으면.

"영문도 모르고 시골구석으로 끌려와 사는 내내 속 편할 날이 없었으니 내가 미울 것 아닙니까?"

아는 이 하나 없는 척박한 땅에서 의지가 되어 줬어야 할 남편은 몇 년째 의식불명. 의식이 돌아온 후의 행적 또한 차라리 깨어나지 않는 게 낫지 않았을까 싶은 것투성이였을 것이다. 따지고 보면 프리다가 겪은 모든 고난의 시작이 다니엘 때문이니까. 로시발트 경이 저리된 것도 결국 그의 탓이나 마찬가지다.

"나 때문에 당신이 아끼는 사람들이 애꿎은 고초를 겪고 다쳤습니다. 성치도 않은 몸으로 영지를 떠나야 했던 까닭도, 황제를 따라 첼리노에 온 것도 결국 그 일이 원인이었고."

도미닉에게 얼굴도 기억나지 않는 아내의 얘기를 전해 들으며 몇 번이나 실소를 터트렸는지 모른다. 이깟 시골 영지 하나쯤 망하든 말든 무슨 대수라고.

차라리 아내가 레오폴드와 눈이 맞아 첼리노로 사랑의 도피를 했다는 편이 더 이해하기 쉬웠을 것이다. 하녀를 살리고, 영지를 지키고, 다니엘을 보호하려고 굳이 그 고생을 자처했다는 것보다는 그 편이 더 그럴싸하니까.

대체 왜? 도대체 어째서? 다니엘과 유트레히트가 그녀에게 뭐 그리 대단한 가치를 지녔다고 그런 희생을 해? 게다가 생고생한 아내에게 고마워하기는커녕 뒤늦게 나타나 다정한 남편 행세를 하며 뻔뻔하게 굴었다.

그러면 불같이 화를 냈어야 맞다. 내가 얼마나 힘들었는지 아느냐고 하소연하고, 다니엘, 당신 같은 인간하고 결혼하고 싶지 않았다고 불평도 쏟아 내고. 이러려고 하루하루 버티며 생을 이어 온 것이 아니라고 원성을 높였어야지.

어쩌자고 걱정했다, 미안하다 그딴 소리만 늘어놓으면서 사람을 심란하게 만드는 거냐고. 뻐근하게 갈라지는 마음을 추스르느라 저도 모르게 주먹을 쥐었다. 상대에게 화를 내라고 부추겨 놓고, 정작 제 속이 부글부글 끓어 넘치고 있었다. 다니엘은 쓴웃음으로 뒤틀리는 속을 다스린 후에야 입을 열었다.

"맘껏 미워하고 원망해요. 다른 건 못 해 줘도 그걸 받아 주는 것 정도는 해 줄 수 있습니다."

당장이라도 속에 담은 말을 쏟아 낼 줄 알았는데 프리다는 의외로 침착했다. 폭풍우가 몰아치기 직전의 하늘처럼 고요하고 쓸쓸한 짙은 회색빛. 조금도 어울리지 않는 빛깔로 얼굴을 물들인 프리다에게서 눈을 뗄 수 없었다. 그의 집요한 시선에 지친 프리다가 먼저 다른 쪽으로 고개를 돌렸다.

"내가…… 어떻게 그래요."

가늘게 떨리는 목소리에 순간 머리가 멍해졌다.

"날 위해서였다는데. 내가 걱정돼서…… 나를 지키고 싶어서. 당신이…… 날 사랑해서 그랬다는데 내가 어떻게 당신을 미워해요. 미워지지 않는데 어떡하냐고요."

화를 내라고 했더니 프리다는 울먹이며 고백을 해 왔다. 눈가에 차오르는 눈물을 흘리지 않으려 얼굴이 벌게지도록 힘을 주면서 그를 미워할 수 없노라고 외쳤다.

'미치겠네.'

어머니가 살아 계신다면 물어보고 싶다. 대체 왜 사람을 보는 것만으로도 이토록 발밑이 꺼지고 마음이 무너지는 기분이 드는 거냐고. 머리는 분명 아무 기억도 나지 않는데, 어째서 심장만 이리도 아려 오는 거냐고. 무심결에 팔을 뻗은 다니엘은 프리다를 그의 품으로 당겨 안았다.

"말했던 것 같은데. 내 머리는 당신을 잊었어도 몸은 기억한다고."

다니엘은 흐느끼는 프리다의 가는 어깨를 감싸 안으며 그곳에 얼굴을 묻었다.

"그러니까. 제발 울지 말아요. 당신이 울면…… 심장이 찢어지는 것 같아."

도미닉은 어슴푸레 날이 밝아 오는 새벽녘이 되어서야 벨뷔 궁으로 돌아왔다. 밤새 쉔달 성 이곳저곳을 헤매고 다니느라 무거워진 발이 바닥에 찰싹 달라붙어 들어 올려지지도 않았다. 계단은 네발로 엉금엉금 기어서 오르고, 복도에 다다르자 가죽 부츠 바닥으로 바닥을 쓸며 걸었다.

'이대로 확 엎어져 자 버려?'

봄이라 입 돌아갈 일도 없을 것 같은데…….

끼익.

만사가 귀찮아 주저앉을까 말까 고민하고 있던 그는 적막을 깨는 문소리를 찾아 반사적으로 고개를 돌렸다. 앞부분이 심하게 구겨진 셔츠 위에 재킷을 걸친 다니엘이 공작 부인의 방에서 나오다 도미닉과 눈이 마주쳤다. 도미닉이 미간에 진한 세로 주름을 만들며 물었다.

"왜 그 방에서 나와?"

누구는 부츠 밑창이 발바닥에 달라붙을 정도로 땀나게 뛰다 왔더니, 저는 아내와 팽팽 놀고 있었단 말이지. 주군에 대한 예의고 뭐고, 피곤이 덕지덕지 묻은 눈살을 있는 대로 찌푸리며 시비를 걸었다.

"우리 공작 부인은 성격도 좋으시지. 저런 인간도 남편이라고 꼬박꼬박 방에 들여 주시고. 천사가 따로 없다니까."

도미닉은 피곤과 짜증이 역력한 표정으로 신경질적으로 옷을 털었다. 옷감 사이 군데군데 맺혀 있던 새벽이슬이 후드득 복도로 떨어졌다.

"찾았어?"

다니엘이 다짜고짜 본론을 물어 왔다.

"후……."

도미닉이 고단함이 짙게 드리워진 한숨을 길게 내쉬며 이슬에 젖은 앞머리를 쓸어 넘겼다.

"당연히 찾았지. 나 도미닉 몰라야."

그는 끙 소리를 내며 무거운 다리를 끌었다.

"와. 방에 가서 얘기해."

따라오라며 다니엘을 향해 팔을 흔든 그는 계속 뜻 모를 소리를 중얼거리며 복도 끝으로 걸어갔다.

"징글징글해, 징글징글. 여기도 일, 저기도 일. 일이 끊이질 않으니 원. 내가 얼른 네놈 곁을 떠나야 편하게 살지. 이러다 제 명에 못 살지 내가. 제 명에 못 살고말고."

술 취한 사람처럼 구시렁거리며 걷던 그는 어깨로 문을 밀고 들어가자마자 철퍼덕 침대 위로 쓰러졌다. 땀에 젖어 치덕치덕 달라붙는 옷에서 불쾌한 냄새가 났지만 개의치 않고 스르르 눈을 감았다.

"근위대 안에 표창을 잘 쓰는 놈이 두 명 있더라고. 그 두 놈 모두 작년에 황제를 따라 나갔고. 그중 한 녀석의 인상착의가 로시발트 경이 설명해 준 놈이랑 똑같아."

졸음이 가득 찬 목소리가 점점 작아졌다.

"이제…… 됐어. 내일 해가 지면…… 찾아가 놈을…… 족치면 돼. 됐……어. 살릴 수…… 있어."

도미닉은 순식간에 잠에 빠져들었다. 엎어져 잠든 도미닉을 바라보던 다니엘이 그의 곁으로 다가가 부츠를 벗기고 등 위로 이불을 덮었다.

"……됐어…… 됐……."

그 후로도 도미닉은 연결되지 않는 단어를 몇 개 더 중얼거리다 이내 코를 골기 시작했다. 곰곰이 생각에 잠긴 채 잠든 도미닉을 내려다보던 다니엘이 동이 터 오는 하늘로 고개를 돌렸다.

아무리 도미닉이 잠행에 능하고, 쉔달 성이 과거에 드나들었던 익숙한 곳이라지만 5년 만이다. 곳곳에 그를 감시하는 인간들이 득실대는 이곳에서 들키지 않고 여기저기 잘도 쑤시고 다니다니.

"실력은 여전하네."

더 지체했다가 이도 저도 하지 못한 채 국경으로 떠날 뻔했는데 덕분에 한시름을 놓게 됐다.

드르렁드르렁.

다니엘이 안도하는 사이 도미닉의 코 고는 소리가 점점 커졌다. 조용히 방문을 닫고 나온 다니엘의 눈길이 조금 전까지 그가 머물렀던 프리다의 방에 닿았다. 잠을 설친 눈이 뻑뻑해 손끝으로 눈두덩이를 누르자 서글픈 울음소리가 머리를 울렸다.

"엉엉. 뮤리엘……. 우리 뮤리엘 어떡해. 엉엉. 뮤리엘."

그 작은 몸에 무슨 눈물이 그리 많은지. 해가 완전히 넘어가고 하늘이 새까매지도록 울고 또 울고. 프리다는 지쳐 잠들 때까지 눈물을 흘렸다. 그 모습을 보며 생각했다. 이곳에 로시발트를 데리고 오지 말았어야 했다고. 펜하임 성에서 별 탈 없이 잘 지낸다고 거짓말로 속였어야 했다고 후회했다.

그의 가슴팍이 축축이 젖어 들 때까지 멈추지 않고 울어 대던 아내가 떠올라 다니엘의 상념이 점점 더 깊어지고 길어졌다. 지그시 눈을 감은 그는 뒤엉킨 머릿속을 하나하나 정리해 나갔다. 표창을 던진 자를 찾았으니, 무슨 독을 썼는지 알아내는 건 금방이다.

로시발트를 살릴 수 있을지도 모른다. 프리다의 옆에 로시발트가 있어 준다면 조만간 국경으로 가야 하는 다니엘의 발걸음이 조금은 가벼워질지도. 여러모로 다행한 일이다.

"로잘린."

복도 구석에 숨어 프리다의 방문 앞을 지키고 있던 로잘린이 빠르게 다니엘의 곁으로 다가왔다.

"부르셨습니까, 공작 전하."

"내 전갈을 황후 궁에 전하고 와라."

"뭐라고 전할까요?"

다니엘이 풀려 있던 재킷의 매듭을 하나하나 단정히 채우며 담담히 말했다.

"리하르트 공작이 황후께서 일전에 빚지신 목숨값을 받고자 한다고 전해."

"존명."

꾸벅 허리를 숙인 로잘린이 올 때와 같이 빠르게 여명 속으로 사라졌다.

꿀꺽 삼킨 수프에선 놀랍도록 아무 맛도 나지 않았다. 뮤리엘은 자신의 혀끝이 쓴맛 외엔 다른 맛을 느끼지 못한 지 한참 되었다는 사실을 새삼 깨달았다. 미처 씹지 못한 미끄덩한 버섯 건더기가 뮤리엘의 목구멍을 타고 넘어갔다.

"……."

가슴뼈 위가 따끔거리며 순간 왈칵 구토감이 치밀었다. 울렁이는 속을 달래려 숨을 참고 있는데 묽은 수프가 담긴 그릇이 스르르 뮤리엘의 턱 밑으로 다가왔다.

"뮤리엘, 딱 한 입만 더 먹어 봐."

숟가락 가득 수프를 뜬 프리다가 뮤리엘의 입술 앞으로 크림색 액체를 들이밀었다. 토기를 겨우 참고 있는 줄도 모르고 프리다가 재차 사정했다.

"딱 한 입만. 이게 마지막이야."

조금 전에도 마지막이라고 했으면서. 가늘게 눈을 좁힌 뮤리엘은 천연덕스러운 거짓말쟁이를 향해 눈을 흘겼다.

"마지막이란 말만 벌써 세 번째예요."

"딱 한 번만 더. 응?"

"이제 그만요. 더는 못 먹겠어요, 아가씨."

뮤리엘이 싫다며 고개를 저어 봤지만 프리다는 포기하지 않았다.

"이번엔 정말…… 지…… 인짜 마지막이야."

이 아가씨가 누굴 속이려고. 두 번째 마지막이 진짜 마지막. 세 번째는 정말 진짜 마지막이었으니. 네 번째는 정말 진짜 진심 마지막이라고 할 게 뻔하다. 뮤리엘이 꾹 다문 입술을 벌리지 않자 프리다가 칭얼대기 시작했다.

"뮤리엘, 제발 한 입만 더 먹자. 딱 한 입만 더."

우는소리로 사정하던 프리다는 도저히 안 되겠다 싶었는지 작전을 바꿨다.

"세상에서 제일 강하고 멋지고 근사한 뮤리엘 로시발트 기사님……. 제발 먹어 주세요. 네?"

프리다는 생글생글 웃으며 춤을 추듯 양쪽 어깨를 움찔댔다. 그녀 딴엔 애교를 피울 참이었나 본데, 그런 걸 부릴 거면 팅팅 부풀어 오른 눈두덩이나 가라앉히고 오든가.

눈을 떴는지 감았는지 헷갈리는 얼굴도 모자라 잔뜩 쉰 목에서 간간이 탁한 소리가 흘러나온다는 건 알고 귀여운 척을 하는 건지.

"뮤리엘 로시발트 경, 그대의 주군께선 지금 팔이 몹시 아프다네. 에헴."

풋.

너스레를 떠는 모습이 귀여워 웃음이 터졌다. 대체 어떤 강심장이 이런 모습을 보며 웃지 않을 수 있을까. 심장이 차갑다 못해 얼어붙었어도 그건 힘들 것 같았다.

옅은 한숨으로 웃음을 갈무리한 뮤리엘은 결국 얼마 맞서지도 못하고 순순히 입을 벌렸다. 여지없이 역한 토기가 밀려왔지만, 꾹 참고 수프를 삼켰다. 도통 무슨 맛인지 모를 수프에선 이제 쓴맛이 느껴지기 시작했다.

사라져 가는 건 미각만이 아니었다. 냄새가 사라지고, 맛이 사라지고, 팔다리에 힘이 빠졌다. 흰 머리가 성성한 노인이 되어 가는 기분이다.

당연하다 여겨 왔던 감각들이 시간이 흐를수록 하나둘 점점 더 흐릿해져 간다. 어제는 오늘이 되면 얼마나 더 나빠질까 걱정하며 잠이 들었고. 오늘은 그나마 숨을 쉬고 걸을 수 있다는 것에 안도하다 내일을 살아 내기 위해 침대에 들었다. 멀지 않은 죽음을 기다리며 사는 삶. 매 순간 좋았다 나빴다 각기 다른 감정이 들쑥날쑥 요동을 쳤다.

자연스레 프리다를 떠올리는 날이 많아졌고, 생각할수록 이 작은 아가 씨가 기특했다. 자신은 고작 아홉 달이지만, 프리다는 자그마치 스무 해를 겪었을 텐데. 평생을 죽음이란 단어와 함께 살았는데도 어찌 이리 해맑을 수 있을까.

현실을 받아들이지 못하고 울분을 토해 내던 날들이 주마등처럼 흩어졌 다. 뮤리엘이 빤히 쳐다보자 프리다가 수프 그릇을 내려놓았다. 그러곤 걱 정스레 그녀의 안색을 살폈다.

"왜 그래, 뮤리엘. 속이 안 좋아? 내가 자꾸 먹으라고 우겨서 힘들었어?"

아래로 축 처진 눈꼬리에 걱정이 가득했다. 솔직한 우리 아가씨, 이래서 험한 세상을 어찌 살아가시려나. 여기까지 오고 보니 죽을 날을 앞둔 것보 다 그게 더 걱정이다. 뮤리엘은 힘들지 않다며 희미하게 웃어 보였다.

"아뇨. 수프가 맛이 없어서요. 주방장 솜씨가 영 별로네요."

"……내가 만든 건데."

"그러게요. 내가 맛본 수프 중 제일 별로예요."

뾰로통 삐져나오는 입술을 보며 놀리듯 피식 웃었다. 얄밉다며 눈을 치 켜뜨던 프리다도 뮤리엘을 따라 웃음을 터트렸다. 그러다 그리움이 절절 흐르는 눈길을 푸르름이 짙어지는 창밖으로 돌렸다.

"아델이 만들어 준 음식 먹고 싶다. 뮤리엘, 벌꿀을 듬뿍 넣은 달콤한 아 델의 특제 케이크 그립지 않아?"

"그립네요."

혀가 얼얼해지던 그 단맛을 한 번 더 느껴 볼 수 있다면 영혼이라도 팔 수 있을 것 같았다.

"저는 산딸기 잼을 빵 사이에 발라 겹겹이 쌓아 올린 케이크가 더 먹고……"

문득 깨달았다. 프리다가 스물 하고도 한 해를 더 살았다는 걸. 한 해가 끝나 가는 겨울의 어느 날, 아무도 기억해 주지 않는 생일을 홀로 맞았을 거란 걸.

"아가씨, 생일……."

스물한 살이 되는 생일을 축하해 주는 이 하나 없이 쓸쓸하게 보냈을 프리다가 안타까워 목이 따가웠다. 친자매보다, 낳아 주고 키워 준 부모보다 더 가까운 사이라고 떠들고 다녀 놓고 까맣게 잊고 있었다. 뮤리엘이 아니면 아무도 기억해 주는 이 없다는 걸 알면서도.

누가 이기적인 로시발트 핏줄 아니랄까 봐 무정하기는. 뮤리엘은 오래전 의절하다시피 떠나온 가문을 들먹일 만큼 몹시 화가 났다.

"죄송해요, 아가씨. 깜박 잊고 있었어요."

"죄송하긴. 나도 잊고 있었어. 와…… 그럼 나 이제 스물한 살인 거야?"

"……그러네요."

스물한 살. 뮤리엘이 하크본 가문에 몸을 의탁했을 때 나이가 스물이다. 처음 만났을 때만 해도 프리다가 스물한 번째 봄을 보게 될 거라곤 상상도 못 했었는데 벌써 이렇게 크다니. 프리다가 더는 어린아이가 아님을 실감하며 쓸쓸히 미소 지었다.

"미안해요, 아가씨. 그리고 늦었지만 생일 축하해요."

"뮤리엘도 참. 미안하긴 뭐가 미안해."

정작 미안한 사람은 난데. 부부가 몇십 년을 같이 살다 보면 대화가 없어도 말이 통한다더니 이젠 눈만 보고도 소리가 들렸다. 뮤리엘이 프리다의 내심을 알아채고 쓴 미소를 머금었다.

과연 프리다의 스물두 번째 생일엔 축하한다 먼저 말을 건넬 수 있으려나. 자신이 떠나고 난 뒤 슬퍼할 프리다를 생각하니 창자가 뒤틀렸다. 벌써 이런데 눈을 감게 된다면 우리 아가씨를 두고 발길이 무거워 떨어지기나 할지.

'뮤리엘 로시발트. 정신 차려. 끝까지 포기하지 않겠다고 아가씨랑 약

속했잖아.'

펑펑 울며 흐느끼는 프리다의 강요에 못 이겨 결국 맹세를 해 버렸다. 크게 심호흡을 한 뮤리엘이 미소를 지으며 활짝 팔을 벌렸다.

"선물을 준비 못 했으니 대신 꼭 안아 드릴게요. 올해는 이걸로 만족하시고 다음번 생일을 기대해 주세요."

멀뚱히 보던 프리다가 이내 웃으며 뮤리엘의 품 안으로 쏙 안겨 왔다. 다정히 머리를 쓰다듬어 주자 프리다가 어깨를 숙이며 쿡쿡 웃었다. 왜 웃냐고 묻자 잠시 뜸을 들이다 말했다.

"그냥, 다니엘이 했던 말이 기억나서."

"공작 전하께서 뭐라고 했는데요?"

"전에 다니엘이 내 생일이 언제냐고 물은 적이 있거든. 선물로 라파스 산의 금광을 준다고 했었는데 잊어버렸나 봐."

뮤리엘이 프리다를 안은 팔을 풀고 어깨를 밀었다. 눈을 마주 보며 따지듯 물었다.

"금광? 라파스 산의 금광을 준다고 했다고요?"

금덩어리도 아니고 금광을? 삶의 의지가 불끈 솟아나는 단어를 들은 뮤리엘의 눈이 별안간 희번덕희번덕 빛났다.

황후 궁의 정원은 주인을 닮아 있었다. 황태후 마그리트의 미라벨 정원이 화려하고 차갑다면 이곳은 눈에 띄게 두드러진 곳 없이 차분한 느낌이다. 군데군데 재기 발랄한 장식이 눈에 띄었으나 그뿐, 딱히 눈을 둘 곳이 없다 보니 또 넋을 놓았던 것 같다.

저절로 눈이 감겼다. 어두워지는 시야 속에 꽃이 흐드러지게 핀 멘하임 성의 산등성이와 벨뷔 궁의 보라색 꽃밭이 그려졌다. 사람을 멍하게 만드는 잔상에 머리가 나른해지고, 생각이 멈췄다.

"주군."

도미닉이 다니엘을 불렀지만, 눈앞에 떠오른 환영을 떠나보내고 싶지 않아 잠시 뜸을 들였다.

"주군, 황후 폐하께서 오셨습니다."

이어지는 채근에 서둘지 않고 천천히 눈을 뜬 다음 뒤를 돌았다. 정식으로 예를 갖추기 전 루이즈 황후와 가볍게 시선이 얽혔다. 황후는 이 정원 같은 여인이었다.

첼리노에서 흔히 볼 수 있는 금빛 머리칼은 평범했고. 머리를 장식한 티아라의 보석처럼 파란 눈동자 역시 첼리노에선 흔한 빛깔이다. 레오폴드는 그녀를 가리켜 '어머니가 사내였다면 결혼하고 싶어 했을 법한 고지식한 여자'라고 했었다.

글쎄, 과연 저 파란 눈의 여인이 레오폴드가 본 대로일까. 아마 아닐 것이다. 레오폴드는 도통 여자 보는 눈이 없는 녀석이니까. 반면 귀족 여인들의 내면이 눈에 보이는 것과 다르다는 걸 무수히 겪어 온 다니엘이다.

겉으로 보기엔 완벽한 가문에서 태어나 훌륭한 교육을 받고 자란 전형적인 귀족 여인 그 이상도 이하도 아니지만, 실상도 그럴지는 모르는 일. 로잘린에게 승마 대회에서 있었던 사고의 정황에 대해 들었을 텐데도 그리 놀라는 기색이 아닌 걸 보면 대범한 성격인 듯도 하고. 짧은 눈인사를 마친 다니엘은 정중히 허리를 숙였다.

"소신 다니엘 리하르트, 황후 폐하를 뵙습니다. 황후 궁에 초대해 주셔서 감사드립니다."

"로잘린의 전갈을 받고 깜짝 놀랐습니다. 리하르트 공작께서 제게 용무가 있으신 줄은 몰랐거든요."

"직접 뵙고 사과를 드려야 할 것 같아 무례인 줄 알면서도 뵙기를 청했습니다."

"아…… 그 일이요."

보통의 여인이라면 자신의 목숨을 가지고 일을 꾸민 다니엘에게 두려움을 느끼고 피해야 정상인데 오히려 흥미롭다는 눈치다. 마치 황후 궁에 처박혀 보내야 하는 지루한 날들보다야 목숨을 위협받는 경험이 더 낫다는 듯.

"혹시 승마 대회 일 때문에 절 보자고 하신 거라면 실망인데요. 전 좀 더 리하르트 공작의 명성에 걸맞은 일로 저를 찾으셨으면 했는데."

'역시.'

이로써 레오폴드가 여자 보는 눈이 없다는 게 다시 증명된 셈이다.

"한 가지 얘깃거리를 들고 오긴 했습니다만, 황후 폐하의 기대에 부응할지는 모르겠군요."

"그럼 부응하는지 안 하는지 앉아서 천천히 들어 볼까요?"

빙긋 미소 지은 루이즈 황후가 먼저 정원의 한가운데에 놓인 의자에 앉으며 뒤편에 선 하녀에게 가볍게 눈짓을 보냈다.

"보는 눈이 많으니 얼른 얘기부터 끝내는 게 좋겠죠?"

"현명하십니다."

황후 궁의 하인들이 두 사람의 주위에서 일사불란하게 스무 걸음 이상 떨어졌다. 김이 모락모락 나는 찻잔을 들고 온 하녀도 테이블에 찻잔을 내려놓자마자 멀찌감치 뒤로 물러났다.

"드셔 보세요. 리하르트 공작 부인께서 추천해 주신 허브 차인데 아주 맛이 괜찮아요. 그렇게 귀엽고 현명하고 예쁜 부인을 두셔서 공작님은 정말 행복하시겠어요."

다니엘이 짧은 시간 동안 파악한 황후는 고지식과는 거리가 멀고, 대범하며…… 무엇보다 말이 많았다.

"리하르트 공작 부인과도 그렇지만 전 왠지 공작님과 잘 지낼 수 있을 것 같아요. 말이 통하는 사이가 될 것 같다고나 할까요."

"저도 그러길 바랍니다."

친화력도 나쁘지 않고.

"자, 이제 얘기해 보세요. 제가 뭘 도와드릴까요? 기왕이면 이 지긋지긋한 쉔달 성 인간들을 안 보게 된다면 더 좋겠는데."

"영원히는 어렵겠지만 잠깐은 그럴 수 있을지도 모르겠군요."

"어머, 그래요?"

"하릴없이 시간을 보내고 있는 라이닝겐 가문의 남자들을 제게 주신다면 영원히 보지 않게 해 드릴 수도 있을지 모르겠군요."

부드러운 로즈메리 차를 한 모금 마신 다니엘이 담담한 표정으로 물었다.

"남편과 시어머니 둘 중에 누구를 보지 않길 원하십니까?"

지그시 미간을 좁히던 루이즈 황후가 마음에 들지 않는다는 투로 대답했다.

"꼭 둘 중에 하나를 선택해야 하나요?"

황후는 장난스레 콧잔등을 찡그렸다.

"드디어 쉔달 성의 주인이 바뀌려나 보다 기대했는데, 이거 조금 실망스러워지려 하는걸요."

도미닉의 말대로 라이닝겐 공작가가 여태 살아남은 건 다 이유가 있는 법이다.

"바이첸 것들이 라이닝겐 공작가를 왜 살려 뒀겠어? 건들 가치가 없을 만큼 약해서? 알아서 쭈그려 줘서? 천만의 말씀. 그랬다면 제일 먼저 먹잇감이 됐겠지."

다른 십이 공작 가문이 우수수 무너져 가는 중에도 꿋꿋이 버티고 있는데는 까닭이 있을 거라더니.

"약삭빠르고 쓸모가 있는 거야. 라이닝겐 가문을 절대 만만하게 보면 안 돼. 원래 드러나지 않는 곳에서 바쁜 놈들이 진짜 무서운 거라고. 진짜로 멍청한 폰하임과는 달라."

황태후의 기에 눌려 조용히 숨만 쉬며 살아간다는 것도 헛소문이었다.

"전 리하르트 공작의 영광에 기꺼이 들러리가 될 준비를 하고 있었는데 말이죠."

말을 갈아타는 데 거부감이 없을뿐더러 죄책감도 없다.

'배신도 쉬울 테지.'

레오폴드와 아주 잘 어울릴 것 같은데 부부가 왜 데면데면하게 지내는지 의문이다. 담담히 황후를 바라보던 다니엘의 입가에 비릿한 미소가 묻어나왔다.

"둘 다 선택하셔도 됩니다. 황후께서 이 제국을 오롯이 감당할 각오가 되어 있으시다면."

"아…… 그럼 공작께선 쉔달 성의 주인이 되고 싶지는 않으신 거군요."

물 흐르듯 자연스럽게 상대를 떠보는 실력이 보통이 아니다.

순간, 레오폴드가 왜 황후를 멀리하는지 알 것 같았다. 우아하고 기품 있는 가면을 쓰고 의뭉을 떨어 대는 모습이 영락없는 황태후다.

'불쌍한 레오폴드 자식.'

모친이 '마그리트 바이첸'인 것도 모자라 아내까지 향신료가 곁들여지지 않은 순한 맛의 '마그리트 바이첸'이라니. 팍팍한 그 녀석의 삶에 짧은 위로를 건넸다.

"실망하게 해 드려 죄송하지만 전 그리 원대한 꿈을 꾸진 않습니다. 그저 저를 귀찮게 하는 이들이 없는 곳에서, 조용히 살고 싶을 뿐입니다."

더는 누군가와 싸우지 않고, 죽이지 않고, 있는 듯 없는 듯. 계절 따라 변해 가는 공작령을 감상하다, 가끔은 산등성이에 흐드러지게 핀 색색의 꽃밭을 거니는 것으로 족하다. 불현듯 펜하임 성 한편을 채우고 있는 다채로운 색깔의 랄레가 떠올랐다.

그 꽃을 피우기 위해 갖은 노력을 아끼지 않았다던 작고 하얀 리하르트 공작 부인이 긴 머리칼을 찰랑이며 꽃길을 걷는 환영도. 환영 속의 여자가 춤추듯 흔들리는 차양을 살포시 걷고 그를 향해 미소 짓는다.

보는 것만으로도 온몸이 흐물흐물 녹아 없어져 버릴 듯한 나른하고 평화로운 광경이다. 찰나의 순간도 놓치지 않으려, 눈도 깜박이지 않고 바라보았다. 미지근한 바람이 불어와 잠시 멍하니 있던 다니엘의 머리칼을 건드렸다. 그만 환상 속에서 깨어나라는 듯 흔들린 머리칼이 눈을 찔렀다.

"언제부터 저와 같은 편이 되고 싶으셨나요?"

황후의 질문에 다니엘이 설핏 웃음을 삼키며 질문으로 대답을 대신했다.

"저와 한편이 된다는 것이 어떤 의미인지는 아십니까?"

"최소한 저와 제 가문이 더는 밥버러지로 살지 않아도 된다는 거겠죠."

"죽어 구더기에게 파먹히느니 밥버러지로 사는 길을 택하셨던 걸로 아는데요."

정곡을 찔렀더니 과하게 생글대던 황후의 미소가 사라졌다. 거슬리던 눈웃음이 자취를 감추자 훨씬 마주할 만했다.

"바이첸만 아니었다면……."

황후는 분노를 억누르며 입술을 씹었다.

"그 영악한 인간들의 눈을 피해 가문을 지키려면 어쩔 수 없었어요. 우리도 좋아서 굴욕적인 삶을 선택한 게 아닙니다."

"오해하지 마세요. 비난하려던 건 아니니까. 황제의 사냥개로 살아온 제가 그 심정을 모르는 것도 아니고."

속내를 들킨 황후는 이젠 숨길 것이 없다는 듯 솔직하게 자신을 드러냈다.

"그래서 승마 대회 때 내게 경고를 보낸 건가요? 아무도 널 구해 주지 않을 테니 정신 차리고 살길을 찾으라고? 내게 현실을 똑똑히 알려 주려고, 썩은 줄에 매달려 있지 말라고 일깨워 주고 싶었던 거예요?"

거창하네.

"솔직히 말씀드리면……."

이런 말까지 하게 될 줄 몰랐는데. 다니엘이 곤란한 표정을 지으며 찻잔 끄트머리를 매만졌다.

"황태후는 몰라도 황제까지 가만 보고만 있을 줄은 몰랐습니다."

"……."

그 일로 황후가 황실에 실망하고 각성하게 되길 바랐던 건 사실이다. 하지만 레오폴드까지 혼자 살겠다고 내뺄지는 몰랐다. 문득 자신의 각성은 언제였을까 떠올려 봤다. 언제부터 오라면 오고, 가라면 가는 사냥개 짓을 하느니 죽어 버리는 게 낫겠다고 여기기 시작했는지.

"공작 부인을 언제까지 쉔달 성에 내버려 둘 거야? 거지 같은 인간들이 부인을 두고 뭐라고 떠드는 줄이나 알아? 당장 데리러 가자고, 당장."

눈만 뜨면 닦달하던 도미닉 때문이었나?

"이 정도면 황제 폐하께서도 뜻하신 바를 이룬 셈이니 더 붙잡아 둘 명분도 없습니다. 영지엔 안주인이 있어야 합니다. 하루라도 빨리 모셔 오세요."

아니면 보일드 남작의 간청? 그것도 아니면…….

"……스띠아. 엉엉. 헤스띠아 언니……."

갑자기 귓가에 꼬맹이의 울음소리가 들리며 눈앞에 놓인 찻잔의 형체를 구분하지 못할 만큼 점점 시야가 흐릿해졌다.

"라이닝겐 가문의 남자들은 왜 필요로 하시는 거죠?"

황후의 질문에 퍼뜩 흐려지는 시선을 붙들었다. 또 정신을 놓을 뻔했다. 중요한 일을 앞두고 어쩌자고 자꾸 넋을 빼놓게 되는 건지. 한 것도 없는데 급격하게 피로가 몰려왔다. 다니엘은 살짝 날카로워진 말투로 답을 내뱉었다.

"인질입니다."

"인질이요?"

"황후께서 절 배신할 때를 대비한 담보라고 해 두죠. 더불어 라이닝겐 공작가에서 데리고 있는 사병들을 모두 북부로 이동시켜 주십시오. 황실 모르게 숨겨 둔 개인 사병까지 전부."

"북부요? 거긴 왜……."

왜긴 왜겠어. 다니엘은 지끈대는 머리를 반으로 가르고 싶다는 욕구를 참으며 초점을 잡았다.

"조만간 동부 국경과 남부 바이마르에서 동시에 큰 전투가 벌어질 겁니다."

이 빌어먹을 난리통에 황제와 황태후 둘 다 떠밀려 쓸려 나게 놔둘까. 아니면 둘 중 하나는 건져 낼까. 아직 답을 내리지 못했다.

확실하게 결정한 건 단 하나. 더 늦기 전에 아내를 이 빌어먹을 쉔달 성에서 빼내야 한다는 것뿐이다.

"전쟁이 끝날 때까지 라이닝겐 공작가에서 제 아내를 지켜 주신다면 저도 황후 폐하의 소원을 들어드리겠습니다. 한 명이든 두 명이든, 결정만 하세요."

수프를 줄 때는 먹기 싫다며 다 죽어 가는 척을 하더니 금광 얘기가 나오자 뮤리엘의 눈빛이 달라졌다.

"얼른 가서 공작 전하게 약속 지키라고 말하세요."

"하지만 아무것도 기억하지 못하는 다니엘에게 금광을 달라고 조르는 건 좀……."

뮤리엘이 답답하다며 가슴을 쳤다.

"제 말은 약속 얘기를 꺼내면서 자연스럽게 대화를 하라는 뜻이에요. 두 분, 그동안 서로 어떻게 지냈는지 제대로 얘기해 본 적 없을 거잖아요."

지난 시간 동안 뮤리엘만 생사를 오간 건 아니었다. 리하르트 공작도 만만치 않게 힘든 시간을 보냈다. 안톤 곁에서 잔심부름하게 된 마틸다의 동생 요제프는 종종 뮤리엘을 보러 오곤 했는데, 올 때마다 성안에 떠도는 리하르트 공작의 근황을 알려 주었다. 공작의 부상이 생각보다 심해 아예 걷지 못하게 되었다는 소문이 돌고 있다고.

실제로 리하르트 공작의 다리는 얼마 전에 겨우 회복되었다고 들었다. 검을 다시 잡게 된 것도 최근이라고. 몸이 회복되자마자 첼리노로 달려온 거나 마찬가지다.

"공작 전하는 생각이 많은 분입니다. 어깨에 진 짐의 무게가 우리와는 다른 분이라 행동이 가벼울 수가 없죠. 그러니 계속 답답하게 굴 거예요."

뮤리엘이 본 리하르트 공작은 절대 먼저 힘들다, 아프다 소리를 할 사람이 아니었다. 자세한 내막은 모르지만 뮌하임 성을 떠나오기 전, 전서구들이 성으로 정신없이 날아들었다. 도미닉도 밤을 꼬박 새운 몰골로 나타나곤 했었다. 뭔가 큰일이 벌어지고 있다는 걸 느낌으로 알 수 있었다.

"아가씨가 먼저 다가가 말을 걸어 보세요. 어서요. 얼른요."

뮤리엘은 어서 나가 보라며 프리다의 어깨를 밀었다.

"알았어, 알았다고. 뮤리엘, 아픈 거 맞아? 왜 이렇게 힘이 좋아?"

등이 떠밀린 프리다는 툴툴대며 뮤리엘의 방을 나섰다. 밤새 다니엘의 품에서 울다 잠든 터라 그를 보기가 어색했지만, 뮤리엘의 말대로 금광 얘기로 대화를 시작해 보는 것도 나쁘지 않을 것 같았다.

복도를 지키고 있는 아메티스 기사단원들 속에서 로잘린을 발견한 프리다는 그녀를 불렀다.

"로잘린, 혹시 다니엘이 지금 어디에 있는지 알아?"

"공작 전하께선 황후 궁에 가셨습니다."

"황후 궁은 왜?"

"그, 그건⋯⋯."

머뭇대는 로잘린 뒤로 맑고 푸른 하늘이 보였다. 돌연 근래 들어 벨뷔 궁 밖으로 나간 적이 없다는 사실을 깨달은 프리다가 뭔가를 결심한 듯 치맛단을 꾹 쥐었다.

"준비를 도와줘, 로잘린. 나, 남편을 만나러 가야겠어."

자세한 상황을 묻는 루이즈 황후의 표정이 퍽 심각했다.

"전쟁이 난다는 뜻인가요? 그런 얘기는 못 들었는데요. 확실한 소식이에요?"

이젠 확실해졌지. 빠르면 이틀, 늦어도 일주일 안에 변경백이 전령을 보내 올 것이다. 이미 많은 전력이 이동 중이니 전쟁이 터지는 건 시간문제다.

"황태후는 알고 있습니다. 오히려 기다리고 있죠. 전쟁이 시작되면 출병을 핑계로 황제의 편에 선 귀족들을 전쟁터로 몰아낼 계획을 세우고 있으니까."

"어떻게 그런……."

"황태후에게 중요한 건 언제나 바이첸 가문의 영속뿐이었습니다. 놀랄 일도 아니죠."

보기엔 황제와 황태후의 세력이 균형을 이룬 것 같아도 경험에서 확연한 차이가 났다. 병력을 가진 변경백과 정보력을 가진 안드레아 공작이 중립인 상황. 그 와중에 첼리노 주변의 귀족들, 특히 황제의 편에 선 젊은 귀족들이 할 수 있는 건 많지 않았다.

황태후가 '살리카 법'에 손대려 한다는 소문 이후 명망 높은 귀족 몇이 황제 편으로 돌아서긴 했으나 챔벌린 백작같이 노회한 인물은 없다. 그러니 중요한 정보를 물어다 주는 인간이라곤 없을 수밖에.

"본격적인 전투가 벌어지기 전, 제 아내를 친정인 하크본 백작에게 보낼 겁니다. 원하신다면 황후께서도 함께 피신하셔도 됩니다. 전쟁이 시작되면 그나마 북부와 첼리노가 가장 안전합니다.”

바이마르는 쿠퍼 항으로 들어오는 바닷길만 잘 막으면 시간을 끌 수 있으니 아직은 여유가 있다. 해적 출신의 ‘안딘 프랑코’에게 금화를 두둑이 안겨 주었으니 제 몫은 해낼 테고.

문제는 변경백이 지키는 국경이다. 지난해, 하인리히가 한바탕 난리를 친 후 수백 명의 군사가 국경으로 파견되었으나 그걸로 끝. 저희 세력이 줄어드는 게 싫었던 황제와 황태후 모두 더는 군사를 차출하려 들지 않았다.

“첼리노도 가장 안전한 곳 중 하나라면서 왜 공작 부인을 북부로 보내요? 여기서 나랑 같이 지내도 되잖아요.”

말도 안 되는 소리. 순간 이성을 잃고 역정을 냈다.

“황태후가 내 아내를 가만둘 것 같습니까?”

만약 다니엘이 전투에서 죽기라도 하면? 그 전에 바이첸을 무너트릴 계획을 세우고 있는 걸 눈치라도 채는 날엔? 결코 가만둘 사람이 아니다. 무슨 핑계를 대든 그날로 죽이고 말지.

“아…… 그렇겠네요.”

조용히 읊조리던 황후가 물끄러미 다니엘을 보며 물었다.

“그나저나 리하르트 공작 부인께선 순순히 북부로 가겠다고 하시던가요?”

남편을 전쟁터로 보내고 혼자 안전한 곳에 숨어 있을 성격으론 안 보이던데. 차라리 영지로 돌아가겠다고 했다면 모를까.

“……”

리하르트 공작이 갑자기 꿀 먹은 벙어리가 되었다. 입을 꾹 다물어 버린 남자를 빤히 바라보던 황후가 마시던 찻잔을 내리며 물었다.

“설마 아직 안 물어본 거예요?”

여태? 이 중차대한 일을 아직 아내에게 알리지 않았다고? 뭐야, 상의 없이 혼자 결정한 거야? 내가 죽을 고비를 넘기는 동안 넌 편한 곳에서 안전하게 있어라 이렇게 말하면 공작 부인이 ‘네, 그럴게요.’라고 선선히 답할 줄 알고?

“……곧 알릴 생각입니다.”

맙소사. 이 남자 자기 아내를 몰라도 너무 모르네.

황후는 자고로 소문이 나는 덴 다 그럴 만한 이유가 있음을 깨달았다. 로잘린이 리하르트 공작은 생긴 거만 멀쩡하지, 여자 마음을 모르는 천하의 바보 멍청이라더니. 사실이었다.

프리다가 황후 궁에 왔다는 소식에 루이즈 황후가 한달음에 달려 나왔다.

황후는 프리다를 보자마자 반갑게 그녀의 손을 붙들었다.

“어서 와요. 황후 궁은 처음이죠? 공작 부부께서 번갈아 제 궁을 찾아 주시다니 정말 영광이에요.”

번갈아? 그럼 다니엘은 벌써 이곳을 떠난 건가? 예상보다 과한 환대에 난감해진 프리다는 어색하게 눈웃음을 지었다.

“저…… 폐하. 다니엘은 여기 없나요?”

그제야 프리다가 온 이유를 알아챈 황후가 짐짓 실망스러운 티를 냈다.

“어머, 내가 아니라 공작을 만나러 온 거군요. 이런, 날 찾아 주었다고 좋아했더니.”

황후가 낙담하자 당황한 프리다는 아니라며 급히 고개를 저었다.

“아, 아닙니다. 황후 폐하를 뵈러 온 거 맞아요. 그러니까…….”

잡힌 손을 빼낸 프리다는 서둘러 구름 한 점 없는 파란 하늘을 가리켰다.

“날씨가 너무 좋아서요. 제가 그동안 통 외출을 못 해서 이번 기회에 폐하와 산책이나 할까 하고…….”

황후는 허둥지둥하는 프리다가 귀여워 주먹 쥔 손으로 입을 가리고 쿡쿡 웃었다.

“후후. 공작 부인은 속마음을 바로 들키는 분이니까 그리 애쓸 것 없어요. 아무튼 길이 엇갈렸네요. 리하르트 공작께선 조금 전에 여길 떠나셨답니다.”

"아…… 네."

이럴 줄 알았으면 시간을 끌지 말 것을. 오랜만의 외출이라며 나름 꾸며대다 일을 그르쳐 버렸다. 루이즈 황후가 금세 울상이 된 프리다의 팔을 붙들어 계단으로 이끌었다.

"그러지 말고 우리 같이 차 한잔해요. 부인 덕분에 저도 허브차에 관심이 생겼답니다. 마침 좋은 차가 들어왔어요."

프리다는 황후의 초대를 거절하기 위해 남편의 행방을 물었다. 마음을 먹고 나왔으니 어떻게든 다니엘을 만나 볼 참이었다.

"저, 황후 폐하. 혹시 제 남편이 어디로 갔는지 아시나요? 실은 제가 급히 전할 말이 있어서요."

"그래요? 황태후 궁에 간다고 들었어요. 지금 가면 만날 수 있을 거예요."

황태후 궁이라니……. 먼발치로라도 가장 부딪치고 싶지 않은 이가 마그리트 황태후다. 프리다는 풀 죽은 목소리로 중얼거렸다.

"……아니요. 생각해 보니 그리 급한 일은 아니네요."

우울해진 프리다와 달리 황후는 구름 한 점 없는 오늘 날씨처럼 환하게 웃었다.

"잘됐네요. 그럼 나와 함께 가요. 가서 얘기나 나눠요."

얘기는 다니엘하고 나눠야 하는데. 하지만 오늘따라 루이즈 황후의 기분이 아주 좋아 보여 프리다도 결국 함께 웃고 말았다. 만면에 미소를 띤 황후는 프리다의 팔짱을 낀 채 그녀를 응접실로 이끌었다.

다니엘이 황태후 궁을 나섰을 땐 해가 뉘엿뉘엿 지고 있었다. 주변을 휘휘

둘러본 하인리히가 그의 뒤로 달라붙어 따라오며 귀에 대고 낮게 속삭였다.

"늙은 여우가 뭐래?"

"하나 마나 한 소리."

"그러니까 하나 마나 한 소리 뭐? 네 재혼 상대로 점찍은 여자가 누구란 얘기는 안 하든? 내가 좀 알아봤는데……."

한껏 목소리를 낮추던 하인리히는 벨뷔 궁으로 가는 숲길에 서 있는 황제를 보고 '헉' 숨을 들이마시며 걸음을 멈췄다. 홀로 서 있는 황제를 발견한 다니엘도 잠시 서서 그를 바라보다 이내 저벅저벅 그쪽을 향해 걸었다. 레오폴드 앞에 도착한 다니엘이 허리를 숙였다.

"소신 다니엘 리하르트, 제국의 태양을……."

하인리히도 뒤따라 예를 갖추려는 찰나 황제가 짜증스레 툴툴거렸다.

"쓸데없는 인사 집어치우고 나랑 얘기 좀 해."

다니엘을 따라 '제국의 태양'을 외치려던 하인리히는 입을 열다 말고 속으로만 쯧 혀를 찼다.

"말씀하십시오, 폐하."

잔뜩 얼굴을 찌푸린 레오폴드가 시야를 가리는 나뭇가지를 '탁' 쳐 내며 말했다.

"세바스티안이 이상한 소리를 하면서 너를 꼭 만나 보래. 지난번에 뮌하임 성에서 네가 나한테 했던 얘기, 그거 말하는 거 같던데."

황제가 다니엘이 기억하지 못할 게 뻔한 얘기를 들먹이자 하인리히는 바짝 긴장한 채로 친구를 흘깃댔다. 그리고 언제나처럼 침착한 친구의 모습에 픽 실소를 터트렸다. 황제는 옆에 있는 하인리히의 존재를 신경 쓰지 않을 만큼 조급해 보였다. 자신은 기억을 잃은 다니엘이 실수라도 할까 봐 초긴장 상태고. 정작 당사자인 다니엘만 초연하다.

'진짜 대단한 놈이라니까.'

고개를 숙인 채 피식거리고 있는데 다니엘의 말소리가 들려왔다.

"빈더만 자작이 무엇을 고했는지 알려 주시면 폐하께서 원하시는 답을 찾아보겠습니다."

말이 끝나자마자 레오폴드가 버럭 소리를 질렀다.

"듣기 짜증 나니까 존대 집어치우고 하던 대로 해. 알현실에선 날 개무시해 놓고 이제 와 무슨 빌어먹을 예의를 차리겠다는 거야?"

코웃음을 친 다니엘이 얌전히 내리깔고 있던 눈을 치켜들었다.

"할 말 있으면 빨리하고 꺼져. 나도 너 상대할 시간 없어."

자신을 막 대하라고 야단인 황제나 하란다고 하는 다니엘 녀석이나. 단박에 표정과 말투를 바꾸는 다니엘을 보며 하인리히가 입을 쩍 벌렸다. 레오폴드가 신경질적으로 입술을 쓸며 가까이 다가왔다.

"네가 그랬잖아. 투르크가 솔론족에게 돈을 대고 있다고. 그 정보의 정확한 출처가 어디야? 세바스티안이 그러는데…… 야, 어디 가?"

다니엘은 레오폴드의 말을 듣는 둥 마는 둥 뒷짐을 진 채 성큼성큼 그를 지나쳐 갔다. 레오폴드가 황당해하며 그를 뒤쫓자 하인리히도 그들의 뒤를 따라 걸었다.

"야, 다니엘! 거기 안 서? 나 아직 말 안 끝났어."

"나한테서 뭐라도 듣고 싶으면 입 닥치고 조용히 따라와. 말했잖아. 너 상대할 시간 없다고."

"이 자식이. 너 뭐 알고 있지? 알면서 나한테만 입 다물고 있…… 윽."

앞서가던 다니엘이 돌연 걸음을 멈추는 바람에 레오폴드는 다니엘의 어깨에, 하인리히는 황제의 뒤통수에 부딪혔다. 오른쪽으로 살짝 어깨를 튼 다니엘이 싸늘하게 경고를 건넸다.

"입 닥치고 조용히 안 할 거면 꺼져."

그러곤 말을 마치자마자 등을 보이고 돌아섰다. 씩씩대던 레오폴드가 이내 분위기를 파악하고 입을 다물자 하인리히도 근질근질한 입술을 꾹 깨물었다. 고요히 한참을 말없이 걷던 세 남자 앞에 도미닉이 나타난 건 그로부터 삼십여 분 후. 완전히 어둑해진 밤길 위에 서 있던 도미닉이 그들을 보자마자 길게 한숨을 내쉬었다.

"가지가지 한다. 다니엘, 넌 일을 하자는 거야 말자는 거야?"

혼잣말인 척 구시렁대기까지.

"젠장, 떨거지들을 주렁주렁 매달고 와서 뭘 어쩌자고?"

레오폴드와 하인리히는 도미닉이 말하는 '떨거지'가 설마 나는 아니겠지 하며 서로를 마주 보았다. 얼떨결에 맞닥뜨린 네 남자의 긴긴밤이 그렇게 시작되었다.

끼이익.

자정 무렵, 벨뷔 궁으로 돌아온 다니엘이 방문을 열자 어둠이 그를 반겼다. 온기가 있는 프리다의 침실과 다르게 그 혼자 머무는 방엔 한기만 가득했다.

해가 지기 시작하면 불부터 밝히고 보는 멘하임 성과 달리 이곳 쉔달 성은 어둠이 길다. 그래서 익숙했고 낯설지 않았다. 있어야 할 곳에 있는 듯 편안했다. 분명 그래야 하는데⋯⋯.

정신을 차리고 보면 언제나 이곳에 없는 뭔가를 찾고 있는 저를 발견하곤 한다. 지금처럼 어두운 실내를 밝혀 줄 빛을, 숨 쉴 공기를, 땀을 식혀 줄 바람을 찾아 헤매고 있는 낯선 자신을. 초에 불을 밝히기 전, 다니엘은 창문을 활짝 열었다.

온종일 이 일 저 일에 시달려 지친 팔이 창문을 한 번에 밀어내지 못해 반만 열렸다. 황후 궁에 들렀다 황태후 궁으로. 다시 벨뷔 궁으로 돌아와 옷만

갈아입고 궁 밖으로. 하루 종일 황후, 황태후, 황제까지 황실 가족 세 명과 차례로 신경전을 벌인 것도 모자라 막 격렬한 몸싸움을 하고 오는 길이다.

'지칠 만도 하군.'

다니엘은 마지막 남은 힘을 짜내 마저 창을 밀었다. 은은한 꽃향기를 품은 바람이 코끝을 스치자 가슴이 먹먹해졌다. 또 이런 느낌이다. 가슴이 아리고, 눈시울이 뜨거워지는 기이하고 낯선 느낌. 청승을 떠는 건 질색하는 성격인데 아무 데나 퍼질러 주저앉아 마구 울고 싶어지는 이 희한한 기분의 정체가 뭔지 도무지 알 수가 없다.

이런 느낌 뒤엔 꼭 으슬으슬 춥고 노곤해진다. 작은 찻잔 하나 들 힘도 없이 몸이 축 처진다. 다니엘은 바닥에 털썩 주저앉아 팔만큼 지친 머리를 벽에 기댔다. 창밖에서 올빼미가 우는 소리와 한데 모인 봄바람이 나뭇잎을 치며 지나가는 소리가 들렸다.

"후우. 좀…… 피곤하군."

그는 힘든 하루였다는 핑계를 대며 스르르 눈을 감았다.

12. 다니엘과 프리다로

"……니엘, 다…… 엘…… 일…… 나요."

감은 눈 너머로 희미한 빛 그림자가 출렁였다. 의식이 들자마자 머리가 반으로 쪼개질 것같이 아프고 어지럽다. 다니엘은 가늘게 뜬 눈 끝에 잡히는 하얀 물결을 치워 내려 손을 뻗었다. 조금 전까지만 해도 힘이 들어가지 않더니 다행히 쉽게 팔이 들렸다. 가장 먼저 손에 잡힌 걸 움켜쥐었더니 되레 그의 몸이 심하게 흔들렸다.

"일어나요, 다니엘! 왜 침대가 아니라 여기서 자고 있어요?"

반으로 갈라질 것 같은 머리를 부여잡고 찡그렸던 눈을 다시 뜨니 프리다가 보였다. 황금빛 얼굴에 까만 불꽃 그림자를 덮은 아내가. 프리다, 그녀였다.

"정신이 좀 들어요?"

그녀다. 다니엘의 계획을 어그러트리고 혼돈에 빠지게 하는 여자. 자신이 겪고 있는 이 혼란의 원인이 모두 그녀가 제 눈앞에 보이기 때문이라는 사실을 이젠 확실히 알 것 같다.

그녀의 존재를 알기만 했을 땐 당황스러울 뿐 이토록 머리가 복잡하진 않았다. 황태후가 바이첸 가문의 여자와 재혼했으면 한다는 의중을 알려 왔을 때도, 솔직히 아내는 그의 안중에 없었다.

유트레히트 바로 아래서 전쟁이 터지게 생겼는데 첼리노의 견고한 성벽 아래서 안전을 보장받는 아내를 떠올릴 겨를도 없었고. 이미 다른 문제만으로도 머리가 터져 나갔다. 몸은 말을 안 듣지, 연일 흉흉한 소식을 단 전서구가 날아오지.

그리고 그놈의 도로 공사. 금화를 흙바닥에 쏟아부어도 완성될까 말까 한 그 일은 대체 왜 시작해서는. 안 그래도 머리가 깨지기 직전인데 왜 상황을 더 복잡하게 만드냐고. 홍수가 나 그동안의 고생이 물거품이 된 도로 공사 진행 현장을 다시 본 궤도에 올리는 데만 석 달이 넘게 걸렸다.

다 때려치우라고 하고 싶었지만 그러지 못한 이유를…… 모르겠다. 도미닉이 이쯤에서 관두는 게 손해를 줄이는 길이라고 했는데도, 그냥 진행하라고 해 버렸다. 만들어 놓으면 쓸모는 있겠거니 하며.

지금 생각하면 그것도 다 아내 때문이다. 실체도 없으면서 머릿속에 박혀서는 사람을 피곤하게 만드는 아내. 그래도 두 눈으로 직접 보기 전에는 견딜 만했던 것 같다.

"황태후가 공작 부인이 쉔달 성에 계속 머물도록 가만 놔두겠습니까? 주군이 바이첸과의 혼인을 받아들이는 순간, 죽이거나 스스로 죽게 만들거나 둘 중의 하나입니다. 혼인을 거절하면 더욱이 죽이려 들 거고요. 하인리히와 로잘린이 아니었다면 지금까지 버티지도 못했어요."

그래서 피신시키기로 했다. 그저 리하르트 공작 부인의 이름에 걸맞은 대우만 해 주자는 마음으로. 아내를 안았다는 걸 알기 전까진 원한다면 리하르트 공작 부인이라는 거추장스러운 이름도 떼어 주자 결심했었다.

프리다, 당신을 다시 만나기 전까지는 이런 결정에 아무런 문제도 없었다. 툭하면 위로 치켜 올라가는 건방진 눈꼬리와 벌새의 날갯짓처럼 파닥거리는 새하얀 속눈썹을 보지 않았다면.

그러나, 보고 나니 거슬렸다. 전쟁이 나는 것도 거슬리고, 그대를 남의 손에 맡기는 것도 거슬리고. 나 아닌 다른 누가 아내를 걱정하는 것도 짜증 난다. 모든 게…… 다 엉망진창이다.

한 번씩 궁금하긴 했었지. 왜 나는 그대를 잊었을까. 사이가 좋았다던데. 내가 그대를 많이 아꼈다던데. 왜 그 기억만 깡그리 사라졌을까.

그러다 답을 내렸다. 믿어지지 않아서였을지도 모르겠다고. 거지 같은 내 삶 속에 머물기엔 그대가 너무 고결한 존재라, 지난 일을 꿈이라고 여겼을지도 모르겠다고. 그래서 잃느니 잊는 걸 선택했을지도 모르겠다고.

"다니엘?"

여전히 꿈같은 그녀가, 꿈결 같은 목소리로 다니엘을 꿈에서 깨웠다. 그의 눈앞에 있는 여자는 환영이 아니고, 그는 꿈을 꾸고 있는 게 아니라고 알려 주려는 듯. 다니엘은 팔을 뻗어 아내를 품 안으로 끌어당겼다.

"잠시만."

하얗게 바래 버린 머릿속에 오직 그녀만 남아 있는 지금이 아니면 이 말을 할 수 없을 것 같았다.

"잠시만 이대로."

지친 몸이 프리다의 가녀린 어깨 위로 무너졌다.

"오늘 밤은 내 곁에 있어요."

프리다는 다니엘의 넓고 평평한 가슴에 파묻히듯 안겼다. 맞닿은 뺨을 타고 전해진 예상치 못한 열기에 놀란 프리다가 고개를 들고 그를 불렀다.

"다, 다니엘. 당신 몸에서 열이 나요."

열뿐만이 아니었다. 그의 몸에선 막 격렬한 전투라도 치른 듯 진한 땀 냄새가 풍겨 나왔다. 그녀의 목덜미에 닿은 머리칼 역시 땀에 젖어 축축했다. 간질간질한 감촉을 참지 못해 어깨를 웅크리자 다니엘이 그녀를 품 안으로 더 꽉 당기며 지친 목소리로 소곤댔다.

"잠시만 더……."

프리다가 제 품을 벗어나려 한다고 오해한 것 같았다. 그녀의 허리를 감싼 단단한 팔에 힘이 실리는 게 느껴졌다.

"이대로 있어 줘요."

간청하듯 낮게 읊조린 다니엘이 프리다의 뒷머리를 쓸어내리며 목과 머리칼에 얼굴을 비볐다. 간절함과 불안감이 느껴지는 애절한 손길이었다. 프리다는 움츠렸던 몸에서 힘을 빼고 그의 허리를 안았다. 열나는 몸으로 찬 바닥에 앉아 있는 그가 걱정된다며 등도 토닥였다.

"알았어요. 당신 옆에 있을게요. 그런데 다니엘, 우리 침대로 가요. 바닥에서 이러고 있지 말고, 침대로 가서 편하게 누워요."

다니엘이 뭔가에 놀란 듯 그녀를 쓰다듬던 손길을 멈췄다. 맥박도 갑자기 빨라졌다.

"다니엘……?"

그가 걱정돼 턱을 들어 올려다보려던 순간. 뻣뻣하게 굳어 있던 팔을 푼 그가 엉덩이 아래로 그녀의 몸을 받치고 번쩍 안아 올렸다.

"어머!"

깜짝 놀란 프리다는 그의 목을 꽉 감싸 안으며 질끈 눈을 감았다. 공중에 붕 뜬 채로 옮겨지던 그녀는 어딘가에 등이 닿고서야 겨우 눈을 떴다. 자신이 침대에 눕혀졌다는 걸 깨달은 프리다는 휘둥그레 커진 눈으로 그녀의 시야를 가득 채우고 있는 사내를 올려다보았다.

프리다를 침대에 내려놓은 다니엘이 긴 팔과 긴 다리 사이에 그녀를 가둔 채 말없이 눈을 맞춰 왔다. 다니엘의 욕망이 담긴, 프리다가 선명히 기억하는 핏빛 눈동자가.

벌겋게 타오르는 불꽃을 담은 눈이 그녀를 내려다보고 있었다. 프리다의 몸속 깊은 곳을 뭉근히 달아오르게 하는 적나라한 눈빛. 목덜미가 후끈거리고 식은땀이 흘렀다. 활활 타오르는 불길 속에서 살갗이 맹렬히 타들어 가는 것만 같아 숨을 쉬기가 어려웠다.

꼴깍. 마른침을 삼킨 프리다가 떠듬떠듬 입을 열었다.

"다, 다니엘. 그러니까 내가 오늘 당신을 많이 찾았는데……."

바닥에 앉아 잠이 든 다니엘을 발견했을 때만 해도 따질 참이었다. 이 시간까지 어디서 뭘 하다 들어와서는 이 꼴로 잠든 거냐고. 내가 온종일 당신을 얼마나 찾아다니고 기다린 줄 아냐고 툴툴대며 성질도 내려 했는데.

"나를…… 왜요?"

당황스러운 와중에도 짙은 피로가 묻어나는 그의 목소리가 더 신경 쓰였다. 프리다는 팔을 뻗어 다니엘의 뺨을 감싸 쥐었다.

"할 말이 있어서요. 그런데 다니엘, 당신 괜찮아요? 몸이 안 좋아 보여요."

확실히 평소보다 체온이 높았다. 보통 사람보다 차가운 편인 그녀의 손이 금세 따뜻해질 정도로.

"열이 높아요. 잠시만 기다려요. 내가 찬 물수건을 만들어 올게요."

다니엘의 손이 급히 몸을 일으키려는 프리다의 어깨를 지그시 누르며 목을 스쳤다. 곧이어 침대 위에 흐트러진 머리칼 속으로 손을 집어넣은 그가 손끝으로 머리칼을 매만지며 꿈꾸듯 중얼거렸다.

"내가 왜 이러는지 모르겠어."

그의 눈빛이 점점 더 붉어졌다.

"당신만 보면 머리가 멍해져. 고민하고 따지고 결정해야 할 일이 산더미인데. 당신을 보고 있으면…… 시간이 멈춰 버려. 생각이 안 나. 내가, 내가 아닌 것 같아."

"다니엘, 우선 열부터 내리고 얘기는 다음에 해요."

다니엘의 말을 막은 프리다는 그의 뺨을 감쌌던 손을 내리고 급히 다른 손으로 이마를 짚었다.

"내 손이 차가운 편이니까 이러고 있으면 좀 나을 거예요. 그래도 빨리 찬 물수건으로 몸을 식히는 게 좋을 거 같은데……."

물끄러미 프리다를 내려다보던 다니엘이 천천히 허리를 세웠다. 눈 깜짝 할 새 셔츠를 벗은 그가 갈 곳을 잃고 허공에 머물러 있던 프리다의 손목을 잡아 제 가슴 위로 올리며 속삭였다.

"그럼 당신 손으로…… 식혀 봐요."

깊은 밤. 황제 궁의 복도를 장식한 벽등도 점차 빛을 잃어 가고, 분주히 오가던 하인들의 발소리도 뜸해진 시각. 꺼져 가는 벽등 안의 초를 갈기 위해 조심히 사다리를 오르던 하인이 인기척을 느끼고 뒤를 돌았다.

황제의 시종이자 최측근인 세바스티안 빈더만 자작과 눈이 마주친 그는 사다리를 붙잡은 채로 고개를 조아렸다. 위태로운 자세로 인사를 해 오는 하인을 무심히 지나친 빈더만 자작이 빠른 걸음으로 계단을 올랐다.

조금 전 그는 실례를 무릅쓰고라도 벨뷔 궁으로 달려가 리하르트 공작을 찾을 참이었다. 홀로 공작을 만나러 간 황제가 해가 지고, 저녁 식사 시간이 지나고, 심지어 밤하늘이 별로 뒤덮이는 시간이 되도록 궁으로 돌아오지 않았기 때문이다.

황제가 리하르트 공작을 만나러 간 일을 비밀에 부치라고 하지만 않았어도 더 빨리 나섰을 것이다. 황제에게 공작을 만나 보라고 조언한 사람이 자신이다 보니 걱정이 앞섰다.

늦은 밤까지 안절부절못하고 황제 궁 앞을 서성대다 우연히 황제가 머무는 침실 창문에 그림자가 어른대는 걸 봤다. 혹시 돌아오신 건가 싶어 부리나케 궁 안으로 뛰어 들어오는 길이다.

그나저나 의문이다. 가슴을 졸이면서 몇 시간이나 궁 앞을 왔다 갔다 할 땐 보이지 않으시더니 어디로 들어오신 건지.

'설마, 비밀 통로로 돌아오신 건가?'

조급해진 빈더만 자작은 숨이 가빠지는 것도 의식하지 못하고 허겁지겁 계단을 올랐다. 복도를 지키는 경비병들을 발견하고 난 뒤에야 숨을 고른 그는 아무 일도 없는 척 유유히 걸어 황제의 침실 문 앞에 섰다.

사방에 황태후의 눈이 깔린 쉔달 성이다. 조금이라도 평소와 다르게 행동했다가는 즉시 황태후의 귀에 들어가게 된다. 빈더만 자작은 마치 황제가 안에 계신 걸 알고 있었다는 듯 태연히 문을 두드렸다.

"폐하, 세바스티안입니다. 잠시 들어가겠습니다."

들어오라는 윤허가 없더라도 밀고 들어가려 했는데 안에서 황제의 목소리가 들렸다.

"들어와."

정말로 돌아오셨구나. 빈더만 자작은 안도의 숨을 내쉬며 문고리를 당겼다. 그러나 열린 문틈 안에서 황제의 것이 아닌 다른 이의 인영을 발견한 그는 서둘러 등 뒤로 문을 닫았다.

"……."

눈앞에 펼쳐진 광경에 할 말을 잃은 빈더만 자작이 상의를 모조리 탈의한 황제와 그 옆에 선 사내 둘을 번갈아 훑었다. 그러다 붉은 피가 배어 나오는 흰 천이 둘린 황제의 왼쪽 팔뚝에 눈길이 가 박혔다.

"폐, 폐하. 이게 무슨……. 어쩌다……!"

레오폴드가 다치지 않은 오른쪽 팔을 번쩍 들어 올려 허둥지둥 달려드는 빈더만 자작을 말렸다.

"거기 서."

끼익, 멈춰 선 빈더만 자작의 팔과 허리가 중심을 잃고 출렁댔다. 지친 표정의 레오폴드가 짜증스레 문 쪽으로 손을 까닥였다.

"살아 돌아온 거 확인했으면 그만 나가 봐. 지금은 그대의 잔소리를 들을 기분 아니다."

"하, 하오나 폐하. 이런 모습을 뵈었는데 제가 어찌 그냥 나간단 말입니까? 당장 롤랜드 경을 부르겠습니다. 치료부터 받으시고……."

하인리히가 손에 묻은 피를 닦으며 투덜댔다.

"치료는 우리가 잘했으니까 유난 떨지 말고, 먹을 거나 좀 가져오지. 난 뱃가죽이 등에 달라붙은 거 같은데. 도미닉, 넌 괜찮아?"

뻐근한 목을 주물럭대던 하인리히가 황제의 상처를 살피는 도미닉을 보며 구시렁거렸다.

"일을 벌일 거면 밥을 먹고 시작하든가, 아니면 밥 먹기 전에 끝을 내게끔 계획을 세우든가. 너나 다니엘이나 당최 왜들 그렇게 준비성이 없어?"

목까지 흘러내린 검은 두건을 홱 당겨 푼 도미닉이 하인리히를 노려보며 따졌다.

"다른 사람이 끼어드는 건 제 계획에 없었으니까요."

흘끔 황제마저 쏘아보던 도미닉은 이내 눈을 돌렸다. 그는 북받쳐 오르는 분노를 참기 위해 여러 차례 거친 심호흡을 내쉬었다.

"어휴, 내가 다니엘 이 망할 자식을……!"

머리를 마구 헝클며 조용히 중얼거리던 도미닉이 긴 한숨을 한 번 더 내뱉으며 눈을 질끈 감았다 떴다. 어쨌든 소득이 영 없진 않았으니 실패한 건 아니라며 스스로를 위로하려는데…… 또 울화가 치밀었다.

'애초에 둘이 조용히 다녀왔으면 아무 일도 없었을 거잖아. 왜 이 떨거지들을 주렁주렁 매달고 나가서는……'

오늘 밤, 어둠을 틈타 뮤리엘에게 표창을 던진 놈으로 추정되는 녀석의 집에 숨어들기로 했었다. 원래 계획대로라면 도미닉과 다니엘 둘이서 은밀히 해결하고 왔을 일이다.

하인리히야 그렇다 쳐도, 황제는 무슨 맘으로 끝끝내 따라가겠다고 고집을 피운 건지. 또 다니엘은 왜 그런 황제를 말리지 않고 데리고 갔는지 이해할 수가 없다.

'형제 둘 다 나를 고생시키고야 말겠다는 투철한 사명을 가지고 이 땅에 태어난 거 아니야?'

쉬이 가라앉지 않은 분노가 뜨거운 콧김이 되어 뿜어져 나왔다. 다니엘은 물론이고 하인리히와 황제 모두 쥐어박고 싶은 심정이다. 특히 황제는 있는 힘껏. 끼어들지 말고 멀찌감치 떨어져 망이나 보라고 했더니, 왜 기어이 따라 들어와 표창을 맞냐고. 다행히 다니엘이 그놈을 빨리 제압했기 망정이지 꼼짝없이 황제가 시해되는 꼴을 볼 뻔했다.

"그래도 황제께서 얼굴을 보이신 덕에 그 자식이 빨리 항복했잖아. 우리가 도움이 아주 안 된 건 아니라고, 도미닉."

하인리히의 뻔뻔한 대꾸를 듣고 있던 레오폴드가 창피한지 그를 외면하며 얼굴을 감쌌다.

"세바스티안, 거기 계속 서서 참견할 거면 먹을 거나 챙겨 와. 술도 가져오고."

"폐하, 주치의부터……."

"해독제 마셨어. 그리고 난 웬만한 독엔 내성이 있어서 표창에 긁힌 것쯤으론 탈 안 나."

몇 번 더 주치의 롤랜드 경을 부를 것을 간청하던 빈더만 자작은 끝내 뜻을 이루지 못하고 물러났다. 차려진 상과 함께 다시 세 사람만 남게 되자 도미닉이 슬그머니 그들이 들어왔던 비밀 통로 쪽으로 걸음을 돌렸다.

"전 로시발트 경에게 해독제를 전해야 해서 이만 가 보겠습니다."

"도미닉 몰리, 앉아."

"하지만 시간이 촉박……."

레오폴드는 제 옆에 있는 의자를 발로 차 도미닉 앞으로 밀었다.

"두 번 말하게 하지 말고 앉아."

술병째로 들고 들이켠 레오폴드가 턱을 타고 흘러내린 술을 닦으며 싸늘히 말했다.

"진짜로 죽여 버리기 전에."

"……."

도미닉이 머뭇대는 모습이 우스워 피식 실소를 터트리고 있던 하인리히가 흥미롭다는 듯 신경질을 부리는 황제를 찬찬히 살폈다.

'오호라, 곱게 크신 철부지 애송이인 줄로만 알았더니. 성깔 있는데?'

한밤중, 창문이 덜컹거리는 소리에 놀란 프리다는 퍼뜩 눈을 떴다.

'뭐지?'

멍하니 앞을 바라보던 그녀는 소리가 나는 쪽을 확인하기 위해 침대에 팔을 짚고 몸을 일으켰다. 그러나 어깨가 이불 밖으로 드러나기 전 허리가 뒤로 당겨지더니 이내 탄탄한 팔이 그녀를 감쌌다.

"새가 빛을 보고 달려들다 창문에 부딪힌 걸 겁니다. 신경 쓰지 말아요."

목덜미에 와 닿는 다니엘의 숨소리에서 여전히 열감이 느껴졌다. 이마에 손을 대 보고 싶었지만 그가 팔을 옭아매고 있어 옴짝달싹할 수가 없었다. 프리다는 어깨만 뒤로 튼 채 물었다.

"다니엘, 몸은 괜찮아요? 아직 열이 그대로인 거 같은데."

"그럼 당신이 또 만져서 식혀 주면 되겠네요."

뜨끈하게 달아오른 남자의 몸이 그녀의 등 뒤에 바짝 달라붙었다.

"장난하지 말아요. 자꾸 이러면 화낼 거예요."

프리다는 어제처럼 파르르 화를 내며 기를 쓰고 그의 품을 벗어났다.

"말했죠. 난 아픈 걸 대수롭지 않게 여기는 사람 싫다고."

"알았어요. 알았습니다."

다니엘이 버둥대는 프리다를 앞으로 당겨 안으며 빙긋이 웃었다. 그의 몸이 지난밤처럼 뜨거운 건 특별히 아픈 곳이 있어서가 아니다. 하지만 '당신이 옆에 있어서'라고 말했다가는 당장 그의 품을 벗어나겠다 할 것 같아 꾹 입을 다물었다. 어젯밤처럼 말 한마디 잘못했다가 된통 혼나지 않으려면 아예 꺼내지 않는 게 상책이었다.

"그럼 당신 손으로…… 식혀 봐요."

"장난하지 말고 똑바로 누워요. 열이 나는 건 몹시 안 좋은 징조라고요. 이런 상태가 계속되면 늦게라도 황후 궁에 기별해 의사를 보내 달라고 해야겠어요."

그 후로도 로잘린을 깨워야 하는 거 아니냐, 도미닉에게 약을 가져오라고 연락해야 한다며 수선을 피웠다. 가만두면 밤새 그럴 것 같아 찬 물수건을 머리에 얹는 것으로 합의를 봤다.

확실히 몸 상태가 나쁘긴 했다. 시원한 물수건이 이마에 얹어지자 놀랍게도 깜박 잠이 들었던 걸 보면. 이마 위에서 미끄러져 내려온 물수건의 감촉에 깨고 보니 밖은 여전히 어두운 밤.

눈을 뜬 다니엘이 가장 먼저 발견한 건 그를 간호하다 엎드린 채 잠이 든 프리다였다. 얼마나 피곤한지 다니엘이 침대에 눕히는 것도 모르고 새근새근 숨소리를 냈다. 옆자리에 누워 잠시 그 모습을 바라보다 다니엘도 스르르 눈을 감았다.

불빛을 보고 날아든 어리석은 새만 아니었다면 모처럼 동이 터 오도록 푹 잠을 이뤘을 것 같은 편안한 밤이었다. 그 밤이 이대로 끝나는 게 싫어 프리다를 안은 팔을 거두지 않고 그대로 두었다.

"팔 좀 풀어 줘요, 다니엘. 일어나야겠어요."

바스락대는 프리다의 어깨를 당겨 더 깊이 품 안에 가뒀다.

"더 자요. 아침이 되려면 아직 멀었어요."

프리다는 더는 그의 품을 벗어나려 애쓰지 않았다. 오히려 몸에 힘을 빼고 털썩 다니엘의 왼팔에 고개를 뉘었다. 자주 그래 왔다는 듯 거리낌 없는 자연스러운 동작에 돌연 가슴이 따끔거렸다. 말로 표현하기 힘든 묘한 감정에 빠진 다니엘은 눈 아래 놓인 프리다의 하얀 머리칼에 시선을 두었다. 보지 않아도 보였다.

말갛고 투명한 보라색 눈동자와 눈처럼 새하얀 피부에 피어나던 장밋빛 홍조. 머금고 있으면 아델의 독한 술보다 더 그를 취하게 만드는 붉은 입술. 당장이라도 턱을 들어 올려 확인하고 싶은 마음을 참기 위해 주먹 쥔 손을 아래로 내려 프리다의 허리에 둘렀다.

"그런데 다니엘, 창문에 새가 부딪힌 건 어떻게 알았어요?"

프리다가 제 허리를 두르고 있는 다니엘의 손을 만지작거리며 물었다. 손바닥을 펴 그의 손에 대보기도 하고 가느다란 손가락을 그의 손가락 사이로 밀어 넣기도 하며 장난을 쳤다. 이번에도 지나치게 거리낌 없이.

가슴에 빠듯하게 아픈 통증도 느껴지고, 심장이 멈추기 직전처럼 먹먹하게 울리는 듯도 싶고. 당최 갈피를 잡을 수 없었다. 그러면서도 손가락 사이로 들어온 그녀의 손이 빠져나가는 건 아쉬워 깍지를 껴 붙들었다. 프리다가 그에게 잡힌 손가락을 꼼지락대며 답을 재촉했다.

"어떻게 알았냐니까요?"

"창문이 덜컹대기 전에 새가 푸드덕거리는 소리를 들었습니다."

"네에? 설마 밤새 못 자고 있었어요?"

프리다가 비상하는 새의 날개처럼 높이 고개를 들었다. 그러곤 말릴 새도 없이 그의 이마를 짚었다.

"이상하다. 열은 내린 것 같은데 왜 잠을 못 잤지?"

걱정스레 웅얼거리는 목소리에 심장이 또 벌떡대며 요동을 쳤다.

"후우."

길게 한숨을 내쉬며 숨을 고른 다니엘이 심장을 진정시킬 다른 방법을 찾아 말을 돌렸다.

"어제, 내게 하려던 말이 있다고 하지 않았어요?"

다행히 프리다의 관심을 돌리는 데 성공한 것 같았다.

"어…… 그게, 실은요."

할까 말까 한참을 입을 뗐다 다물었다 망설이던 프리다가 수줍게 고개를 숙이며 입을 열었다.

"다니엘 나 있잖아요…… 지난겨울에 내 스물한 번째 생일을 맞았어요."

생일? 다니엘은 입을 다물고 프리다의 다음 말을 기다렸다. 예기치 못했던 단어에 살짝 놀란 터라 쉬이 입이 떨어지지 않았다.

"당신이 내 생일 선물로 준다고 약속한 게 있었는데……. 기억 안 나죠?"

생일 선물? 연달아 낯선 단어를 듣고서야 입이 떨어졌다.

"내가 뭘 준다고 했는데요?"

"그게……."

프리다는 머뭇머뭇하며 다니엘의 셔츠를 만지작거렸다.

"말해요. 당신이 없는 말을 할 사람도 아니고, 약속했다면 지키겠습니다."

대체 뭘 준다고 했기에 저리 말을 꺼내지 못하는 건지. 답이 궁금해 조급해진 다니엘이 고개를 숙여 프리다의 눈을 찾았다.

"어서요."

그와 눈이 마주치자 프리다가 눈을 가늘게 좁히며 어색하게 웃었다.

"라파스 산의…… 금광이요. 스물한 번째 생일부터 매년 금광을 하나씩 준다고 했어요."

매년 하나씩 금광을 준다고 했다고? 내가 금광을 몇 개나 가지고 있더라……. 자신이 소유하고 있는 금광의 수를 헤아리던 다니엘이 무심코 미간을 찌푸렸다. 그러자 프리다가 벌떡 일어나 마구 손을 저었다.

"다니엘, 내 말 신경 쓰지 말아요. 난 금광 같은 거 필요 없어요. 솔직히 말하면 당신하고 대화를 나누고 싶어서 꺼낸 얘기예요. 우리 다시 만나고, 그동안 제대로 대화를 나눈 적 없잖아요. 그래서 그런 거예요."

열둘, 열셋, 열넷……. 마침내 금광의 수를 모조리 기억해 낸 그는 한결 후련해진 얼굴로 프리다의 팔을 당겨 다시 침대에 눕혔다. 열네 개 정도면 다가올 아내의 생일에 무엇을 주어야 하나 고민할 일은 당분간 없어 보였다. 그는 품 안으로 돌아온 프리다의 등을 감싸며 다정히 말을 건넸다.

"나와 무슨 얘기를 나누고 싶었습니까?"

습관적으로 그의 셔츠를 만지작대는 아내의 손길에 마음이 편안해졌다.

"음…… 우선 당신이 지난 아홉 달 동안 어떻게 지냈는지 알고 싶어요."

망설이다 열린 입술에서 말과 함께 새어 나온 호흡이 그의 가슴을 간지럽히는 것도 좋았다.

"내가 어떻게 지내는지 궁금하긴 했나요? 있잖아요, 다니엘. 난 내내……."

프리다가 살짝 들려던 고개를 다시 아래로 숙이며 나지막이 읊조렸다.

"당신이…… 보고 싶었어요. 아주 많이요."

두 사람 사이에 긴 침묵이 흘렀다. 서로의 숨소리와 심장 소리 말고는 아무것도 들리지 않는 시간이 길어졌다. 두근두근, 두근두근…….

속도를 높여 가던 프리다의 심장이 차츰 안정을 찾아갈 즈음. 다니엘이 담담히 입을 뗐다.

"난 많이 아팠습니다."

아팠다는 짧은 말을 뱉기 전까지 다니엘의 머릿속은 이루 말할 수 없이 복잡한 상태였다. 뭐라고 답을 할까, 무슨 말부터 시작할까. 그의 답을 기다리는 프리다의 맥박을 느끼며, 넝쿨처럼 엉켜들어 간 머리에선 어떤 답도 내어놓지 못했다.

"평생토록 이렇게 아팠던 적이 있었나 싶을 만큼 아팠어요."

그러나 한마디를 꺼내자 둑이 터지듯 다른 말이 연이어 쏟아져 나왔다. 마치 당신에게 지나온 내 시간을 고백할 순간을 기다려 왔다는 듯이.

"이러다 걷지 못하게 되는 건 아닌가 걱정돼 잠을 이루지 못할 정도로 아팠습니다."

그 와중에 바이마르의 항구에 불이 났고, 그 여파로 상인들의 발길이 뜸해지자 펜하임 성의 살림이 어려워졌다.

"성안의 백성들은 힘든 여름을 보내느라 지치고, 보일드 남작은 어려운 살림을 꾸려 나가느라 정신이 없는데…… 난 내 몸 하나 돌보는 데만 바빴어요."

도미닉은 공작 부인이 이래서 도로 공사를 고집하신 거라고 떠들어 댔다. 홍수로 작업이 미뤄졌지만 절대 포기할 수 없다고 우기기에 계속해서 돈을 퍼 주었다. 바빠진 도미닉 몫의 일까지 떠맡게 된 보일드 남작은 하루하루 조금씩 더 말라 갔다.

"발가락을 겨우 움직이게 됐을 때쯤 성 밖 풍경이 눈에 들어왔어요."

그가 버려뒀던 땅에 곡물이 자라고 꽃이 피어난 낯선 풍경이.

"신기했습니다. 내 땅에 생명력을 불어넣은 내 아내가…… 그때 처음 당신이 궁금해졌어요."

가끔은 궁금했고 신경 쓰였지만, 잊었다가 다시 떠올렸다. 그해 겨울, 황태후가 전령을 보내왔다. 첼리노로 와 자신에게 힘을 실으라는 명령이 적혀 있었다. 바이첸 가문의 공녀와의 재혼을 승인하겠다는 글을 읽은 도미닉이 펄쩍 뛰며 난리를 피웠다.

"멀쩡히 살아 있는 아내를 두고 재혼을 하라니. 드디어 늙은 여우가 미쳤네, 미쳤어."

다니엘은 도미닉만큼 화가 나진 않았다. 그저 전령이 그의 땅을 오가는 것에 짜증이 났다.

"겨우내 펜하임 성에 전령이 드나들었습니다. 당신이 황제에게 힘을 실어 준 덕에 황태후의 입장이 매우 곤란해졌다더군요. 난 몸 상태를 들키지 않으려 아무렇지도 않은 척 연기를 해야 했습니다."

황태후의 전령이 도착하면 거만하게 의자에 등을 기대고 앉아 '봄이 되면 첼리노를 찾을 테니 기다리시라'고 전하라 건방을 떨었다. 그리고 그가 떠나면 굳어 버린 다리를 때려 가며 걷는 연습을 했다.

"봄이 되고서야 겨우 말을 탈 수 있었습니다. 콜다르를 쥐고 대련을 하기까진 또 한 달이 더 걸린 것 같습니다."

네발로 바닥을 기어 다니길 반년. 두 발로 서고 난 후엔 검을 손에 쥘 수 없어 번번이 검 자루를 놓쳤다. 죽을 만큼 힘들었고, 비참한 나날이었다. 솔직히 그때 그에겐 기억에도 없는 아내와의 추억을 떠올리느라 시간을 보내는 건 사치였다. 다음에, 그리고 또 다음에 하며 아내에 대한 생각은 애써 뒤로 밀어냈다.

"프리다. 난 지난 시간 동안…… 당신을 그리워하지 않았습니다."

가끔 한 번씩 당신을 상상하고 그려 보는 것조차 버거웠다.

"내겐 그럴 시간도, 기력도 남아 있지 않았어요."

언젠가부터 아예 아내의 이름도 떠올리지 않았다. 생각하는 것만으로도 머리가 아팠으니까. 왜 그토록 집요하게 밀어내려 했는지 이젠 알 것 같다. 아마 그래야 살 수 있어서였을 것이다. 미치지 않고 제정신을 유지하려면, 그나마 그녀가 옆에 없다는 사실을 잊어야 했기에. 담담하고 차분히 속마음을 고백하던 다니엘이 다정히 프리다의 머리칼을 쓸어내렸다.

"프리다, 당신에게 꼭 해야 할 말이 있습니다."

더 늦기 전에. 나와 당신 사이에 오해가 쌓이기 전에, 이젠 이 말을 해야겠다.

"조만간 제국에 전쟁이 터질 겁니다."

내내 고개를 푹 숙이고 그를 피하던 프리다가 그제야 눈을 들어 다니엘을 올려다보았다.

"난 변경백을 도우러 국경으로 갈 예정입니다."

"전쟁이라니, 그게 무슨 소리예요?"

"당신은 잠깐만 북부에 가 있어요."

"네? 북부로 가라니요?"

다니엘은 놀라는 프리다의 등을 토닥이며 그녀를 안심시켰다.

"잠깐이면 됩니다. 아주 잠깐만 거기에 머무르고 있으면 내가 데리러 갈 겁니다."

지난해 내내 솔론족과 크고 작은 전투를 치러야 했던 변경백은 남부에 군대를 지원해 주는 건 어렵겠다고 손사래를 쳤다. 대신 다니엘이 국경으로 와 그를 돕는 조건이라면, 병력 일부를 북부로 보내 주는 것엔 합의했다.

공작령의 백성들도 바이마르 전선이 무너질 때를 대비해 바로 북부로 이동할 수 있도록 준비해 놓았다. 황후의 가문인 라이닝겐 공작가의 사병들까지 결집한다면 전쟁이 터져도 당분간 북부는 안전하다.

이것이 다니엘이 할 수 있는 최선. 전쟁을 막을 수 없다면, 가장 중요한 것을 지키는 일에 집중해야 한다. 그리고 다니엘은 이제 그에게 무엇이 가장 중요한지 깨달았다.

"금방 데리러 갈 테니 기다리고 있어요."

그는 두려움에 떨고 있는 작은 아내를 마주 보았다.

"전쟁이 끝나면, 이 모든 게 다 정리되면."

확실히 알겠다. 기억 따윈 아무것도 아니란 걸. 수백 번 잊는다고 해도, 결국은 이리되었을 거란 걸.

"우리…… 처음부터 다시 시작합시다. 리하르트 공작 부부가 아닌 다니엘과 프리다로."

언제 어디서, 어떤 모습으로 만나더라도 나는 당신을 사랑하게 되었으리라는 것을.

"이 약속은 절대 잊지 않겠습니다."

맹세를 건넨 다니엘은 아내에게 입술을 내렸다.

부스럭대는 소리에 눈을 뜬 프리다는 멍하니 천장을 바라보았다. 그녀는 해맑은 은빛 햇살 사이사이를 비집고 들어와 어른대는 거뭇한 그림자를 바라보며 가물대는 의식을 잡으려 애썼다.

문득 한기가 밀려와 이불을 목 끝까지 끄집어 올렸다. 홀로 남은 침대는 지난밤의 온기가 사라져 썰렁했다. 달콤한 꿈처럼 스며들던 다니엘의 목소리가 없어 더 그렇게 느끼는지도 모르겠다.

'그래. 이게 다 다니엘의 목소리 때문이야.'

지난밤, 두 사람 사이에 벌어진 일의 원인은 분명히 그거다.

"우리…… 처음부터 다시 시작합시다."

속삭이던 음성이 심하게 감미로워 지금 천장을 응시하듯 멍하니 바라볼 수밖에 없었지.

"리하르트 공작 부부가 아닌 다니엘과 프리다로."

하아…….

숨 막히게 그윽했던 다니엘의 표정을 떠올린 프리다는 탄식을 삼키며 이불을 쥔 손에 꼭 힘을 주었다.

그의 입술이 제게 닿던 순간이 생각나 버렸다. 작열하는 여름 태양을 삼킨 듯 뜨겁던 숨의 감촉도. 서로의 숨결이 뒤엉키자마자 들끓던 격정과 그 이후에 벌어진 일들까지 모조리.

"아휴……."

머리끝까지 이불을 뒤집어쓴 프리다는 안에서 툭툭 발길질을 하다 입맞춤 직전의 기억을 더듬었다.

"조만간 제국에 전쟁이 터질 겁니다."

그나저나 전쟁이라니, 난데없이 그게 무슨 소리냐고.

"당신은 잠깐만 북부에 가 있어요."

게다가 공작령으로 돌아가는 것도 아니고 북부로 가라니.

"왜 그러냐고 물어봤어야지, 이 바보야!"

프리다는 한심했던 자신을 나무라며 벌떡 몸을 일으켰다. 당신이 하는 말을 하나도 이해하지 못했다고, 자세히 설명해 달라고 해야 했는데. 정작

하려던 애기는 한마디도 못 하고 그의 품 안에서 신음만 쏟아 내다 잠이 들어 버렸다.

"너무해, 다니엘……. 이러는 법이 어디 있어?"

그런 애절한 표정으로 사람을 홀려 놓는 건 반칙이잖아. 기억이 없다면서 왜 전과 다름없이 능숙한 거냐고. 부드럽게 감겨드는 따스한 체온과 다정히 쓰다듬던 손길에 저도 모르게 흐물흐물 녹아 버렸다. 다시 휙 침대로 엎어진 프리다는 베개 위에 콩콩 머리를 찍었다.

"그대로 잠이 들면 어떡하냐고. 어휴, 이 멍청아……."

허리가 욱신댔지만, 거기에 신경 쓸 정신이 없었다. 정숙한 귀부인과는 거리가 멀어도 너무 멀었던 어제의 자신이 어이없어 발을 동동 구를 뿐.

한참 전부터 방에 들어와 있던 로잘린은 프리다가 벌이는 소란을 모른 체하며 애꿎은 협탁만 박박 닦아 댔다. 공작 전하께서 되도록 마님을 깨우지 말고 놔두라고 하셨지만, 아침부터 벨뷔 궁이 시끌벅적해지고 있다는 애기는 꼭 전해야 할 것 같았다.

"저……."

"로잘린!"

어렵사리 입을 떼던 그녀는 또 한 번 벌떡 몸을 일으키는 프리다의 기세에 놀라 협탁 위의 꽃병을 툭 치고 말았다.

"다니엘 어디 있어?"

쓰러지는 꽃병을 잽싸게 잡아챈 로잘린이 안도의 숨을 내쉬며 창밖을 가리켰다.

"전하께선 정원에 계십니다."

"정원에?"

로잘린은 단박에 창가로 달려드는 프리다를 막아서며 양팔을 활짝 벌렸다.

"설마 그 모습으로 창가에 서시려는 건 아니죠?"

"내 모습이 왜……? 어머!"

목선이 훤히 드러나는 얇은 속 드레스를 내려다보던 프리다가 황급히 뒤로 물러서며 거울을 찾았다.

문제는 옷만이 아니었다. 거울 안엔 대충 봐도 조신함과는 거리가 먼 여인이 마구 헝클어진 머리를 한 채 서 있었다. 누구라도 지난밤 그녀와 남편 사이에 있었던 일을 짐작할 법한 민망한 몰골이었다. 프리다는 후다닥 구석에 놓인 칸막이 뒤로 몸을 숨기며 외쳤다.

"로잘린, 내 방에 가서 드레스 좀 가져다줘. 얼른."

"드레스는 준비해 놨습니다만, 그 전에 목욕부터 하셔야죠. 목욕물을 가지고 오라고 할 테니 잠시만 기다리세요."

칸막이 너머로 목을 빼꼼히 내민 프리다가 안절부절못하며 로잘린을 재촉했다.

"서둘러, 로잘린. 나 한시라도 빨리 다니엘을 만나야 해."

호출 종을 당긴 로잘린이 다니엘의 남색 로브를 들고 칸막이 안으로 들어왔다.

"목욕물이 올라올 동안 우선 이거라도 입고 계세요. 그리고 제 생각엔 공작 전하를 보러 가시기 전에 먼저 로시발트 경에게 들러 보시는 게 좋을 것 같아요."

"뮤리엘에게?"

로브의 넓은 소매에 팔을 넣던 프리다가 불현듯 놀란 표정을 지으며 로잘린의 팔을 붙들었다.

"서, 설마 뮤리엘이……."

로잘린은 순식간에 뻣뻣하게 굳어 버리는 프리다의 반응에 놀라 재빨리 고개를 저었다.

"아니요. 로시발트 경은 괜찮습니다. 아주 괜찮으세요."

"하아……."

다리에 힘이 풀린 프리다가 털썩 바닥으로 주저앉으려 하자 로잘린이 그녀를 부축하며 일으켰다.

프리다는 로잘린의 소매를 붙든 채로 사시나무 떨듯 덜덜 떨었다. 로잘린은 한 줌도 안 되는 가는 손을 꼭 잡고 안심하라며 다독였다.

"진정하세요. 실은 전하께선 정원에서 손님을 맞이하고 계세요. 그래서 로시발트 경을 먼저 만나 보라고 말씀드린 거예요."

"손님?"

긴장이 풀린 프리다가 금방이라도 무너질 것 같은 다리를 겨우 세우며 힘없이 물었다.

"아침부터 누가 왔는데?"

"황제 폐하요."

예기치 않은 방문자에 연달아 놀란 그녀는 앵무새처럼 로잘린이 한 얘기를 반복하며 되물었다.

"황제 폐하?"

"네. 황제께서 주치의를 데리고 나타나셔서 저도 깜짝 놀랐지 뭐예요. 공작 전하와 황제 폐하는 정원에서 얘기를 나누고 계시고, 주치의 롤랜드 경은 로시발트 경을 살피고 계세요. 제가 조금 전에 들은 소식인데요……."

프리다의 곁으로 바짝 다가온 로잘린이 미간을 좁히며 눈을 가늘게 떴다.

"놀라지 마세요, 마님. 도미닉 님이……."

"도미닉? 도미닉한테 무슨 일이 생긴 거야?"

무슨 일이냐고 심각하게 되묻는 프리다의 귀에 대고 로잘린이 낮게 중얼거렸다.

"해독제를 찾았대요."

"지, 진짜? 찾았다고?"

화들짝 놀라던 프리다는 그만 풀썩 바닥으로 주저앉았다. 이번에는 로잘린도 그녀를 붙들지 못했다.

"그럼 우리…… 뮤리엘을 살릴 수 있는 거지? 그렇지?"

프리다는 큼지막한 다니엘의 로브를 뒤집어쓰고 펑펑 기쁨의 눈물을 흘렸다.

휘익, 숲을 지나쳐 온 바람이 다니엘의 앞머리를 흩트리며 지나갔다. 살짝 찡그렸다 뜬 시야에 같은 방향으로 파도처럼 출렁이는 크로커스꽃 무리가 보였다. 활짝 벌어진 보라색과 새하얀 꽃잎이 노란 꽃가루를 뿌리며 흔들리는 광경을 보고 있던 다니엘이 설핏 미소를 머금었다.

이리 넋을 빼놓고 있을 때가 아니건만, 자꾸만 눈길이 그의 주위를 감싼 꽃밭으로 향하는 걸 말릴 수가 없다. 외면하려 고개를 돌려 봐도 소용없기는 마찬가지.

바람에 실린 따스한 기운이 그의 의식을 기어이 지난밤으로 옮겨 놓았다. 꽃밭의 풍경이 아른아른 눈을 간지럽힐 때마다 그의 귓가를 덥히던 프리다의 숨소리가 느껴졌다.

"다니…… 엘. 다니엘……."

누군가에게 이름이 불린다는 것이 이토록 흥분되는 일이었던가. 수줍으면서도 열정적으로 그를 불러 대는 숨 가쁜 음성을 떠올리자 새삼 목덜미가 후끈거렸다. 야릇한 환청이 남기고 간 여운이 도무지 가실 기미가 보이지 않으니 걱정이다.

'난감하군.'

다니엘은 빙긋 웃으며 살포시 눈을 감았다.

"내 말 못 들었어? 어머니가 전쟁이 코앞에 닥친 사실을 숨기고 있다는 얘기, 나한테 언제 할 작정이었냐고? 설마 끝까지 숨기고 날 등신으로 만들 계획이었어?"

기분 좋은 상념을 깨트리는 레오폴드의 투정이 오늘만은 퍽 반가웠다. 제정신으로 돌아오게 해 줘서.

"제가 뭐 하러 폐하께 그런 짓을 하겠습니까? 가만둬도 그리되실 텐데."

대꾸하는 입가에 잔웃음이 남았다. 진심으로 한 말인데 다니엘이 빈정댄다고 느꼈는지 레오폴드가 벌컥 성을 냈다.

"너, 이 개자식! 그럴 거면 끝까지 시골에 처박혀 있다 내 꼴이 완벽하게 우스워진 다음에나 나타나지, 왜 벌써 왔어? 아무것도 모른 채 뒤통수 맞으라고 내버려 뒀어야지."

"그럴까도 했습니다."

무심히 답하며 다시 파도치는 꽃 무리를 눈에 담았다. 아침부터 달려와 악다구니를 쏟아 내는 레오폴드를 마주하고 있는데도, 이상하게 기분이 상쾌했다.

"지금도 그렇게 둘까 싶고."

"야!"

레오폴드가 화를 참지 못하고 자리를 박차고 일어났다. 뒤로 넘어간 의자가 풀숲에 나뒹굴었다.

"어머니와 손잡고 날 허수아비로 만드니 좋아? 그래서 계속 실실대고 있는 거야? 나를 밀어내고 네놈이 허수아비가 될 생각에 들떠서?"

"글쎄요. 전 폐하와 달리 욕심이 많아서 허수아비 생활에 만족하진 못할 것 같군요."

다니엘이 담담히 고개를 돌려 레오폴드를 돌아봤다.

"제국을 통째로 먹어 버린다면 모를까."

"다니엘!"

레오폴드는 밤사이 부쩍 핼쑥해져 있었다. 다니엘의 예상과 벗어난 건 그 원인이 '독'이 아니라 '술'로 보인다는 점이다. 바로 해독제를 마셨다 해도, 독이 몸에 들어갔으니 마냥 멀쩡하진 않았을 텐데 그 몸으로 술을 마셨다는 건가. 꽃향기에 섞여 오는 지독한 술 냄새가 조금씩 거슬렸다.

"어제도 말씀드렸지만, 폐하께서 뭘 물어보시든 제 대답은 같습니다. 전 아직 그 어떤 것도 결정하지 않았습니다. 그러니……."

벌겋게 충혈된 레오폴드의 눈을 올려다보던 다니엘은 천천히 일어나 황제와 눈을 마주쳤다. 느리게 눈을 깜박인 그가 입가에 잔잔한 미소를 드리운 채 말했다.

"얌전히 기다려, 레오폴드."

내가 널 버릴지, 품을지 결심이 설 때까지.

진료에 방해가 될까 싶어 복도를 서성대던 프리다는 롤랜드 경이 밖으로 나오자 한달음에 그 앞으로 달려갔다.

"롤랜드 경, 뮤리엘은 좀 어때요? 해독제가 효과가 있던가요?"

"그것이……."

의사를 기다리며 얼마나 긴장하고 있었던지 맞잡은 손이 아직도 달달 떨렸다. 하지만 롤랜드 경이 하는 말은 단 한 마디도 놓치지 않겠다는 듯 초롱초롱 눈을 빛내며 귀를 쫑긋 세웠다. 기대와 불안이 뒤섞인 꾸밈없는 보라색 눈동자와 마주한 롤랜드 경은 큼큼 헛기침한 후 입을 뗐다.

"시일이 많이 지난 탓에 독을 해독한다 해도 이미 상해 버린 장기는 어쩔 도리가 없을 것 같습니다."

"아…… 그렇군요."

기대가 큰 만큼 몹시 낙담한 프리다가 어깨를 축 늘어뜨렸다. 롤랜드 경이 다급히 손사래를 쳤다.

"그렇다고 실망하기엔 이릅니다. 이제라도 해독제를 찾아오셔서 천만다행이었습니다. 앞으로 크게 무리만 하지 않는다면 일상생활을 하는 데는 문제없으실 겁니다."

이만하길 다행이라는 롤랜드 경의 설명에도 프리다는 그가 더 큰 희망을 주길 바랐다.

"일상생활이 가능하다면, 노력 여하에 따라 다시 기사로 살아갈 수도 있을까요?"

그러나 롤랜드 경은 그녀의 헛된 희망을 바로 뚝 꺾었다.

"공작 부인, 솔직히 저는 로시발트 경이 이만큼 버티고 계신 것만도 대단하다고 여기고 있습니다."

"불가능하다는 건가요? 롤랜드 경, 아시다시피 그녀는 제국 최고의 기사였어요. 앞으로 검을 잡지 못하게 된다면 실망이 클 거예요."

미련을 버리지 못한 프리다가 재차 물었지만 냉철한 대답만 돌아왔다.

"로시발트 경에게 사용된 독약은 최근에 유행하기 시작한 것이라 정확한 성분을 아는 사람이 적습니다. 저도 해독제를 만들지 못해 골머리를 앓던 중이었고요."

"최근에 유행하기 시작한 독약이라고요?"

난생처음 듣는 얘기에 놀란 프리다는 어리둥절해하며 눈을 크게 떴다.

"독약에도 유행이 있다니, 그런 말은 처음 들어 봐요."

"프로이센 지방의 한 신학자가 광석에서 분리해 낸 독인데 독성이 아주 강하다고만 알려져 있습니다. 말씀드린 대로 여태껏 버티고 계신 것만도 놀라운 일입니다."

그래, 기사로 살지 못하면 어떤가. 살아 있다는 게 중요하지.

'그거면 충분해.'

단박에 태세를 바꾼 프리다는 의사의 말에 수긍하며 한 번 더 다짐을 받았다.

"어쨌든 생명에는 지장이 없다는 거죠?"

"네. 항상 건강에 주의하고 무리만 하지 않는다면 로시발트 경도, 공작 부인께서도 모두 오래오래 사실 겁니다."

"저도 그랬으면 좋겠네요."

풀이 죽은 프리다가 기어들어 가는 목소리로 웅얼거리던 찰나.

"당연히 오래 살아야죠. 내가 누구 때문에 이 고생을 하고 있는데."

느닷없이 튀어나온 도미닉이 툴툴대며 복도를 걸어왔다. 멀리서도 느껴지는 지독한 술 냄새에 코를 막은 프리다가 뒤로 물러서며 소리쳤다.

"아우, 술 냄새. 도미닉, 술독에라도 빠졌다 나온 거예요?"

도미닉이 푸석한 얼굴을 벅벅 쓸며 다가왔다.

"윽. 대체 얼마나 마셨길래 이 시각까지 술 냄새를 풀풀 풍기는 거예요?"

한심하다는 듯 바라보자 도미닉이 울상을 지었다.

"너무하십니다, 부인. 제가 누구 때문에 이 꼴이 됐는데요."

"누구 때문인데요?"

프리다가 여전히 손으로 코를 잡은 채 웅얼웅얼 되물었다. 도미닉은 골치가 아픈지 관자놀이를 꾹꾹 누르며 인상을 썼다.

"누구긴 누구겠어요? 잘나신 부인의 남편이 저를 버리고 혼자 내빼신 바람에 이렇게 됐습니다."

"술은 도미닉이 마셔 놓고 왜 애먼 다니엘 탓을……."

득달같이 따지던 프리다는 이내 입을 다물고는 옆을 지키고 서 있는 롤랜드 경의 눈치를 살폈다. 도미닉과 대화를 하다 보면 번번이 귀부인의 체통을 무너트리게 된다. 그동안 첼리노에서 애써 쌓아 놓은 이미지를 이렇게 허물어트릴 수는 없지.

'우선 롤랜드 경은 보내고 다시 얘기해요.'

눈을 찡긋대며 소리 내지 않고 입만 벙긋거리자 도미닉이 세상 귀찮다는 표정으로 홱 고개를 틀었다. 롤랜드 경 쪽으로 돌아선 프리다는 어색한 미소를 지으며 다소곳이 인사를 건넸다.

"롤랜드 경, 매번 내 건강을 살펴 주러 와 준 것만도 고마운데 뮤리엘까지 신경 써 주다니 정말 감사해요. 후에라도 제게 꼭 보답할 기회를 줘요."

"보답이라니 당치 않습니다. 저야 황제 폐하의 지시에 따르는 자일 뿐인 걸요. 감사 인사는 폐하께서 받으셔야지요. 그리고 저야말로 공작 부인께 감사드립니다. 덕분에 많은 공부를 하고 있습니다."

롤랜드 경은 되레 깊이 허리를 숙이며 감사를 표했다. 오직 황실 가족만을 돌봐 오던 그는 황제의 명으로 지난해부터 리하르트 공작 부인을 돌보게 되었다. 황실 가족들은 아픈 곳이라고 해 봐야 원인 모를 두통이 병증의 대부분이었다.

그러니 다른 이를 살피게 되어 고마운 건 오히려 그였다. 리하르트 공작 부인처럼 특이한 외모와 체질을 가진 사람을 돌보게 되는 행운은 아무나 얻을 순 없을 테니 말이다. 그동안 지켜본 바에 의하면 리하르트 공작 부인은 혈통의 영향으로 남다른 외모를 물려받았을 뿐 특별히 다른 문제는 없어 보였다.

독특하다 할 만한 건 햇볕에 약한 피부와 색이 없는 머리칼. 확실히 건강한 체질은 아니지만 사실 귀족 아가씨들이 비실비실한 거야 하크본 가문의 특징만도 아니고.

즉, 사람들이 지껄이는 하크본 가문의 저주는 그의 예상대로 허황한 소문일 뿐이었다. 교육을 받지 못한 무지한 백성들이 떠들어 대는 값어치 없는 헛소리, 그 이상도 그 이하도 아니란 얘기다.

'하긴 헛소리를 해 대는 건 배웠다는 귀족 나리들이 더하지.'

한시라도 빨리 이 쉔달 성을 떠나 지금껏 쌓아 온 경험으로 대학에서 후학을 가르치고 싶은 마음이 간절하다. 인사를 마치고 자리를 뜨려던 롤랜드 경은 갑자기 생각난 듯 품에서 종이 한 장을 꺼냈다.

"아, 이건 지난번에 말씀하신 '고드릭'이라는 아이의 추천장입니다. 올해 첼리노 대학에 입학 예정이라고 하셨지요? 대학 생활에 도움이 될 것 같아 준비했습니다."

"세상에나."

뜻하지 않은 선물에 감격한 프리다는 두 손으로 서류를 쥐고 기뻐 어쩔 줄 몰라 했다.

"생각지도 못했는데 너무 감사드려요, 롤랜드 경. 고드릭이 알면 정말 기뻐할 거예요."

"이번에도 감사는 제가 드려야 할 것 같네요. 정식으로 의학을 교육받는 이들이 많이 생기는 것이 제 바람이었으니까요."

어쨌든 교육받은 자들이 한 명이라도 더 늘어날수록 무지를 틈타 생기는 오해와 편견은 점차 사라지게 될 것이다. 그러니 영지의 평범한 서민 아이에게까지 교육의 기회를 주려고 하는 이 작은 귀부인이 더없이 예뻐 보일 수밖에.

"그럼 저는 이만 가 보겠습니다. 시간이 날 때마다 종종 로시발트 경을 살피러 오겠습니다."

롤랜드 경이 떠나자 프리다는 한결 편해진 얼굴로 도미닉을 향해 서류를 흔들었다.

"도미닉, 이거 봐요. 롤랜드 경이 추천장을 써 주셨어요. 황실 주치의 추천장을 받다니, 고드릭의 대학 생활은 이제 탄탄대로라고요."

"좋으시겠……. 우욱."

눈앞에서 종이가 어지럽게 흔들리자 불쑥 토기가 치밀었다. 도미닉은 급히 창가로 달려가 메스꺼운 속을 게워 냈다.

그 모습에 질겁하던 프리다는 혀를 끌끌 차며 로잘린에게 물을 가져오라고 시켰다. 한참을 웩웩거리던 도미닉은 로잘린이 건네는 물로 입을 헹구고 세수를 한 뒤 물에 푹 젖은 빨래가 널리듯이 철퍼덕 창가에 엎어졌다.

"아이고, 죽겠다. 기운이 하나도 없어요."

"이 지경이 될 때까지 대체 누구와 술을 마신 거예요?"

다니엘은 어젯밤 자신과 있었으니 아닌 게 분명한데……. 그럼 하인리히인가? 도미닉을 이리 만들어 놓을 사람이 더는 떠오르지 않아 고개를 갸웃거리는 사이, 그가 팔을 뻗으며 분노에 찬 목소리로 울부짖었다.

"저 인간이요. 저기 보이는 저 망할 인간이 나를 이렇게 만들었어요."

그가 창 너머로 가리키는 방향의 끝에는 두 남자가 있었다. 크로커스 꽃밭 사이에 놓인 테이블에 앉아 서로를 마주 보는 채로. 밤새 그녀의 시야를 가득 채웠던 검은 머리칼에 먼저 눈이 갔다.

자연스레 지난밤 그녀를 담았던 붉은 눈동자가 떠올라 달아오르는 목을 만지작댔다.

"서, 설마 황제 폐하를 말하는 거예요?"

아무렇지도 않은 척 딴청을 피우며 물었더니 도미닉이 치를 떨며 답했다.

"그럼 누구겠어요? 다니엘은 진즉에 내뺐는데."

프리다를 흘끔 돌아본 도미닉이 고개를 푹 숙이고 들릴락 말락 한 소리로 중얼댔다.

"나쁜 자식, 나는 황제한테 시달리게 만들고 저는 부인이랑 알콩달콩 좋은 시간을 보냈다 이거지?"

기억이 안 나긴 개뿔. 내가 보자마자 불이 붙을 줄 알았다고.

망할 자식, 뻔뻔한 놈, 염치도 없는 자식. 이후로도 차마 입 밖으로 내놓을 수 없는 욕지거리를 속으로 웅얼거리고 있는데 프리다가 그의 어깨를 마구 흔들었다.

"도, 도미닉. 두 사람, 다투는 거 같지 않아요? 황제 폐하가 다니엘에게 막 뭐라고 하는 것 같은데……."

몸이 흔들리자 또 구역질이 치밀었다.

"우웩."

"어휴. 못살아, 진짜!"

정원의 두 남자에게 눈을 고정한 프리다는, 손으로 입을 막은 채 방금 들이켠 물까지 모조리 게워 내는 그의 등을 퍽퍽 내리쳤다.

"얌전히 기다려, 레오폴드."

무심히 경고를 건네고 돌아서려는데 돌연 속이 뒤집혔다. 옹졸한 새끼라고 놀림을 받더라도 이 말은 꼭 해야 직성이 풀릴 것 같았다. 그나마 말본새에 예의를 갖추는 것이 그가 할 수 있는 최선이었다.

"내 아내를 데리고 장난을 쳤을 땐 나와 척질 각오쯤은 하셨을 텐데요? 폐하."

아무리 머리가 모자라도 거기까지 생각이 못 미쳤을 리 없다. 알면서도 데려간 거다. 그 까닭도 대충 짐작이 가고. 그래서 레오폴드를 볼 때마다 속이 뒤틀린다. 이 자식이 프리다를 통해 누구를 보는지 알 것 같아서. 정곡을 찔렀는지 내내 화를 참지 못하던 레오폴드가 돌연 그의 시선을 피했다.

'그러면 그렇지.'

이 개자식은 프리다에게서 돌아가신 내 어머니 '라우라'의 모습을 찾은 거다. 핑곗거리가 생긴 틈에 그녀를 옆에 두고 마음의 평화를 얻고 싶었겠지. 그래서 갖은 수작을 부려 끝내 제 아내를 끌고 간 거고.

"너를 설득하는 일은 그녀가 알아서 한다고 했어. 둘이 합의한 거 아니었어? 그래서 너도 지난 아홉 달 동안 얌전히 유트레히트에 처박혀 있던 거였잖아. 그래 놓고 왜 이제 와 내가 널 속인 것처럼 뒤집어씌우는 건데?"

민망한지 레오폴드가 어물쩍 슈프렌 강이 보이는 쪽으로 시선을 돌렸다.

"합의해 준 기억 없습니다. 눈 뜨고 보니 제 아내가 사라지고 없더군요."

그딴 걸 해 줬을 리가 없잖아. 자신이 아무리 못났어도 아내를 죽을 자리로 보냈을 리 없다. 짜증을 참지 못해 기어이 안 해도 될 말을 하고 말았다.

"그리고 제가 아홉 달이나 시골구석에 처박혀 있던 이유는 폐하를 구하다 다리에 심각한 부상을 입어서였습니다. 최근 들어 겨우 말을 탈 수 있게 되었지요."

시큰둥하게 답하는데 레오폴드가 눈을 휘둥그레 뜨고 벌겋게 목에 핏대를 세웠다.

"지, 진짜야? 그 얘기를 왜 지금 해? 그럼 그때 부상이 심해서 나와 보지도 못했던 거야?"

다니엘을 보는 말과 눈빛 속에 진심 어린 염려가 뚝뚝 묻어났다. 꼴에 죄책감은 있어서는. 차라리 그거라도 없지 그랬니. 그래야 내가 널 쳐 내기 쉬웠을 것을. 답답한 숨을 터트리려 목을 감싼 매듭을 당겼다.

"얘기했으면요? 이때다 싶어 내 영지에 사람을 보내셨겠죠. 저를 제거할 절호의 기회를 놓치실 분이 아니시니."

"야!"

"어맛."

분위기가 격해지려는 찰나, 어디선가 익숙한 목소리가 날아들었다. 다니엘이 먼저, 뒤이어 고함을 지르던 레오폴드가 차례로 소리가 나는 곳으로 눈을 돌렸다. 섬세하고 촘촘한 레이스로 만든 양산을 쓴 프리다가 꽃밭 한가운데 서서 휘휘 손으로 날벌레를 쫓아내고 있었다.

프리다가 나타나자 레오폴드는 다음에 다시 얘기하자는 말을 남기고 돌아갔다.

"프리다."

황제가 사라진 방향을 물끄러미 보고 있던 프리다는 저를 부르는 소리에 뒤를 돌았다. 프리다와 눈이 마주치자 다니엘이 가만히 그녀를 바라보다 부드럽게 웃었다. 곱게 휘어지는 입매가 소년처럼 해맑다고 느낀 것도 잠시. 마치 눈으로 입술을 헤집는 듯한 뜨거운 시선이 프리다에게 닿았다.

지난밤을 떠올리게 하는, 의도가 분명한 적나라한 눈빛에 화르르 뺨이 달아올랐다. 어째서 그토록 열렬히 날 바라보는 거냐는 질문이 목 끝까지 차올랐다. 입을 열면 그 민망한 말을 뱉게 될까 봐 가만히 마주하고 있자 다니엘이 그녀를 향해 손을 내밀었다.

"프리다, 이리 와요."

그가 걱정돼 한달음에 달려왔으면서 차마 바로 다가가지 못하고 그 자리에 서서 머뭇거렸다. 마구 나대는 심장 소리를 그에게 들키고 싶지 않아서였다.

돌이켜 보면, 다시 만난 다니엘은 매 순간 그녀를 혼란스럽게 한다. 생판 남인 듯 서먹서먹하게 대하다 불시에 훅 다가와 사람을 흔들어 놓질 않나. 익숙한데 낯선 느낌……. 명확히 정의하기 힘든 감정이 그녀의 발을 떨어지지 못하게 만들었다.

"여기 와서 앉아요."

다니엘이 쭈뼛쭈뼛 의자에 앉는 그녀를 지그시 내려다보았다. 새하얀 피부 때문에 유독 붉어진 곳이 잘 보였다. 부드러운 봄바람이 밀어낸 머리카락 사이로 보이는 귓불. 쉔달 성에 도착한 날 보았던 것과 같은 연한 노란빛 드레스 위로 드러난 하얀 어깨.

그가 밤새 입술을 묻었던 가는 목. 햇빛을 가리기 위해 쓴 양산을 꼭 잡은 장갑 낀 손. 아마 긴장으로 땀에 젖어 축축하겠지. 노을이 시작되는 하늘처럼 은은하게 물들어 가는 아내를 보고 있자니 피가 마르는 기분이 들었다.

'하, 내가 이렇게까지…… 돌아 있었다고?'

한숨인지 웃음인지 모를 소리를 내뱉은 다니엘이 프리다가 앉아 있는 등받이를 잡으며 몸을 숙였다.

"내가 전에도 이렇게 미친놈처럼 굴었어요?"

다니엘이 무슨 말이냐는 듯 멀뚱멀뚱 그를 바라보는 프리다와 시선을 얽으며 물었다.

"당신만 보면 아무 데서나 달려들고 그랬나?"

"다니엘!"

화들짝 놀란 프리다가 듣는 사람이 없는지 두리번두리번 주변을 살폈다. 당황하는 모습마저 귀여우면 어쩌란 건지. 더는 충동을 참지 못한 다니엘이 양산을 꼭 잡은 손을 붙들고 입술을 찾았다.

가볍게 입맞춤만 할 생각이었다. 처음엔 분명히 그랬는데, 머금으면 머금을수록 애가 타고 안달이 났다. 바스락대는 프리다의 뺨을 감싸고 더 깊이 입술을 물었다. 어떻게 이 감촉을 잊을 수 있었을까. 이렇게 닿자마자 저를 달아오르게 하는데.

보는 눈이 있을 거란 걸 알면서도 입술이 떨어지지 않았다. 떨어지는 입술이 아쉬워 기어코 한 번 더 따라붙어 아랫입술을 문 다음 프리다를 놓아주었다. 웃음이 묻어나는 그의 입가가 보기 좋게 휘어 올라갔다.

"나와 차 한잔하겠어요? 사람들이 당신이 좋은 차를 추천하는 재주가 있다고 그러더군요."

"아, 잠시만요. 로잘린에게 준비하라고 할게요."

프리다는 다급히 로잘린을 찾으며 종종걸음으로 그 자리를 벗어났다. 입한번 맞췄다고 늑대를 만난 토끼처럼 잔뜩 겁먹다니. 아내의 뒷모습을 응시하던 다니엘은 실소를 흘리며 의자에 앉았다.

함께 밤을 보내 놓고도 아내는 그를 낯설어한다. 속내를 숨길 줄 모르는 아내를 가졌다는 것이 이럴 땐 좀 별로다. 저를 어려워하는 감정이 부자연스러운 행동에 고스란히 묻어나니 모르려야 모를 수가 있어야 말이지. 벽을 치고 있는 건 정작 프리다 본인이면서, 기억을 잃었다는 이유로 매번 저만 욕을 먹는 것이 좀 억울했다.

옅은 짜증이 밀려오려는데 다시 드레스 자락이 꽃잎을 스치는 소리가 들렸다. 자신에게 오기 위해 바쁘게 걷는 그 소리가 좋아 신경질이 걸려 있던 입꼬리가 녹아내리듯 휘어졌다.

소리보다 먼저 도착한 은은한 향기도 좋다. 어젯밤 그가 맡았던 프리다의 살냄새엔 뮌하임 성의 산등성이를 가득 채운 풀꽃의 향기가 섞여 있었다. 맡고 있으면 두통이 사라지고 마음이 편안해지는 좋은 추억을 떠올리게 하는 향기였다.

어쩌면 기억나지 않는 어느 날에 아내와 마주 앉아 차를 마셨을지도 모르겠다. 리카르도를 무식하고 용맹한 용병 대장에서 허브에 대해 모르는 것이 없는 농부로 만든 이가 제 아내라고 했으니, 저도 그런 낯간지러운 호사를 누렸을지도. 테이블로 돌아온 프리다가 그의 시야를 채웠을 즈음. 어느 틈에 풀어진 다니엘의 입가에 나른한 미소가 걸렸다.

"잘 잤어요?"

은근한 그의 질문이 끝나기가 무섭게 프리다가 뺨을 붉혔다. 돌연 차를 마시자고 할 게 아니라 방으로 가자고 할 걸 그랬다는 후회가 들었다. 그랬다면 지금쯤 침대에 누워 실컷 입술을 더듬었을 텐데.

"큰일이네."

결국 참지 못하고 촉촉이 젖어 있는 입가를 또 머금고 말았다.

"당신을 두고 어떻게 가지?"

꿈을 꾸듯 몽롱하게 그를 바라보던 눈동자에 불현듯 이채가 돌았다. 이별이 입맞춤 뒤에 꺼내기엔 적당한 주제가 아니란 걸 알지만 어쩔 수가 없다. 이렇게라도 계속 되뇌어야 그녀를 놓고 갈 수 있을 것 같아서.

"저기요. 다니엘……"

그는 당황하며 벌어지는 프리다의 입술 위에 제 입술을 다시 포개 올렸다. 그러곤 모자랐던 숨을 조금 더 들이켠 후 그녀를 놔주고 몸을 바로 했다.

"흠흠."

들고 온 차가 식을까 염려하는 로잘린의 헛기침 소리가 들렸다. 고개를 까닥여 와도 좋다는 허락을 내리자 로잘린이 테이블에 찻잔 두 개를 올렸다. 놀리듯 빙긋이 웃는 로잘린의 입매가 거슬렸지만, 아내를 돌봐 온 공이 있어 별다른 언급 없이 넘어가 주었다. 눈치 빠르게 양산이 없어도 햇볕을 가릴 수 있는 그늘막을 놓아 주고 가기도 했고.

이러다 황제의 사냥개가 이빨이 다 빠졌다는 소리를 듣게 되는 건 아닌지 모르겠다. 스스로를 향한 실소를 참으려 찻잔을 들었다. 그러나 찻잔에서 나는 익숙한 향기에 결국 빙긋 웃고 말았다.

"향이 좋네요."

차를 즐기는 다니엘을 물끄러미 바라보던 프리다가 조심스레 말을 걸었다.

"내가 당신에게 자주 건네던 로즈메리예요. 그런데 다니엘, 지난밤……에요."

프리다가 '지난밤'이란 부분에서 한 박자 머뭇거리며 홍조를 띠었다. 다니엘은 보고만 있어도 저절로 심장이 뜨거워지는 아내의 모습을 찬찬히 눈에 새겼다. 기분이 이상했다. 조금 전까지만 해도 지금 발 딛고 있는 이 현실이 빌어먹게도 거지 같았는데 거짓말처럼 기분이 나아졌다.

"내게 했던 말 사실이에요? 정말 조만간 전쟁이 나나요?"

이거 좀 섭섭한데. 다니엘은 피식 웃으며 장난을 걸었다.

"내가 어제 했던 말 중에 그것만 궁금해요? 다른 말도 많이 했던 것 같은데."

"아…… 뭐……."

프리다가 머뭇대며 손을 꼼지락거렸다.

"그런 건 전에도 듣던 말이라."

과거에도 어지간히도 미친놈처럼 굴었나 보군. 어땠을지 상상이 가 결국 실소가 터졌다.

"그때와 내가 같은 사람이 아닐 수도 있잖아요. 내가 당신에게 모든 걸 보여 주진 않았을 것 같은데. 잘 보이고 싶어 본성을 속였을 수도 있고."

"나에 대한 당신의 마음을 의심하진 않아요. 시간이 걸리겠지만 언젠간 기억도 돌아올 테고."

이건 무슨 자신감이지? 어이가 없어 되묻지 않을 수 없었다.

"영영 기억이 돌아오지 않으면?"

"그땐 당신 말대로 처음 시작하는 것처럼 새 기억을 쌓으면 되죠. 당신이 원망스러웠던 적도 있고, 실망했던 적도 있었지만…… 어쨌든 당신을 좋아하는 내 마음은 변하지 않았으니까. 앞으로도 그럴 테고요."

준비할 틈도 없이 불쑥 아내에게 고백을 받았다.

"내가 좋은 추억을 많이 만들어 줄게요. 예전보다 더 많이요."

프리다는 한마디가 끝날 때마다 강조하듯 고개를 끄덕이며 또박또박 답했다.

"오늘도 내일도. 나는 지금처럼 다니엘을 좋아할 거예요. 당신도 그래 줄 거죠?"

말문이 막혔다. 뜨겁지도 않은 차 한 모금에 목이 덴 것 같다고 해야 하나. 자신을 이리 만들어 놓고 태연히 웃고 있는 프리다가 오늘만큼은 꼭 마녀 같다. 치명적인 매력으로 사람을 홀려 정신을 빼앗아 간다는 마녀.

마녀라고 하기엔 지나칠 만큼 천진하고 화사한 미소를 짓고 있다는 게 문제였지만.

그 미소를 눈에 담고 한참을 바라봤다. 처음 부모의 손을 놓은 아이처럼 바보스러운 표정으로. 뭘 어째야 할지 몰라 난감해하며. 구름을 벗어난 햇빛이 그녀의 얼굴 위에서 몇 번이나 찬란하게 부서질 때까지.

"다니엘?"

프리다가 그를 불렀다. 잘못 입을 뗐다간 이대로 그녀를 데리고 떠나 버릴 것만 같았다. 그 누구도 두 사람을 찾을 수 없는 곳으로. 빌어먹을 의무니, 책임이니 하는 말에 신경 쓰지 않아도 되는 곳. 오로지 둘만을 위해 존재하는 그런 땅으로. 다니엘은 이성을 찾으려 그녀가 궁금해하는 주제로 말을 돌렸다.

"그동안 들인 돈이 아까워서라도 투르크는 꼭 전쟁을 일으킬 겁니다. 내부의 불만을 밖으로 돌릴 필요도 있고."

"내부의 불만이요?"

"지난해 투르크의 5 왕자가 형들을 제치고 술탄의 후계자가 되었습니다. 새로 권력을 잡은 이는 능력을 증명하고, 권력을 놓친 이들은 충성심을 보여야 할 때죠."

프리다를 불안하게 만들고 싶진 않았지만, 경각심을 가지게 할 필요는 있었다.

"거기에 과거부터 제국의 동쪽 땅을 노리던 솔론족이 가세했으니, 전쟁에 필요한 요소들은 다 갖춰진 셈이죠. 그러니 전쟁은 일어납니다."

그래서 한 번 더 강조했다.

"반드시."

혼란스러운 표정의 프리다가 미간을 좁히며 물었다.

"이해가 안 돼요. 그렇게 큰일이 닥쳐오는데 어째서 황제께선 아무런 대책도 세우지 않는 거죠?"

"모르니까."

"네? 어떻게 모를 수가 있어요?"

기가 막히지만 사실이다. 다니엘도 상황을 모두 파악하기 전까지는 바이첸 공작가의 권력욕이 이 정도일 줄은 몰랐다. 자신들의 권력을 공고히 하려고 제국을 위험에 빠트리다니. 오죽했으면 귀찮은 일을 질색하는 다니엘이 여기까지 움직였을까. 황실에 대한 실망감이 이루 말할 수 없이 컸다.

"황제가 당신 덕에 자신과 맞설 세력을 만들자, 황태후는 철저히 정보를 통제하는 것으로 재기를 노렸어요. 우습게도 첼리노를 지켜 주는 완벽에 가까운 성벽이 황제의 눈과 귀를 가린 거죠."

황태후로부터 바이첸 가문의 여자와 재혼하라는 편지를 받고도 다니엘은 한동안 의심의 끈을 놓지 않았다. 그녀가 아들을 버릴 마음까지 먹었을 줄은 정말 상상도 못 했으니까.

"천한 라파스 피로 제국의 황실을 더럽혀서야 되겠습니까?"

"방법이 없으니까. 레오폴드는 후손을 보지 못한다. 뷔테인 남작 부인이라는 여자를 그리 오래 가까이하고도 자식이 없는 걸 보면, 아예 후손을 잉태시킬 능력이 없는 건지도 모르고. 너도 그 일에 책임이 없다고 말할 순 없잖니. 그러니 나를 도와야지."

나이가 들어도 황태후는 변하지 않을 줄 알았다. 상대를 긴장하게 만드는 형형한 눈빛을 간직한 채 위엄을 갖추고 살다 죽을 줄 알았더니.

"이 제국의 황실은 영원히 위대한 바이첸의 피로 이어져야 해."

추악한 권력욕에 빠진 황태후는 스스로 나락으로 걸어가고 있었다. 다니엘을 '황제의 사냥개'라 불렸던 그녀는 스스로 '가문의 개'가 되어 버렸다.

"하지만 황태후가 간과한 것이 있어요. 투르크가 함대를 끌고 제국의 남부로 쳐들어오리라곤 상상도 못 한 겁니다. 그저 변경백의 충성심에 기대 국경만 막으면 될 거라 방심하고 있었습니다."

제국의 남부 바이마르가 약삭빠른 안드레아 공작의 영지인 것도 문제의 원인 중 하나였다. 황실의 간섭을 받기 싫어하는 그는 철저히 정보를 숨겼고, 문제 되지 않을 것만 가려서 보고했다.

앞으로도 쭉 황실의 간섭은 받기 싫고, 당장이라도 투르크 함대가 밀려올까 겁은 나고. 이제 와 첼리노에 도움을 청할 수도 없게 되자 안드레아 공작은 하루가 멀다 하고 다니엘을 찾아왔다.

"리하르트 공작. 내가 자네가 깨어나지 못하는 동안 물심양면으로 공작 부인을 도왔다는 걸 잊지 말게. 이봐, 다니엘. 바이마르가 무너지면 유트레히트도 끝이야."

누가 그걸 모르나. 알고 있으니 지금 이 귀찮은 짓거리를 하는 거 아니냐고. 쿠펀 항을 방비하는 데 급히 쏟아부은 돈은 후일 동전 하나까지 따져서 모조리 받아 내고 말 것이다. 알타스 서쪽, 링겐 제국 출신인 '안딘 프랑코' 놈의 주머니로 들어간 돈이 얼마더라. 잠시 고민하고 있는데 창백해진 프리다의 얼굴이 눈에 들어왔다.

"제국의 남부라뇨? 그럼 공작령이 위험해진다는 얘기예요? 우리 유트레히트가?"

영지를 걱정하는 안주인의 마음이 기특하면서도 저를 못 믿나 싶어 괜스레 어깃장을 놓았다.

"내가 영지를 위험하게 내버려 둘 것 같아요? 아니면 나를 못 믿는 겁니까?"

"아니요. 다니엘을 못 믿는 게 아니라요."

아니라며 팔을 휘휘 흔드는 모습에 또 웃음이 나올 뻔했다. 입술을 꾹 깨물고 참으려 애쓰는데 자리에서 일어난 프리다가 쪼르르 그의 곁으로 다가왔다.

"안 되겠어요, 다니엘. 상황이 이렇게 어려울수록 영지에는 안주인이 있어야 해요. 난 북부가 아니라 공작령으로 돌아갈래요."

다들 말했다. 프리다가 사정을 알게 되면 무슨 일이 있어도 영지로 돌아간다 고집을 피울 거라고. 타인들이 저보다 아내를 더 잘 안다는 사실에 작은 심술이 났다.

"어쩌지. 그건 절대로 안 되겠는데."

"다니엘!"

그리고 고마웠다. 저와 함께했던 것들을 소중히 여기는 프리다가. 다니엘은 제 곁에 선 아내의 허리를 꼭 안고 드레스에 얼굴을 묻었다.

"프리다, 난 당신을 그곳에 두고 싸우러 갈 자신이 없어."

물이 아래로 흐르고, 겨울이 지나면 봄이 오듯 운명처럼 다니엘에겐 프리다가 전부가 되어 버렸다.

"그러니 가까이에 있어. 내가 지킬 수 있는 곳에."

다니엘은 프리다의 허리를 안고 고요히 말을 이어 갔다.

"오래 기다리게 하진 않을 테니 걱정하지 말아요."

일거에 쓸어버릴 예정이다. 적들이 한껏 기세등등해 있을 때, 그래서 방심과 오만이 생겨나는 순간을 노려 단 한 번에. 그리고 다시는 이런 지긋지긋한 일에 휘말리지 않도록, 어느 누구도 그의 삶을 휘두르지 못하도록 첼리노를 싹 정리해 버릴 작정이다. 필요하다면 바이첸의 씨도 말려 버릴 것이다. 다니엘은 프리다를 번쩍 들어 자신의 허벅지 위에 앉혔다.

"어머! 다, 다니엘."

몸이 아래로 쑥 꺼지는 느낌에 놀란 프리다가 엉겁결에 그의 목을 끌어안았다. 휘둥그레 커진 눈을 마주한 다니엘이 부드럽게 웃었다.

"유트레히트에는 나중에, 모든 게 다 끝나고 나면 함께 돌아가요. 그 전까지는 내가 있으라고 한 곳에 있는 겁니다. 알았어요?"

다니엘이 답을 하라며 피하지 않고 계속 눈을 맞춰 왔다. 그의 가슴에 몸을 맞대고 있는 게 부끄러워 어깨를 뒤로 빼 보려 했지만 소용없었다. 프리다의 어깨와 허리를 안은 팔이 그녀를 옴짝달싹 못 하게 감싸고 있었다.

"알았죠?"

답을 기다리지 못한 그가 다시 물어 왔다. 그녀가 입을 열지 않으니 적잖이 불안한지 확답을 받고 싶은 눈치가 역력했다. 알았다고 고개를 끄덕이든가, 아니면 유트레히트로 돌아가고 싶다고 계속 우기든가.

둘 중에 하나를 선택해 다니엘에게 전해야 하는데……. 그녀의 답을 기다리고 있다는 걸 알면서도 입이 떨어지지 않았다. 눈에 비친 낯선 다니엘의 모습에 말문이 턱 막혀 버렸다.

시로의 모습이 눈동자에 담길 정도로 가까이 마주하니 그제야 뚜렷이 보이는 것들이 있었다. 웃음을 머금은 다니엘의 입술 끝에 달라붙은 피로가.

적갈색 눈동자를 감싼 흰자위 주변에 여러 갈래 피어난 실핏줄이.

꽤 오랫동안 제대로 잠을 이루지 못한 듯 군데군데 거뭇해진 눈언저리가 프리다의 눈에 와 박혔다. 그녀가 말이 없자 초조해진 다니엘이 피곤이 달라붙은 입꼬리를 비스듬히 올리며 말했다.

"불안하게 하지 말고 얼른 알았다고 해요. 사람들 말이 당신이 고집 피우기 시작하면 골치가 좀 아플 거라고 하던데……"

프리다가 손을 뻗어 웃음기가 남은 그의 입술 끄트머리를 천천히 손끝으로 쓸었다. 거칠거칠한 메마르고 갈라진 입술에 마음이 아렸다.

"여기에 꿀을 발라 주면 금방 나을 텐데."

다니엘은 유난히 입술이 잘 트는 체질이다. 의식이 없던 과거에도 날이 건조해지면 어김없이 입술이 갈라지곤 했었다. 그녀가 곁에 머물렀다면 생기지 않았을 흉터를 발견하자 속이 상해 눈시울이 뜨거워졌다.

그의 입술을 지나친 프리다의 손끝이 뺨을 타고 올라가 거뭇한 눈언저리에 닿았다. 지난 시간, 그가 겪었을 적지 않은 고뇌가 여실히 느껴졌다. 듣고도 흘려버렸던 다니엘의 고백이 다시 떠올라 아프게 심장을 눌렀다.

"난 많이 아팠습니다. 평생토록 이렇게 아팠던 적이 있었나 싶을 만큼 아팠어요."

대수롭지 않다고 여긴 건 아니었다. 그저 믿어지지 않아서, 다니엘이 그토록 많이 아팠다는 말이 이해되지 않아서였다. 이렇게 티가 나는데, 어쩌자고 그의 말을 귀담아듣지 않았던 걸까. 뮤리엘이 당신의 어깨엔 우리가 상상할 수도 없는 무거운 짐이 올려져 있다고 그랬는데.

그녀가 가만히 얼굴을 바라보자 다니엘도 어설프게 남아 있던 미소의 흔적을 지워 내고 고요히 프리다를 응시했다.

'난 그것도 모르고……'

프리다는 와락 그를 껴안으며 품으로 파고들었다. 다니엘의 팔이 그녀의 등을 감싸며 흔들림 없이 단단히 받쳐 주었다.

"알았어요. 말 들을게요. 하라는 대로 할 테니까 나 때문에 골치 아파하지 말아요, 다니엘."

보채는 아이처럼 목을 꽉 끌어안고 울먹이며 불만을 쏟아 냈다.

"왜 당신 혼자 골머리를 썩어요? 힘들면 도와 달라고 하고, 벅차면 못 하겠다고 미뤄 버려요. 제국엔 황제 폐하도 있고, 다른 귀족들도 있어요. 고민은 그들도 똑같이 해야지, 왜 당신 혼자 고생인데요."

아무리 황태후의 위세가 대단해 눈과 귀를 가리고 있다지만 황제잖아. 황제가 돼서는 이토록 큰일이 코앞에 닥친 것도 모른다는 게 말이 돼?

'그동안 제법 뭐라도 해낸 듯 으스대더니, 다 허풍이었던 거야?'

미운 정도 정이라고 야금야금 사그라들고 있던 황제에 대한 원망이 도로 배는 더 커졌다. 애초에 프리다가 황제를 따라 펜하임 성을 떠나온 까닭은 아픈 다니엘을 국경에서 벌어지는 전투에 내보내겠다는 황제의 협박 때문이었다. 그런데 아홉 달 전에 끝난 줄 알았던 그 전투가 여태 계속되고 있는 것도 모자라 공작령까지 위협한다는 게 말이 되냐고.

'대체 황제 폐하는 지금껏 뭘 하다 상황을 이렇게까지 엉망으로 만든 거야?'

이럴 줄 알았으면 조금 전에 마주쳤을 때 보란 듯이 눈이라도 흘겨 줄걸. 불만스레 삐죽 내민 입술이 다니엘의 목에 닿자 순간 따끈한 열감이 느껴졌다.

'또 열이 나나.'

문득 걱정된 프리다가 숙였던 고개를 들어 다니엘을 바라봤다. 역시나 그의 눈동자에 비치던 붉은 핏발이 더 진해져 있었다. 놀란 프리다는 목을 두르고 있던 팔을 풀어 양손으로 그의 뺨을 감쌌다.

"아프지 마요, 다니엘. 당신 아픈 거…… 너무 싫어요."

다니엘은 무슨 말을 꺼내야 할지 모른 채 조용히 그녀를 바라만 보았다. 어머니가 돌아가신 이후 처음이었다. 누군가가 그에게 아프지 말라고 말해 준 것. 할 말을 잃고 물끄러미 프리다를 보았다. 안고 있는 팔에 무게감에 느껴지지 않을 만큼 가녀린 여자가 그를 걱정하며 눈시울을 붉히고 있었다.

마음이 믿어지지 않을 정도로 정신없이 흔들렸다. 뭐 이리 등신처럼 맥없이 정신을 놓나 싶어 피식 웃음이 터졌다. 당장 그녀를 안고 싶어 몸이 끓었다. 하인리히가 다가오고 있다는 걸 알았지만, 도저히 참아지지가 않았다.

"그거 알아? 지금 날 가장 아프게 하는 사람이 당신이야."

낮게 웃은 그는 순진무구하게 저를 바라보는 프리다의 머리를 다정히 감싸며 격정적으로 입술을 포갰다.

하인리히는 부부의 열정적인 입맞춤을 방해하지 않고 눈치껏 기다려 주었다. 그러나 인내심이 대단치 않은 그는 프리다가 로잘린의 호위를 받으며 정원을 떠나자 득달같이 달려와 다니엘의 옆에 섰다. 하늘하늘한 양산을 쓰고 걸어가는 작은 여인의 뒷모습을 보고 있던 하인리히가 슬그머니 다니엘 쪽으로 얼굴을 기울이며 말했다.

"우리 리하르트 공작 전하께서 이젠 완전히 겁을 상실하셨네. 황태후가 네 약점을 잡으려고 눈을 부라리고 있는 이 와중에 대놓고 아내와 애정 행각이라니."

물론 현재 쉔달 성 내에서 유일하게 황태후의 손이 미치지 못하는 곳이 바로 이 벨뷔 궁이긴 하다. 다니엘이 데려온 아메티스 기사단과 하인리히의 사병들이 벨뷔 궁을 물 샐 틈 없이 감시하고 있는 덕에, 이 안에서 벌어지는 일은 일부러 알리지 않는 한 밖으로 새어 나가지 못하니까.

그 사실을 잘 알면서도 하인리히는 연신 실없는 농담을 하며 다니엘의 팔을 툭 쳤다.

"기억을 잃으면서 겁도 같이 잃은 거냐?"

프리다는 벨뷔 궁 안으로 들어가기 전 뒤를 돌아 다니엘을 찾았다. 뒷짐을 진 채 서 있는 남편을 발견한 그녀는 가볍게 손을 몇 번 흔든 후 건물 안으로 사라졌다.

"애절하다, 애절해."

하인리히가 혀를 끌끌 차며 테이블을 빙 돌아 조금 전까지 프리다가 머물러 있던 의자에 털썩 앉았다.

"괜히 찾아와서 눈꼴신 장면이나 감상하고, 에잇."

끝까지 아내 쪽에서 눈길을 돌리지 않던 다니엘이 그제야 하인리히 건너편으로 와 앉았다.

"왜 왔어?"

"아버지가 보낸 전령이 사흘 뒤면 황성에 도착할 거라는 따끈따끈한 소식 알려 주러 왔다, 이 자식아."

빽 소리를 지른 하인리히가 툴툴대며 발끝에 걸리는 꽃잎을 툭툭 걷어찼다.

'사흘 뒤라……'

다니엘이 시큰둥한 표정으로 의자에 등을 기댔다.

"예상보다 늦는군."

"첼리노 주변에 즐비한 바이첸들의 눈을 피해 오려니까 그렇지. 참, 황제도 왔었다며? 도미닉은 살아 있나 모르겠네. 어제 술 상대 해 주면서 보니까 네 이복동생, 은근 성깔 있더라. 본색을 드러내니 장난 아니게 괴팍하던데."

부츠에 묻은 노란 꽃가루를 털던 하인리히가 본론을 꺼냈다.

"그런데 넌 빈더만 자작한테는 왜 미리 정보를 흘린 거야? 가만 놔뒀다 황제가 뒤통수 맞는 꼴을 감상하려던 거 아니었어?"

다니엘이 황제에게 국경 소식을 흘렸다는 게 희한해 술이 깨자마자 달려오는 길이었다.

"그럴까 했는데, 레오폴드에게도 한 번쯤은 기회를 줘 볼까 하는 생각이 들었거든."

"기회? 무슨 기회?"

"좀 잔인하잖아. 영문도 모르고 깔아뭉개지는 거."

"잔인……?"

그답지 않은 말을 지껄이는 다니엘이 수상해 하인리히는 가늘게 눈을 좁히고 찬찬히 친구를 훑었다.

"다니엘 너, 가만 보면 황제를 무르게 보는 경향이 있어. 황제가 어떤 인간인지 모르는 것도 아니면서 대체 왜 그래? 황제도 황태후처럼 뼛속까지 바이첸이야."

알게 모르게 주변인들을 조종하며 제 잇속을 차리는 음흉함으로 따지면 황태후보다 한 수 위일지도.

"……알아."

"알면서 왜 황제에게 기회를 주고 싶다는 건데?"

"그냥."

담담히 대답한 다니엘이 하인리히의 뒤로 보이는 파란 하늘로 시선을 돌렸다. 그는 파란 하늘 저 끝, 한 무리의 구름이 몰려오고 있는 장면에 무심히 눈을 두었다.

두꺼운 서류 뭉치를 들고 나타난 클리마 백작이 마그리트 황태후에게 색다른 소식을 전했다.

"폐하께서는 밤새 업다이크 후작 영식과 도미닉 몰라는 자와 술을 드시곤, 날이 밝자 리하르트 공작을 만나러 가셨답니다."

레오폴드가 다니엘을 만나러 갔다고? 마그리트 황태후가 놀란 것치곤 태연히 금빛 눈썹을 씰룩거렸다.

"그래? 자존심을 세게 다쳤으니 당분간은 거들떠보지도 않을 줄 알았더니."

제 딴엔 하크본의 딸을 지키겠다고 백방으로 애를 썼건만 그 노력이 수포가 되었으니 오죽 화가 났을까. 그런데 며칠이나 지났다고 그새를 못 참고, 쯧쯧. 더구나 다니엘을 황제 궁으로 부른 것도 아니고 제 발로 찾아갔다니.

'아무튼 물러 터져서는.'

혀를 차는 그녀 앞으로 클리마 백작이 이름이 빽빽이 적힌 서류를 내려놓았다. 변경백의 전령이 도착하면 즉시 국경으로 보낼 귀족 자제들의 명단이었다. 하크본의 딸을 데리고 일을 꾸민 건 나름 쓸 만한 방법이긴 했으나, 레오폴드는 역시 애송이였다. 귀족들을 휘어잡고 싶었다면 가장 먼저 그들의 돈줄과 약점을 잡아 목을 졸랐어야지.

마그리트는 서류에 적힌 이름들을 하나하나 살피며 그 옆에 펜으로 줄을 그었다. 어디 제 놈들이 자식을 사지로 몰아넣고도 황제의 편을 드는지 두고 볼 참이다.

"리하르트 공작이 차일피일 답을 미루는 거, 수상하지 않아?"

그녀의 질문에 책상 위에 서류를 내려놓은 클리마 백작이 살짝 손을 떨며 되물었다.

"설마, 리하르트 공작이 폐하의 제안을 거부할 거라 여기시는 겁니까?"

"이상하잖아. 처음엔 사흘만 시간을 달랬다가 지금은 결혼 얘기만 나오면 능글능글 말을 피하고. 무엇보다 내가 보기엔 하크본 가문의 딸과 헤어질 마음이 없는 것 같아."

신경을 긁으려고 일부러 그러는 건가 싶기도 하지만, 벨뷔 궁에 숨어들 수가 없으니 정확한 내막을 파악하기가 어려웠다.

'치밀한 놈.'

다니엘의 이런 면엔 감탄을 하지 않을 수가 없다. 하지만 잠시 고민하던 황태후는 이내 서류를 바꿔 들며 대수롭지 않다는 듯 읊조렸다.

"상관없지. 헤어질 수 없다면, 헤어지게 만들면 되니까."

마그리트 황태후는 잉크를 적신 깃펜으로 차곡차곡 양피지를 채워 갔다. 클리마 백작은 양피지에 낯익은 이름이 적히는 모습을 우두커니 내려다보았다. 황태후를 꼭 닮은 날카롭고 섬세한 글씨로 적힌 첫 번째 이름은 '프란츠 알프레드 케른 자작'.

케른 자작의 아버지 스펜서 케른은 클리마 백작과 오랜 친구였다. 두 해 전 가을, 사냥을 나섰다 절벽에서 미끄러져 사망했고 장남 프란츠가 작위를 물려받았다. 올해 스물셋인 프란츠 케른 자작은 클리마 백작의 차남인 프레더릭과 둘도 없는 친구로 올해 결혼 다섯 해 만에 첫딸을 낳았다.

케른 자작 바로 옆에 나란히 '윌리엄 퍼시벌 그렌빌'이 쓰였다. 클리마 백작의 큰딸과 결혼한 브란트 백작의 어머니가 그렌빌 가문의 사람이다. 윌리엄은 올해 스무 살이며, 차기 그렌빌 백작 위를 물려받게 될 유일한 직계 자손으로 그가 죽으면 작위는 방계 혈통의 사내에게 넘어가게 된다.

이후로도 황태후의 펜은 끊임없이 클리마 백작의 친구, 친구의 아들, 자식들의 친구 이름을 써 내려갔다. 그가 건넨 서류에 적혀 있던 이름 중 최종적으로 황태후의 선택을 받은 인물들. 조만간 국경으로 보내져, 어쩌면 두 번 다시 첼리노로 돌아오지 못하게 될 이들이다.

명하니 보고 있는 사이, 양피지엔 한 장 가득 이름이 채워졌다. 한 장을 빽빽이 채운 황태후는 그것만으로는 모자랐는지 또 다른 양피지를 채워 나가기 시작했다. 하긴 내내 벼르고 있었던 이가 한둘이겠는가. 그녀에게 등을 돌리고 황제 편으로 돌아선 귀족들의 이름을 하나도 빼놓지 않고, 외우고 새기고 있었을 사람이다.

그들에게 받은 수모를 갚아 주기 위해 제국에 위험이 닥치고 있다는 소식을 듣고도 숨겨 온 분이니. 대를 이어 바이첸 가문의 봉신 귀족으로 살아오며 온갖 일을 겪어 온 클리마 백작이지만, 바이첸들의 독기는 볼 때마다 놀랍다.

'후우, 이번엔 또 얼마나 시끄러워지려나.'

나이가 들어서일까? 아니면 평화로운 시기가 몇 년이나 이어져서? 불확실한 미래가 닥쳐온다고 생각하니 점점 기대보다 두려움이 먼저 앞선다. 곧 국경에서 암담한 소식이 날아든다.

쉔달 성은 시끌시끌해질 테고, 곧바로 황태후의 밀명을 받은 귀족들이 야단법석을 부려 댈 예정이다. 여러 차례 반복되었던 변경백의 요청을 무시한 황제를 향해 무능하다 비난을 던지겠지. 어떤 이들은 제국에 위험이 닥쳤으니 솔선수범하는 모습을 보이라며 황제를 압박할 것이다.

첼리노엔 즉각 흉흉한 소문이 퍼질 테고, 일이 이리되도록 상황을 방치한 황제의 자질을 두고 여러 말이 오가게 될 것이 뻔하다. 정작 황제를 첼리노의 성벽 안에 가둬 두고 감언이설로 속인 것은 본인들이면서.

마그리트 황태후가 지난 시간 동안 숨죽이고 있었던 이유가 바로 이것이었다. 그녀를 지지하던 세력이 하나하나 황제에게 넘어가는 걸 보면서도, 날개 꺾인 새처럼 얌전히 굴었던 까닭.

제국민들의 비난이 모조리 황제에게 향하는 날을 기다리고 있었던 거다. 그녀가 황제의 눈과 귀를 막고, 손과 발을 잘라 버린 걸 모르는 백성들이 황제에게 그 자리를 감당할 능력이 없다 비난을 퍼부을 때까지. 이 무서운 여자는 자기 아들을 궁지에 몰아넣는 일을 꾸미면서도 일말의 망설임도 보이지 않았다.

지난해 겨울, 리하르트 공작에게 직접 가서 전하라는 황태후의 제안을 듣던 날.

"진정 황제 폐하를 내칠 생각이십니까?"

"레오폴드가 제 소임을 다하지 못했으니 대신할 수 있는 자를 찾는 건 당연하지 않은가. 심지어 그 아인 귀족들을 포섭해 내게 반기를 들었지. 그대로 놔두면 두고두고 후환거리가 될 거야."

클리마 백작은 경외감을 넘어선 공포를 느꼈다. 마그리트 황태후는 *그가*

아는 어떤 바이첸보다 지독하고 냉정한 인간이라는 사실을 다시금 깨달았다.

"소피아 그 아이는 어쩌고 있다던가?"

넋을 잃고 양피지를 바라보고 있던 클리마 백작이 퍼뜩 정신을 차리고 대답했다.

"공녀께선 방에 틀어박힌 채 여전히 식사를 거부하신다고 합니다."

탁.

좀처럼 겉으로 화를 드러내는 법이 없는 황태후가 깃펜을 든 손으로 책상을 내리치며 역정을 냈다.

"멍청한 것. 그리 알아듣게 일렀는데도 여태 정신을 못 차렸다는 거야?"

황태후의 조카 소피아 바이첸 공녀는 리하르트 공작과의 결혼을 거부하며 할 수 있는 최대한의 반항을 하는 중이다. 올해 열일곱인 그녀는 사생아의 후처가 되느니 죽어 버리겠다며 난리를 피웠다고 한다.

클리마 백작이 마지막으로 들은 얘기는 소피아 공녀가 몰래 창문을 타고 도망가려다 실패했다는 소식이었다. 기밀이 엄격하게 지켜지는 것으로 유명한 바이첸 가문이라 아직 별다른 말이 돌고 있진 않았으나, 본격적으로 결혼 얘기가 나온 후에도 저리 군다면 문제가 커질 텐데 걱정이다.

"결혼 적령기에 든 아이가 하나만 더 있었어도 굶어 죽으라고 내버려 두는 건데. 철딱서니 없는 것 같으니라고."

황태후가 화가 난 가장 큰 이유는 소피아 공녀가 그녀가 던질 수 있는 유일하고도 마지막인 패라는 것 때문이다. 워낙 이 가문 저 가문과 거미줄처럼 혼맥을 맺다 보니 바이첸 가문의 공녀들은 대부분 어린 나이에 혼처가 정해졌다.

소피아 공녀만 해도 원래는 제국의 북쪽 국경과 맞닿은 '벨지움 공국'에 시집보내기로 얘기가 되어 가고 있었으나, 황태후의 명으로 혼사가 중단된 상태다. 결국 현재로서는 소피아 공녀가 아니면 리하르트 공작과 결혼시킬 마땅한 사람이 없는 것이 현실.

마그리트는 순간 짜증이 치밀었다. 라우라의 아들과 제 가문의 사람을 혼인시켜야 한다는 것만으로도 부아가 났다. 그런데 감지덕지해도 모자랄 다니엘은 아쉬울 것 없다며 버티지, 사리 분별 못 하는 소피아는 웃기는 짓이나 하고 있고.

"하나같이 어리석어서는……."

그래도 레오폴드에 버금가는 정당성을 갖추려면, 반쪽이라도 리하르트의 피가 섞인 다니엘이 꼭 필요하다. 그러니 참을 수밖에.

'참아야지. 소피아가 다니엘의 자식을 낳기 전까지는 참아야 하고말고.'

제 손으로 세웠던 친아들을 몰아낼 계획까지 세우고 있는 마당에 참지 못할 것이 무엇이란 말인가. 소피아가 자식을 낳으면 아들이든 딸이든 상관없이 그 아이는 스베르겐의 황제가 될 것이다.

다음에 이어지는 황위 또한 마찬가지다. 오직 바이첸의 피를 물려받은 자손만이 스베르겐 황실의 주인이 되게 할 작정이다. 바이첸이 십이 공작 중 하나가 아니라 유일무이한 제국 최고의 가문으로 역사에 이름을 남기도록.

평생 그 목적을 이루기 위해 살아온 마그리트였다. 철이 들기 전부터, 마그리트 바이첸으로 태어난 날부터 오로지 그 영광만을 위해. 가문을 위해 남편을 죽게 했고, 이젠 아들도 버리기로 했다.

'레오폴드, 이 아둔한 것. 철저히 독하게 굴든가, 아니면 꼬리를 내리고 얌전히나 있을 것이지.'

깃펜을 신경질적으로 펜대에 꽂아 넣은 황태후가 긴 한숨을 내쉬며 이마를 짚었다.

"그 아이의 어미에게 가서 전해. 닷새 내로 소피아를 포동포동 살찌워 놓지 않으면 목만 남은 친정아버지를 보게 될 거라고."

"……알겠습니다, 폐하."

"그만 나가 보게. 오늘은 이만하지."

"네, 폐하. 쉬십시오."

황태후 궁을 나서는 클리마 백작의 발길은 한없이 무거웠다. 소피아 공녀는 황태후 뜻을 따를 수밖에 없을 테니 전과 같이 뽀얗고 귀여운, 바이첸답지 않은 해맑은 아가씨로 돌아오겠지. 그리고 황태후의 뜻에 따라 곧 리하르트 공작 부인이 될 테고.

"후우……."

지평선 너머로 뉘엿뉘엿 지는 태양이 하늘을 붉게 태우고 있는 늦은 오후. 클리마 백작은 무거운 걸음을 멈추고 긴 한숨을 내쉬었다. 머리가 아파 더 걸을 수가 없었다. 그때였다. 부스럭, 땅에 떨어진 이파리를 밟는 소리와 함께 짙푸른 이파리가 듬성듬성 달린 나뭇가지를 손에 든 사내가 그 앞에 나타났다.

"어이쿠. 우리 백작님 한숨 소리에 땅이 꺼지는 줄 알았네. 순간 제 다리 휘청이는 거 보셨습니까?"

몸 안에 기운이 하나도 남아 있지 않은 클리마 백작과 달리 사내의 목소리에는 힘이 펄펄 넘쳤다. 단정히 자세를 바로 세운 클리마 백작은 반갑지 않은 사내의 등장에 바로 날을 세웠다.

"도미닉 몰리? 자네가 여기까진 어쩐 일인가?"

"백작님께 확인할 게 있어서요. 그나저나 섭섭합니다. 우리가 생판 모르는 사이도 아닌데 반갑다, 잘 왔다. 이런 인사 한마디가 없으시다니. 아무튼 이놈의 쉔달 성 인간들은 너무 팍팍해. 정이 없어, 정이."

도미닉이 손에 든 나뭇가지를 방정맞게 휘휘 흔들어 대며 들으라는 듯 투덜거렸다. 클리마 백작은 요란을 떠는 도미닉 앞에 서서 침착히 그를 응시했다. 도미닉의 말대로 두 사람이 인사 정도는 나눌 수 있는 사이인 건 맞다. 꾸준한 왕래가 없었을 뿐 백작이 도미닉을 안 지는 꽤 오래되었다.

그는 과거에도 리하르트 공작을 따라 쉔달 성을 드나들었으니까. 지난해 겨울 이후 백작이 리하르트 공작령을 방문할 때마다 그를 맞아 준 사람도 도미닉이다.

하지만 이자를 반갑게 맞고 싶은 마음은 추호도 없었다. 왜냐고?

"내게 뭘 확인하고 싶다는 건가?"

"제가 황태후께서 리하르트 공작 부인으로 점찍어 놓은 분에 대해 알아 봤는데 말입니다. '소피아 거트루트 바이첸 공작 영애' 맞죠? 최근까지 벨지움 공국의 콘라드 공작과 혼담이 진행되고 있던."

이 영악한 자는 언제나 그를 곤경에 빠트리기 때문이다. 결코 알아선 안 되는 정보를 쥐고, 툭하면 자신을 떠보기 일쑤니까. 클리마 백작이 긍정도 부정도 없이 가만히 바라만 보고 있자 도미닉이 씩 웃으며 품 안에서 편지 뭉텅이를 꺼냈다.

백작은 봉투에 쓰인 글씨만 보고도 금세 주인이 누구인지 알아챘다. 모를 수가 없었다. 그가 직접 손에 펜을 쥐여 주고 가르친 자의 필체였으니. 체념 어린 백작의 시선이 편지를 쥐고 흔드는 도미닉의 손에 머물렀다.

"그런데 참 이상하지요. 제가 우연히 발견한 이 편지의 수신자는 소피아 공녀가 맞는데, 쓴 사람은 혼담이 오가는 콘라드 공작이 아니라 다른 남자더라고요."

입가에 미소를 걸고 저벅저벅 다가온 도미닉이 백작의 손에 편지 한 장을 쥐여 주었다.

"훌륭한 아버지를 둬서 그런지 아드님의 문장 실력이 아주 뛰어나시더군요. 문장 하나하나가 어찌나 심금을 울리는지, 왈칵 눈물을 흘릴 뻔했습니다."

질끈 눈을 감은 그는 손안에 들어온 차남 프레더릭의 편지를 꽉 움켜쥐었다.

"아버지, 소피아와 전 서로 깊이 사랑하는 사이예요. 제발 도와주세요. 소피아를 늙은 콘라드 공작에게 보내지 말라고, 황태후 폐하를 설득해 주세요."

식음을 전폐하고 있는 건 소피아 공녀만이 아니었다. 그의 아들 프레더릭도 벌써 몇 달째 자물쇠로 잠근 방 안에 갇혀 죽지 않을 만큼만 먹으며 버티는 중이다.

아들이 스스로 목숨을 끊지 않는 이유는 하나였다. 소피아 공녀가 살아 있는 한 자신도 희망을 놓지 않겠다나. 기어이 그녀를 콘라드 공작에게 시집보낸다면 그 늙은이가 죽을 날만 기다릴 거라고 악을 썼다.

공녀의 남편감이 젊고 팔팔한 리하르트 공작으로 바뀌었다는 말을 전해 주지 않은 건 그래서였다. 어이없는 그 희망마저 잃게 되면…… 당장 죽어버릴까 봐. 아들의 마음을 알았을 때, 그리고 말리기엔 늦었다는 걸 깨달았을 때 각오하고 있었다. 언젠간 이런 날이 올 거라고. 가문과 아들 중 무엇을 지켜야 할지 한쪽을 선택해야 하는 날이 오리라는 것을.

"하아…… 내게 뭘 원하나?"

모든 것을 내려놓고 체념의 탄식을 내쉬는 그의 귀에 도미닉이 아닌 다른 이의 발소리가 들렸다. 무성한 나뭇잎 사이를 파고드는 붉은 태양 빛 아래 나타난 사내는 언제나 그랬듯 등장만으로도 백작의 눈길을 붙들었다. 골격이 큰 넓은 어깨와 늘씬한 허리를 감싼 멋들어진 남색 예복에 보라색 망토를 걸친 리하르트 공작이 붉은 하늘을 등진 채 그를 바라보며 말했다.

"말했을 텐데. 자네를 원한다고."

차분하고 고요한 목소리가 을씨년스러운 핏빛 하늘과 끔찍하리만큼 잘 어울렸다.

"결정하지, 클리마 백작. 내게 오든가, 아니면…… 이 자리에서 죽든가."

둘 다 같은 얘기건만 대체 뭘 결정하라는 건지.

클리마 백작은 마른침을 삼키며 씁쓸하게 웃었다. 바이첸을 배신한 것이 발각되는 순간 제 가문은 말 그대로 도륙이 되고 만다. 지금 죽으나 나중에 죽으나 결과는 같은데 뭐 하러 위험을 무릅쓰고 말을 갈아탈까.

어리석은 짓이다. 게다가 허울만 황태후의 보좌관이지 자신은 아는 것이 많지 않다. 황태후는 진짜 중요한 일은 가문 사람이 아니면 공유하지도, 맡기지도 않는 철두철미한 사람이니까.

그 사실을 모를 리 없는 리하르트 공작이 왜 저를 욕심내는지 도무지 모를 일이다. 무슨 대단한 일을 꾸미려고 꼭꼭 숨겨 두었던 아들의 비밀까지 기어이 찾아 들고 와 협박을 하는 건지. 긴 한숨을 내뱉은 클리마 백작이 힘 겹게 입을 열었다.

"공작 전하, 전에도 말씀드렸지만 저는 그리 쓸모 있는 사람이 아닙니다."

"쓸모가 있는지 없는지는 내가 판단하겠네."

클리마 백작을 바라보는 다니엘의 시선은 얼핏 무감해 보였으나 속을 꿰 뚫어 보는 듯 날카로웠다.

"오랜 세월 잡음 없이 황태후 곁을 지켰다는 것만으로도 쓸모는 증명한 셈이지. 클리마 백작, 난 자네를 꽤 높이 평가하는 편이라네."

"그런 분께서 제 가족의 뒤를 조사해 저를 협박하십니까?"

클리마 백작이 따지자 다니엘이 빈정대듯 피식 웃음을 흘렸다. 예의를 갖 춘 것처럼 굴면서도 냉소로 자신을 비웃는 다니엘의 얼굴이 백작의 신경을 긁었다. 이 찝찝한 기분을 뭐라 설명해야 할지 모르겠다. 그저 볼수록 제 앞 에 선 남자가 리하르트 공작이 맞나 하는 의심이 든다. 과거의 공작은 무심 히 사는 사람이었다.

측근인 백작이 보기에도 과하다 싶은 황태후의 지시에도 내내 덤덤했고. 어떤 일을 시켜도 가타부타 따지지도 않으니 속마음을 도무지 짐작할 수 없 었다. 아니, 감정이란 게 아예 없는 사람처럼 굴었다. 공작이 화를 내거나 웃 는 등 감정을 드러낼 줄 아는 사람이란 걸 이번에 처음 알았다.

"내가 구실을 만들어 주었으니 오히려 고마워해야 하는 거 아닌가? 스스 로 모시는 분을 배신한 것보다야 협박을 받아 마음을 돌렸다고 하는 편이 훨씬 죄책감이 줄어들 테니 말이네."

리하르트 공작이 이렇듯 비꼬는 말도 잘하는 사람이었나, 연달아 놀라게 된다. 이 사내는 달라졌다. 백작이 알던 리하르트 공작이 아니다. 공작을 다 시 만난 후 막연하게 느껴 오던 것들이 점점 확실해지는 기분이다.

"그래서 백작, 자네의 대답은?"

클리마 백작은 스멀스멀 피어나는 두려움에 저도 모르게 뒷걸음질을 쳤다.

"저는…… 바이첸 공작가에 이미 충성을 맹세했습니다."

"그들이 그대의 후손을, 친구를, 친구의 자식들이 살아갈 제국을 모두 잿더미로 만든다고 해도?"

"과장하지 마십시오. 업다이크 변경백이 한낱 부족의 침입에 무너질 분도 아니지만, 스베르겐 제국은 그리 쉽게……."

줄곧 조용히 그들 옆을 지키고 있던 도미닉이 툭 돌멩이를 걷어차며 백작의 옆으로 다가왔다.

"아무튼 머리에 잉크만 찬 인간들하곤 말이 안 통한다니까."

검 한번 안 쥐어 본 것들이 입만 살았다는 둥, 다 들리게 투덜대던 그가 갑자기 백작의 멱살을 잡고 번쩍 들어 올렸다.

"아직 사태 파악이 안 되나 본데. 사람이 인간적으로 협박까지 해 주면 고마운 줄 알고 바로바로 말을 알아들어야지, 왜 눈치 없이 뻗대십니까? 동트기 전에 클리마 백작가의 씨를 확 말려 드릴까요?"

"윽. 이, 이거 놓고, 커억……."

웃음기 없는 건조한 미소를 드리운 도미닉이 숨이 넘어가는 클리마 백작을 두어 번 더 흔들다 바닥으로 내던졌다. 그러곤 컥컥대는 그 앞에서 다니엘에게 따지듯 물었다.

"주군, 시간도 없는데 어쩌자고 이리 너그럽게 구십니까? 대화로 해결 보는 분 아니셨잖아요."

"내가 그랬던가."

도미닉은 심드렁히 구는 다니엘을 보며 쯧 혀를 찼다. 그러곤 옷 안에서 서류 한 장을 꺼내 클리마 백작의 얼굴에 던졌다.

"정신 놓기 전에 여기 사인 먼저 하시고."

곧이어 휘청대는 백작의 손에 펜이 끼워졌다. 머리가 하얘지고 눈앞이 침침해지는 와중에도 서류를 읽기 위해 눈을 부릅뜨던 백작이 어리둥절한 표정으로 다니엘을 올려다보았다.

"고, 공작 전하. 결혼 요청서라니, 이게 무슨……."

무심히 클리마 백작을 내려다보고 있던 다니엘이 차갑고 무표정한 얼굴로 명령했다.

"사인해. 프레더릭이 아주 기뻐할 거네."

벨뷔 궁으로 들어가던 다니엘이 문득 걸음을 멈추고 불을 밝힌 창가로 고개를 들었다. 다니엘의 눈길이 향하는 곳으로 함께 눈을 돌리던 도미닉은 창틀에 턱을 괴고 있는 프리다를 발견했다. 싱긋 웃은 그는 조금 전 클리마 백작을 대할 때와는 전혀 다른 애정이 담뿍 담긴 목소리로 중얼거렸다.

"해가 지면 눈에 뵈는 것도 없는 분이 뭘 저리 열심히 보시는지."

도미닉의 말대로 프리다는 열심히 뭔가를 바라보고 있었다. 아주 중요한 물건을 잃어버린 사람처럼 집중해서. 담담히 그 모습을 보던 다니엘이 도미닉에게 물었다.

"빛이 없으면 전혀, 아무것도 못 보는 건가?"

"글쎄요. 정확히 얼마나 볼 수 있으시냐고 여쭤본 적은 없어서요. 로시발트 경 말로는 어둠 자체를 무서워하신다고도 하고."

밤이고 낮이고, 조금만 어두워져도 대낮처럼 빛을 밝히던 멘하임 성의 복도가 떠올랐다. 종종걸음으로 그 복도를 돌아다녔을 프리다가 상상되어 입꼬리가 살짝 들썩였다. 때마침 도미닉이 푹 한숨을 내쉬었다.

"얼마나 좀이 쑤시면 보이는 것도 없는 창가에 앉아 저러고 계시겠어요. 밤낮없이 이곳저곳을 헤집고 다니느라 바쁘신 분을 몇 달이나 이 좁은 곳에 가둬 놨으니."

공작 성에서는 좀 쉬시라고 말려도 듣지도 않는 분이었다. 저리 부지런한 귀부인은 머리털 나고 처음 봤다. 보기엔 가냘파 보여도 웬만해선 지치지도 않는다. 후에 탈이 나서 그렇지.

다니엘은 쉬지 않고 구시렁대는 도미닉을 뒤로하고 안으로 들어섰다. 빠른 걸음으로 계단을 올라 가볍게 문을 두드린 그가 방문을 열었다. 뒤늦게 그의 인기척을 느낀 프리다가 창가를 떠나 그에게로 날 듯이 다가왔다.

"다니엘, 늦었네요. 저녁 식사를 먼저 해야 하나 고민 중이었어요."

"얘기가 좀 길어졌습니다."

쓸데없는 소리를 참 길게도 했더랬다. 도미닉이 먼저 나서지 않았다면 제 손으로 더럽게도 고지식한 클리마 백작의 멱살을 잡아 패대기를 쳤을지도. 오늘은 잘 참은 편이지만, 솔직히 근래 들어 무슨 일이든 인내심이 바닥을 빨리 드러내 당혹스럽다.

별 해괴한 상황을 다 겪고 큰 터라 전에는 웬만한 일에는 눈 하나 꿈쩍 안 했던 것 같은데, 요즘은 그게 안 된다. 대수롭지 않은 일에도 종종 화가 치민다. 지금도 그렇다.

프리다가 어둠을 무서워하는 것도 싫고, 이곳에 갇혀 살았던 것도 짜증이 나고. 그런 당신을 내버려 둔 나는 더 패 주고 싶고. 이래저래 신경질이 나는데 어디에, 어떻게 풀어야 할지도 모르겠다.

다니엘은 팔을 뻗어 거리를 좁혀 오는 프리다의 허리를 성급히 감아 안았다. 입술을 내리고 다디단 숨을 들이마셨다. 마음이 한결 풀어져 이제야 좀 살 것 같긴 한데, 문제는 입술이 떨어지지 않아 입맞춤이 점점 깊어졌다. 예상보다 진한 입맞춤에 놀란 프리다가 몸을 움츠리며 그의 팔을 꽉 붙들자 겨우 정신이 들었다.

아, 이 정도도 급한 거라나. 천진한 아내의 반응에 성마르게 달라붙었던 몸을 떼고 픽 웃고 말았다. 인내심이 빠르게 바닥을 치는 이유를 알 것도 같다.

어이없을 만큼 치솟는 욕망을 꼭꼭 누르는 데 죄다 써 버렸으니 다른 곳에 쓸 여력이 있을 리 없지. 세상엔 왜 이리 참고 견뎌야 하는 것들이 많은지.

'죄다 무시해 버리고 내 맘대로 굴어 버릴까.'

그러나 당혹해하는 보라색 눈동자를 응시하는 순간, 들끓는 심사를 다스리고 세상에 다시없을 예의 바른 남편으로 돌아와 빙긋이 웃어 줄 수밖에 없었다.

"뭘 보고 있었어요?"

다정하고 정중한 남편인 체하는 다니엘 앞에서 긴장을 풀고 편안해지는 프리다를 보는 것도 충분히 즐거우니까.

"슈프렌 강가에 불을 밝혔다기에 보고 있었어요. 첼리노는 밤에도 사람들이 강가로 산책을 많이 나온대요."

첼리노에 와서 가장 신기했던 것이 밤 풍경이었다. 산으로 둘러싸인 멘하임 성은 해가 지고 나면 온 세상이 까맣게 변하는데, 이곳은 밤에도 도시 곳곳이 밝게 빛났다.

특히 슈프렌 강을 따라 불빛이 흘러 다니는 장면을 처음 봤을 때 유독 놀랐었다. 빛이 떠다닌다며 고함을 쳤을 정도다. 등을 밝힌 배가 강을 떠다니는 모습이라는 걸 알고 난 후에도 거의 매일 창가에 앉아 빛을 쫓곤 했었다. 하지만 그녀가 본 것 중 가장 아름다운 경치는 단연코 멘하임 성 꼭대기에 있는 그녀의 방에서 보았던 알타스의 전경이다.

"다니엘, 윔터 호른은 아직도 눈으로 덮여 있겠죠?"

누가 뭐라고 해도 프리다는 그 방이 좋았다. 하루라도 빨리 그곳으로 돌아가고 싶은 마음이 간절하다.

"내 방에서 보던 풍경이 너무 그리워요."

"당신이 그 방을 좋아할 거라곤 생각 못 했는데……."

다니엘이 다소 의아하다는 듯 말끝을 흐렸다.

"과거에 그 방을 누가 썼는지 못 들었어요?"

“들었어요. 하지만 상관없어요. 난 그곳이 좋아요. 경치도 예뻤지만, 무엇보다 당신과 함께했던 좋은 추억이 많은 곳인걸요.”

“좋은 추억?”

“네, 밤이 되면 당신이 그곳의 테라스에서 별자리 이야기를 들려주곤 했어요.”

“별자리……?”

“네. 당신처럼 별자리에 대해 많이 아는 사람은 처음 봤어요. 당신 덕에 나도 이제는 모르는 별자리가 거의 없는걸요.”

다니엘이 기막히다는 표정을 지으면서도 프리다에게서 눈을 떼지 않았다.

“왜…… 그렇게 봐요?”

“이제야 좀 이해가 돼서.”

무슨 소리냐고 묻듯 프리다가 눈을 댕그랗게 떴다. 그 모습이 쫑긋 귀를 세운 토끼 같아 입꼬리가 벌어지며 또 웃음이 새어 나왔다.

“어쩐지, 사이좋은 부부였다는 소문치곤 남편의 손길을 어색해한다 했더니. 내가 당신을 너무 아꼈나 보군.”

낮게 웃으며 빤히 쳐다보자 그의 말을 알아들은 프리다가 얼굴을 붉혔다. 상기된 뺨과 그 아래 자리 잡은 작은 입술이 미치도록 매혹적이었다. 이런 아내를 두고 별이나 보고 있었던 나는 얼마나 등신이었던 걸까.

절로 헛웃음이 나왔다. 보아하니 혹여 아내의 몸이 상할까 염려돼 유리그릇 다루듯 소중히 아낀 모양이다. 점잖고 고상한 남편의 가면을 쓰고 수도자처럼 살았던 것이 틀림없다. 그러니 내 아내께서 여태 입만 맞춰도 부끄러워 어쩔 줄 모르는 소녀 같으시지.

“내가 아내와 단둘이 앉아 별이나 감상하는 남편이었다니 믿을 수가 없군. 실망이 큰데.”

장난스레 말하자 프리다가 확 고개를 틀어 그의 시선을 피했다. 창피해하는 얼굴도 미치도록 예뻤다.

"나, 나는 당신이랑 별 보는 거 좋았어요."

"당신이 좋았다면 다행이지만, 아마 난 그 시간이 몹시 힘들었을 것 같네요. 지금처럼."

손끝으로 목을 매만지자 프리다가 움찔 어깨를 떨었다. 이대로 안아서 확 침대로 가 버릴까? 하얀 머리칼 안에 입술을 묻는 상상을 하며 뜨거워진 손을 밀어 넣었다. 더 만지고 싶은 욕망과 여기서 멈춰야 한다는 이성이 치열하게 맞부딪혔다.

아내와 딱 한 번 밤을 보낸 게 전부건만, 한두 번 겪어 본 게 아닌 듯 익숙한 느낌이다. 역시나 몸이 그의 감정을 기억하고 있었다. 다니엘은 현재와 같이 욕구 불만에 시달렸을 과거의 자신에게 심심한 위로를 보냈다. 마음 같아선 이미 한참 전에 침대에 그녀를 눕히고도 남았으나 조금 더 참아 볼 작정이다. 오늘은 그녀에게 좋은 추억 하나를 더 선사해야 하니까.

잠깐의 이별 전에 프리다에게 다니엘에 대한 기억을 하나라도 더 간직하게 해 주고 싶다는 바람이 다행히도 막 육체의 욕망을 이겨 냈다. 다니엘은 손에 단단히 깍지를 끼고 프리다를 당겼다.

"가요, 프리다. 오늘은 별자리 말고 다른 걸 알려 줄게요."

막상 나가 보니 쉔달 성 밖은 프리다의 예상과 전혀 달랐다. 성문을 나오자마자 보이는 길고 넓은 도로 양쪽에 환하게 불을 밝힌 등이 무수히 놓여 있는 것부터 그랬다.

해가 지면 한 치 앞을 분간할 수 없는 짙은 어둠으로 둘러싸였던 공작령에 비하면 이곳은 밤도 대낮 같았다. 도로 옆에 세워진 건물들도 늦게까지 불을 밝히고 있는 곳이 많아 밤눈이 어두운 프리다도 거리의 풍경이 또렷하게 보였다.

"와…… 징말 놀라워요."

온종일 불을 켜 두어도 활기가 없던 하크본 저택과 비교해도 하늘과 땅만큼이나 차이가 났다. 벌어진 입을 다물지 못한 프리다는 조금이라도 더 가까이 보기 위해 연신 사방을 기웃댔다. 그녀가 자꾸 발자크 아래로 몸을 내밀자 보다 못한 다니엘이 결국 말을 멈춰 세웠다.

"조심해요. 그러다 말에서 떨어지겠어요."

"하지만 다니엘, 거리가 너무 아름다워서 눈을 뗄 수가 없어요. 밤에도 이토록 환하게 불을 밝혀 놓을 거라곤 상상도 못 했다고요."

첼리노는 확실히 제국의 수도다웠다. 특히 도시 전체가 하나의 정원이라도 된 듯 여기저기에 펼쳐진 꽃밭이 인상적이었다. 첼리노를 왜 '꽃의 도시'라고 부르는지 알 만했다.

달이 뜬 지 한참이 지났는데도 옹기종기 모인 사람들로 인해 북적이는 거리는 생기가 넘쳤다. 프리다는 부러움이 깃든 눈으로 도로 한편에 모여 흥겹게 대화를 나누고 있는 사람들을 바라보았다.

"다니엘, 언젠가는 유트레히트도 첼리노같이 번성한 도시가 되겠죠?"

리하르트 공작 부인께선 꿈도 참 크시지. 피식 웃은 다니엘이 프리다가 앞을 더 잘 볼 수 있도록 머리 위로 덮어쓴 후드를 살짝 뒤로 넘겨 주었다.

"글쎄요. 산골짜기 유트레히트가 제국의 수도인 첼리노처럼 되려면 족히 백 년은 지나야 할 것 같은데요."

"배, 백 년이요? 그렇게나 오래 걸린다고요?"

프리다가 침울한 표정으로 어깨를 틀어 그를 돌아보았다. 말고삐를 붙들고 있던 다니엘이 이번엔 뒤로 쏠리는 프리다의 허리를 바로잡았다.

"첼리노가 이 모습을 갖추기까지 백 년이 걸렸으니, 유트레히트도 지금부터 부지런히 서두르면 백 년쯤 뒤엔 비슷해질지 모르겠네요."

"그래도 유트레히트는 첼리노보다 작으니까, 정비하는 데 시간이 좀 덜 걸리지 않을까요?"

희망을 놓지 못한 프리다는 다니엘이 자신이 원하는 답을 들려주길 바라며 연신 고개를 돌려 되물었다.

"자, 앞을 보고 그대로 가만있어요."

그러나 다니엘은 프리다의 어깨를 잡아 앞으로 돌린 후 발자크의 등에서 훌쩍 뛰어내려 땅을 밟았다. 그가 손을 까닥여 신호를 보내자 조용히 두 사람의 뒤를 따라오던 기사 중 한 명이 다가와 다니엘의 손에서 말고삐를 건네받았다. 고개를 든 다니엘이 자유로워진 두 팔을 벌려 프리다의 허리를 붙들었다.

"여기서부턴 걸을까요? 밝은 곳으로만 가면 무리 없이……."

그의 말이 끝나기도 전에 프리다가 다니엘을 향해 활짝 팔을 펼치며 소리쳤다.

"내려갈래요. 나 내려 줘요, 다니엘. 나 걷고 싶어요."

그럴 줄 알았다는 듯 빙긋이 웃은 다니엘이 프리다를 번쩍 안아 올렸다. 프리다는 망설임 없이 다니엘의 품 안으로 뛰어들어 그의 목을 끌어안았다. 후드가 완전히 뒤로 훌렁 넘어가며 삐져나온 프리다의 하얀 머리칼이 밤바람을 맞아 여기저기로 흩날렸다.

뺨을 간지럽히는 프리다의 머리칼을 한 손으로 받친 다니엘이 그의 품으로 날아든 아내를 땅에 내려놓지 않고 꼭 끌어안았다.

"다, 다니엘."

당혹해하며 그를 부르는 떨리는 목소리, 작은 새의 날갯짓을 닮은 작은 파닥임에 두근두근 가슴이 설레었다. 의식할 새도 없이 프리다를 안은 팔에 힘이 들어갔다. 사람들의 시선이 다니엘과 그가 안고 있는 작은 여자에게 모여들었고, 어디선가 밤공기를 가르는 날카로운 휘파람 소리도 들려왔다.

"다니엘, 그만 놔줘요."

프리다가 수줍게 그의 가슴 위로 머리를 숙이며 말했다. 옅은 미소를 지은 그는 헝클어진 프리다의 머리를 쓸어 넘겨 주며 속삭였다.

"내 품으로 달려들어 안긴 건 당신이잖아."

"다, 달려들다니 그게 무슨 소리예요? 그건 말에서 내리려다……."

빼꼼히 고개를 들고 따져 묻던 프리다는 장난꾸러기 소년처럼 웃고 있는 다니엘의 모습에 순간 말문이 막혔다. 가늘게 눈을 좁힌 그녀는 생글거리고 있는 남편을 노려보며 다그쳤다.

"장난 그만하고 놔줘요, 다니엘. 이러다 사람들에게 들키겠어요."

"이미 들켰을 것 같은데. 여기 모인 이들 중 둘의 하나는 내가 누군지 알고 있을 겁니다."

"진짜요? 그럼 어떡해요?"

성문 밖을 나서는 순간부터 주변이 제법 소란스러웠건만 다른 곳에 정신이 팔린 프리다는 눈치채지 못한 모양이다. 바닥에 사뿐히 프리다를 내려준 다니엘이 안았던 팔을 풀자 프리다가 황급히 머리 위로 후드를 덮어썼다. 다니엘이 그런 프리다의 손을 말리며 반쯤 넘어온 후드를 도로 어깨 뒤로 넘겼다.

"오늘 밤엔 얼굴 가릴 필요 없으니 편히 있어요."

그들의 정체를 숨길 작정이었다면, 호위랍시고 버젓이 리하르트 가문의 문장이 새겨진 망토를 두른 기사단을 끌고 오지도 않았다.

"이곳에 리하르트 공작 부인보다 지체 높은 사람은 없어요. 그러니 당당하게 굴어요."

"하지만……."

다니엘이 쭈뼛거리는 프리다의 뺨을 양손으로 부드럽게 쥐었다.

"괜찮다니까."

그녀가 무엇을 겁내는지 안다는 듯 다정한 목소리로 달랬다.

"걱정하지 말아요. 내가 옆에 있는 한 누구도 당신을 해하지도, 함부로 입을 놀리지도 못할 테니."

수도를 떠들썩하게 만들었던 성녀 사건의 당사자인 그녀와 레오폴드를 두고 황태후 편 귀족들이 온갖 추잡한 소문을 만들어 냈다는 걸 안다. 그 침착하던 보일드 남작이 길길이 날뛰며 화를 내던 광경이 눈에 선하다.

"공작 부인께서 모욕당하시는 걸 언제까지 보고만 계실 겁니까? 전하께서 움직이지 않으시면 저라도 가서 부인을 모셔 오겠습니다."

줄곧 생각했었다. 지난 시간, 자신이 좀 더 용기를 내 황태후에게 맞섰다면……. 귀찮아서 피하고, 두려워서 숨지 않았다면 제국의 현실이 지금과는 달랐을지도 모른다고. 안드레아 공작의 비난이 아프게 다가왔던 건 자신도 어렴풋이나마 제 비겁함을 깨닫고 있었기 때문이었다.

"나를 돈만 밝히는 탐욕스러운 인간이라고 욕해도 좋네. 하지만 내가 황실을 속이고 륑겐 제국과 몰래 뒷거래를 한 건 바이첸 놈들에게 하는 내 나름의 작은 반항이었어. 적어도 난 자네처럼 고고한 척 굴며 숨죽이고 살진 않았다고."

충분히 막을 힘이 있음에도 아무것도 하지 않은 저 대신 애꿎은 프리다가 온몸으로 그를 감싸고 화살을 맞고 있었다. 이 가녀린 몸으로 그를 보호하며. 가만히 프리다와 눈을 맞추고 있던 다니엘은 뭉근히 끓어오르는 감정을 내리눌렀다.

오늘은, 아직은 그녀에게 보여 줘야 할 것들이, 함께해야 할 일이 남았으니 참아야 한다. 다니엘은 긴장을 놓지 못하고 떨고 있는 프리다의 손을 제 팔 위에 올렸다.

"리하르트 공작 부인, 오늘 밤 그대와 함께 슈프렌 강에서 배를 탈 수 있는 영광을 허락해 주시겠습니까?"

그가 무거워진 공기를 깨트리며 장난스레 묻자 멀뚱히 바라보던 프리다가 예쁘게 입매를 휘감아 올리며 머리를 끄덕였다.

"네. 좋아요. 허락할게요."

마주 보며 짧게 웃고 난 후 두 사람은 나란히 서서 길게 뻗은 도로를 걸었다. 프리다는 일렬로 늘어져 도로를 밝히고 있는 등이 신기하다며 질문을 건넸고, 다니엘은 그가 아는 것들을 성심성의껏 대답했다.

"등이 많으니 밝아서 좋긴 한데, 저러다 불이라도 나면 어떡하죠? 대비책은 있나요?"

"첼리노의 모든 도로가 쉔달 성을 중심으로 여러 갈래로 뻗어 있는 거 알아요?"

"네. 들었어요."

다니엘이 긴 팔을 뻗어 그들이 걷고 있는 도로의 끝을 가리켰다.

"첼리노의 모든 집과 건물은 이곳처럼 도로와 도로 사이에 세워져 있어요. 그리고 모든 도로의 끝은 슈프렌 강에 닿아 있습니다. 불이 나더라도 사방에서 슈프렌 강의 물을 빠르게 이동시켜 불길이 커지기 전에 잡을 수 있도록 설계된 거죠."

"세상에, 누가 그런 천재적인 발상을 한 거예요?"

프리다는 감탄을 쏟아 내며 도로를 두리번거렸다. 크고 작은 산으로 둘러싸여 있는 유트레히트는 건조한 계절이 되면 간혹 산불이 마을을 덮쳐 종종 곤욕을 치렀다. 공작령에 사람이 더 늘어나기 전에 이 방법으로 마을을 정비하면 좋을 것 같아 이곳저곳을 자세히 살피는 눈이 점점 바빠졌다.

"백 년 전에 카나본 백작이라는 괴짜 귀족이 있었습니다. 당대 황제였던 로보프 1세가 그자에게 첼리노의 정비를 맡겼다더군요. 당시엔 반대가 심했지만, 결과는 뭐 보시다시피 썩 괜찮은 도시가 되었죠."

"첼리노는 괜찮다는 말로는 부족해요. 볼수록 아주 훌륭한 도시예요."

프리다는 코를 벌름거리며 킁킁 냄새를 맡았다. 제국에서 가장 많은 사람이 모여 사는 도시치곤 역한 냄새도 심하진 않은 걸 보면 오물 처리 또한 잘되고 있는 것이 틀림없다.

'집이 수백 가구가 넘을 텐데 대체 어떻게 관리하는 거지?'

앞을 좀 더 잘 보기 위해 잔뜩 미간을 찌푸린 프리다는 밝은 대로와 달리 집들이 촘촘하게 세워진 컴컴한 골목 안을 흘깃댔다.

"카나본 백작도 대단하지만, 로보프 1세 폐하께서 정말 현명한 분이셨네요. 그분이 백작의 능력을 알아보지 못했다면 첼리노가 이렇게 멋진 도시로 발전하진 못했을 테니까요."

"당신처럼 현명한 안주인이 있으니 유트레히트도 조만간 더 멋진 땅으로 변하겠죠."

갑작스러운 그의 칭찬에 프리다가 민망해하며 얼굴을 붉혔다.

"아이참, 내가 뭘요."

"당신도 영지에 사는 아이들의 능력을 알아봤잖아요. 보일드 남작이 고드릭이란 아이의 첼리노 대학 입학 준비를 돕고 있습니다. 안톤은 요제프를 열심히 가르치고 있고. 머리가 좋아서 하나를 알려 주면 잊는 법이 없다고 칭찬하더군요."

프리다가 한 일은 그뿐만이 아니었다.

"도로 공사도 당신이 꼭 해야 한다고 주장했다고 들었습니다. 아, 현재 공사에 대한 모든 권한은 보일드 남작에게 맡겼습니다. 도미닉이 워낙 이랬다 저랬다 변덕이 심해서요."

나루터로 가는 길, 다니엘은 프리다가 궁금해하는 뮌하임 성의 얘기를 들려주었다. 도미닉이 하루는 밑 빠진 독에 물 붓기라고 도로 공사를 관두자고 투덜대다, 또 다른 날은 그래도 공작 부인이 소원하시던 일이니 완성해야 한다며 침을 튀겼다는 이야기.

보일드 남작 부인이 아들을 낳던 날에 있었던 작은 소란에 대해서도 말했다. 긴장한 남작이 아이가 나오길 기다리다 아델이 만든 술에 취해 잠드는 바람에 남작 부인에게 두고두고 욕을 먹고 있다고. 프리다는 나루터에 도착하기 전까지 조용히 다니엘의 말에 귀를 기울였다.

제법 길어진 산책 끝엔 유난히 등을 환하게 밝힌 채 밤바람을 따라 출렁이는 배 한 척이 그들을 기다리고 있었다. 다니엘이 먼저 배에 오르려던 순간, 프리다가 다니엘의 팔을 붙들었다.

주의를 기울이지 않았다면 알아채지 못했을 정도로 미약한 힘이었지만 다니엘은 즉시 고개를 돌렸다. 그는 물끄러미 자신을 올려다보는 걱정 어린 보랏빛 눈동자를 응시한 채 그녀가 입을 열기를 기다렸다.

"저, 다니엘…… 우리 유트레히트로 돌아갈 수 있겠죠? 너무…… 보고 싶어요."

소리 없는 눈빛이 뒤이어 간절한 마음을 전해 왔다. 리카르도가, 보일드 남작 부부가 보고 싶다고. 공작 성의 사람들이 '빌리 도련님'이라고 부른다는 그들의 아이가 궁금하고, 이젠 다리가 거의 나아 가는 마틸다도 그립다고. 그리운 아델의 수프를 내가 다시 맛볼 수 있느냐고.

불안에 떨고 있는 아내의 눈을 찬찬히 응시하던 다니엘이 빙긋 웃으며 그녀의 손을 잡았다.

"프리다, 그렇게 될 거야."

내가 꼭 그렇게 만들고 말 거야. 행복했던 그곳으로, 당신과 나를 되돌려 놓을 테니 걱정하지 마. 다니엘은 프리다의 손등에 평온한 봄밤처럼 부드러운 입맞춤을 하며 맹세를 남겼다.

슈프렌 강에 배를 띄운 지 십 분쯤 지났을 즈음, 프리다는 뱃놀이가 보기보다 아주 힘겹고 고상하지 못한 유흥임을 깨달았다. 프리다와 다니엘이 탄 나룻배는 안정적으로 슈프렌 강에 떠 있는 몇 되지 않는 배 중 하나였다. 대다수 나룻배가 중심을 잡지 못한 채 휘청대다 아슬아슬하게 그들이 탄 배를 지나쳐 갔다.

그때마다 프리다는 큰 물결이 만든 파동에 놀라 움찔 몸을 떨어야 했다. 때마침 심하게 출렁이며 다가오는 나룻배 한 척을 발견한 프리다는 재빨리 손을 뻗어 배의 측면을 단단히 붙들었다.

안 그래도 중심을 잡느라 정신이 없는 와중에 바람까지 불어와 머리칼을 헝클이고 난리다. 한 손으로 배를 꼭 붙든 프리다는 시야를 가리는 머리칼을 허겁지겁 귀 뒤로 대충 쓸어 넘겼다. 피식 웃는 소리가 뺨에 달라붙는 강바람에 섞여 들려왔다.

"날 믿고 편히 있어 달라고 하면 너무 무리한 부탁일까? 난 당신에게 슈프렌 강물을 맛보게 할 마음은 조금도 없는데."

"당신을 못 믿어서가 아니라…… 어맛!"

손사래를 치는 와중에 나룻배가 오른쪽으로 살짝 기울었다. 깜짝 놀라 잔뜩 몸을 웅크린 프리다는 손에 잡히는 건 뭐든 꽉 붙들었다. 유난을 떠는 것처럼 보이겠구나 싶어 못 견디게 자존심이 상했지만 어딘가를 붙들지 않고서는 견딜 수가 없는 걸 어쩌라고.

손가락이 얼얼할 정도로 꽉 힘주어 배를 붙들고 있던 그녀는 출렁임이 거의 잦아들자 슬그머니 고개를 들었다. 출렁임의 여파로 아직 정돈되지 못한 초점이 마구 흔들렸다. 대여섯 번 눈을 깜박인 후에야 다니엘의 얼굴이 선명하게 눈에 들어왔다.

그는 새카만 하늘과 하나로 연결된 어두운 강물을 배경으로 두른 채 여유롭고 평화로웠다. 이 상황이 즐거운지 눈이 마주치자 싱긋 미소까지 지었다. 저는 오금이 저려 어쩔 줄 모르겠건만, 시종일관 침착한 그가 오늘따라 유난히 밉살맞았다.

'아우, 얄미워. 허둥지둥하는 척이라도 해 주면 안 되나.'

부루퉁한 프리다를 발견한 다니엘의 입가가 부드럽게 휘어졌다. 그 모습이 얄미운데 멋졌다. 프리다가 뱃멀미와는 다른 울렁임에 혼돈을 느끼고 있는 사이, 그가 잠시 노를 멈추고 다른 배가 지나치는 것을 기다렸다.

휘잉, 때마침 프리다의 뒤편에서 불어온 강바람이 이번엔 다니엘의 머리를 흩트렸다. 어수선하게 머리를 쓸어 넘겼던 자신과 달리 다니엘은 우아하게 고개를 흔들어 앞머리를 옆으로 치워 내곤 다시 노를 저었다. 불빛을 사이에 두고 마주 앉은 다니엘의 담담한 표정에 계속 눈이 머물렀다.

볼 수 있는 것이 그뿐이어서. 달빛 아래 노를 젓고 있는 다니엘이 당대 최고의 화가라 불리는 '모리스 부셰'가 그린 초상화 속 인물처럼 멋져서, 느긋한 표정과 보일 듯 말 듯 짓고 있는 잔잔한 미소가 어둡고 고요한 풍경과 무척이나 잘 어울렸다.

새삼스레 제 남편이 참 잘생긴 남자라는 깨달음이 찾아왔다.

'수많은 여인의 밤잠을 설치게 했다더니.'

시간이 흐를수록 점점 더 부루퉁해지는 프리다를 지그시 보던 다니엘이 나른한 봄밤에 어울리는 차분한 목소리로 물었다.

"많이 힘들어요?"

"힘들다기보다 낯설어서 그래요. 배를 타 보는 건 처음이라."

답을 하고 보니 촌스러운 시골 아가씨가 된 기분이 들었다.

"처음? 하크본 저택 근처에 플리체 호수가 있는 걸로 아는데, 안 가 봤어요? 여름이 되면 뱃놀이를 하러 몰려든 귀족들로 붐빈다고 들었는데."

다니엘이 그답지 않게 놀라며 되묻자 더 창피해졌다. 하크본 백작가의 영지는 자연환경이 아름다운 북부 지역에서도 유독 경관이 빼어나기로 유명했다.

그중 플리체 호수 주변은 제국에서 가장 붐비는 여름 휴양지이자 스베르겐 제국의 초대 황제 카를 1세의 여름 궁전이 있던 곳이다. 궁전은 오래전 화재로 무너지고 터만 남아 있지만 매년 수많은 여행객이 그 지역을 찾았다.

"호수를 본 적은 없지만, 나도 플리체 호수가 유명하다는 건 알아요. 그렇게 큰소리로 알려 주지 않아도 돼요."

프리다가 퉁명스레 답하며 그의 눈길을 피하자 다니엘은 적잖이 당황했다. 놀리는 것처럼 들렸으려나. 아니면 그의 질문이 너무 무심했든가. 바들바들 떨고 있는 프리다의 가는 손가락이 내내 거슬렸던 터라 저도 모르게 미간을 좁히며 소리를 높였던 것 같다.

적절한 말을 찾지 못해 망설이는데 프리다가 돌연 난감한 표정으로 그를 돌아봤다. 뒤늦게 다니엘이 그녀와 나눴던 대화를 기억하지 못한다는 사실을 깨달은 모양이었다.

"여섯 살 때 헤스티아 언니가 세상을 떠났는데…… 그날 이후로 부모님께서 저와 로테 언니의 외출을 금지하셨거든요."

프리다는 멋쩍게 웃으며 설명을 덧붙였다. 다행히 목소리가 한결 풀어져 있었다.

"결혼 전까지 하크본 저택 밖으로 나가 본 적이 거의 없어요."

다니엘은 토끼를 닮은 하얗고 조그만 꼬마 소녀와의 기억을 더듬었다.

"큰언니 이름이 헤스티아였나요?"

기억 속 소녀는 혀 짧은 소리로 그 이름을 부르며 펑펑 울었다.

"네. 로테 언니가 둘째고요, 제가 셋째예요. 막내는 남동생 앨버트. 금발에 예쁜 파란 눈동자를 가졌어요."

오랜만에 언니와 동생의 이름을 입에 올리자 가슴이 먹먹하게 내려앉았다. 로테 언니까지 그녀의 곁을 영영 떠나갔던 날. 빛이 모두 꺼진 어두운 복도에 웅크리고 앉아 두려움에 떨던 그날 프리다는 하크본 가문에 남은 마지막 여자아이가 되었다.

넷이었던 남매가 셋이 되었다 어느 날 갑자기 둘이 돼 버린 그 끔찍한 날. 눈물마저 쏙 들어갈 정도로 무섭던 그 순간에 프리다는 앨버트가 사내아이로 태어나 하크본 가문의 저주를 피하게 된 것에 감사했다. 자신이 잘못되더라도 부모님 곁에 앨버트가 남을 테니까. 프리다가 집을 떠나던 날 귀여운 꼬맹이 앨버트는 의젓하게 손을 흔들어 주었다.

'프리다 누나, 내가 말을 타게 되면 꼭 누나를 보러 갈 거니까 기다리고 있어. 내가 갈 때까지 건강하게 지내야 해.'

곧 가족을 만나게 된다고 생각하니 깊이 묻어 두었던 그리움이 한꺼번에 밀려왔다.

"그럼 여섯 살 때부터 저택 안에서만 있었던 겁니까?"

다니엘이 불현듯 슬픈 얼굴이 되는 프리다를 가만히 바라보다 물었다.

"거의요. 로테 언니가 있을 땐 둘이 힘을 합쳐 나들이하게 해 달라고 고집 피우고 말썽도 부리고 그랬는데…… 혼자선 못 하겠더라고요."

함께해 주는 사람이 없으니 구태여 애를 쓰고 싶지도 않고, 뭘 하고 싶다는 의지가 팍 꺾였던 것 같다.

"한동안은 알아서 얌전히 지냈어요. 점점 두려워졌거든요. 부모님이 슬퍼하시는 모습을 보는 것도 힘들고."

가족의 죽음을 겪는 건 괴롭다. 감내하기 어렵지만 견뎌야 하는 고통이 너무 크고 오래 계속되었다.

"로테 언니의 빈자리를 견디는 일이 좀…… 많이 힘들었어요."

간혹 깔깔 웃을 일이 생기면 가장 먼저 언니들이 떠올랐다.

"혼자 살아남았다는 죄책감이 있었던 것 같아요. 언젠가 언니들에게 죄를 짓는 기분이라고 했더니, 뮤리엘이 자기가 들어 본 얘기 중 가장 멍청한 소리라고 하더라고요."

다니엘은 고개를 끄덕이는 것으로 자신 또한 로시발트 경의 말에 동의한다는 뜻을 보였다. 하지만 누구보다 프리다의 심정을 이해할 수 있었기에 구태여 말을 덧붙이진 않았다. 그는 아내와의 첫 뱃놀이가 예상보다 그녀를 즐겁게 하지 못했다는 사실을 겸허히 인정하며 배의 속도를 줄였다.

나룻배를 선착장으로 이끌며 다니엘은 잠시 상념에 잠겼다. 프리다가 큰 소리로 웃었으면 좋겠다. 죄책감 같은 쓸모없는 감정은 잊고, 미치도록 행복했으면 좋겠다. 그녀를 웃게 만드는 사람이, 그 웃음의 이유가 자신이었으면 좋겠다.

조금씩 끓어오르던 지독한 열망이 정수리까지 단숨에 차올랐다. 이 작은 여자의 모든 것이 하나하나 다 신경 쓰였다.

'대체 왜, 어째서…….'

답을 내리지 못하고 있는 사이, 뱃머리를 튼 나룻배가 서서히 선착장에 자리를 잡았다. 먼저 와 기다리고 있던 아메티스 기사단원들이 부리나케 몰려들어 그들의 주변을 환하게 밝혔다. 다니엘의 부축을 받고 땅에 발을 내

디딘 프리다가 그제야 입가에 제대로 된 미소를 머금었다.

"즐거웠어요, 다니엘."

진실과 허구가 반반씩 섞인 순수하고 투명한 눈을 바라보던 다니엘이 싱긋 웃으며 물었다.

"정말입니까?"

"……"

예의를 갖춘 인사가 프리다의 양심이 허락하는 거짓말의 한계였던 듯하다. 다니엘은 비스듬히 고개를 숙여 프리다의 이마를 가린 머리칼 위에 입술을 맞췄다. 오랜만에 접한 첼리노의 밤공기에 설레기라도 한 걸까. 왠지 솔직해지고 싶은 밤이었다.

"내 어머니는 돌아가시는 순간까지 내게 살아남으라고 하셨습니다. 정작 본인은 아들 앞에서 죽임을 당하면서도, 내겐 어떤 일이 있어도 무조건 살아남아야 한다고 울부짖었어요."

입맞춤 뒤에 꺼내기엔 지나치게 무겁고 처연한 얘기였다. 하지만 기어이 저를 살게 만든 어머니의 유언이 무슨 의미였는지 이제야 알았다고 말하고 싶었다.

"난 당신이 살아 있어 줘서 기뻐요."

살아 있기에 볼 수 있게 된 풍경이 한눈에 그려졌다. 앞으로 맞이할 그의 삶 어디에나 존재할 프리다가 있는 풍경. 황제의 사냥개라는 비웃음을 들으면서도 끝까지 버틴 그에게 주어진 선물 같은 삶.

"맹세할게요, 프리다. 당신에게 내 빈자리를 견디게 하지 않겠습니다."

이젠 나도 기꺼이 살아남아 당신이 있는 이 꿈같은 삶을 계속 함께하겠다고.

"그러니 당신도 약속해요. 날 위해 잘 버티겠다고."

다니엘은 눈앞에서 찰랑대는 프리다의 머리칼을 치워 내고 입술을 찾았다.

"우선 오늘 밤부터."

질서 정연한 기둥 배치, 반원형의 완벽한 아치. 슈프렌 강가에 즐비한 대칭과 비율의 규칙성을 강조한 화려한 외관의 여관들이 환하게 불을 밝힌 채 봄밤에 취한 연인들을 유혹하고 있었다.

결론부터 말하자면 프리다는 그 밤을 잘 버텨 내지 못했다. 방 안에 들어온 지 얼마 지나지 않아 까무룩 정신을 놓아 버렸다. 얼떨결에 이끌려 온 곳이 정숙한 귀부인이 드나들어선 안 되는 장소란 걸 깨달은 건, 막 잠들기 전이었다. 점잖지 못한 행동을 하려는 남편을 말리려고 했을 땐 이미 입술이 몽땅 삼켜져 버린 뒤였다.

결국 아무 말도 못 하고 잠들어 버린 다음 날 새벽.

쾅쾅!

방 안에 있는 두 사람을 반드시 깨우고 말겠다는 듯 조심성 없는 노크 소리에 잠을 깬 프리다는 하얀 어깨 위로 다급히 이불을 끌어 올렸다.

"다, 다니엘, 밖에 누가 왔나 봐요."

다니엘이 프리다의 맨어깨 위에 꾹 입술을 누른 채 속삭였다.

"놀랄 것 없어요. 도미닉일 겁니다."

"도, 도미닉이요?"

쾅쾅쾅!

하긴, 겁도 없이 리하르트 공작 부부가 머무는 방문을 저리 요란하게 두드릴 인간이 도미닉 말고 누가 있을까. 누군지 알고 나니 더 민망해졌다. 아무리 남편과 함께라지만 여관방에 있는 걸 들키다니. 프리다는 머리끝까지 이불을 둘러쓰곤 웅얼거렸다.

"빠, 빨리 나가 봐요, 다니엘. 급한 일인가 봐요."

"그래야 할 겁니다. 아니라면 도미닉을 슈프렌 강의 물고기 밥으로 던져 줄 참이니까."

다니엘이 그녀를 꼭 안아 준 후 침대를 떠나자 프리다는 이불 속에서 질 끈 눈을 감았다. 도미닉이 가져온 소식이 뭔지는 모르지만, 부디 그를 지켜 주기를. 문을 열고 나간 다니엘은 대충 걸쳐 입은 외투를 여미며 싸늘한 눈 으로 도미닉을 바라보았다.

"무슨 일이야?"

"뱃놀이는…… 후우, 즐거우셨습니까? 첼리노의 봄날은 짧고 아름다운 것으로 유명하지요. 부디 즐겁게 보내셨기를 바랍니다."

숨찬 목소리로 깍듯이 인사를 건넨 도미닉의 눈빛도 차갑기는 마찬가지 였다.

"내가 즐겁기를 바라면 여길 오질 말았어야지."

"유감스럽지만 그럴 수가 없었습니다."

다니엘 곁으로 다가온 도미닉이 그의 귀에 바짝 얼굴을 붙이고 말했다.

"변경백이, 사고를 당했습니다."

도미닉은 다니엘이 놀랄 틈도 주지 않고 목소리를 더욱더 낮췄다.

"그뿐만이 아냐. 룅겐의 여자 황제가 사망했어."

꿈만 같았던 봄밤이 끝났다. 도미닉이 준비해 온 마차는 리하르트 공작 부부를 태우고 벨뷔 궁으로 달렸다. 프리다는 지난밤 다니엘과 나란히 걸었 던 도로의 풍경을 보기 위해 창밖으로 눈을 돌렸다. 푸르스름한 달빛이 남 은 첼리노의 새벽 거리는 어젯밤과 달리 을씨년스러웠다.

활기가 사라진 도로는 무거운 공기가 감도는 이 마차 안처럼 추워 보였 다. 프리다는 밤새 거리를 밝혔던 등이 하나둘 꺼지는 것을 보며 괜스레 장 갑의 레이스를 만지작댔다. 그때 등을 넘어온 다니엘의 오른손이 그녀의 머리를 살포시 제 어깨로 당겼다.

"더 자요."

졸리진 않았지만 따스하고 넓은 다니엘의 품은 거부하기 힘든 유혹이었다.

"괜찮아요. 이젠 안 졸려요."

프리다는 어리광을 피우는 아이처럼 남편의 가슴에 폭 얼굴을 묻고 허리에 팔을 둘렀다. 그의 몸에서 나는 싱그러운 물 냄새가 좋아 옷 속에 코를 더 깊이 파묻었다. 그러자 다니엘이 그녀의 머리 위에 가만히 턱을 대고 속삭였다.

"내가 많이 피곤하게 만든 줄 알았는데."

차분한 말투로 어쩜 이리 능글맞게 구는지. 귀부인의 품위를 아주 많이 잃고 말았던 지난밤을 떠올리면, 부끄러워 눈도 마주치지 못할 지경이다. 하지만 저도 모르게 웃음이 터져 나왔다.

"왜 웃지?"

다니엘이 그녀를 쓰다듬는 손길만큼이나 부드러운 목소리로 물었다. 답하기 어려운 질문이 아니었음에도 프리다는 바로 입을 열지 못하고 잠시 망설였다.

당신이 친절하게 대해 줘서 좋다고 해야 하나? 그렇지만 침대에선 조금도 친절하지 않았는걸. 그러면 당신과 함께 오붓한 시간을 보내는 요즘이 너무 행복해서라고? 이건 왠지 철없는 소리처럼 들릴 것 같다. 자초지종을 듣지는 못했으나 본능적으로 심상치 않은 일이 벌어졌음을 알 수 있었으니까.

도미닉이 온 이후 눈에 띄게 가라앉은 다니엘의 분위기가 그 증거였다. 그러나 그 일을 언급하며 두 사람에게 찾아온 이 친밀한 분위기를 깨고 싶진 않았다. 머리를 다니엘의 몸으로 더 바짝 기댄 프리다는 넓고 따뜻한 그의 가슴에 뺨을 비비며 말했다.

"그냥요."

몽글대는 심장이 시키는 말을 솔직히 털어놓았다.

"당신과 있으니 좋아서요."

앞으로 어떤 일이 벌어지든 무슨 상관인가. 난 이렇듯 당신에게 딱 달라붙어서 절대 떨어지지 않을 건데. 그의 마음이 제게 있다고 생각하니 금광을 백 개쯤 가진 부자도 부럽지 않았다.

프리다의 머리칼을 다정히 쓸어내리던 다니엘이 문득 숨쉬기가 곤란할 정도로 그녀를 꼭 끌어안았다. 가슴이 눌려 답답했지만, 그것마저도 좋았다. 다니엘이 내쉬는 따끈한 한숨이 정수리에 내려앉는 느낌도.

"내가 예법을 모르는 저속한 용병 나부랭이였다면 좋았을 텐데."

무슨 소린가 싶어 삐죽 머리를 들고 그를 올려다보았다. 실금 같은 미소가 무정하다 싶을 정도로 침착했던 그의 얼굴에 균열을 일으키고 있었다.

"여기서 당신에게 달려들고 싶다는 얘기야."

여기? 설마 마차 안에서?

"다, 다니엘. 그건 절대 안 돼요."

민망한 고백에 놀라 질겁하며 대꾸했더니 그가 피식 웃으며 손끝을 그녀의 턱에 대고 살짝 힘을 주었다. 들려진 고개 위에 서서히 그가 내려왔다.

"알아."

몸에 밴 예의는 어쩔 수 없다지만 조급증이 치미는 것까지 말리진 못했다. 느긋함이 사라진 다니엘은 아내의 얼굴을 쥐고 무작정 입술을 포갰다. 버둥대는 프리다의 허리를 당기며 깊이 입술을 머금었다.

오늘만큼은 어머니가 몹시 원망스럽다. 어릴 적부터 그놈의 지루한 예법 교육에 왜 그리 열을 올리시나 했더니, 아들이 어떤 놈인지 진즉 깨닫고 계셨던 모양이다. 눈이 돌아가면 품위니, 도덕이니 하는 것들은 죄다 내팽개치고 말 놈이란 걸.

안 그래도 해결해야 할 문제들이 가득한 와중에 골치 아픈 일이 두 가지나 더해졌다. 그런데도 희한하게 짜증이 사그라진다. 현실을 잊게 할 만큼 달콤한 입맞춤 때문이려나.

아내가 숨쉬기가 곤란하다고 신호를 주기에 잠시 입술을 뗐다 다시 겹쳤다. 이번엔 프리다도 그의 목을 감싸 안고 순순히 입술을 맞대 왔다.

'돌겠네.'

스베르겐 제국 최고의 예법 선생이 공들여 완성한 완벽한 귀족의 몸가짐이 기어이 망가지려는 순간. 덜컹. 창밖에서 쉔달 성의 도개교가 내려오는 소리가 들렸다.

프리다는 마차에서 내리자마자 다니엘의 곁에서 한 발짝 옆으로 떨어졌다. 헝클어진 머리는 마차에서 내리기 전 급히 매만져 대충 정리가 됐지만, 문제는 옷이었다. 엉망진창으로 구겨진 처참한 상태를 들키지 않기 위해 다소곳이 앞으로 손을 모았다.

"다녀오셨습니까?"

정신이 온통 옷에 쏠린 바람에 누가 인사를 해 오는지 알아채지 못했다. 오른편으로 몸을 트는 다니엘을 따라 시선을 옮기던 그녀는 낯익은 얼굴을 발견하곤 화들짝 놀라 앞으로 나아갔다.

"뮤리엘!"

쪼르르 달려간 프리다는 뮤리엘의 팔을 붙들었다.

"이렇게 일찍 왜 나와 있어? 봄이라도 아침 공기는 아직 쌀쌀하단 말이야."

"누워만 있으려니 답답해서요."

프리다에게 가벼운 눈인사를 건넨 뮤리엘이 다니엘을 향해 깊숙이 허리를 숙였다.

"전하께서 저를 위해 직접 나서 주셨다 들었습니다. 인사가 늦어 송구합니다."

다니엘이 여전히 핏기가 부족한 뮤리엘의 낯빛을 살피며 말했다.

"해독제가 그대의 몸을 전과 같은 상태로 돌려줄 거라 여겼다면 오산이다, 로시발트 경. 오히려 전보다 더 조심해야 할 일이 많아질 거야."

"알고 있습니다."

"알면 경의 건강은 알아서 챙기게. 내 아내가 그대에 대한 걱정으로 맘 졸이게 하지 말고."

"어머, 다니엘. 그렇게 말하면 어떡해요?"

프리다는 미간에 있는 대로 힘을 주고 눈을 흘겼다. 마차와 기사들을 정비하고 뒤늦게 다가오던 도미닉이 그런 프리다를 '왜 저래' 하는 표정으로 바라본 후 다니엘을 재촉했다.

"업다이크 후작 영식이 기다리고 있습니다."

다니엘은 프리다에게 먼저 들어가 보겠다는 인사를 남기고 벨뷔 궁 안으로 서둘러 들어갔다. 그의 뒤에 달라붙어 분주히 걸음을 옮기는 도미닉을 보며 뮤리엘이 중얼거렸다.

"아침부터 궁이 꽤 소란스럽네요."

프리다도 안으로 사라지는 두 남자의 뒷모습을 걱정스레 응시했다.

"하인리히가 왜 이렇게 일찍 다니엘을 만나러 온 걸까?"

"자세한 내용은 모르지만 뭔가 일이 생기긴 한 것 같아요. 동도 트기 전에 헐레벌떡 달려왔더라고요. 도미닉이 부리나케 성을 뛰쳐나간 것도 수상하고."

프리다가 기겁하며 뮤리엘을 돌아봤다.

"그걸 다 알고 있었어? 언제부터 깨어 있었던 거야?"

"해독제 때문인지 잠이 안 와요. 그리고 원래도 저 신경 예민한 거 아시잖아요."

"그래도 당분간은 무리하지 말고 누워 있어야 해. 롤랜드 경 말 잊지 마. 상한 장기를 회복하려면 쉬는 수밖에 없다고 그랬잖아."

엄하게 저를 꾸짖는 프리다를 바라보던 뮤리엘이 입술을 꿈틀대며 장난기 어린 표정을 지었다.

"밤 나들이를 나가셨다더니, 아예 밖에서 주무시고 오셨나 보네요?"

"어? 어……."

불시에 일격을 당한 프리다는 뮤리엘의 의뭉스러운 눈길을 피하며 머뭇머뭇 대답했다. 슬그머니 몸을 돌리려는데 뮤리엘이 프리다가 두르고 있던 외투의 밑단을 손으로 탈탈 털어 주며 계속 놀려 댔다.

"마차에서 뭘 하셨기에 옷이 이 모양입니까? 이래서야 어디 위엄 있는 공작 부인이라고 할 수 있겠어요?"

"흠흠. 사, 산책 더 할 거야? 내가 궁을 안내해 줄까?"

프리다는 겸연쩍은 헛기침을 하며 정원으로 발길을 돌렸다. 뮤리엘이 빙긋이 웃으며 그녀의 뒤를 따랐다. 어느 틈에 다가온 로잘린이 프리다의 어깨 위에 두툼한 숄을 걸쳐 주었다.

"공작 전하께서 이르시길, 부인께서 '많이' 피곤하실 테니 밖에 너무 오래 있지 마시고, 방에 들어와 쉬시랍니다."

유독 한 단어에 힘을 준 로잘린이 웃음을 참으며 입술을 꾹 다물었다. 실실대는 짓궂은 시선들을 외면하며 손부채질을 하던 프리다는 달아오른 뺨을 식히려 말을 돌렸다.

"뮤리엘. 방에만 있으려면 힘들겠지만, 당분간은 좀 참아. 알았지?"

"네. 오늘은 하도 주변이 시끄러워서 나와 본 거예요. 그동안 익혔던 감각들도 차츰 무뎌질 테니, 이젠 저도 기사가 아니라 평범한 여인으로 살아가는 법을 배워야죠."

그 말에 프리다가 걸음을 멈추고 빤히 바라보자 뮤리엘이 고개를 갸웃하며 물었다.

"왜 그렇게 보세요?"

"뮤리엘이 너무 아무렇지도 않게 받아들여서. 난 달라진 처지를 비관하면 어쩌나 걱정했거든."

"기왕 이리된 거 실망해 봐야 달라질 것도 없잖아요. 그리고 솔직히 기대도 돼요."

"기대?"

허리를 숙인 뮤리엘이 꽃잎에 맺힌 이슬을 손가락으로 툭 튕겨 냈다. 잘게 부서진 물방울들이 때마침 모습을 드러낸 태양 빛을 품고, 각기 다른 영롱한 색을 뽐내다 사라졌다.

"기사가 아닌 뮤리엘 로시발트의 삶은 어떨까, 궁금하잖아요. 전 태어나 지금껏 단 한 번도 기사가 아닌 나를 상상해 본 적 없었거든요. 그래서 막막하면서도 왠지 흥분된달까. 아무튼 그래요."

머리 위로 하늘이 점점 밝아져 왔다. 오늘도 태양은 어둠과 여명을 지나 세상을 밝히기 위해 하늘로 솟아올라 그 아래 자리 잡은 모두에게 고른 빛을 뿌려 댔다.

새로 시작될 뮤리엘의 삶도 부디 이 화사한 아침 하늘과 같기를. 프리다 옆에서 태양이 뜨는 것을 보고 있던 뮤리엘이 망토에 매달린 후드를 찾아 그녀의 머리 위로 덮었다. 후드 아래 얼굴을 가린 프리다가 촉촉한 목소리로 중얼거렸다.

"뮤리엘은 정말 용감한 사람이야."

"아가씨만 하겠습니까."

피식 웃은 뮤리엘이 그만 돌아가자며 프리다의 어깨를 돌렸다.

"아메티스 기사단의 보라색 망토가 유명세를 치르고 있는 건 아세요? 그걸 두를 수 없게 돼서 좀 아쉬워요. 제게 잘 어울렸을 텐데."

"그래? 몰랐어. 대신 내가 보라색 드레스를 사 줄게. 레이스가 잔뜩 달리고 소매와 치맛단에 꽃무늬도 새겨진 걸로."

조용히 뒤를 따르던 로잘린이 불쑥 끼어들었다.

"마님, 리본도 주렁주렁 다는 게 좋겠어요."

"어머, 그게 좋겠다. 로잘린, 리본은 어디에 다는 게 예쁠까? 가슴? 아니면 허리?"

"리본이야 많을수록 좋죠. 로시발트 경의 적갈색 머리엔 감색 리본이 잘 어울릴 것 같아요."

프리다와 로잘린은 질색하며 멈추어 서 버린 뮤리엘 앞에서 신이 나 종알대며 떠들었다. 잠시 후, 어둠을 모두 몰아낸 태양이 자신마저 빛 속으로 모습을 감췄다.

방 안에 들어선 다니엘은 삐딱하게 허리를 틀고 앉아 있는 하인리히를 지나쳐 책상으로 걸어갔다. 그가 어깨에 둘렀던 외투를 벗자 뒤를 따르고 있던 도미닉이 옷을 받아 들었다. 창을 가리고 있는 커튼을 휙 열어젖힌 다니엘은 세 여인이 옹기종기 모여 있는 정원에 잠깐 시선을 준 다음 의자에 앉았다.

"링겐의 여자 황제가 죽었다는 소식 확실해? 전에도 몇 번 같은 얘기가 있었지만 모두 오보로 밝혀졌잖아."

구석에 놓인 옷걸이에 다니엘의 외투를 정리하고 돌아온 도미닉이 책상 옆에 섰다.

"링겐 제국의 소식에 가장 정통한 안드레아 공작의 전언입니다. 따로 알아본 결과 모렌하이츠 대공이 수도 즈네부로 들어오는 모든 길을 막았다고 합니다."

"막으나 안 막으나, 누가 그 요새로 밀고 들어간다고."

조용히 그들이 나누는 얘기를 경청하고 있던 하인리히가 한마디를 거들자 도미닉이 바로 말을 이었다.

"그러니 상황이 심각하다는 거지요. 모렌하이츠 대공이 경계를 강화할 정도라면 무슨 일이 나도 크게 났다는 뜻입니다."

책상에 팔을 올리고 그 위에 이마를 꾹꾹 누르고 있던 다니엘이 물었다.

"황제의 아들이 올해 몇 살이지?"

"칼레 전투가 있던 해에 태어났다고 들었으니 올해 여섯 살일 겁니다."

"아버지인 모렌하이츠가 아니라 어머니인 황제의 성을 물려받았다고 했던가?"

"네. 공표된 정식 이름은 '니콜라스 할슈타인 프리드리히 룅겐'입니다."

"룅겐의 황제가 정말로 사망했을 경우, 황권이 흔들릴 가능성은?"

다니엘의 질문에 도미닉은 바로 대답하지 못했고 하인리히 역시 고심하며 턱을 만지작거렸다. 혹 두 사람 중 하나가 답을 내놓았다 해도, 나머지 사람이 다른 의견을 내놓았을 것이기에 다니엘도 더는 답을 재촉하지 않았다.

룅겐 제국의 황실 상황은 그만큼 독특한 데가 있었다. 결혼 당시만 해도 황제는 허수아비일 뿐 실권은 남편인 '발트 모렌하이츠'가 쥐게 될 거란 예상이 지배적이었다. 그가 황제의 딸과 결혼한 것 또한 후일 황권을 가지기 위해 정통성을 갖추는 것뿐이라고 다들 떠들어 댔다. 다니엘 역시 당시엔 그리 믿었고 '골치 아픈 적이 생기겠구나' 생각했으니까.

살아생전 '갈색 사자'라 불리며 스베르겐 세력을 알타스 동쪽으로 몰아낸 전설적인 기사 '누베르크'의 손자이자, 룅겐 제국 최고의 검 '아스카론'의 주인인 '발트 모렌하이츠'. 험준한 알타스 산맥이 스베르겐과 룅겐 두 제국의 사이에 국경이 되어 주지 않았다면 가장 골치 아픈 적이 되었을 인물이다.

그러나 7년이 지난 지금까지 모렌하이츠는 황제의 남편으로만 지내고 있다. 대공 작위를 하나 더 받았을 뿐 모두의 예상을 깨고 묵묵히 아내를 보좌하는 일에만 열중하더니, 심지어 하나뿐인 아들이 자신이 아닌 아내의 성을 쓰는 것마저 수락했다고.

스베르겐이었다면 상상도 할 수 없는 일이 벌어지고 있는 것이다. 재위 기간 내내 간간이 사망 소식이 들려오던 현 황제가 이번에 정말 사망했다면, 남는 건 여섯 살짜리 아들과 권력의 정점에 서 있는 그 아이의 아버지 모렌하이츠 대공뿐.

설마 이번에도 어린 아들에게 권력을 넘겨 주고 자신은 뒤로 물러서 있을까? 만약 그렇다면…… 왜? 고민해 볼 가치가 있는 일이긴 하나 우선은 발등에 떨어진 불부터 끄는 것이 우선.

다니엘은 자리에서 일어나 창가로 걸어갔다. 로잘린이 그의 명을 잘 수행했는지 꽃밭 사이에 옹기종기 모여 있던 여인들의 모습이 보이지 않았다. 앞으로 돌아 나온 다니엘이 책상에 걸터앉으며 팔짱을 꼈다.

"문제는 안딘 프랑코군. 황제의 부고를 받은 그가 우리와의 거래를 어기고 제 땅으로 돌아간다면 남부 전선은 끝장일 테니."

이번엔 도미닉이 바로 말을 거들고 나왔다.

"그러니 걱정이지요. 남부 전선이 뚫리면, 투르크의 함선들이 바로 쿠펀 항에 상륙하게 됩니다. 그곳에서 유트레히트까지는 지척이고요. 두고 온 병력들이 죽어라 버틴다 해도 길어야 한 달일 겁니다."

도미닉의 표정이 점점 더 어두워졌다.

"사실 전 진짜 죽어라 버틸까 봐, 그게 더 걱정입니다."

팔짱을 끼고 앉아 있던 하인리히가 피식 웃으며 버석한 얼굴을 쓸었다.

"리카르도라면 당연히 그러겠지. 공작령에 사는 모든 인간들이 하나도 빠짐없이 안전하게 피난길에 오를 때까지 시간을 벌어 주다 장렬히 전사할걸. 너나 나나 곧 아비 없는 자식이 될 거야, 도미닉."

빌어먹을. 도미닉을 놀리던 하인리히가 별안간 욕지거리를 내뱉으며 인상을 썼다. 아버지가 사경을 헤매고 계신다는데 누가 누구를 걱정해. 세상이 무너져도 홀로 유유히 버틸 것 같던 그 바위 같은 노인네가 쓰러졌다니.

마음 같아선 빽빽 소리를 지르며 양손으로 머리를 쥐어뜯고픈 심정이다. 격해지는 감정을 다스리기 위해 하인리히는 애먼 머리칼만 연달아 쓸어 넘겼다. 곰곰이 생각에 빠져 있던 다니엘이 손가락으로 자신의 팔뚝을 톡톡 건드리며 물었다.

"변경백의 상황은?"

하인리히는 기다렸다는 듯이 짜증부터 냈다.

"어깨가 아작 났대. 멍청한 자식들이 어쩌자고 발정 난 곰을 건드리고 지랄이야. 죽으려고 작정을 했지, 작정했어."

더 설명해 보라는 듯 쳐다보자 도미닉이 품속에서 서신을 꺼내 내밀었다.

"간략히 보고드린 대로, 기사들이 막사를 부수는 곰을 잡아서 가뒀는데 하필 그놈이 암놈이었던가 봅니다. 모두가 잠든 밤에 수놈이 내려와 그 일대를 쑥대밭으로 만들어 놨답니다. 그때 변경백께서 부하를 구하려다 어깨를 심하게 다쳤다는 것이 마지막으로 도착한 보고입니다."

변경백은 아무도 모르게 연락을 전해 왔다. 제국에 불어닥칠 혼란이 염려되니 혹 자신이 죽더라도 황실에 알리지 말고, 하인리히만 조용히 빼내 국경으로 돌려보내라고. 자존심 강하고 충성스러운 현 변경백께선 죽음을 앞두고도 자신보다 제국의 안위를 먼저 걱정했다.

하지만 다니엘은 다르다. 자신에겐 이 제국보다 중요한 것이 있다. 무슨 일이 있어도 지켜야 할 사람들이. 그러니 더 신중히 고민해야 한다. 링겐의 황제가 죽은 것도 모자라 동부 국경을 책임지고 있는 변경백까지 심각한 부상을 입었다.

예기치 못한 악재가 겹쳤으니 그것을 뚫고 나갈 방법을 찾아야 한다.

전쟁을 막고, 바이첸을 몰아내고, 프리다를 안전하게 지킬 수 있는 방법. 팔뚝을 건드리는 다니엘의 손끝에 힘이 더해졌다. 그의 침묵이 길어지자 기다리던 하인리히가 입을 열었다.

"다니엘, 난 준비가 끝나는 대로 영지로 돌아갈 거야. 만약을 대비해야지."

"쓸데없는 소리. 황태후가 혼자 돌아가는 너를 가만둘 것 같아? 내 편에 선 이상 넌 국경을 밟지도 못하고 바이첸의 손에 죽게 돼."

그동안은 변경백의 눈치가 보여 참고 있었을 것이나, 그가 죽음을 앞뒀다는 소식이 알려지면 황태후는 당장 본색을 드러낼 것이 틀림없다.

"너무하네."

하인리히가 내내 복잡했던 얼굴에 미소를 머금으며 말했다.

"야, 인마. 나 하인리히 업다이크야. 내가 그렇게 쉽게 죽임을 당할 놈으로 보여?"

낄낄대며 가벼운 웃음을 흘리던 그가 돌연 정색하며 고개를 젖히고 허공을 응시했다.

"아버지가 돌아가시면 차기 변경백인 내가 국경을 지켜야 해. 그것이 업다이크 사내들의 소임이자 책무야."

'소임'이자 '책무'……. 하인리히에게선 좀처럼 듣기 어려운 진중한 단어였다. 누가 귀족 아니랄까 봐 입만 열면 그놈의 명예 타령은. 그래도 비웃고 싶진 않아 다니엘은 고개를 숙여 자동으로 비틀리는 입매를 숨겼다.

"부친께서 널 이곳에 왜 보냈는지 몰라? 넌 인질이야. 황실에서 국경에 군대를 보내 주는 대신 널 여기에 두고 황실을 안심시키고 있는 거라고. 그런데 네가 갑자기 돌아간다고 하면 그들이 널 가만두겠어? 차라리 내가 가는 게 나아."

"무슨 소리야? 남부가 어떻게 될지 모르게 생겼는데 이 판국에 네가 국경에 왜 가? 넌 돌아가서 네 땅을 지켜야지."

애초에 다니엘의 국경행은 안딘 프랑코가 남부 해협을 지켜 주는 조건에서 합의된 얘기다. 그것으로 시간을 벌었으니 다니엘이 변경백을 돕고, 변경백은 일부 군사를 북부로 보내 리하르트 공작 부인과 혹 발생할지도 모르는 피난민들을 보호하는 것으로.

하지만 륑겐 황제의 사망으로 남부의 상황이 급박해진 지금, 다니엘을 국경으로 불러올릴 수는 없는 일. 하인리히가 따지려 들자 다니엘이 그의 말을 막았다.

"상황이 달라졌으면 대응도 변해야지. 지금 변경백의 군대를 북부와 동부로 나누는 건 위험해. 하인리히, 넌 내가 오라고 할 때까지 여기 남아. 동부는 계획대로 내가 간다."

"네가 떠나면 프리다는? 설마 그 위험한 곳까지 프리다를 데려가겠다는 거야?"

프리다……. 한 줌도 되지 않는 제 여린 아내를 야만으로 가득 찬 험한 전쟁터로 데려갈 수는 없다. 당장 전쟁이 터지면 자객들이 다니엘의 가족부터 죽이려고 혈안이 될 것이 뻔한데 지키는 군사도 없이 북부로 보낼 수도 없고. 남은 방법은 단 하나.

"현재로서는 쉔달 성에 남는 게 가장 안전해."

"뭐? 이곳에?"

"부인을 쉔달 성에 둔다고?"

하인리히는 물론이고 말없이 그들의 대화를 경청하던 도미닉까지 놀라 되물었다.

"너도 없는데 황태후가 부인을 가만둘 것 같아?"

"나도 도미닉 말에 동감이야. 프리다가 너무 위험해져."

가만두지 않겠지. 그러니 최소한 둘 중 하나. 황제와 황태후 중 프리다에게 더 위협이 될 만한 인물부터 날개를 부러뜨려 놔야 한다. 그렇다면 고민할 것 없이 선택은 마그리트 황태후였다. 고민을 끝낸 다니엘이 그제야 고개를 들었다.

"하인리히, 네가 포섭한 황태후 쪽 귀족 중 누가 가장 협조적이지?"

"글래드스턴 백작. 꼬장꼬장한 늙은이야. 황태후가 살리카 법을 건드리려 하는 것에 불만이 크더라고."

"꽤 쓸 만한 인간을 포섭했군. 그자가 내일이라도 황태후를 방문하도록 만들어. 기왕이면 챔벌린 백작 같은 입 싼 인간들을 데리고 오면 더 좋고. 황태후를 만나서 리하르트 공작을 두고 볼 거냐고 따지라고 해. 내가 황제의 편에 서지 않는다는 보장이 어디 있냐고, 강하게 밀어붙이면서 황태후의 답을 요구하라고."

뭐라 물으려던 하인리히가 이내 알았다며 고개를 끄덕였다.

"바로 연락하지."

그러곤 바로 밖으로 나갔다. 다니엘은 이번엔 도미닉을 불렀다.

"레오폴드에게 내가 보잔다고 전해. 바로 지금."

"알겠습니다."

똑똑.

때마침 문을 두드리는 소리가 들렸다. 문 앞에 서 있는 사내를 발견한 도미닉이 놀라지도 않고 문을 활짝 열었다.

"주군, 황제 폐하께서 오셨습니다."

13. 남자가 선을 넘으면

도미닉이 나가자 다니엘은 레오폴드에게 의자를 권했다.

"앉으시지요, 폐하."

"너랑 마주 앉아 우애나 쌓자고 온 거 아냐. 나 몰래 무슨 일이 벌어지고 있는 건지나 말해."

"편하실 대로."

레오폴드 앞을 지나친 다니엘이 거만하게 다리를 꼬고 앉았다.

"내가 분명 얌전히 기다리라고 했을 텐데, 레오폴드."

"기다렸어. 네놈이 슈프렌 강에서 뱃놀이를 하고 있을 때, 온 첼리노가 떠들썩하도록 요란하게 아내와 돌아다닐 때. 난 한숨도 못 자고 네놈을 기다렸다고."

자신이 안절부절못하며 기다리고 있는 동안 다니엘이 뭘 하고 다녔는지 알게 되니 더는 참을 수가 없었다. 부아가 치민 레오폴드가 다니엘의 앞으로 바짝 다가와 소리쳤다.

"당장 대답해. 넌 작년부터 투르크와 솔론족이 손잡았다는 걸 알고 있었어. 그들이 전쟁을 준비하고 있다는 것도 알았겠지. 알면서도 내게 귀띔해 주지 않은 이유가 뭐야?”

“너도 알고 있었잖아.”

다니엘의 서늘한 시선을 받은 레오폴드가 흠칫 뒤로 물러섰다.

“내가 작년에 경고했다면서. 지난해부터 변경백은 수없이 전령을 보내왔고.”

“그건 일상적인…….”

“아니. 넌 알고 있었어. 우선순위를 다른 곳에 두었기에 알고도 무시했을 뿐이야. 내 아내를 이용해 백성들의 불만을 누르고, 황태후에 맞설 세력을 만드는 게 더 중요했으니까.”

붉게 변한 눈으로 레오폴드를 바라보던 다니엘이 그 앞으로 툭 서류 한 장을 던졌다.

“내 도움이 필요해서 온 거라면, 잔말 말고 거기에 사인부터 해. 대화는 그다음에 시작하지.”

다니엘이 레오폴드와 대화를 나누던 시각, 프리다 또한 예기치 않은 일을 겪고 있었다. 뮤리엘이 식사를 모두 비우는지 감시하고 있던 프리다는 뜻밖의 방문객에 놀라 눈을 깜박였다.

“뷔테인 남작 부인이 왔다고?”

물론 황제가 그녀를 프리다의 시녀로 정해 준 터라 종종 벨뷔 궁에 드나들긴 했었다. 다만 다니엘이 도착한 이후론 한 번도 저를 찾아온 적이 없었는데…….

“무슨 일일까?”

로잘린이 손가락으로 아래층 쪽 바닥을 가리키며 조용히 속삭였다.

"그리고 황제께서도 공작 전하의 방에 들어 계십니다."

"황제 폐하께서? 남작 부인과 함께 오신 거야?"

"아니요. 차례로 도착하셨어요. 남작 부인은 황제 폐하가 이곳에 든 걸 모르는 거 같더라고요. 복도에 빈더만 자작이 서 있는 걸 보고는 흠칫 놀라던 걸요. 우선 응접실로 모셔 두었습니다."

"잘했어, 로잘린."

뮤리엘에게 수프를 단 한 방울도 남기지 말라고 엄포를 놓은 프리다는 서둘러 아래층으로 내려갔다.

로잘린의 말대로 다니엘의 방문 앞에는 황제의 보좌관인 빈더만 자작이 서 있었다. 허리를 숙여 오는 그에게 가벼운 눈인사를 건넨 프리다는 로잘린이 열어 주는 응접실 문 안으로 들어갔다. 초조하게 방 안을 서성거리고 있던 페트리샤가 한달음에 그녀 앞으로 다가왔다.

"공작 부인께 부탁을 드리려고 왔어요."

"부탁이라뇨? 우선 여기 앉아요. 앉아서 얘기해요."

평소 도도하고 앙칼지던 뷔테인 남작 부인의 목소리가 오늘은 어쩐 일인지 불안에 떨고 있었다. 목소리만이 아니었다. 그녀는 맞잡은 손을 쉴 새 없이 꼼지락거리며 어쩔 줄을 몰라 했다. 프리다가 의자에 앉기를 권하자 페트리샤가 덥석 그녀의 손을 잡았다.

"나를 보호해 주세요. 이런 부탁을 할 사람이 부인뿐이에요."

"네? 보호라뇨?"

눈물을 글썽이던 페트리샤가 프리다의 치마폭에 얼굴을 묻고 흐느꼈다.

"나, 레오폴드의 아이를 가졌어요."

"네? 아, 아이요?"

프리다는 갈 곳을 잃은 손을 허공에 든 채 어리둥절해 있을 수밖에 없었다.

'레오폴드의 아이라고? 레오폴드라면……. 맙소사, 황제 폐하의 아이를 가졌다는 얘기잖아!'

순간 숨이 멎을 만큼 놀랐다. 프리다는 벌떡거리는 가슴을 손바닥으로 꾹 눌러 진정시키며 축하 인사를 건넸다.

"뷔테인 남작 부인, 축하드려요. 정말 너무 기쁜 소식이네요."

그런데 축하 인사를 받은 페트리샤는 오히려 소리를 높이며 서럽게 울어 댔다.

"흑흑. 난 어쩌면 좋아요. 겁이 나 죽을 것 같아요. 왜 하필 내게 이런 일이 생기냐고요. 인제 와 누가 이 아이를 반긴다고."

뜻밖의 반응에 당황한 프리다는 흐느끼는 페트리샤의 등을 쓸어 주며 어떻게든 달래 보려 애썼다.

"그만 진정하세요, 뷔테인 남작 부인."

임신과 출산에 무지한 그녀로서는 적당한 위로의 말을 찾기가 어려웠다. 그렇다고 황제의 아이를 가졌다는 여인에게 안됐다고 위로를 해 줄 수도 없는 노릇이고. 어째서 이토록 슬프게 우는지는 잘 모르겠지만, 겁이 난다는 걸 보면 출산에 대한 두려움 때문이려나. 지레짐작한 프리다는 밝은 목소리로 페트리샤를 안심시켰다.

"물론 아이를 낳는 건 쉽지 않은 일이지만 부인은 잘 해낼 수 있어요."

어렴풋이 사별한 전 남편과 그녀 사이에 아이가 있다는 얘기도 떠올랐다.

"그리고 이번이 처음도 아니잖아요. 뭐든 두 번째는 더 쉬운 법이라고들 하니까……."

"어흑. 엉엉엉."

"나, 남작 부인?"

페트리샤는 갑자기 통곡을 쏟아 냈다. 분명한 건 기쁨의 눈물은 결코 아니라는 거였다. 만약 자신이 다니엘의 아이를 가졌다면 기뻐서 울었을 것 같은데……. 뷔테인 남작 부인은 그렇지 않은 걸까? 당혹스러워하던 프리다는 문득 황제가 지금 다니엘과 함께 있다는 로잘린의 말이 떠올랐다.

"부인, 혹시 황제 폐하께선 이 사실을 알고 계시나요?"

"아니요. 흑, 레오폴드는 아직 몰라요."

페트리샤가 콧물을 훌쩍이며 대답했다. 프리다는 그녀의 손에서 흠뻑 젖은 손수건을 받아 들고 대신 마른 것을 꺼내 주었다.

"그럼 우선 눈물부터 닦으세요. 그리고 함께 폐하를 뵈러 가요. 부인이 아이를 가진 걸 알게 되면 폐하께서 너무 기뻐하실 거예요."

"안 돼요. 레오폴드에겐 절대 알리지 마세요."

페트리샤가 프리다의 손목을 꽉 붙들며 말했다.

"절대 안 돼요. 이 일이 소문 나면, 나와 내 아이는 목숨을 부지할 수 없을지도 몰라요."

"남작 부인……."

손목이 뻐근할 정도로 세게 잡혔지만 아픈 줄도 몰랐다. 얼떨떨해진 프리다는 말을 잇지 못하고 눈물로 범벅 된 페트리샤의 얼굴만 바라보았다. 그녀는 눈물로 얼룩진 뺨을 손으로 쓸며 울먹거렸다.

"부인께선 모르세요. 쉔달 성에서 얼마나 무서운 일들이 벌어지고 있는지."

'후…….' 길게 심호흡을 내쉰 페트리샤는 손수건으로 남은 눈물을 닦으며 의자에 앉았다.

"불쑥 찾아와 놀라게 해 드려 죄송해요. 그렇지만 아이를 가졌다는 걸 깨달은 순간, 머릿속이 캄캄해지더라고요. 어디로 가서 몸을 숨겨야 하나…… 오직 그 생각뿐이었어요."

똑똑.

문을 두드리는 소리가 나자 눈물을 닦던 페트리샤가 흠칫 놀라며 어깨를 움츠렸다. 프리다는 괜찮다고 웃으며 그녀의 팔을 토닥였다.

"놀라지 마세요. 로잘린이 차를 가져왔나 봐요."

프리다의 예상대로 로잘린이 찻잔 두 개가 올려진 트레이를 들고 응접실 안으로 들어왔다. 페트리샤가 연신 문을 흘끔대며 테이블 위에 찻잔을 내려놓는 로잘린에게 물었다.

"로잘린, 황제께선 아직 리하르트 공작 전하와 함께 계시니?"

"네. 얘기를 나누고 계십니다."

"내가 여기 왔다는 건 절대 말하지 마. 알았지?"

"제가 하지 않더라도 빈더만 자작이 부인을 봤으니, 황제 폐하께 고하지 않을까요?"

"맞다. 그 인간이 날 봤지."

초조하게 손톱을 깨물던 페트리샤가 다시 로잘린을 불렀다.

"황제께서 밖으로 나오시면 바로 와서 내게 알려 줘. 바람처럼 날아와야 해, 로잘린."

로잘린이 '이 여자가 왜 이러나' 하는 표정을 지으며 눈썹을 치켜떴다. 슬그머니 프리다와 눈을 맞추자 프리다가 그렇게 해 주라며 가볍게 눈을 깜박였다. 로잘린은 그제야 알았다는 대답을 남기고 밖으로 나갔다. 프리다는 로잘린이 나간 문에 불안한 시선을 보내고 있는 페트리샤에게 차를 권했다.

"남작 부인, 우선 차부터 드세요."

센스 있는 로잘린이 놓고 간 차는 긴장을 풀어 주는 효과가 있다고 알려진 허브차였다. 그런데 알맞게 식은 차를 한 모금 마신 페트리샤가 눈가를 찌푸리며 손으로 입을 막았다. 프리다는 걱정스레 그녀의 안색을 살피며 물었다.

"왜 그러세요, 부인? 차가 입에 맞지 않으세요?"

"아니요. 차 때문이 아니에요. 온종일 내놓는 음식마다 어찌나 역한 냄새가 나는지. 티 내지 않으려고 하도 입술을 깨물었더니 입 안이 헐어서 그래요."

쓰라리다며 인상을 쓰던 그녀는 차를 한 모금 더 넘긴 후 테이블 위에 찻잔을 내려놓았다.

"그래도 이걸 마시니 속이 좀 가라앉네요."

"입에 맞아서 다행이에요."

리하르트 공작 부인의 옅은 미소에서 언제나처럼 진심 어린 염려가 느껴졌다. 조금 전 목을 타고 넘어간 허브차처럼 페트리샤의 가슴을 따스하게 녹이는 미소였다. 페트리샤도 이젠 안다. 리하르트 공작 부인은 속내를 감춘 채 거짓으로 사람을 대하지 않는다는 걸.

그래서 글래드스턴 부인에게 어마어마한 비밀을 귀띔받았을 때 가장 먼저 그녀의 곁으로 와야겠다고 생각했는지도 모른다. 페트리샤는 어깨가 아래로 축 처질 만큼 긴 탄식을 내뱉었다. 오긴 왔는데…… 저 한없이 가녀린 부인이 무슨 힘이 있어 저를 지켜 줄까.

이제 와 뒤늦게 걱정이 되었다. 그래도 황실 인간들이 자신의 몸 상태를 알게 되기 전에 이 성을 빠져나가려면, 리하르트 공작 부인에게 매달리는 수밖에 없다. 혹시나 해 의사에게도 보이지 않았으니 조심만 한다면 누구에게도 임신 사실을 들키지 않을 수 있을 것이다.

"저…… 뷔테인 남작 부인."

프리다가 부르는 소리에 퍼뜩 놀란 페트리샤는 배 위에 손을 올린 채 그녀를 바라보았다. 저도 모르게 무심코 내려간 손이 아랫배를 쓰다듬고 있었던 모양이다. 페트리샤의 손이 덮고 있는 아랫배와 눈물 자국이 남은 얼굴을 번갈아 살피던 프리다가 조심히 입을 열었다.

"보호해 달라는 건 무슨 소리고, 임신 사실을 폐하께 알리지 말라는 건 또 무슨 얘기예요? 제 생각엔 폐하께선 누구보다 기뻐하실 것 같은데요."

"레오폴드가요?"

페트리샤는 즉각 실소를 터트렸다.

"기뻐야 하겠죠. 사내구실을 할 수 있는 인간이란 게 증명되었으니까요."

황제의 씨를 품고 있다는 이유만으로 쥐도 새도 모르게 죽게 생겼는데 레오폴드가 기뻐하건 말건 그게 다 무슨 소용이란 말인가. 페트리샤는 욱신대는 관자놀이를 손으로 꾹 눌렀다.

"딱 그만큼만 기뻐한 뒤 이 아이를 이용할 방법을 찾겠죠. 레오폴드에게 내가 낳을 아이의 가치는 딱 거기까지예요."

막상 아이를 가지고 나니 후회뿐이다. 평생 '사생아'라는 꼬리표를 달고 살아야 하는 아이. 차라리 여자아이라면 그럭저럭 편하게 천수를 누리며 살 수 있을지 모르나, 사내아이일 경우는 얘기가 달라진다.

혹 승계권을 인정받더라도 평생토록 견제와 무시 속에서 살아야 하는 처량한 신세가 되겠지. 그나마도 운이 좋아 살아남는다면 말이다.

짙은 한숨을 내쉰 페트리샤는 차를 한 모금 더 마셨다. 그래도 펑펑 울고 나니 답답했던 속이 좀 풀렸다. 이젠 자신이 여기로 달려온 까닭을 담담히 털어놓을 수 있을 것 같았다.

"공작 부인께선 본인이 첼리노의 귀족 사회를 반으로 갈라놓았다는 거 아세요?"

"제가요?"

천진하게 되묻는 모습을 보니 헛웃음이 터져 나왔다. 본인 덕에 무소불위의 권력을 누리던 바이첸 가문이 존립을 위협받았다는 건 상상도 못 하는 눈치였다.

"며칠 전부터 첼리노의 귀부인들이 뻔질나게 쉔달 성을 드나든다는 것도 모르시겠네요?"

"그랬군요. 몰랐어요. 남작 부인도 아시다시피 저는 연회에 참석하지 않으니까요."

연회는 무슨, 다들 젯밥에만 관심이 있는데. 코웃음을 친 페트리샤가 비집고 나온 옆머리를 귀 뒤로 정리하며 말했다.

"연회 때문이 아니라 리하르트 공작을 보러 오는 거예요. 한때 공작 전하를 흠모했던 아가씨들이 귀부인이 된 뒤에도 그분을 잊지 못해서 쉔달 성으로 모여들고 있는 거랍니다."

쯧쯧. 그놈의 연정은 나이를 먹어도 식지도 않는지, 유난들. 쉔달 성을 방문할 구실을 찾던 귀부인들은 만만한 페트리샤에게 방문 요청을 넣었다. 그 요청을 거절하느라 안 그래도 심란한 요 며칠 동안 더 정신이 없었다. 그중에도 그녀를 가장 집요하게 괴롭힌 사람은 글래드스턴 부인이었다.

"글래드스턴 백작가로 시집간 샤이데만 백작 영애는 과거에 리하르트 공작께 직접 청혼을 넣었다 거절당한 적이 있어요. 아직도 미련이 남았는지 공작께서 도착하시기 전부터 제게 만남을 주선해 달라고 조르더군요."

안 그래도 임신인지 아닌지 신경 쓰느라 골치가 아픈 판에 그 집요한 여자 때문에 더 피곤했더랬다.

"리하르트 공작을 만나게 도와주면 중요한 비밀을 알려 주겠다고, 하루에도 몇 번씩 편지를 보내왔다니까요."

샤이데만 백작 영애의 시아버지인 글래드스턴 백작은 마그리트 황태후의 최측근이며 바이첸 공작가와도 혼맥을 맺고 있다. 황태후와 가장 은밀한 비밀을 공유하는 측근 중의 한 명이다. 주위를 조심스럽게 흘끔대던 페트리샤가 테이블 위로 한껏 몸을 낮추고 속삭였다.

"그녀 말이, 마그리트 황태후가…… 황제를 폐위시킬 계획을 세우고 있대요."

보석을 박아넣은 듯한 프리다의 보랏빛 눈동자가 점점 벌어지는 입술을 따라 서서히 커졌다. 페트리샤는 이 와중에도 그 모습이 어이없을 만큼 예쁘다고 느꼈다.

다니엘이 던지듯 건넨 서류를 읽던 레오폴드는 신경질을 내며 서류를 집어 던졌다.

"이게 뭐야? 장난해? 지금 이딴 게 중요한 게 아니잖아."

저는 애가 타 피가 바짝바짝 마르고 있는데 한낱 귀족의 결혼 요청서를 들이밀어?

"쓸모도 없는 종이 쪼가리를 받는 일은 그동안 한 거로 충분해. 내가 너에게 원하는 건 현 상황에 대한 정확한 설명이야. 정말로 투르크가 전쟁을 일으킬 거 같아? 어머니가 그 사실을 내게 숨겨 온 게 확실하냐고!"

의자에 앉아 삐딱하게 고개를 기울이고 있던 다니엘이 접은 손가락 끝으로 움푹 팬 옆머리를 누르며 그를 불렀다.

"레오폴드."

이복동생을 바라보는 다니엘의 서늘한 얼굴엔 안타까움을 넘어선 실망스러움, 그리고 실망감을 넘어서 한심하다는 감정이 여실히 드러나 있었다.

"상황 파악 똑바로 하지 그래? 사냥개를 끌고 나가고 싶으면 개뼈다귀를 입에 물려 주든가, 그게 싫으면 함부로 반항하지 못하게 매질이라도 해."

꾹꾹 누르고 있는 관자놀이에 드러난 핏줄이 꿈틀하더니 이내 입매가 비틀렸다. 시간이 멈췄나 싶게 느리게 눈을 깜박이던 다니엘이 비릿한 미소를 흘리며 긴 다리를 꼬았다.

"주둥이로만 떠드는 주인에게 충성하는 개는 없어."

레오폴드는 생전 처음 접하는 신기한 물건을 바라보듯 다니엘을 응시했다. 분명 다니엘인데…… 다니엘이 아니다. 묘한 느낌에 빠진 레오폴드의 입에서 제가 듣기에도 기가 찬 말이 불쑥 튀어나왔다.

"너…… 누구야?"

순간 어머니가 아버지에게 독을 먹여 왔다는 사실을 알았을 때보다 더한 공포가 레오폴드를 엄습했다. 한 발짝 뒷걸음을 치던 레오폴드는 다리에 힘이 풀려 휘청거리고 말았다.

"너…… 다니엘 맞아?"

픽. 어디선가 창문 틈새로 바람이 비집고 들어오는 듯한 가늘고 짧은 웃음소리가 들렸다.

눈앞의 사내는 다니엘이 맞지만 다니엘이 아니었다. 서늘한 비웃음을 머금은 채 거만하게 다리를 꼬고 있는 저 사내는 레오폴드가 태어나 처음 보는 사람이었다. 말도 안 되는 소리라는 건 아는데, 진짜 그리 보이는 걸 어쩌라고.

"다니엘 맞냐고?"

저도 모르게 바보 천치 같은 질문을 다시 건네자 다니엘이 단정한 입매를 비틀며 그를 비웃었다.

"머리만 모자란 줄 알았더니 눈마저 멀어 버린 모양이군."

수백 번도 넘게 받아본 익숙한 비웃음인데 이번엔 묘하게 달랐다.

"지적에 선 자조차 분간하지 못하는 눈이라면 그냥 뽑아 버리는 게 낫지 않아?"

수없이 들었던 빈정거림이었고, 그때마다 약간씩은 즐기며 걸맞은 대거리를 돌려주었다. 그런데 오늘은 손등 위에서 징그러운 벌레가 꿈틀대는 것처럼 유난히 기분이 불쾌하다. 건방진 시선 때문이었다.

레오폴드를 황제가 아니라 부리는 하인처럼 낮추어 보는 다니엘의 저 오만한 시선이 문제였다. 물론 다니엘이 건방지게 군 적이 한두 번이었던가. 그러나 레오폴드가 허락하는 선 안에서였다.

황제인 자신이 자비롭게 용인해 주던 수준까지만이라면 얼마든지 그의 무례를 용서했고, 가끔씩은 황제의 권위로 눌러 주며 통쾌해했었다. 하지만 다니엘이 지금 보이는 태도는 그동안 보여 왔던 건방짐을 넘어선 능멸에 가까웠다. 도저히 보아 넘길 수 없는.

감히 '제국의 태양'이라 불리는 이 레오폴드 볼슈타크 2세를, 사생아 따위가 조롱하다니.

잠시나마 그의 기세에 놀라 멈칫댄 스스로가 창피해 얼굴이 후끈거렸다. 검을 자고 오지 않았음에도 손이 저절로 허리춤으로 향했다.

"이 개자식이 감히 누구에게……! 세바스티안, 리날도를……."

문밖에 서 있을 빈더만 자작에게 당장 황제의 검 '리날도'를 들고 오라고 소리치려던 찰나. 다니엘이 테이블 끝에 아슬아슬 걸쳐 있는 서류를 발끝으로 눌러 레오폴드 쪽으로 쓱 밀어 보냈다.

 "나에게 뭔가를 듣고 싶다면 그 서류에 서명부터 해. 그리고 레오폴드."

 두 눈을 의심하게 할 만한 무엄한 짓을 저지르고도 다니엘의 목소리는 더없이 태평했다.

 "너야말로 마주하고 있는 자가 어떤 인간인지 빨리 깨닫는 게 어때? 내 검집 속에 있는 콜다르가 네 목을 뚫는 게 빠를까, 빈더만 자작이 리날도를 챙겨 오는 게 빠를까?"

 "시건방은 그쯤 떨어, 다니엘. 내 인내심을 더는 시험하지 않는 게 좋을 거다."

 "글쎄. 과연 시건방일까?"

 다니엘의 입가에 미소라기보단 균열이라고 하는 게 맞을 법한 냉담한 조소가 번졌다.

 "귀하고 곱게만 자라서 그런가. 우리 아우님, 영 사태 파악이 늦으시네."

 언제라도 달려들어 네 목을 물어뜯겠다는 의도를 숨기지도 않는 고삐 풀린 맹수. 그것 말고는 오늘의 다니엘을 표현할 말이 떠오르지 않았다.

 그 사실을 깨닫고 나니 등골이 서늘해졌다. 위압감에 눌린 레오폴드가 꼴깍 침을 삼키는 사이, 다니엘이 서늘한 표정으로 그를 주시하며 말했다.

 "레오폴드, 참고로 말해 주자면 넌 어차피 이 서류에 서명하게 될 거야. 허수아비 황제로도 모자라 팔 하나가 없는 황제가 되고 싶은 게 아니라면 서둘러."

 웃지 않는 붉은 눈을 한 다니엘의 입가가 싸늘하게 비틀렸다.

 "너야말로 내 인내심을 더는 시험하지 않는 게 좋을 거다. 지금 기분으론 네 팔목을 비트는 걸로는 성에 안 차 아예 부러뜨려 버릴 것 같거든."

 마지막 남은 위엄이라도 지키기 위해 허리를 빳빳이 세운 레오폴드는 힘

빠진 눈으로 다니엘을 노려봤다.

"더는 네 무례를 보아 넘기지 않겠다. 신하답게 황제에게 충성을 보여라, 리하르트 공작."

"신하의 충성을 받고 싶다면 황제답게 굴어. 네가 진짜 황제라면 내게 와 이딴 걸 묻지 않았겠지. 이리도 무례한 나를 살려 두지도 말아야 하고. 남의 아내를 이용해 제 편을 만드는 얕은꾀도 부리지 말았어야 했어."

날카롭게 지적하는 싸늘한 태도와 달리 다니엘의 눈빛과 말투는 덤덤했다. 레오폴드는 말문이 막혔다.

"네 잔꾀로 얻어 낸 신하들은 어디서 뭘 하고 있나? 투르크의 후계자인 오르한 왕자가 두 달 전 군대를 이끌고 수도 앙크라를 떠났어. 목적지는 첼리노. 그들이 휴양이나 즐기자고 이곳으로 오고 있다고 생각해? 아, 너는 그 사실도 까맣게 몰랐겠군."

충성을 맹세한 네 신하 중 누구도 그 사실을 고하지 않았을 테니. 다니엘이 차분히 읊조렸다. 충격으로 멍해진 레오폴드에게 연이어 차갑게 식은 다니엘의 목소리가 날아들었다.

"황태후가 친아들인 널 폐위시키기 위해 무슨 짓을 꾸미고 있는지 알려 주는 이도 없었을 테고. 충성스러운 황제의 귀족들은 제 나라가, 저희 주군이 위험에 빠진 줄도 모르고 유유자적 슈프렌 강의 뱃놀이를 즐기느라 바쁘더군."

어젯밤 다니엘과 프리다가 탄 배를 지나치며 키득거리던 젊은 귀족들 대다수는 황제 파라고 알려진 인물들이었다. 희희낙락 떠드는 거 말고는 할 줄 아는 게 없는 쓸모없는 자들. 프리다만 아니었다면 뱃머리를 돌려 그 자식들의 나룻배를 들이받았을 것이다.

"투르크 군대가 이미 두 달 전부터 여기로 오고 있었다는 거야? 우리와 전쟁을 하기 위해?"

어느 정도는 예상했던지 레오폴드는 모친이 저를 폐하려 한다는 얘기에는 그다지 놀라지 않았다. 하지만 투르크의 군대가 이동하고 있다는 소식에는 적잖이 충격을 받은 듯 보였다. 그는 다니엘의 맞은편에 놓인 의자에 무너지듯 털썩 주저앉았다.

"변경백은 왜 내게 그 소식을 고하지 않은 거지? 그자도 어머니의 편에 선 건가?"

"변경백은 오직 소임에만 충실할 뿐 어느 한쪽의 편에 서지 않아. 그를 겪어 보고도 모르다니. 아둔하긴."

소소한 도발일 때는 그의 능력만으로 충분했고, 상황이 심각해졌을 땐 이미 황태후가 첼리노에 오는 소식들을 모두 통제한 뒤였다.

"완고하고 고지식하며 제 본분에만 충실한 변경백을 둔 건 스베르겐 제국이 가진 몇 안 되는 행운이야, 레오폴드."

탐색하듯 진중한 눈으로 다니엘을 바라보던 레오폴드가 물었다.

"너는? 다니엘 넌 누구 편이야?"

다니엘은 한동안 말없이 레오폴드의 눈을 응시했다. 그러다 한겨울 햇살처럼 짧고 흐릿한 미소를 지었다.

"그거야 모르지. 다만 내가 네 편에 서길 원한다면 당장 해야 할 일이 있을 텐데."

물끄러미 다니엘의 눈을 들여다보던 레오폴드의 시선이 테이블 아래 떨어진 서류로 돌아갔다. 다니엘이 어째서 저 서류에 집착하는지는 알 수 없지만 그걸 따질 상황이 아니었다.

바닥에 떨어진 서류를 집어 든 그는 다니엘의 책상으로 걸어가 펜을 들었다. 순식간에 레오폴드 볼슈타크 2세의 서명이 들어간 '소피아 바이첸'과 '프레더릭 클리마'의 결혼 요청서가 다니엘의 손에 넘어왔다.

"이거면, 넌 내 편이 되는 건가?"

스치듯 서류에 눈길을 준 다니엘이 그것을 테이블에 내려놓고 말했다.

"그럴 리가. 내 몸값이 많이 올랐어, 레오폴드. 너와 황태후를 한곳에 묻어 버릴까 말까 아직 고민 중이기도 하고. 원하는 사람이 많더라고."

"그러면 당장이라도 날 파묻어 버리지 뭐 하러 고민해?"

"글쎄."

나 역시 궁금하다. 왜 너를 살려 두고 싶어 이토록 열심히 이유를 찾는 건지.

"다니엘…… 사랑하는 내 아들아. 네 아우…… 레오를…… 그 불쌍한 아이를 부탁…… 한다."

아버지의 유언이 내내 목에 걸려서? 적어도 레오폴드의 반쪽엔 같은 피가 흐르고 있다는 동질감 때문에?

"네가 흑심은 품었을지 몰라도, 프리다를 해할 마음은 없다는 걸 알아서일지도."

아직 확실한 이유는 모르겠다.

"하지만 그 흑심만으로도 널 파묻고 싶을지도 모르니 조심해, 레오폴드."

프리다라면 내가 어느 편에 서는 게 좋을지 알려 주지 않을까? 아내를 보러 갈 이유가 생겨 다니엘의 기분이 조금 나아졌다.

'누, 누가 누구를 폐위한다고?'

처음엔 이해가 안 된다는 듯 가늘게 눈을 좁히던 프리다가 이내 말도 안 된다며 경악했다.

"황태후께선 황제 폐하의 친어머니예요. 어떤 어머니가 자식을 해할 계획을 세운단 말인가요? 그런 허무맹랑한 소리가 어디 있어요."

"우리 순진한 공작 부인께서 바이첸들의 실체를 알 리가 있나요."

프리다를 비꼰 페트리샤가 손수건에 '흥' 코를 풀었다.

"바이첸 족속은 하나같이 피도 눈물도 없는 자들이에요. 가문을 위해서라면 자식을 버리는 것쯤, 그들에겐 대단한 짓도 아니라고요. 황태후가 과거에 어린 다니엘에게 한 짓 모르세요?"

페트리샤가 남편의 이름을 친근하게 부르는 것도 못마땅하고 아는 체를 하는 것도 맘에 들지 않았다. 프리다는 발끈하며 대꾸했다.

"당연히 알죠. 다니엘은 내게 뭐든 얘기해 줘요."

"아버지를 독살한 사람이 황태후라는 것도 말해 주던가요?"

"······."

프리다가 말을 잇지 못하자 페트리샤가 그럴 줄 알았다며 코웃음을 쳤다.

"떠도는 풍문이 아니라 사실이에요. 레오폴드는 기분이 내키면 주절주절 떠드는 편이라 내게 곧잘 비밀을 털어놓거든요. 전대 리하르트 공작의 의문스러운 죽음에 관해서 얘기해 준 사람도 레오폴드예요. 그가 아는 걸, 다니엘이 모를 리가 없죠."

겨우 말문이 트인 프리다가 떠듬떠듬 따졌다.

"아내가 남편을 독살하다니 마, 말도 안 돼요."

"마그리트 황태후는 원래 황후가 되고 싶어 했어요. 하지만 남편이 반역에 동참하는 걸 거부하자 그를 제거하고 아들을 황위에 세우기로 마음을 바꿨죠."

탐욕에 눈이 멀었으니 황후든 황태후든 권력만 잡을 수 있다면 뭐가 됐든 상관없었을 것이다.

"그러니 남편이 얼마나 눈엣가시 같았겠어요. '차라리 죽어 버리지, 왜 살아서 내 앞길을 방해하고 난리야.' 황태후는 그러고도 남을 여자예요."

"하지만 황제 폐하는 친아들이잖아요. 그분이 아무리 냉혹한 분이라지만, 어떻게 친아들을······."

"황제가 슬슬 자기 세력을 모으는 게 눈에 거슬리는 거죠. 하나부터 열까지 다 손에 쥐고 통제해야 직성이 풀리는 황태후가 그 꼴을 어떻게 보겠어요? 황태후의 눈에 레오폴드는 이미 아들이 아니라 권력을 두고 싸우는 경쟁자일 뿐이에요."

더 길게 말해 봐야 시골에 처박혀 살던 이 여자가 뭘 알겠는가. 페트리샤는 본론을 꺼내 들었다.

"이 판국에 내가 아이를 가졌다는 걸 알아 봐요. 황태후는 제일 먼저 후환을 없애려고 할 거라고요."

문가를 흘끔거린 그녀는 고개를 숙이고 목소리를 낮췄다.

"글래드스턴 부인 말로는 황태후가 차기 황제로 점찍어 둔 사람이 있다더라고요. 그 사람과 자기 가문의 여자를 결혼시킬 생각이라고 했다던가……. 아무튼 자세히 듣지는 못했는데 황태후 궁에 다녀온 글래드스턴 백작이 누군가와 그런 말을 주고받더래요."

그러니 페트리샤가 믿을 곳은 현재 쉔달 성에서 유일하게 황태후의 영향력이 미치지 않는 이 벨뷔 궁밖에 없다.

"당분간만 저를 여기에 머무르게 해 주세요. 부인이 첼리노를 떠날 때 저도 함께 데려가 주면 좋고요. 어차피 레오폴드는 내가 떠나든 말든 신경도 안 쓰니까."

정확한 정황을 따져 봐야겠지만 우선 페트리샤의 사정이 딱하니 부탁을 들어주지 못할 까닭은 없었다. 마침 뮤리엘이 회복할 때까지 돌아다니지 못하게 감시할 사람도 필요했고.

다만 딱 한 가지가 맘에 걸렸다.

"다니엘만 괜찮다고 하면 부인을 위해 방을 하나 내드릴게요. 하지만 조건이 하나 있어요."

"조건이요?"

"네."

한참 전부터 기분이 상했던지라 절로 말투가 쌀쌀맞아졌다.

"뷔테인 남작 부인, 내 남편을 '다니엘'이라고 부르지 말아요."

말을 마친 프리다는 도도하게 턱을 치켜들었다.

아침나절에 들이닥친 레오폴드는 슈프렌 강가가 석양에 물들 무렵이 돼서야 벨뷔 궁을 떠났다. 도미닉이 황제를 배웅하고 돌아왔을 때 다니엘은 창가에 서 있었다. 세상이 붉은빛에서 자줏빛으로, 그리고 이내 남청색으로 변해 가는 장면을 보고 있던 다니엘이 낮게 가라앉은 목소리로 말했다.

"평화롭군."

감상에 젖어 있는 다니엘을 물끄러미 바라보던 도미닉이 무뚝뚝하게 답했다.

"황제는 전혀 평화롭지 않던데. 얼마나 겁을 줬으면, 낯빛이 아주 사색이 됐더라."

뭔가 더 말하고 싶은 듯 입술을 달싹이던 도미닉이 입을 다물었다. 곧바로 다니엘의 목소리가 들려왔다.

"할 말 있으면 해."

저 자식은 뒤통수에도 눈이 달렸나. 등을 돌리고 있었으면서 그건 또 어찌 알고. 어처구니가 없어 절로 헛웃음이 났다. 이제 거의 남색에 가까워진 강 주변에 불빛들이 하나둘 켜졌다. 마치 겨우내 다물려 있던 꽃봉오리가 봄을 맞아 줄지어 피어나는 것 같았다. 썩 볼만한 광경에 눈을 두고 있던 도미닉이 평소보다 신중한 말투로 물었다.

"황제를 믿어?"

"아니."

답이 빨리 나왔다는 건 그만큼 확신에 차 있다는 뜻이다.

"그런데 왜 황제에게 기회를 주려는 거야? 후환이 될 거란 생각은 안 해? 언제 네 등에 검을 꽂을지 모르는 인간이야."

"그럴지도."

무심히 대답한 다니엘이 점점 더 검은색에 가까워지고 있는 첼리노에서 눈을 뗐다. 창가에서 돌아선 그는 도미닉을 지나쳐 조금 전까지 레오폴드와 얘기를 나누던 의자에 다시 앉았다. 미처 치우지 못한 찻잔 두 개가 테이블 위에 남아 있었다.

"첫 번째 이유는, 형도 알다시피 이 상황에서 황제와 황태후를 모두 상대하는 건 버겁기 때문이고."

"하인리히 업다이크가 포섭한 귀족들의 힘을 빌리면 불가능하진 않다는 거 너도 알잖아. 오히려 뒤가 든든해지니 전투에 집중할 수도 있고. 그래서 너도 그 방법을 첫 번째로 염두에 뒀던 거고."

그랬다. 그의 첫 번째 계획은 황제와 황태후를 모두 유폐한 뒤 첼리노의 모든 군사력을 하인리히가 틀어쥐게 하는 거였다. 첼리노의 자본이 뒤를 받쳐 주면 맘 편하게 전투에 나설 수 있으니까. 전쟁은 첫째도 보급, 둘째도 보급이다. 과거 마그리트 황태후는 바로 그 보급품 문제로 전쟁에 나간 다니엘을 종종 곤혹스럽게 만들었다.

지난해에 있었던 잦은 가뭄과 전투로 동부의 작황이 좋지 않다는 보고를 들었을 때. 다니엘은 전투가 시작되기 전 첼리노에서 황태후의 영향력을 약화시킬 방법을 가장 먼저 고민했다. 제 목줄을 틀어쥐고 싶어 안달하는 황실이 전장에 나간 그의 뒤에서 무슨 수작을 벌일지 모르는 일이었으니까. 하지만 상황이 달라졌다.

"그건 바이마르가 어느 정도 버텨 준다고 가정했을 때 세운 계획이야. 남부가 언제 뚫릴지 모르는 현재 상황으론 그렇게까지 여유를 부리며 준비할 시간이 없어. 어떻게든 병력을 최대한 한곳으로 모아 국경 상황을 빨리 정리하는 데 집중해야 해."

변경백이 언제까지 살아 있을지 모른다는 최악의 경우도 고려해야 한다.

"하인리히가 첼리노를 떠나야 할 경우를 대비해 후방을 지원해 줄 든든한 우리 편이 있어야 하니까."

"황제가 그 몫을 할 수 있다고 여기는 거야? 그 인간도 반은 악랄한 바이첸이야. 아니, 누구보다 바이첸이지. 그딴 인간을 믿겠다니, 말이 되는 소릴 해."

탕.

치밀어 오르는 분을 삭이지 못한 도미닉이 찻잔이 나동그라질 만큼 세게 테이블을 내려쳤다.

"그 인간 살리느라 상한 다리를 회복하는 데만 반년이 넘게 걸렸어, 이 자식아. 그런데 몸이 부서지는 것도 마다하지 않고 살려 놨더니, 제 목적 이루자고 공작 부인을 협박해 데리고 간 놈이야. 그 인간이 너한테 무슨 짓을 했는지 잊었어?"

"맞아, 잊었어. 하나도 기억 안 나."

'아차' 하는 도미닉을 보며 다니엘이 씁쓸한 미소를 지었다. 회복이 힘들었다는 걸 빼면 다니엘이 죄다 잊어버린 것들이다. 자신이 몸을 던져 레오폴드를 살린 것, 협박을 받은 프리다가 그를 지키기 위해 멘하임 성을 떠나야 했다는 것. 모두 도미닉의 입으로 전해 들었을 뿐이니까.

"화는 나. 쉽게 용서하지도 않을 거고. 하지만 형 말을 들으니 기억이 없어서 다행이다 싶기도 해. 그걸 모두 생생히 기억하고 있었다면, 콜다르가 진즉에 레오폴드를 찔렀을 것 같거든."

'차가운 심장'이라 불리는 도미닉도 저러는데 자신이 어찌 나왔을지는 뻔하다. 대책도 없이 감정에 휘둘려 난리를 쳐 대다 한참 전에 형장의 이슬이 되었을지도…….

"레오폴드는 이 난국을 헤쳐 나가기 위해 내가 필요하고, 난 두 사람 모두를 상대하며 허비할 시간이 없어. 선택지는 마그리트 황태후와 레오폴드 둘뿐이야. 형이라면 누굴 선택하겠어?"

"······꼭 선택해야 하나?"

루이즈 황후에게 비슷한 소리를 들었던 기억이 나 피식 웃고 말았다. 그나저나 레오폴드가 부디 저를 증오하는 아내를 잘 설득해야 할 텐데. 라이닝겐 가문을 그의 편으로 만들라는 조언에 레오폴드는 별다른 반대 없이 고개를 끄덕였다.

솔직히 말하자면, 레오폴드와 나누는 심각한 대화가 딱히 나쁘지 않았다. 말도 통했고. 역시 핏줄이 당기는 거려나. 썩 유쾌하진 않지만, 결국엔 돌고 돌아 레오폴드를 도와주라는 아버지의 유언을 지키게 되는 상황이다.

"오늘 깨달은 사실인데, 내가 아직 레오폴드에게 희망을 품고 있더라고."

"그건 또 무슨 헛소리야?"

"내내 찾고 있었던 것 같아."

"뭘?"

"내가 레오폴드를 버리지 않아도 되는 이유."

적당한 말을 찾기 위해선지 입술과 미간을 동시에 삐죽이며 고민하는 도미닉을 보며 다니엘이 말했다.

"형, 레오폴드는 어쩌면 제대로 된 황제가 될 기회를 얻지 못했던 건 아닐까?"

"너······ 머리가 아직 회복이 안 됐구나."

"그럴지도."

기가 차다는 듯 실소를 터트리는 도미닉을 보며 다니엘도 픽 웃어 버렸다.

똑똑.

노크 소리가 멈춘 후에도 안에서 아무런 기척도 들려오지 않자 다니엘은 조심스레 문을 밀었다. 정확히 그가 예상한 장소에 예상한 모습으로 누워 있는 아내를 본 그는 미소를 머금고 천천히 침대로 다가갔다.

프리다는 침대 끝에 아슬아슬하게 걸쳐 옆으로 누운 채 자고 있었다. 잠옷 위에 이불도 덮지 않고 있는 걸 보면 그를 기다리다 눈이 감겼던 모양이다.

하긴, 자신이 레오폴드와 긴 대화를 나누고 있다는 얘기를 전해 들었을 테니 오죽 궁금했을까. 얼른 그가 돌아와 나눴던 얘기를 들려주기를 바라며 졸린 눈을 비비고 버텼을 것이다. 다니엘은 프리다를 깨우지 않기 위해 조심하며 그녀 옆에 앉았다. 불편하게 자는 모습이 맘에 걸렸지만, 편안히 잠든 표정이 너무 어여뻐 잠시 더 눈에 담고 싶었다.

새근대는 숨소리에 놀란 하얀 머리카락이 팔랑대며 얼굴 위에서 춤을 춘다. 잔잔한 미소가 입가에 번져 나갔다. 아내는 그저 가만히 보고 있는 것만으로도 제게 위안을 준다. 방금 전 창가에서 한없이 눈을 두고 있었던 평화로운 슈프렌 강의 전경처럼.

코끝에 걸쳐진 머리카락이 간지러운지 고롱고롱 숨소리를 내던 프리다의 콧잔등에 귀여운 주름이 생겼다. 잠에 방해될까 싶어 치워 주려다, 그만 프리다의 눈꺼풀을 건드리고 말았다. 퍼뜩 눈을 뜬 프리다가 벌떡 일어나 멀뚱멀뚱 다니엘을 바라봤다. 잠에서 깨어나지 못한 멍한 표정이 귀여워 입꼬리가 하늘로 솟아올랐다.

"다, 다니엘. 언제 왔어요?"

"조금 전에요. 내가 잠을 깨워 버렸네요."

"당신이 올 때까지 기다리려고 했는데…… 깜빡 잠이 들었나 봐요."

"그런 것 같더군요."

다니엘은 어지럽게 헝클어진 프리다의 머리칼을 손가락으로 조심히 한 가닥 한 가닥 뒤로 넘겨 주었다. 그러곤 시원하게 드러난 이마에 살포시 입을 맞췄다.

"나는 다시 나가 봐야 하니까 편하게 자요. 먼저 자라는 말을 해 주러 온 거예요."

"밤이 꽤 깊었는데 또 나가야 한다고요?"

저를 걱정해 주는 염려 가득한 목소리가 듣기 좋았다.

"금방 돌아올게요."

"저…… 다니엘, 있잖아요……."

누가 봐도 제게 할 말이 있는 얼굴로 빤히 올려다보는 천진한 시선도 좋고. 아무것도 모르는 척 그녀의 장단에 휘말려 주고 싶은 이 몽글몽글한 감정까지, 모든 것이 꽤 즐거웠다.

"나한테 할 말이라도?"

"실은 당신에게 허락받을 일이 있어서요. 뷔테인 남작 부인에게 손님 방을 하나 내줘도 될까요?"

황제의 정부가 프리다를 찾아와 울고불고했다더니 이래서였나.

"뷔테인 남작 부인이 여기에 머물고 싶다고 하던가요?"

"네. 남작 부인이 요청을 해 오기도 했고, 저도 뮤리엘이 나을 때까지 돌봐 줄 사람이 있으면 좋겠다 싶기도 하고요. 지난번에 하녀들을 모두 내보낸 뒤로 로잘린이 일이 많아져 혼자선 힘들 거예요."

로잘린이 힘들다고? 맹수가 뛰어다니는 숲에서도 한 달은 너끈히 버티고도 남을 체력을 가진 그 아이가? 기가 차 웃었더니 프리다는 그걸 허락이라고 느낀 것 같았다. 한결 편해진 표정으로 엉덩이를 밀며 그에게 바짝 달라붙었다.

"그리고 당신한테만 알려 줄 비밀이 있어요. 절대 다른 사람한테는 말하면 안 돼요."

누가 듣는다고 좌우를 부산스레 흘깃거린 프리다가 그의 팔을 당겼다. 다니엘은 못 이기는 척 그녀의 힘에 끌려 어깨를 낮췄다.

"뷔테인 남작 부인이…… 폐하의 아이를 가졌대요."

레오폴드의 아이를 가졌다고?

"아무한테도 알리지 말라고 했지만, 당신은 '아무나'가 아니니까 특별히 말해 주는 거예요."

로잘린의 보고에 따르면 쉔달 성에 머물게 된 이후 페트리샤 뷔테인에게 남자는 레오폴드뿐이었다. 그러니 그녀가 임신했다면 레오폴드의 아이일 가능성이 크긴 하다. 레오폴드가 자식을 만들 수 있는 몸이었다는 소식에 잠시 멍해졌다. 프리다가 굳어 있는 다니엘의 팔을 부드럽게 도닥였다.

"그러니까 혹시 아직도…… 지난 일에 죄책감 느끼고 있었다면, 이제 다 떨쳐 버려요. 내가 그랬잖아요. 폐하께 후사가 없는 건 절대 당신 잘못이 아니라고."

내가 프리다에게 에키나시아 물약 얘기를 했다고? 그녀의 목숨을 위태롭게 만들지도 모르는 그 위험한 비밀을? 충격으로 멍해져 있던 머리가 순식간에 깨어났다. 경악하는 다니엘의 눈빛을 본 프리다는 뒤늦은 깨달음에 낯빛이 흐려졌다.

"아, 당신은 기억하지 못하겠군요."

다니엘이 혼란스러운 목소리로 물었다.

"내가 에키나시아 물약에 관한 얘기를 해 줬어?"

"……네."

맙소사.

"특급 비밀을 털어놓은 걸 보니, 당신에게 어지간히 푹 빠졌었나 보군."

"그게……"

프리다가 난처해하며 그의 가슴 깊이 얼굴을 묻었다.

"실은 우연히 알게 된 거예요. 당신은 내가 그 얘기를 언급하자 불같이 화를 냈구요."

"불같이?"

"네. 나를 혼자 두고 쌩하니 가 버렸어요."

말끝에 배어 나오는 섭섭함에 마음이 쓰여 자신이 당황했다는 것도 잊어버렸다.

"내가 많이 미웠겠네."

"아뇨."

정말 그랬으면 어쩌나 걱정하며 물었건만, 프리다는 단박에 아니라며 고개를 저었다. 턱 끝에 닿는 머리카락이 간지러웠다.

"나중엔 브라반트 홀로 나를 찾아와 줬는걸요. 정중하게 사과도 했고요."

"다행이네. 불한당처럼 굴었으면 어쩌나 걱정했는데."

"불한당이라뇨. 다니엘은 내게 단 한 번도 그런 모습을 보인 적이 없어요. 지나치게 예의가 발라서 가끔은 불만이었다고요. 부부 사이에 뭘 저렇게 선을 긋나 싶어서."

프리다가 그의 옷에 달린 매듭을 만지작대며 중얼거렸다.

"난 당신이 나를 좀 편하게 여겼으면 좋겠어요. 선 같은 거 긋지 말고."

그녀는 종알대며 다니엘의 가슴에 이마를 가져다 댔다. 프리다의 손가락이 매듭을 건드릴 때마다 가슴이 몽글거렸다. 이 여자가, 방 안에 들어왔을 때부터 눈이 돌아가 있는 남편한테 겁도 없이. 다니엘은 프리다의 어깨를 양손으로 꽉 붙잡아 거리를 벌렸다. 온몸이 한겨울 벽난로 안에서 타들어 가는 마른 장작처럼 순식간에 달아올랐다.

"오늘 보여 줄게."

소원이라는데 못 보여 줄 것도 없지.

"남자가 선을 넘으면 어떻게 되는지."

훗날 로슈만 대륙(륑겐괴 스베르겐 제국이 위치한 대륙)의 장대한 역사에 관해 연구하던 한 역사가는 자신의 저서에 이런 글을 남겼다.

<긴 동면의 시간을 인내하며 치밀하게 준비해 왔던 바이첸 공작가의 화려한 봄은 그날을 기점으로 몰락의 길에 들어섰다.>

한 괴짜 역사가에 의해 볼슈타크 2세 치세, 최대 변환기의 출발점이라 기록된 바로 '그날'. 프리다는 남편의 품에 안겨 그날 아침을 맞이하고 있었다. 지난밤 다니엘은 그의 장담대로 제대로 선을 넘었다.

그 덕에 녹초가 된 그녀는 창밖에서 들리는 요란한 새소리에도 좀처럼 눈꺼풀을 들어 올리지 못했다. 까닭 모를 눈물로 범벅이 된 눈두덩이가 위아래로 딱 달라붙어 버렸기 때문이다. 좀처럼 눈이 끔벅여지지 않자 프리다는 다니엘의 팔 아래 깔린 손을 빼내 들어 눈가를 비볐다. 그러나 미처 두 번도 문대지 못하고 다니엘에게 팔을 붙들렸다.

"비비지 마. 따갑잖아."

"눈이 잘 안 떠져요."

"고개 들어 봐. 내가 봐 줄게."

프리다가 빼꼼히 실눈을 뜬 채 턱을 치켜올렸다. 다니엘의 입술 사이로 기분 좋은 웃음소리가 흘러나왔다. 그녀는 막 어미의 배를 비집고 나온 어린 망아지 같았다. 땀에 젖은 흰 머리칼이 새하얀 이마와 뺨, 목 언저리에 엉망으로 달라붙어 있는 모습이 영락없이 갓 태어난 백마였다.

"그렇게 이상해요?"

남편의 웃음이 신경 쓰였는지 프리다가 다니엘에게 잡힌 팔을 빼내려 힘을 줬다.

"응."

하지만 다니엘은 어림도 없다며 오히려 손가락 사이로 깍지를 꼈다.

"이상한데…… 예뻐."

"그, 그게 무슨 말이에요."

꼼지락거리는 몸짓에 프리다의 어깨를 덮고 있던 이불이 아래로 스르르 미끄러지며 눈처럼 새하얀 맨어깨가 드러났다. 살랑대는 봄바람에 나풀거리는 버드나무 가지처럼 자잘한 몸부림이 이어졌다. 부드럽게 휘어지던 그의 입가에 야릇한 미소가 걸렸다. 아내의 얼굴로 입술을 내린 다니엘이 부드러운 입맞춤으로 그녀의 눈을 적셨다. 어미 말이 새끼 망아지의 눈을 핥아 주듯 다정히.

"다, 다니엘. 지금 뭐 하는……."

처음엔 놀라 남편을 말리다도 프리다도 차츰 그를 받아들였다. 눈가를 적시던 다니엘의 입술이 서서히 아래로 내려오다 마침내 프리다의 입술을 덮었다. 봄바람 같던 입맞춤에 한여름의 열기가 더해질 무렵, 밖에서 문을 두드리는 소리가 들렸다.

노크 소리가 나고도 한참을 더 뭉그적대던 다니엘이 겨우 입술을 떼어 냈다. 그러곤 멍하니 그를 응시하는 프리다를 바라보며 씩 웃었다.

"눈 떴네."

봄날의 햇살 같은 해맑은 남편의 미소에 눈이 멀어 버릴 것만 같았다.

"금방 올 테니까 꼼짝하지 말고 이대로 있어."

다니엘은 프리다의 목 끝까지 이불을 끌어 올려 준 후 침대를 벗어났다. 로브를 대충 걸쳐 입은 그가 문을 열자 밖에서 로잘린의 목소리가 들렸다.

"두 분의 아침 식사를 가져왔습니다, 전하."

못마땅하다는 투가 역력한 다니엘의 목소리가 뒤를 이었다.

"아쉽구나, 로잘린. 너의 충성심에 눈치가 약간만 더해졌다면 완벽했을 텐데 말이다."

"제때 마님의 식사를 챙겨 드리는 것도 제 소임입니다, 전하. 그리고 뷔테인 남작 부인이 눈뜨자마자 마님을 뵙게 해 달라고 조르고 있습니다."

로잘린이 뷔테인 남작 부인을 언급하자, 프리다는 문득 지난밤 다니엘에게 못 한 얘기가 있다는 것을 깨달았다. 그녀는 침대 밖으로 삐죽 고개를 내밀며 다급히 남편을 찾았다.

"맞다. 다니엘, 당신에게 할 말이 있어요. 중요한 얘기예요."

프리다의 외침을 들은 그는 로잘린에게 간단한 지시를 전달한 후 그만 가 보라며 고개를 까닥였다.

"뷔테인 남작 부인에겐 우리가 찾을 때까지 얌전히 방에 있으라고 해. 멋대로 벨뷔 궁을 빠져나가지 못하게 잘 감시하고. 가 봐."

"네, 전하. 그리고 이건 어떻게 할까요?"

로잘린이 김이 모락모락 나는 음식이 올려진 트레이를 다니엘에게 내밀었다. 자신을 방으로 들어가게 해 주든가 아니면 당신이 들고 들어가라는 뜻이었다. 망설임 없이 트레이를 받아 든 다니엘이 로잘린의 코앞에서 쾅문을 닫았다. 문이 닫히자마자 후다닥 머리 위로 잠옷을 걸쳐 입은 프리다가 그 위에 라벤더빛 로브를 걸치며 다니엘에게 다가왔다.

"세상에, 그 중요한 얘기를 전하는 걸 깜박하다니. 내가 정신이 나갔었나봐요."

테이블 위에 트레이를 올려 둔 다니엘은 팔을 뻗어 그의 앞으로 달려오는 프리다를 당겨 안은 후 콧잔등에 입술을 맞췄다.

"감히 그대의 정신을 혼란하게 만든 죄를 물어 벌을 내리시지요, 공작 부인."

새의 깃털처럼 가벼운 입맞춤에 간지럽다며 눈을 찡그리던 프리다가 그를 보며 게슴츠레 눈을 흘겼다. 다니엘이 히죽대며 콧잔등에 이어 뺨에 입술을 비비자 프리다가 그만하라고 버둥대며 그의 팔을 밀었다.

"아이참, 다니엘. 할 말이 있다니까요."

밀려나는 척하던 다니엘이 다시 입술을 겹쳤다. 할 말을 잊게 만드는 길고 부드러운 입맞춤을 나눈 후 프리다가 발그레 볼을 붉히자 다니엘이 웃으며 물었다.

"당신의 정신을 또 빼놓는다면 분명 나쁜 남편이라고 하겠지?"

"나쁘다기보단 얄미운 남편이죠."

자꾸 제게 달라붙는 다니엘의 입술을 손으로 막은 프리다가 배시시 웃으며 그의 가슴에 고개를 묻었다.

"물론 얄밉지만 아주 멋진 남편이기도 하고요."

프리다는 조금 전 다니엘이 제 콧잔등에 남겼던 입맞춤을 흉내 내듯 그의 가슴에 살짝 입술을 댔다. 낮게 웃은 다니엘이 은근한 손길로 프리다의 허리를 쓸어내리며 귓가에 속삭였다.

"아침에 남자를 유혹하는 건 아주 위험한 행동이야, 프리다. 온종일 침대에 누워 있게 되는 수가 있거든."

"어머, 내 정신 좀 봐."

다소 야멸차게 다니엘의 손을 밀어낸 프리다가 양손을 허리에 올리고 매섭게 남편을 노려봤다.

"진지하게 들어요, 다니엘. 지금부터 진짜 진짜 엄청 심각한 얘기를 할 거란 말이에요. 뷔테인 남작 부인이 황제 폐하의 아이를 가졌다는 것보다 만배는 더 심각하다고요."

그는 앙칼진 협박에 피식 웃음으로 대답한 후 아침 식사가 올려진 테이블 앞의 의자를 당겨 앉았다.

"대체 무슨 얘긴데 그래?"

다니엘이 대충 걸쳐 입은 로브 앞섶이 벌어지며 탄탄한 가슴과 복부의 근육이 드러났다. 쪼르르 달려온 프리다는 자신을 홀리지 못하도록 그의 허리끈을 단단히 묶어 주며 목소리를 낮췄다.

"뷔테인 남작 부인 말이, 황태후께서 황제 폐하를 폐위시키려고 하는 것 같대요."

야무지게 허리 매듭을 지은 그녀는 다니엘의 곁에 바짝 붙어 소곤소곤 귓속말을 건넸다.

"이미 다음 황제로 고려해 둔 사람도 있나 봐요. 글래드스턴 부인이 시아버지의 말을 엿들었는데 차기 황제로 점찍어 둔 사람이 있다고 그러더래요."

가늘게 눈을 좁힌 프리다가 걱정스레 그에게 물었다.

"뷔테인 남작 부인의 말이 사실이면 어떡하죠?"

지그시 프리다를 바라보던 다니엘은 옅은 웃음기를 머금은 채 대답했다.

"정부의 정보력이 제국의 황제보다 낫군."

헉, 숨을 들이마신 프리다가 믿을 수 없다는 듯 휘둥그레 눈을 뜨고 다니엘을 바라봤다.

"남작 부인의 말이 맞아요? 정말 어머니가 아들에게 그런 끔찍한 짓을 할 거란 말이에요?"

다니엘은 기함하는 프리다를 살포시 안아 자신의 허벅지 위에 앉혔다. 프리다는 순순히 그의 허리를 안으며 가슴에 머리를 기댔다. 혹시나 했던 일을 그에게 확인받자 갑자기 두려움이 밀려왔다. 다니엘이 불안감에 잔뜩 움츠러든 그녀의 어깨를 다정히 쓸어내리며 말했다.

"맞아. 사실이야. 황태후는 지난해부터 레오폴드를 몰아낼 계획을 세우고 있었어."

"……당신도 알고 있었군요."

"응."

모든 것을 알고 있었다는 말에 일시에 긴장이 풀리며 안심이 되었다. 그러면 대비책을 준비해 두었을 거라는 믿음 때문이었다. 마음이 가벼워진 프리다가 한결 편해진 목소리로 중얼거렸다.

"당신이 미리 알고 있어서 다행이에요. 황제 폐하께 끔찍한 일이 생기면 어쩌나 걱정했어요."

프리다의 어깨를 다독이던 다니엘의 손이 순간 그대로 멈췄다. 다니엘의 몸이 뻣뻣하게 굳어 가는 것을 느낀 프리다가 의아해하던 찰나. 그녀의 귓가에 스산한 다니엘의 음성이 내려앉았다.

"당신은…… 내가 레오폴드의 편이 되어 주길 바라나 보군."

프리다는 싸늘해지는 남편의 몸을 힘주어 꽉 끌어안았다.

"난 단지 당신이 더는 소중한 사람을 잃고 죄책감에 시달리지 않기를 바랄 뿐이에요. 당신, 그동안 황태후의 협박이 두려워서 황제 폐하를 지켰던 거 아니잖아요. 솔직히 동생이라서 그랬던 거…… 아니에요?"

파묻히듯 다니엘의 가슴에 달라붙어 있던 프리다가 조심히 고개를 들어 남편의 어두운 붉은 눈을 마주 보았다.

"내가 잘못 생각한 거예요?"

첼리노로 오는 동안 그녀가 가장 많이 들었던 얘기는 바로 다니엘, 즉 '황제의 사냥개'라 불리는 자의 무용담이었다. 수많은 전투에서 그가 벌였던 활약상과 함께 그를 가리키는 단어들. 레오폴드 볼슈타크 2세를 위해서라면 어떤 짓이든 한다는 충직하고 잔인한 사냥개, 황실의 꼭두각시.

어느 귀족의 연회장에서 그와 같은 말을 들은 프리다는 분을 참지 못하고 부들부들 떨었다. 그러자 만취한 레오폴드가 키득키득 웃으며 이렇게 속삭였다.

"충직한 황제의 사냥개? 웃기고 있네. 다니엘이 내 모친이 두려워서 황실의 명령에 따른다고? 천만의 말씀. 이건 비밀인데…… 딸꾹! 다니엘은 나를 불쌍하게 여겨요. 큭큭. 건방진 사생아 자식이, 아직도 나를 어머니가 무서워 벌벌 떠는 나약한 어린아이로 본다고!"

술이 깬 레오폴드는 그날의 일을 잊은 듯 굴었지만, 이후로도 종종 프리다에게 다니엘의 어린 시절 이야기를 들려주곤 했었다.

"대대로 무인 집안이었던 리하르트의 피를 물려받고도. 난 검을 쓰는 재주가 꽝이었어요. 하지만 다니엘은 열 살도 되기 전에 이미 제국 최고의 기사가 될 재목이란 칭찬을 들었죠. 누가 천한 용병 핏줄 아니랄까 봐 검을 들고 있으면 몸에서 빛이 반짝반짝 나는 것 같았어요."

시샘 속에 섞인 희미한 동경을 알아챈 이후론 황제가 다니엘을 비꼬는 말에도 화가 나지 않았다. 그때부터였던 것 같다. 두 형제가 어쩌면, 서로를 미워하기만 하는 건 아닌지도 모른다고 생각한 게. 프리다는 팔을 뻗어 완고해 보이는 다니엘의 턱선을 손으로 감쌌다.

"그동안 황태후에게 고분고분하게 굴었던 거, 주변 사람들이 다칠까 봐 그랬던 거 맞죠? 한 사람도 더 잃고 싶지 않아서. 황제 폐하도 당신이 잃기 싫은 사람 중의 한 명 아니에요? 난 왠지 그런 생각이 들었어요."

딱딱했던 표정을 조금 누그러트린 다니엘이 그의 턱을 감싸고 있는 프리다의 손 위에 제 손을 덮으며 말했다.

"당신에게 물어볼 게 있어."

"말해요."

그녀의 허락을 듣고도 잠시 뜸을 들이던 다니엘이 천천히 입을 열었다.

"떼어 내고 싶은데…… 떼어지지 않는 사람이 있어."

달싹이는 입술을 몇 번이나 멈추던 다니엘이 힘들게 말을 내뱉었다.

"죽여 버리고…… 싶은데."

문득 프리다가 과격한 단어에 충격을 받으면 어쩌나 걱정이 되었다. 남들이야 뭐라 떠들든 상관없지만, 그녀가 저를 잔인한 인간이라고 여기는 건 싫었으니까. 다니엘은 제 뺨을 덮고 있는 그녀의 손을 꼭 누르며 상처 입은 짐승처럼 얼굴을 기댔다.

"살리고 싶은 사람도 있어."

이런 순간에 그녀가 제 곁에 있음에 안도하며, 결정을 내리지 못한 채 담아 두고만 있던 질문을 건넸다.

"한 명만 살려야 한다면, 당신은 둘 중에 누구를 선택하겠어?"

오래 고민한 후 답할 거란 다니엘의 예상과 달리 프리다는 얼마 지나지 않아 입을 열었다.

"내가 예전에, 당신을 닮은 아이를 낳고 싶다고 한 적이 있어요."

그 얘기를 꺼낼 당시의 상황이 떠올라 살짝 얼굴을 붉힌 프리다는 이내 침착하게 말을 이어 갔다.

"그런데 그 말을 들은 당신이…… 내게 온다 간다 말도 없이 사냥을 떠나 버렸지 뭐예요."

"내가?"

다니엘이 당시를 기억하지 못한다는 걸 알면서도 뾰로통해지는 표정을 말릴 수가 없었다. 부루퉁이 남편을 응시하던 프리다는 그의 뺨을 감쌌던 손을 휙 빼냈다. 그러곤 새침하게 고개를 돌렸다.

"네. 리하르트 공작님께서요. 자그마치 보름이나 지나서 돌아왔다고요. 그땐…… 당신이 정말 미웠어요."

토라진 프리다가 품에서 벗어나진 않을까 걱정이 됐는지 다니엘이 그녀의 허리를 더 단단하게 안으며 머리를 제 가슴 쪽으로 당겼다. 그녀는 고분고분 그의 품에 안기며 계속 툴툴댔다.

"그뿐이면 말도 안 해요. 마틸다 일은 어떻고요. 그 불쌍한 아이를 오해해서 다치게 했잖아요. 도미닉에게 그 얘기를 들었을 땐…… 당신을 영원히 용서할 수 없을지도 모르겠다고 생각했어요."

그때가 떠오르자 프리다의 음성이 잔잔히 가라앉았다. 저 때문에 고초를 겪은 마틸다에게 죄스러워 하루도 맘 편히 잠들지 못했던 날들이었다. 그 아이의 불행을 안타까워하면서도, 다니엘을 맘껏 미워할 수 없었기에 더 그랬다.

따지고 보면 그가 저를 걱정해 벌인 일이라 무턱대고 원망할 수도 없고, 심지어 다니엘은 당시 황제를 구하다 다리를 심하게 다친 상태였다. 맘껏 원망을 쏟아 낼 수도 없었던, 답답하고 속상했던 그날의 기억에 불현듯 목이 메어 왔다.

"정말…… 마음이 너무 아팠어요."

다행히 마틸다는 안톤의 보살핌으로 지금은 절룩임이 거의 보이지 않을 정도로 회복되었다고 한다. 뮤리엘이 그 소식을 전해 주었을 때 얼마나 기뻤는지 모른다. 마틸다의 동생 요제프가 펜하임 성의 생활에 잘 적응하고 있다는 소식을 들었을 때도 진심으로 기뻤다. 다니엘을 계속 미워하지 않아도 되는 이유가 하나 더 생겼으니까.

"그거 말고도 당신이 미웠던 적은 많았어요. 그런데요, 다니엘. 이상하게도 당신이 미운데 미워지지 않았어요."

그에게 실망할 일이 그렇게나 많았는데도 막상 떠오르는 건 다니엘이 잘해 줬던 일, 자신을 설레게 만들었던 일들이었다.

"머릿속에 그 말만 맴돌았어요. 당신이…… '오래오래 내 아내로 있어 줬으면 좋겠다'고 했던 말이요."

남들은 알지 못하는 두 사람만의 추억들이 미움을 자꾸만 희석해 버렸다.

"나는요, 다니엘. 전에는 화려하게 피었다 지는 랄레 꽃처럼 살고 싶었어요."

땅에 뿌리를 내리고 있으면 길어야 한 달, 줄기를 잘라 방 안을 장식하면 일주일이면 시드는 꽃. 하지만 피어 있는 동안만큼은 세상 어떤 꽃보다 아름답고 값진 그 꽃처럼 살다 가고 싶었다.

"그런데 이젠 허브처럼 살고 싶어요. 랄레만큼 화려하지 않고 값이 나가진 않아도, 사시사철 거친 땅을 버텨 내는 허브처럼 오랫동안 당신과 함께하고 싶어요."

다니엘은 프리다가 미래를 꿈꿀 수 있도록 만들어 준 사람이다.

"내 진심은 당신을 '미워한다'가 아니라 '미워하고 싶지 않다'였어요."

어떻게 그를 미워한단 말인가. 그녀에게도 내일이 있다고 알려 준 사람인데.

"사람들에겐 각자 누군가와 함께한 시간과 추억이 있잖아요. 그것들이 당신의 진짜 마음이 뭔지 말해 줄 거예요. 귀 기울여서 잘 들어 본 다음에 마음이 시키는 대로 해요. 난 무조건 당신의 선택을 믿어요."

가끔은 어긋난 길로 들어서고, 무리하게 수풀을 헤치고 다니며 상처를 입기도 하겠지만, 결국은 그가 옳은 길로 향할 것임을 이젠 믿는다. 프리다는 다니엘의 왼쪽 가슴 위에 살포시 손을 올렸다.

"여기가 답을 알려 줄 거예요."

몇 번의 들썩임이 있고 난 후 다니엘이 그녀의 손을 꼭 쥐며 물었다.

"프리다, 내가 사랑한다고 말한 적 있어?"

그녀는 남편의 품에 폭 안긴 채 수줍게 고개를 끄덕였다.

"난 사랑해. 어떡하지?"

"사랑해…… 사랑해. 프리다."

있고말고. 한두 번이 아니었는걸.

"많이요. 아주 많이."

"그거 하나는 칭찬해 주고 싶군."

한결 편해진 낮은 목소리가 그녀의 정수리를 간지럽혔다.

색색의 라넌큘러스가 꽃봉오리를 활짝 터트리며 절정의 아름다움을 뽐내는 미라벨 정원의 화단 사이로 마그리트 황태후의 싸늘한 일갈이 퍼져 나갔다.

"지금 그걸 따지자고 몰려온 겁니까?"

금빛 줄무늬가 새겨진 화려한 대리석 테이블 주변을 빙 둘러싸고 앉아 있는 측근 세 명을 바라보는 황태후의 목소리에 진득한 신경질이 묻어났다.

"글래드스턴 백작, 대체 뭐가 불안한 겁니까? 다니엘이 황제의 편에라도 설까 봐서요?"

"그거야 모르는 일이지요. 전 오히려 폐하께서 리하르트 공작이 우리 편이 되어 줄 거라 철석같이 믿고 계시는 까닭을 모르겠습니다."

글래드스턴 백작이 콧수염에 묻은 히비스커스차를 손끝으로 짜증스레 털어 내며 말했다.

"며칠 전에 리하르트 공작 부부가 슈프렌 강에 뱃놀이를 나왔다는 소식 못 들으셨습니까? 그 무심한 다니엘 리하르트가 부인을 배에 태운 것도 모자라 직접 노를 저었답니다. 부부의 금실이 좋다 못해 공작의 눈에서 꿀이 뚝뚝 떨어지더랍니다."

황태후의 뒤를 지키고 있던 클리마 백작의 목을 따라 식은땀이 주르륵 흘러내렸다. 그는 리하르트 공작의 밤 나들이에 대해 무미건조한 문장으로 작성된 보고를 황태후에게 올렸다. 그리고 그 보고서엔 눈에서 꿀이 뚝뚝 떨어졌다는 등의 문장은 당연히 적히지 않았다.

"그뿐인 줄 아십니까? 강 근처 여관에서 하룻밤 묵었답니다. 폐하께서 삼 년도 못 살고 죽을 거라던 바로 그 하크본 백작의 딸과 말입니다. 재혼할 마음이 있는 자라면, 그리 요란을 떨고 다니겠습니까?"

마그리트는 절로 찡그려지는 이마를 손으로 짚었다.

글래드스턴 백작은 한번 작정하고 덤비기 시작하면 꽤 골치 아프게 구는 인간이다. 고지식하고 깐깐하기로 악명 높은 이 노인네를 어떻게 달래야 하나 머리가 지끈거렸다. 게다가 오늘은 함께 따라온 두 인간까지 저마다 한 마디씩 거들고 나섰다.

"하루라도 빨리 후사를 봐야 하는데 리하르트 공작의 혼인이 이리 차일피일 미뤄져서야 언제 일을 도모하겠습니까? 소문에 소피아 공녀의 건강도 좋지 않다던데 이래서야 우리 뜻대로 될지 참으로 걱정입니다."

파이만 백작에 이어.

"공작이 우리 편에 서겠다고 확답을 하긴 한 겁니까? 사흘 안에 답을 받아 오시겠다더니 벌써 며칠이 흘렀는지는 아십니까?"

발레리 자작까지. 이들은 모두 넓은 영지와 소작농들을 기반으로 한 농업이 아니라 금융업과 무역으로 재산을 모은 전형적인 수도 귀족이다. 거미줄처럼 얽힌 혼맥을 통해 주고받은 정보로 부와 권력을 유지하는 자들.

글래드스턴 백작만 해도 후일 작위를 물려받을 장남을 바이첸의 사돈 중 하나인 샤이데만 백작 가문의 영애와 결혼시켰으니 마그리트와는 먼 인척이기도 했다. 이자들의 특징이라면, 이득에 따라 얼마든지 말을 갈아탈 준비가 되어 있다는 것.

"분명히 말씀드리지만 전 살리카 법에 손대는 건 반대입니다. 위대한 우리 스베르겐 제국에 촌뜨기 룅겐 것들처럼 여자 황제라니요. 만에 하나 소피아 공녀가 아들을 낳지 못한다면 다른 수를 마련하시는 것이 맞습니다."

물론 글래드스턴 백작처럼 고루하기 짝이 없는 인간도 간간이 섞여 있지만. 첼리노를 중심으로 한 수도 귀족들은 기본적으로 이익에 기반한 관계라 황실에 대한 충성심이 약했다. 이는 스베르겐 제국이 오랜 세월 황위 다툼에 시달려 온 이유 중 하나이기도 했다.

마그리트는 새로운 세력이 이권에 진입하지 못하도록 철저히 막는 것으로 이들의 이익을 보장하며 그들의 엷은 충성심을 붙들어 왔다. 오늘처럼 그녀를 귀찮게 하는 오만방자함도 감내할 수 있는 한 보아 넘겨 주었다. 견고하지 않은 벽에 실금이라도 생기지 않게 하려고 참아 주었더니, 겁도 없이 기어오르다니.

'버러지 같은 인간들. 슬슬 내쳐 버려?'

그녀가 쥐고 있는 약점 몇 개만 던져도 이들은 끝이다. 문제는 그 경우 이들과 엮인 바이첸 가문 역시 상당한 피해를 감내해야 한다는 것.

마그리트는 당장이라도 목을 베어 버리라는 명을 내리고 싶어 근질거리는 혀를 달래기 위해 씁쓸한 차를 목구멍으로 넘겼다. 쉬지 않고 따져 대는 글래드스턴 백작을 참아 내려면 이거라도 마시고 마음을 진정시켜야 했다.

"그리 가만 계시지 마시고 뭐라 말씀을 해 보십시오, 폐하. 솔직히 저는 국경의 일도 염려됩니다. 업다이크 변경백이 뛰어난 자이긴 하나 지난해 가뭄으로 큰 피해를 보았으니 상황이 녹록지 않을 겁니다."

"그리 걱정되시면 글래드스턴 백작께서 동부에 식량 지원을 해 주시지 그러십니까? 아니면 사병을 이끌고 직접 전쟁터에 나가시든가."

"저보고 전투에 나가라고요?"

"본인이 가기 힘드시면 대신 큰아들을 보내시든가요. 명단에 이름 올리는 것쯤 지금 바로 해 드리지요."

뒤틀린 속내를 감추지 못하고 빈정대자 그가 얼굴을 붉으락푸르락하며 목소리를 높였다.

"그게 무슨 말씀입니까? 아직 후사도 보지 못한 제 아들을 전쟁터로 내보내라니요. 그리고 저는 이미 사재를 털어 동부에 상당량의 지원금을 보냈습니다."

사재를 털긴. 그마저도 봉신들의 주머니를 탈탈 털었겠지. 마그리트는 그를 향한 비릿한 조소를 위엄 있는 표정 속에 숨겼다.

"국경은 변경백이 잘 지켜 낼 테니 걱정하지 마십시오. 솔론족의 침입이야 매해 있었던 일이고, 그동안 단 한 번도 우리를 실망시킨 적 없는 변경백 아닙니까?"

"이번엔 투르크까지 거든다니 우려되어 하는 말입니다."

"투르크가 돕는다 한들 무엇이 걱정이겠습니까? 용기 있는 제국의 젊은 귀족들이 막아 낼 텐데요."

황제의 비호 아래 야금야금 자신들의 경계를 넘어오던 황제 파 귀족과 그 자제들이 곧 전장으로 차출된다. 경쟁자들이 무너질 거란 소식이 흐뭇한지 너나없이 떠들던 귀족들의 입이 조용해졌다.

귀가 편해지자 평상심이 돌아왔다. 마그리트가 누그러진 표정으로 세 귀족에게 차례로 눈길을 주었다.

"다니엘은 야망이 큰 아이입니다. 어릴 적부터 보아 왔으니 그 아이의 성정에 대해선 누구보다 제가 잘 압니다."

일이 이리될 줄 모르고 행여 그 야망이 레오폴드의 앞길에 방해가 될까 싶어 누르고 또 눌러 왔다. 죽이고 싶도록 밉던 사생아의 힘을 빌려 친아들을 내치게 될 줄 모르고. 인생이란 진하게 우려낸 히비스커스차처럼 쓴맛일지도 모르겠다는 생각이 들었다.

"확답이 미뤄진 것은 전에 거론되던 소피아와 콘라드 공작의 혼담이 얼마 전에야 확실히 마무리된 터라 제가 다니엘에게 결혼 상대를 알려 주지 않았기 때문입니다. 그 아이로선 충분히 불안했을 수 있지요."

하크본 가문의 딸을 데리고 첼리노를 휘젓고 다닌 건 저에 대한 나름의 시위였을 것이다. 예나 지금이나 영악하기 짝이 없는 놈 같으니라고. 가끔은 피를 물려준 레오폴드보다 다니엘이 더 바이첸스러울 때가 있다.

"국경에서 전투가 시작됐다는 전갈이 도착하고 첼리노가 소란스러워지는 틈을 타 다니엘을 이혼시킬 겁니다. 하크본 백작가에서 반론을 제기한다면…… 사별도 고려하고 있습니다."

"사, 사별이요?"

"뭘 그리 놀라십니까? 하크본 가문의 여자들이 이른 죽음을 맞이하는 것이 뭐 그리 특별한 일이라고."

세 귀족이 그들 앞에 앉아 있는 여인이 피도 눈물도 없는 바이첸이라는 것을 새삼 깨닫고 있는 사이. 시종이 뜻밖의 방문객이 도착했음을 전해 왔다.

"황태후 폐하, 리하르트 공작께서 오셨습니다."

시기적절한 등장에 내내 차갑게 굳어 있던 마그리트의 입가가 스르르 풀어졌다. 쉴 새 없이 투덜대던 귀족들은 언제 그랬냐는 듯 반색하며 다니엘을 반겼다.

그들에게 다니엘은 더는 운 좋게 귀족 사회에 스며든 사생아가 아니었다. 황태후 파 일원인 파이만 백작과 발레리 자작에겐 그들의 부와 권력을 지켜줄 유일한 희망이 된 지 오래다.

그러나 지난해부터 첼리노 귀족 사회에 세력을 형성 중인 하인리히와 황태후 사이에 양다리를 걸치고 있는 글래드스턴 백작에게 다니엘은 아직 물음표였다. 어느 쪽이든 쉔달 성에 온 첫날 이후 공식적으로 모습을 드러내지 않던 리하르트 공작을 만나게 되자 다들 마음이 들떴다.

벌떡 자리에서 일어난 그들은 미라벨 정원으로 걸어 들어오는 남자에게 시선을 고정했다. 검은색 예복에 보라색 망토를 두른 다니엘은 다섯 해 전 노팅겐 공작의 반란을 진압하러 떠났을 때보다 훨씬 더 늠름해진 모습이었다. 세월의 무게가 더해져 완숙해진 외모에 좌중을 압도하는 분위기.

성큼성큼 정원으로 들어선 그는 좌우에 서 있는 귀족들에겐 눈길도 주지 않은 채 황태후를 향해 깍듯이 허리를 숙였다.

"소신 다니엘 리하르트, 제국의 어머니이신 황태후 폐하를 뵙습니다."

"어서 와라, 다니엘. 오늘은 일찍 왔구나."

마그리트 황태후는 다니엘이 그녀에게 매일 들른다는 사실을 굳이 강조하며 그를 맞았다.

'어지간히 시달리고 있었나 보군.'

실소를 삼키는 그의 옆으로 시종이 의자를 들고 왔다. 다니엘은 저와 눈을 마주치기 위해 애쓰는 세 남자의 시선을 무시하며 태연히 자리에 앉았다.

"오늘은 제가 기다리는 소식을 들려주지 않을까 싶어 걸음을 서둘렀습니다. 즐거운 대화에 방해가 된 것은 아닌지 모르겠습니다."

"방해라니요. 마침 공작 전하에 관한 얘기를 나누고 있었습니다."

왼편에 서 있던 발레리 자작이 만면에 웃음을 띠며 대화에 끼어들었다.

"발레리 자작, 자네가 나에 대해 뭘 안다고 떠들었을까?"

"그, 그것이 아니라……."

그러나 흘깃 눈꼬리를 치켜올린 다니엘이 싸늘하게 따져 묻자 오십이 넘은 발레리 자작이 그의 눈을 피하며 꼴깍 침을 삼켰다. 아들뻘인 다니엘에게 무안을 당하고도 그는 반박의 말 한마디 제대로 내놓지 못했다.

제국법상, 리하르트 공작은 황제의 바로 다음 서열. 황태후를 제외하곤 이 자리에 그보다 작위가 높은 사람은 없었기 때문이다. 평소라면 다니엘이 황태후 앞에서 건방을 떠는 일도 없었겠지만, 만약 그랬다 해도 황태후가 보아 넘기지 않았을 것이다.

그러나 오늘, 황태후는 눈살을 찌푸리는 것 외에 다른 반응은 보이지 않았다. 둘만 있다면 모르겠으나, 보는 눈도 있는 데다 인정하고 싶진 않지만 다니엘의 몸값이 아주 비싸진 건 부정할 수 없는 현실. 아무리 못마땅해도 그에 합당한 대우를 해 줘야 했다. 좌우에 앉으라는 신호를 보낸 황태후는 다니엘을 달랬다.

"기분 나빠할 것 없다. 너의 혼인 상대에 관한 얘기를 나누는 중이었단다."

"아, 드디어 제 두 번째 아내가 될 분이 누구인지 정해진 겁니까? 제겐 사흘 뒤까지 답을 달라고 하셔 놓고, 매일 찾아뵈어도 별말씀이 없으시기에 절 가지고 노시는 줄 알았습니다."

"가지고 놀다니⋯⋯."

다니엘의 삐딱한 태도에 기분이 상한 마그리트는 미간을 일그러뜨렸다.

"그저 준비가 길어졌을 뿐이다."

"이해합니다. 위대하신 바이첸 가문의 공녀께서 사생아에게 시집을 오시려면 마음의 준비를 단단히 하셔야 할 테니까요."

점점 거북해지는 분위기를 풀어 보려는 심산이었는지 파이만 백작이 조심스레 말을 걸었다.

"공작께서 기다리시느라 애가 타셨나 봅니다. 하하. 하지만 누구보다 정숙하고 품행이 바른 여인을 아내로 두게 되셨으니 그만 마음 푸세요. 소피아 바이첸 공녀는 첼리노의 모든 가문에서 욕심내는 완벽한 신붓감이랍니다."

조용히 앉아 있던 글래드스턴 백작도 한마디를 거들었다.

"흠흠. 나도 그리 들었네. 훌륭한 규수지."

"하하. 아무렴요. 리하르트 공작 부인이 되기에 손색없는 분이지요."

발레리 자작까지 입을 모아 칭찬의 말을 내놓았다. 조용히 그들이 하는 소리를 듣고 있던 다니엘의 입가가 희미하게 씰룩였다.

"소피아⋯⋯ 바이첸."

마그리트 황태후의 어깨 너머로 시선을 건넨 그는 클리마 백작과 시선을 맞추며 의미심장한 미소를 지었다.

"예쁜 이름이네요."

미라벨 정원의 입구가 보이자 루이즈 황후가 걸음을 멈추고 길게 심호흡을 내쉬었다. 뒤따라 멈춰 선 레오폴드가 그런 아내를 찬찬히 살피며 물었다.

"긴장됩니까?"

"그냥…… 좀 심란하네요. 떨리기도 하고."

담담함을 가장하고 있었으나 레오폴드의 얼굴에도 숨겨지지 않는 긴장이 묻어났다. 며칠 동안 밤을 꼬박 새운 그의 목소리에선 평상시와 같은 능글거림을 찾아볼 수 없었다.

"황후, 오늘은 중요한 날입니다."

"저도 알아요."

"내키지 않더라도 오늘만은 사이좋은 부부로 보였으면 좋겠소."

"그럴 거예요. 저들이 믿어 줄진 모르지만."

심드렁히 대꾸하던 루이즈 황후가 돌연 손으로 입을 가리고 웃음을 터트렸다. 왜 그러냐고 묻듯 레오폴드가 빤히 바라보자 그녀의 입가가 조금 더 크게 씰룩였다.

"우리가 한편이 되는 날이 오다니, 도무지 믿기지 않아서요."

믿기지 않는 건 레오폴드도 마찬가지였다. 아니, 이 모든 상황이 아직도 혼란스럽다. 평소라면 공들여 고민하고 알아본 다음 뒤에서 공작을 꾸미는 것부터 시작했을 레오폴드였지만 지금은 그럴 시간이 없다. 어젯밤 황후 궁을 찾았을 때도 레오폴드는 다짜고짜 본론부터 꺼냈다.

"황후에게 내 편이 되어 달라 청하러 왔습니다."

"……제가 왜 필요하신데요?"

"제국이 위태로워요. 이 와중에 어머니는 나를 폐하려 하고 있고. 어머니에게 맞서려면 당신의 도움이 있어야 할 것 같소."

"……더 이해가 안 되네요. 제가 도움이 될까요?"

"솔직히 나도 모르겠소. 다니엘이…… 리하르트 공작이 먼저 황후의 허락을 받고 오라더군요. 당신이 내 편에 서 준다면 자기도 고려해 보겠다고."

작은 헛기침으로 웃음을 정리한 루이즈 황후는 얼른 표정을 가다듬었다.

"리하르트 공작이 왜 그런 말을 했는지 궁금하지 않으세요?"

"궁금하지만 황후가 말해 주지 않으면 난 두 사람 사이에 어떤 거래가 오갔는지 영영 모른 채로 살겠지. 다니엘은 절대 먼저 입을 열 놈이 아니니."

어느새 긴장감이 사라진 루이즈 황후가 반짝반짝 눈을 빛내며 말했다.

"이 자리에서 날 베지 않는다고 맹세하면 말해 줄 의향이 전혀 없진 않아요."

후우, 깊은 한숨을 내쉰 레오폴드가 손을 들어 뒤따라오던 이들에게 모두 물러나라 명령을 내렸다. 길 위에 덩그러니 두 사람만 남게 되자 그가 지친 눈으로 루이즈 황후를 바라보았다.

"황후가 날 개자식으로 여기고 있다는 건 압니다. 딱히 부인할 생각도 없고. 그렇지만 황후가 믿든 안 믿든 난 정당한 이유 없이 아내를 죽이는 미친 놈은 아니오."

"정당한 이유야 만들면 되죠. 폐하껜 어려운 일도 아니잖아요."

안 그래도 어두운 레오폴드의 얼굴에 잔뜩 주름이 졌다.

"당신은 대체 날 어떤 인간이라고 여겨 왔던 거요?"

"자기밖에 모르는 음흉하고 못돼 먹은 바람둥이. 아내가 죽든 말든 관심도 없는 냉혈한. 더 할까요?"

"……."

반박할 말이 없기도 했고, 황후가 이렇듯 솔직하게 감정을 보이는 건 처음이라 말문이 막혔다.

"젠장."

마른 손으로 거칠게 얼굴을 쓸어내린 레오폴드는 고개를 돌리고 작은 소리로 욕설을 내뱉었다.

"황실 승마 대회에서의 일은……."

"사과 안 하셔도 돼요. 다 지난 일을 책망하려던 건 아니고, 이제 와 사과를 받고 싶지도 않아요. 그저 물어보시니 대답한 것뿐입니다."

복잡한 심경으로 황후를 바라보던 레오폴드가 축 가라앉은 목소리로 말했다. 자신이 무슨 말을 하든 그녀가 믿지 않을 거라 여긴 탓인지 내뱉은 음성에 힘이 많이 빠져 있었다.

"사과는 후에 제대로 하겠소. 그리고 황후에게 한 약속도 꼭 지킬 거요."

"그 약속 말인데요."

루이즈 황후가 싱긋 웃으며 레오폴드를 올려다봤다.

"여기서 한 번 더 말씀해 주시면 안 될까요? 그러면 떨리는 심경이 좀 진정될 것 같은데."

조용히 황후를 응시하던 레오폴드의 입에서 차분한 음성이 흘러나왔다.

"나 레오폴드 볼슈타크 2세가 살아 있는 한, 후사의 생산 여부에 상관없이 황후는 루이즈 그대 한 사람뿐임을 맹세하겠소."

레오폴드의 맹세가 맘에 들었는지 입꼬리를 가볍게 씰룩인 루이즈가 발랄하게 걸음을 뗐다.

"가요. 리하르트 공작의 인내심이 닳기 전에 도착해야죠."

나란히 걸어가던 레오폴드가 그녀를 향해 팔을 내밀었다.

"잡아요. 우리가 다정해 보이면 어머니의 심기가 더 불편해질지도 모르니."

루이즈 황후는 좋은 의견이라며 냉큼 그의 팔을 붙들었다.

그날, 미라벨 정원엔 유독 방문객이 몰려들었다.

“누가 왔다고?”

시종이 전한 말을 바로 이해하지 못한 마그리트는 재차 질문을 던졌다.

“황제 폐하와 황후 폐하께서 드셨습니다.”

“둘이 같이?”

“네, 함께 오셨습니다.”

“……안으로 모셔라.”

팔짱을 낀 채 정원 안으로 들어서는 황제 부부를 눈으로 보면서도 모두 믿기지 않는 분위기였다. 그도 그럴 것이 두 사람이 한자리에 있는 모습은 공식 행사가 아니곤 좀처럼 볼 수 없었기 때문이다.

황제가 정부를 쉔달 성에 머물게 한 이후로는 아예 황후 궁에 발길을 끊었다고 알고 있던 귀족들은 너 나 할 것 없이 당황스러운 표정이었다. 신하들이 예를 갖추자 가벼운 묵례로 답하며 걸어온 레오폴드가 마그리트에게 인사를 건넸다.

“오랜만입니다, 어머니. 산책을 나왔는데 황후가 미라벨 정원이 보고 싶다고 해서 발길을 돌린 참입니다.”

“두 분이…… 함께 산책을요?”

“네. 날씨가 좋아서 제가 황후에게 동행을 청했습니다.”

레오폴드의 말이 끝나자 루이즈 황후가 다니엘에게 아는 체를 하며 반갑게 웃었다.

“우리 자주 보네요, 리하르트 공작.”

“네, 황후 폐하.”

“마침 오후엔 벨뷔 궁에 들르려던 참이에요. 지난번에 주문한 공작 부인의 드레스가 너무 예쁘게 만들어졌지 뭐예요. 다음번에 뱃놀이를 하러 가실 땐 꼭 제가 선물한 드레스를 입어 달라고 조를 참이었답니다.”

“황후 폐하의 친절에 감사드립니다.”

“감사라뇨. 우리 사이에 그런 깍듯한 인사는 하지 말아요.”

친근한 미소를 짓던 황후가 황태후의 뒤편에 서 있는 클리마 백작에게 역시나 반갑게 말을 걸었다.

"어머, 클리마 백작. 정말 축하드려요. 둘째 아드님이 결혼하신다면서요? 산책길에 황제께 그 얘기를 들었는데 제가 다 설레더라고요."

"아…… 네. 가, 감사합니다, 황후 폐하."

눈에 띄게 당황한 클리마 백작이 의아해하는 황태후의 눈치를 살피며 진 땀을 흘렸다.

"결혼이라니? 둘째라면, 프레더릭의 혼사가 정해졌나?"

"그, 그것이……."

루이즈 황후를 먼저 의자에 앉힌 레오폴드가 따라 앉으며 말했다.

"모르셨어요? 저는 이 결혼을 어머니가 주선하신 줄로 알았는데요."

"내가요?"

"네. 어제 클리마 백작의 차남 프레더릭과 소피아의 결혼 요청서를 받고 깜짝 놀랐습니다. 저는 소피아가 다른 곳으로 시집가는 줄 알았거든요. 아무튼 이제 우린 사돈지간이 되었군, 클리마 백작."

"누, 누구? 소피아?"

웬만해선 흥분을 겉으로 드러내지 않는 마그리트 황태후가 의자를 박차고 일어났다.

"소피아라니요? 소피아 공녀 말입니까? 소피아 바이첸?"

글래드스턴 백작은 눈을 희번덕거리며 되물었다.

"왜들 그리 놀라십니까?"

레오폴드가 짐짓 놀라는 척하며 좌중을 둘러보던 순간.

쿡쿡.

미라벨 정원에 부는 봄바람과 어울리지 않는 음산한 웃음소리가 꽃밭 사이로 퍼져 나갔다.

"소피아…… 바이첸."

한 걸음 뒤로 물러나 그들을 감상하듯 바라보고 있던 다니엘이 조용히 이름을 읊조렸다.

"다시 들어도 역시 예쁜 이름이군요."

떠들썩한 산책을 끝낸 황제 부부는 황후 궁으로 돌아왔다. 오랜만에 황후 궁에 들른 레오폴드는 처음 보는 낯선 색감의 벽과 그림들을 빙 둘러보았다. 그는 황후를 위해 의자를 내어 준 후 담담히 인사를 건넸다.

"오늘 고생 많았소. 이만 쉬어요."

"이유는 모르겠지만 황태후께서 꽤 놀라신 것 같더군요. 글래드스턴 백작도 그렇고. 특히 소피아 공녀가 결혼한다는 소식에 가장 당황하는 것 같던데요?"

"그렇더군."

짐작 가는 바가 하나 있긴 하지. 레오폴드는 여름 햇살에 바짝 마른 나뭇잎처럼 버석하게 웃었다. 소피아와 콘라드 공작 간의 혼담이 깨졌다는 소식을 듣고도 이런 결과를 예측하지 못했던 제게 보내는 비웃음이었다.

설마 어머니가 멀쩡히 살아 있는 프리다를 두고 다니엘을 바이첸가의 여자와 결혼시키려고 했을 줄은 몰랐다. 차기 황제의 정통성을 확보하려면 적법한 후계자가 필요하다. 현재 제국에서 자신 다음으로 적법한 계승권자가 누군지 조금만 고민해 봤다면 바로 답이 나왔을 텐데.

역시 어머니를 따라가려면 한참 멀었음을 실감하는 중이다. 생각에 빠진 남편을 바라보던 황후가 불쑥 입을 열었다.

"리하르트 공작이 당신과 황태후 중 보고 싶지 않은 사람이 누구냐고 물었어요."

루이즈는 그녀에게 돌아오는 남편의 시선을 마주하며 말을 이어 갔다.

"난 꼭 선택해야 하냐고 되물었죠. 그랬더니……."

"그랬더니?"

레오폴드가 숱 많은 눈썹을 찡그리며 계속해 보라고 재촉했다.

"제국을 나 혼자 감당할 수 있다면 둘 다 선택하라더군요. 의외였어요. 난 리하르트 공작이 쉔달 성의 주인이 되기를 원한다고 짐작했었거든요. 그런데 아니더라고요. 리하르트 공작은 황위에 전혀 관심이 없어 보였어요."

루이즈는 왜 이런 얘기를 하느냐고 묻는 듯 미간을 좁히는 남편 앞에서 어깨를 으쓱하며 어색하게 웃었다.

"혹시 공작의 의도를 의심하실까 봐서요. 바이첸들, 사람 안 믿잖아요."

"사람을 안 믿는 건 라이닝겐도 마찬가지 아닌가? 황후도 나를 안 믿잖소. 그러니 다니엘과 어떤 거래를 했는지 알려 주지 않는 거고."

"막 알려 주려던 참이에요."

성질도 급하셔라. 루이즈는 가볍게 혀를 찼다.

"실은 당신과 황태후를 모두 끌어내리는 조건으로 몰래 숨겨 두었던 라이닝겐 가문의 사병을 공작에게 넘겨주기로 했어요."

"사병? 라이닝겐 공작가가 어머니의 눈을 피해 사병을 키우고 있었다는 거요? 그것도 다니엘이 탐낼 만큼 많이?"

레오폴드는 그를 끌어내리고 싶었다는 얘기보다 사병이 있다는 말에 더 관심을 드러냈다. 아내의 배신 고백에 이토록 무감한 반응을 보이는 남편이라니. 어이가 없으면서 조금 서글펐다.

"저도 살아야 하니까요. 후사를 잇지 못한 황후의 미래가 어떤지 폐하께서도 알잖아요."

"탓하려는 건 아니오. 어머니 모르게 용케도 세력을 키우다니 대단하다는 의미였소."

당장은 한편이 되기로 했지만, 어그러진 부부 관계는 어디서부터 어떻게 바로잡아야 하는 걸까. 루이즈는 갈 길이 멀어도 너무 멀다는 걸 새삼 깨달았다. 그래도 어렵게 찾아온 이 기회를 놓치고 싶진 않았다.

"앞으로는 황후 궁에 자주 들르세요. 제가 내키지 않아도 참고 오세요."

"황후가 내키지 않았던 건 아니오. 그저……."

"알아요. 어떻게든 아이를 가져 보겠다고 수단 방법을 가리지 않는 제게 질리셨던 거."

결혼 초기, 임신에 집착하는 그녀에게 레오폴드는 농담하듯 모친과 비슷한 면이 있다고 했었다. 라이닝겐 또한 십이 공작 중 하나이니 어느 정도는 맞는 얘기일지도.

"그래도 우리 다시 노력해 봐요. 내가 후사를 낳으면 아무리 황태후라 해도 당신을 흔들지 못할 거예요."

자신이 후계자만 낳으면, 바이첸이든 리하르트든 누구도 그녀와 그녀의 가문을 우습게 보지 못한다.

"그러니까 오세요. 기다릴게요."

목표가 생긴 황후의 파란 눈동자가 반짝 빛을 뿜었다.

한바탕 폭풍우가 휩쓸고 간 미라벨 정원에 적막이 찾아왔다. 어쩌다 보니 황태후의 정원에 홀로 남게 된 다니엘은 팔짱을 끼고 느긋하게 의자에 등을 기댔다. 모든 것이 그가 계획한 대로 진행돼서였을까. 좋은 추억이라곤 없는 장소에 앉아 있건만 간간이 들려오는 새소리나, 이마와 뺨을 간지럽히는 바람이 그다지 거슬리지 않았다.

"훗."

딱히 걱정이 많았던 것도 아닌데 느닷없이 긴장이 풀리며 실소가 터졌다.

'루이즈 황후가 그렇게 잘 해낼 줄이야.'

레오폴드야 워낙 속내를 숨기는 일에 인이 박인 자식이니 가증스럽게 굴 줄 알았지만, 황후가 그토록 수준급의 연기력을 가졌을 줄은 몰랐다.

"프레더릭과 소피아라니. 정말 너무 아름다운 한 쌍이네요. 지금 와 하는 얘기지만, 한창 꽃같이 어여쁜 소피아 공녀에게 다 늙은 콘라드 공작과 혼인하라고 하시다니. 레오폴드, 당신 너무했어요."

레오폴드를 나무라는 척 황태후를 한 방 먹이는 능청스러움에 감탄을 금치 못했다. 역시 황후는 보통내기가 아니다.

'앞으로도 경계를 늦추지 말아야겠어.'

아무래도 뷔테인 남작 부인의 임신 소식은 당분간 비밀에 부치는 것이 나을 것 같다. 황후가 목적을 위해 분노를 다스릴 줄 안다고 해도, 남편의 아이를 가진 정부나 미래에 태어날 사생아를 어찌 대할지는 미지수이니까.

적어도 이 혼란이 대충 정리가 된 이후에, 그때 말해 주는 게 낫겠지. 쉼 없이 들이닥치는 파도에 두들겨 맞고 넋이 나가 있을 레오폴드가 이 이상을 감당하는 건 무리이기도 하고.

등을 기댄 김에 고개를 들어 하늘을 올려다보았다. 파란 하늘을 유영하듯 떠다니는 흰 구름이 눈에 들어왔다.

'프리다를 닮은 색이군.'

밤새 제 손으로 흩트려 놓았던 아내의 머리칼이 떠올라, 단정하게 다물려 있던 입가가 부드럽게 휘어졌다. 지나치게 잔잔해 현실 같지 않은 풍경이다. 본인들이 무슨 짓을 했는지 알 리 없는 황제 부부가 유유히 정원을 떠난 이후 벌어졌던 혼란을 돌아보면 더 믿기지 않는 고요함이었다.

서로 눈빛을 주고받으며 다니엘의 눈치를 보느라 바쁘던 귀족들과, 좀처럼 보기 힘든 어안이 벙벙해진 황태후의 얼굴. 자초지종을 묻는 그들 앞에서 쩔쩔매는 클리마 백작도 볼만했지. 곤란에 처한 그는 얄팍한 속임수를 부리는 대신, 자세한 사정은 모른다며 시종일관 발뺌했다.

"그러면 프레더릭이 부친의 서명을 위조해 가짜 요청서를 썼다는 말인가?"

결국 분을 터트린 황태후가 확인을 해 봐야겠다며 먼저 정원을 뛰쳐나 갔고, 나머지 귀족들이 뒤를 따라 나갔다. 다니엘이 이 상황을 해명해 보 라고 따지기라도 할까 봐 겁을 먹고 꽁무니를 빼는 꼴하고는. 덕분에 그 는 홀로 남아 봄에 가장 아름답다는 미라벨 정원을 제대로 감상할 기회를 얻었다.

나른해진 기분에 젖어 든 다니엘은 눈을 감았다. 조금 전까지 눈에 담고 있던 고운 색깔들이 은색 빛이 되어 시야를 가득 채웠다. 물론 얼마 지나지 않아 파삭 부서지고 조각으로 나뉜 뒤 까만 어둠 속으로 스며들었지만. 놀 랍게도 그 뒤에 찾아온 어둠마저도…… 평화로웠다.

살랑거리는 바람 속에 실려 오는 진한 꽃향기의 정체가 궁금하지 않았 다면 조금 더 이대로 있고 싶을 만큼. 향기를 찾아 스르르 눈을 뜬 다니엘 의 눈길이 미라벨 정원의 아치를 휘감고 있는 푸른 덩굴에 머물렀다.

좀 더 정확히 말하자면 덩굴 사이마다 빈틈없이 대롱대롱 매달린 등나 무꽃 무리에.

무게를 이기지 못하고 아래로 축 늘어진 그 꽃은 다니엘이 어깨에 걸치 고 있는 망토와 같은 보랏빛이었다. 봄 햇살이 섞이면 보석처럼 반짝대는 프리다의 눈동자와 닮은 색. 보고 있으면 숨을 모두 빼앗길 것만 같은, 그런 데도 기꺼이 모든 걸 내어 주고 싶은 내 여자의 빛깔. 자신을 원망했지만 그 럼에도 미워지진 않았다고 말하던 그녀.

무조건 그를 믿는다는 미치도록 사랑스러운 여자의 색을 또 하나 찾았다. 어느새 그의 전부가 되어 버린 그녀를 떠올리게 하는 꽃 무리에 한없이 눈 이 갔다. 좀 더 머무를 구실을 찾아낸 다니엘은 손을 들어 멀찌감치 떨어져 있던 시종을 불렀다.

"찾으셨습니까, 전하. 필요한 거라도 있으신지요."

"차 한 잔 더 주게."

"알겠습니다."

급히 물러나는 이를 붙들고 갑작스레 떠오른 이름을 보탰다.

"로즈메리로."

"바로 준비하겠습니다."

차가 도착하기를 기다리며 다니엘은 등나무 덩굴이 드리워진 아치로 걸음을 옮겼다. 그는 점점 진해지는 향기를 만끽하며 한가로이 등나무 아치 아래를 걸었다. 덩굴이 만든 그늘을 지나며, 그 사이로 새어 들어오는 가느다란 빛줄기가 길을 안내하는 신비로운 공간을 감상하며 생각했다.

멘하임 성으로 돌아가면 이곳보다 더 길고 아름다운 길을 만들어야겠다고. 프리다가 햇볕을 두려워하지 않아도 되는, 얼굴을 드러내고 자유롭게 맘 편히 돌아다녀도 되는 곳을 아주 많이.

흐뭇한 상념에 빠진 채 등나무 길을 벗어나자, 이번엔 눈부신 햇살이 자비 없이 그의 얼굴로 쏟아져 내렸다. 덩굴 아래 선 다니엘이 잠시 눈을 감았다 떴을 때였다.

이번엔 세상에 존재하는 모든 색을 다 모아 놓은 듯한 화려한 연못이 그의 눈앞에 펼쳐졌다. 아름다움에 둔감한 편인 다니엘이 보기에도 무척이나 감동을 자아내는 광경이었다. 현실 같지 않은 모습에 돌연 눈이 시려 와 느리게 눈꺼풀을 감았다 떴다.

그 순간 싱그러운 초록빛 수풀과 나무, 은은한 색감의 꽃들이 어우러진 풍경 속에 환영이라기엔 너무 뚜렷한 꼬마 소녀가 나타났다. 새하얀 머리칼을 휘날리며 토끼처럼 수풀 사이를 깡충깡충 뛰어다니던 꼬맹이는 그가 눈을 깜박일 때마다 한 뼘씩 자라났다.

마구 헝클어졌던 머리는 차분하게 가라앉았고, 불안불안하던 뜀박질은 사뿐거리는 걸음으로 바뀌며 소녀에서 여인이 되었다. 부드러운 바람이 눈을 간지럽히는 탓에 실눈을 뜨고 바라봤다.

이젠 훌쩍 커 버린 환영 속의 여인이 흩날리는 머리칼을 넘기며 뒤를 돌았다. 한 팔 가득 랄레 꽃다발을 안은 프리다가 그와 눈이 마주치자 해맑게 웃으며 손을 흔들었다.

그의 뺨을 스쳐 지나가는 봄바람처럼 따스한 미소였다. 새의 지저귐을 닮은 그녀의 웃음소리가 귓가에 들려오는 것만 같았다. 다니엘은 쨍하게 내리쬐는 햇볕 아래 하얀 얼굴을 온전히 드러내고 서 있는 프리다의 모습을 맘껏 눈에 담았다.

자신이 만들어 낸 환상이라는 걸 알면서도 저절로 입꼬리가 비스듬히 휘어 올라가며 부드러운 미소가 지어졌다. 막 등나무 아치를 들어서는 인기척의 주인이 차를 들고 온 시종이 아니란 걸 알면서도 낮은 웃음이 삼켜지지 않았다.

이제 곧 끝내야 하는 행복한 상상을 잠시라도 더 끌고 싶었다. 결국 떼어 내지도, 죽이지도 못해, 골치 아픈 일만 잔뜩 만들어 버린 어리석은 저에게 이 정도 여유는 허락해도 될 것 같았다. 하지만 화살이 활시위를 떠나 버렸으니 더는 게으름을 부릴 시간이 없다.

지금쯤이면 그가 보낸 전령들이 세 귀족의 마차에 올라타, 리하르트 공작의 인장이 찍힌 서신을 직접 보여 주고 있을 것이다. 다니엘이 황태후가 아닌 황제 편에 섰음을 알리는 서신을 받은 귀족들은 그 자리에서 선택해야 한다. 다니엘의 편에 설 것인지, 아니면 그 마차 안에서 죽을 것인지.

황태후가 다니엘을 잡으려 들고 있던 패가 사라져 버린 것을 두 눈으로 똑똑히 본 측근들에게 알려 주는 것이다. 다니엘 리하르트는 황태후에게 실망했다고, 하여 몹시 분개하고 있다고. 그러니 리하르트 공작의 검 끝에 찔리고 싶지 않으면 그대들도 알아서 몸을 사리라고.

셈이 빠르고 목숨을 아주 아까워하는 자들이니 오래 고민하지 않고 다니엘이 원하는 답을 줄 것이 분명하다.

"여태 여기 있었던 거야?"

레오폴드를 눈에 담는 순간, 프리다의 환영이 아지랑이가 되어 허공으로 흩어졌다. 그것이 아쉬워 목소리에 날이 섰다.

"준비 중이었어."

"무슨 준비?"

"레오폴드 폐하의 적들을 한날한시, 한 번에 쓸어버릴 준비."

곤란해하며 일그러지는 황제의 표정이 예상보다 더 볼만했다.

"알아먹게 얘기해. 다니엘, 너 대체 무슨 생각으로 이러는 거야?"

"말 그대로야. 적들에게 준비할 시간을 주지 말고 폭풍우처럼 쓸어서 밀어내 버리자고."

"그러니까 어떻게? 황태후 파 귀족이 어디 한둘이야? 그 많은 수를 다 어쩌겠다는 거야?"

며칠 밤을 새우느라 수척해진 레오폴드가 이마를 짚으며 한숨을 쉬었다.

"그리고 그들의 손발을 다 묶어 버리면 이 첼리노가 돌아갈 거 같아? 하루도 지나지 않아 도시가 엉망이 돼."

"다는 필요 없어. 바이첸의 손발만 묶어."

"뭐?"

잔가지를 하나하나 다 쳐 내기엔 시간이 부족하니, 우선 큰 가지 몇 개만 묶어 두는 것이다. 그렇게 한다면 나무 기둥은 그대로 두고 흔들림만 자연스레 줄일 수 있다.

"가장 먼저 첼리노의 수도 경비대장인 네 숙부 로드리고 바이첸부터 해임해. 죄명은 공금 횡령, 권한 남용, 사유 재산 약탈, 사기, 도박."

누이를 닮아 음흉하기 이를 데 없는 자의 죄목은 도미닉이 대충 알려 준 것만 이 정도였다.

"로드리고를 시작으로, 오늘이 지나기 전에 첼리노에 직위를 가지고 있는 모든 바이첸들을 가택에 연금시켜. 오직 바이첸만. 황태후 파 귀족들은 노회한 자들이라 그게 어떤 의미인지 바로 알아챌 거야."

황제가 황태후 파를 모두 내칠 뜻이 없다는 걸 눈치챘다면 냉큼 말을 갈아탈 자들이다. 설령 불만을 품었더라도, 당분간은 얌전히 꼬리 내리게 하고도 남을 약점도 한가득 모아 두었다.

"수도 경비대장은 당분간 하인리히 업다이크에게 맡겨. 하인리히가 포섭한 황태후 파 귀족이 꽤 되니까 그들이 알아서 도울 거야."

"그자들이 배신하지 않는다고 어떻게 장담해?"

목적을 이루기 위해 신뢰를 밥 먹듯이 저버려 온 바이첸을 어머니로 두고 자란 놈 입에서, 배신을 걱정하는 말이 나오다니. 다니엘의 입술이 씁쓸하게 비틀렸다.

"그렇게 시간을 벌어 놓는 것까지가 내가 해 줄 수 있는 전부야. 그다음은 오로지 네 능력에 달렸어, 레오폴드."

얼굴색이 흙빛이 되어 가는 레오폴드를 바라보던 다니엘이 비스듬히 고개를 꺾고 싸늘한 조소를 흘리며 물었다.

"두려워?"

한 걸음 앞으로 다가온 그가 레오폴드의 눈을 응시하며 스산하게 속삭였다.

"진짜 두려운 게 뭔지 알려 줄까?"

다니엘이 오른손을 크게 펼쳐 레오폴드의 목을 감싸 쥐었다.

"다, 다니엘! 뭐 하는 짓이야?"

"여긴 우리 둘뿐이야, 레오폴드. 그리고 난 당장이라도 널 저 아름다운 연못에 수장시킬 힘이 있지."

"이, 이거 놔. 그, 근……."

턱 밑을 조이는 힘에 놀란 레오폴드가 흠칫 몸을 떨었다. 평생 남을 무시하고 짓밟으며 살아온 고귀한 귀족 도련님께서 한낱 완력에 놀라 어깨를 움츠렸다.

"다니엘. 레오폴드는 마음이 아픈 아이란다."

다니엘은 마음이 아픈 불쌍한 아우의 팔마저 다른 손으로 꽉 붙잡았다. 슬금슬금 뒷걸음질을 치지 못하고 오직 저만을 바라보도록. 그는 먹잇감을 노리는 야수처럼 눈빛을 빛내며 은밀한 대화를 나누듯 고개를 숙이고 말했다.

"근위대장을 부르고 싶어? 잘 생각해 봐, 레오폴드. 그가 달려오는 것이 빠를까? 아니면 내가 네 목을 조르는 게 빠를까? 장담하는데…… 근위대장이 도착하기도 전에 넌 죽어."

숨통을 누르지 않았으니, 호흡에 곤란이 올 정도로 위협적인 압박도 아니었다. 하지만 물리적인 힘을 경험해 본 적 없는 레오폴드에겐 충분히 두렵고도 남을 만한 수준일 것이다. 금세 새하얗게 질려 가는 레오폴드의 얼굴을 응시하던 다니엘이 피식 웃으며 손에서 힘을 풀었다.

"뭘 그리 놀라? 내가 진짜로 널 죽이기라도 할까 봐 겁나?"

"다, 다니엘. 이 미, 미친……."

"방금 네가 느낀 게 공포야, 레오폴드. 우리의 정신을 좀먹고 있는 그 실체도 없는 두려움이 아니라."

다니엘도 쉔달 성에 돌아와 황태후를 마주하고서야 알았다. 평생 그를 억누르고 무의식을 지배해 온 여인이 얼마나 작고 연약하고 늙었는지. 현실을 마주하고 나니 진짜 그녀가 보였다. 황태후가 이 제국을 쥐고 휘두를 수 있게 하는 힘의 정체가 뭔지도.

"내가 처음 검을 들었을 때, 아버지께서 하신 말씀이 있어."

말을 잇지 못하는 레오폴드를 무심히 바라보던 다니엘이 아련한 표정을 지었다.

"검이 가장 두려운 순간은, 휘두를 때가 아니라 검집에 들어가 있을 때라고 하셨지. 상대의 검이 언제 어디서 날아와 내 목을 칠지 모른다는 공포 속에 상대를 가두는 것. 그것이 진정한 힘이라고."

황태후가 다니엘과 레오폴드에게 한 짓이 그거였다. 공포 속에 가두는 것. 하지만 다니엘은 더는 황태후의 장난질에 속아 줄 마음이 없었다. 그에겐 지켜야 할 사람이, 절대 포기할 수 없는 소중한 것들이 있으니까.

"우린 이제 어른이야. 더는 네 어머니도 우리를 힘으로 누를 수 없어. 그러니 제대로 된 황제 노릇이 하고 싶으면 정신 똑바로 차리고 두려움을 마주하는 법을 배워. 이젠 네가 그들에게 진짜 힘을 보여 줄 차례야."

그것들을 지키기 위해 레오폴드를 선택했다.

"나는 네 편에 섰어, 레오폴드. 하지만 널 믿을 수 없다는 판단이 서면 바로 돌아설 거야."

"날 의심하면서 왜 돕겠다는 거지?"

그의 선택 기준은 단 하나다. 누가 프리다를 안전하게 보호해 줄 것인가.

"적어도 내 아내를 지켜 주겠다는 네 마음이 진심이라는 건 아니까."

프리다를 지키려는 마음의 실체가 애정이든, 동경이든, 자비심이든 상관없다. 그 마음이 아내의 든든한 방패막이가 되어 준다면 무엇이든 괜찮다.

"내가 없는 동안 그녀를 잘 지켜 줘. 이건 부탁이야. 원한다면 무릎도 꿇을 수 있어."

차분하고 낮은 음성과 달리 그의 눈빛만은 막 하늘로 솟아오르는 아침 태양처럼 붉었다. 그런 다니엘을 물끄러미 마주 보던 레오폴드가 혀를 차며 뒤를 돌았다.

"집어치워, 언제부터 네가 내 앞에서 무릎을 꿇었다고."

그러곤 목소리를 높여 뒤편에 두고 온 근위대장을 불렀다.

"근위대장!"

등나무 길 너머에 대기하고 있던 건장한 사내가 레오폴드 앞으로 뛰어와 허리를 숙였다.

"부르셨습니까, 폐하."

"황실 근위대에 황제의 명령을 전하라. 이 시간부로 로드리고 바이첸을 수도 경비대장직에서 해임하고, 하인리히 업다이크를 차기 수도 경비대장으로 임명한다.”

“······존명.”

“오늘 밤 내로 첼리노에 머무르는 바이첸 성을 가진 모든 이의 직위를 해제하고 그들을 자택에 감금한다. 내 명 없이 단 한 발짝이라도 저택을 벗어날 경우 즉결 처분을 허한다.”

“······존명.”

“그리고.”

흘깃 다니엘을 돌아본 레오폴드가 입술을 한 번 깨문 후 입을 열었다.

“오늘부로 모든 이의 미라벨 정원 출입을 금하고, 황태후 마그리트는 그녀의 궁에 유폐한다.”

“존명.”

마치 빗줄기처럼 등나무 덩굴 사이로 새어 들어온 찬란한 오후 햇살이 황제가 가는 길을 비췄다.

이미 모든 준비를 끝마치고 황제의 명을 기다리고 있던 하인리히는 기민하게 움직였다. 황제의 명이 ‘첼리노에 머무는 바이첸 성을 가진 이’에게 국한된 덕에 조치는 빠르게 이루어졌다. 그들은 자신들에게 어떤 위기가 닥쳤는지 인지할 틈도 없이 자택에 갇히고 감옥으로 끌려왔다.

다니엘뿐만 아니라, 레오폴드 또한 물밑에서 그들의 비리를 조사해 왔던 터라 죄목은 차고 넘쳤다. 황태후 궁이 군사들에 의해 에워싸일 때 잠시 소란이 있었지만, 이내 잠잠해졌다. 숨소리 하나 허투루 흘리지 않을 만큼 집중했던 시간이 끝나자 어느덧 자정에 가까워져 있었다. 늦은 밤 벨뷔 궁으로 돌아온 다니엘은 조심히 방문을 열었다.

"다니엘?"

잠들어 있을 거란 예상과 달리, 프리다는 다니엘이 문을 열자마자 그의 품으로 안겨 들었다.

"당신 괜찮아요? 괜찮은 거죠? 혹시 무슨 일이 생긴 건 아닐까 걱정했어요."

온종일 그리웠던 체향을 맡으니 살 것 같았다. 다니엘은 프리다의 목에 얼굴을 묻고 깊이 숨을 들이마셨다.

"난 괜찮아. 당신은? 갑갑하지 않았어?"

"전혀요. 뮤리엘을 간호하고, 뷔테인 남작 부인의 말벗이 되어 주느라 조금도 지루할 틈이 없었어요. 다니엘. 나요, 약속대로 밖에 한 발짝도 안 나갔어요."

다니엘은 안락했던 프리다와의 아침을 보내고 방을 나서며 다짐을 받았다.

"프리다. 오늘 성이 아주 시끄러워질 거야. 그러니 무슨 일이 있어도 벨뷔 궁 밖으로 한 걸음도 나와선 안 돼. 기사단이 궁 앞을 지키고 있으니 걱정할 건 없지만, 그래도 오늘 하루는 궁 안에만 있겠다고 약속해."

고개를 들어 얼굴을 마주 보자 프리다가 칭찬을 바라는 아이같이 해맑은 웃음을 머금고 있었다. 그를 안심시켜 주기 위해 애써 미소 짓고 있는 그녀가 아름답고 애처로웠다. 다니엘은 아내의 작은 입술 위에 다정히 제 입술을 포갰다.

조금 전 다니엘은 모레 새벽에 황실 군대 일부와 라이닝겐의 사병들만 이끌고 국경으로 가기로 결정을 내렸다. 변경백의 건강이 얼마나 나빠졌는지 모르니 더는 지체할 시간이 없었다. 그러니 남은 시간은 이틀, 아니, 자정이 지났으니 오늘 하루. 그리고 내일 동이 트기 전 고작 몇 시간뿐이었다.

마음이 급했다. 얼마 지나지 않아 부드럽게 뭉개지던 입술 사이로 거친 숨이 오고 갔다.

시간이 부족해 더 안달이 났다. 너를 안을 시간, 만질 시간, 혹 이별을 슬퍼하며 운다면 달래 줄 시간까지, 모든 것이 부족하다. 그런데 지금은 프리다와 입을 맞추고 그녀의 향기를 맡는 일 외엔 아무것도 떠오르지 않았다.

"프리다……."

다니엘은 뮌하임 성의 주방장 아델이 만들어 주는 달콤한 꿀술처럼 감미로운 이름을 부르며 천천히 앞으로 나아갔다. 침대 끝에 무릎이 걸리고, 아내의 체향과 비슷한 향기가 나는 이불 위에 함께 쓰러졌다.

"다니엘……."

한숨이 섞인 그의 이름을 듣는 순간 이성이 날아가 버렸다. 남은 하루의 시작을 보내는 다니엘의 손길이 어느 때보다 뜨거웠다.

세상에 뒤바뀐 채로 아침이 밝아 왔다. 첼리노의 백성들은 권력을 손아귀에 쥐고 있던 바이첸 가문이 하루아침에 무너졌다는 소식에 아침 식사도 잊고 시끌벅적 떠들어 대느라 바빴다.

"간밤에 황제의 숙부인 로드리고 바이첸이 수도 경비대장직에서 해임되었대. 그의 부친인 바이첸 공작은 가택에 연금되었고."

"뭐라고? 진짜야?"

"허허. 천지가 개벽했구먼. 이게 무슨 일이래."

여든이 넘는 나이로 병석에 든 지 오래인 바이첸 공작이야 그러라 치고, 나는 새도 떨어트린다는 로드리고 바이첸이 해임이라니. 연이어 들려오는 충격적인 소식에, 점심이 되기도 전에 성 밖은 이미 난리가 났다.

"황태후 폐하가 궁에 감금되셨대. 그뿐만이 아냐! 바이첸이란 바이첸은 죄다 집 안에 갇혔다는데?"

"뭐어?"

실질적인 바이첸 가문의 수장인 마그리트가 황태후 궁에 감금되었다는 소식이 전해지자, 온 수도가 벌집을 쑤셔 놓은 듯 시끄러워졌다.

"대체 이게 무슨 일이야? 어쩌다 바이첸 가문 사람들이 한날한시에 잡혀 들어간 거지?"

"자네 들었나? 새로 임명된 수도 경비대장이 하인리히 업다이크라네. 변경백의 아들."

"뭐? 그 미친 꽃사슴이?"

도무지 입을 다물 수 없는 소식이 거듭 들려오는 아침이었다.

침대에 누워 창문 틈새로 아침 햇살이 새어 들어오는 것을 보고 있던 다니엘은 품 안에서 꼼지락대는 아내의 손에 깍지를 꼈다.

"프리다……."

다니엘은 깍지 낀 손을 들어 프리다의 손등에 입을 맞췄다. 그녀가 잠에서 깨어났으니 이젠 말해야 한다. 차마 입이 떨어지지 않아 무엇부터 꺼내야 할지 망설이고 있는데, 프리다가 그의 가슴에 달라붙어 속삭였다.

"다니엘, 난 잘 지낼 거예요."

그녀의 숨결이 닿자 가슴이 욱신거렸다.

"잘 먹고, 잘 자고. 건강하고 튼튼하게 여기서 당신을 기다리고 있을게요."

저는 한 마디도 제대로 꺼내지 않았건만, 프리다는 이미 모든 걸 알고 있다는 듯 담담히 그의 품 안에서 웅얼거렸다.

"돌아오면 함께 우리 집으로 가요. 유트레히트로."

집……. 우리 집. 그녀가 사랑하는 세상. 이젠 다니엘도 사랑하게 된 그 세상으로 돌아가자고.

"그래, 그러자."

내가 꼭 데려가 줄게. 다니엘은 프리다의 말간 뺨과 손등에 연달아 입을 맞추며 다짐했다.

다니엘은 침대맡에 기대앉은 프리다의 허벅지에 머리를 대고 눈을 감았다. 늘어지게 게으름을 피우고 싶은 날이다. 온종일 프리다와 이야기를 나누거나 그녀를 품고 자고 싶은 마음뿐이다.

며칠 동안 화창하던 날씨가 찌뿌둥해져 더 그랬다. 이렇게 흐린 날에는 전부터 온몸이 물먹은 천처럼 무거웠다. 오래된 고질병인데 특히 무릎이 아팠다. 아려 오는 무릎을 세우며 자세를 뒤틀자 프리다가 그의 이마를 덮은 앞머리를 만지작대며 물었다.

"뜨거운 물수건으로 무릎에 찜질해 줄까요?"

감았던 눈을 뜬 다니엘이 그를 걱정하며 말간 눈을 깜박이는 프리다를 올려다보고 빙긋 웃었다.

"나 무릎 아픈 건 어떻게 알았어?"

"어떻게 몰라요. 삼 년이나 당신 몸을 봐 왔는데."

프리다는 그 얘기를 또 해 줘야 하느냐며 입술을 삐죽였다. 피식 웃은 다니엘이 손을 뻗어 튀어나온 입술을 꾹 눌렀다.

"맞아. 삼 년 동안 날 맘껏 만지고 주무르셨지. 혹시 다른 것도 했어? 날 만지다가 못 참고 입술을 맞췄다거나."

"어머, 다니엘! 어쩜 그리 부도덕한……."

다니엘은 아니라며 펄쩍 뛰는 프리다의 허리를 안고 그녀의 향기를 들이마셨다.

"나라면 이렇게 끌어안고 매일 당신 향기를 맡았을 것 같아."

덩치가 산만 한 남자가 아이처럼 그녀의 품에 안겨 코를 비볐다. 다정한 몸짓에서 그의 불안이 느껴졌다. 프리다는 부드럽게 구불거리는 까만 머리칼을 쓰다듬으며 차분하게 말했다.

"사람이 의식이 없다고 내내 꼼짝하지 않고 굳어 있는 건 아니에요. 오늘같이 날이 흐리면 당신 무릎이 평소보다 더 딱딱해지곤 했어요. 그래서 더 열심히 풀어 주곤 했죠."

그녀는 착잡한 시선으로 흐린 창가를 보며 중얼거렸다.

"내일은 날씨가 좋아야 할 텐데……."

"내가 내일 떠나는 건 어떻게 알았어? 만나면 직접 말해 주려고 했는데."

"하인리히가 어제 잠깐 들렀어요. 부친께서 다치셔서 상황이 안 좋다고 하더라고요."

하인리히 그 망할 자식이 입을 놀렸군. 어제라면 숨 쉴 틈도 없이 눈 돌아가게 바빴을 텐데, 대체 언제 와서 미주알고주알 일러바치고 간 걸까. 레오폴드에게 그 자식이 딴짓하지 못하도록 죽어라 돌리라고 해야겠다 다짐했다.

"변경백께선 심각한 상태인가요?"

떨리는 목소리를 듣는 순간, 이젠 그녀와 진지한 대화를 나눌 시간이 되었음을 깨달았다. 허리를 안은 손을 풀고 일어난 다니엘이 프리다를 침대 끝으로 이끌었다.

"이리 와, 프리다."

침대 끝에 나란히 앉아 프리다와 눈을 마주쳤다.

"정확한 상태는 직접 가서 봐야겠지만, 아마 알려진 것보다는 안 좋을 거야. 변경백은 본인의 일에 한해선 솔직하지 못해. 웬만해선 약한 소리도 안 하고."

차분히 가라앉은 프리다의 보라색 눈동자에 두려움이 비쳤다.

"당신도 내게 솔직하게 알려 주지 않을 건가요? 다치거나 아파도 소식을 보내지 않을 거예요?"

들기 좋은 말을 해 주고 대충 넘길 수도 있었지만, 저를 염려하는 순수한 눈동자를 보고 있으려니 거짓말이 쉽게 나오지 않았다.

"……아마도. 하지만 난 괜찮을 거야. 조금 다치더라도 금세 나을 테고. 그러니 당신이 괜한 걱정을 하는 건 싫어."

"난 그러지 않았으면 좋겠어요. 당신은 아프고 힘든데 나만 아무것도 모른 채 있긴 싫어요."

"프리다, 사랑하는 여인에게 나약한 모습을 보이고 싶어 하는 사내는 없어."

"하지만 난 이미 당신이 가장 약했을 때를 봤는걸요. 말했잖아요. 삼 년 동안 숨만 쉬는 당신을 씻기고 입히고 주……."

다니엘이 픽 웃으며 프리다의 손가락에 입을 맞췄다.

"알아. 이 손으로 주물럭거리셨지요."

"주, 주물럭거리다뇨. 난 그저 몸이 굳지 않으려면 만져 줘야 한다기에……."

"어디까지 만졌어?"

"네?"

"솔직히 말해 봐. 날 어디까지 만졌냐고?"

그는 프리다의 손을 가슴까지 끌어당겼다.

"여기?"

다음은 단단하게 골이 파인 복부로.

"아니면 여기? 그것도 아니면……."

다음은 조금 더 아래로. 속절없이 이끌려 내려간 손끝이 그의 골반 즈음에 닿았다.

"여기구나."

"다, 다니엘."

허겁지겁 손을 빼낸 프리다가 화르르 붉어진 뺨을 양손으로 감싸며 어깨를 뒤로 물렸다. 어딜. 다니엘은 그 틈을 타 얼른 입술을 포갰다. 가벼운 입맞춤이었지만 프리다의 얼굴이 불에 덴 듯 발갛게 달아올랐다.

"걱정하지 마. 당신이 의식이 없는 나를 주물럭거릴 일은 앞으로 영원히 없어. 난 건강한 몸으로 멀쩡히 살아서 돌아올 거고, 당신을 집으로 데려갈 거야."

당신이 사랑하는 우리의 집으로.

"부모님 곁으로 보내 주겠다는 약속 못 지켜서 미안해. 북부에는 전쟁이 끝나면 함께 가자."

다니엘의 품에 안긴 프리다는 그의 모든 말에 고개를 끄덕였다.

쏜살같이 하루가 지나고 다니엘이 국경으로 떠나는 날이 되었다. 그는 새벽이 될 때까지 보급과 후발대의 규모에 대한 긴 회의를 진행했다. 그 탓에 결국 눈 한 번 붙이지 못하고 길을 떠나야 했다.

다니엘의 계획대로 하인리히는 수도에 남았다. 첼리노의 병력이 돌아가는 정황을 가장 잘 파악하고 있으니 갑작스레 교체된 수뇌부의 공백을 메꾸기에 그보다 적당한 이는 없었기 때문이다.

무엇보다 차기 변경백이 황제의 편에 섰다는 신호를 보여 줌으로써 혹시 모르는 군대의 불만을 미리 방지하고자 하는 목적이 컸다. 뭉친 어깨를 주무르며 걷던 하인리히는 못내 미련이 남는 목소리로 중얼거렸다.

"언제나 되어야 이 갑갑한 수도에서 벗어나게 될지. 이건 뭐, 사냥을 맘대로 하러 갈 수가 있나, 말을 타고 내달릴 수가 있나. 그래도 만약을 대비해 나보단 네 녀석이 국경에 있는 게 낫긴 해."

국경 지대에서 리하르트 공작의 명성은 거의 업다이크 가문에 견줄 만한 수준이다. 하인리히는 만약의 경우 자신보다 다니엘이 그들을 잘 통솔할 거라는 점에 반론을 제기하지 않았다.

"네가 말하는 '만약'이 변경백의 사망을 의미하는 거라면 나도 안타깝군. 부친의 마지막을 지키고 싶어 하는 네 마음은 이해……."

하인리히가 갑자기 옆구리를 벅벅 긁어 대며 소리쳤다.

"워워워. 오글거려 소름이 돋으려고 하니 그만해, 다니엘."

그는 도지히 눈 뜨고 봐 줄 수가 없다는 듯 오만상을 찌푸렸다.

"업다이크 가문에서 태어난 남자들은 사람의 말을 알아듣게 되는 그 순간부터 죽을 때까지 전쟁터를 지키는 운명을 받아들이라는 얘기를 듣고 자란다고. 침대에 얌전히 누워 자손들에게 유언을 남기고 죽는, 그런 호사로움 따윈 아예 기대하지도 않아."

장난기가 넘치던 눈동자가 어느새 진중해졌다.

"내가 아무리 모자라도 업다이크로 태어난 사내야. 이대로 아버지가 돌아가신다면 그분은 가장 업다이크다운 죽음을 맞이하시는 거고, 난 그걸 영광스럽게 여길 거야."

첫 만남 이후 단 한 번도 진지한 모습을 보인 적 없는 하인리히는 부친의 사고 소식을 들은 이후 하루하루 무게감이 달라졌다. 하인리히도 '이름의 무게를 짊어진 자'가 되어 가고 있는 것이다. 다니엘이 리하르트 공작의 작위를 받고 난 다음 해. '칼레 전투'에서 만난 업다이크 변경백과 나눈 대화가 떠올랐다. 그는 특유의 근엄한 얼굴로 다니엘에게 말했다.

"자네도 드디어 이름의 무게를 짊어진 자가 되었군."

"이름의 무게? 리하르트 공작 위를 받은 걸 말하는 겁니까? 천한 사생아에게 내려진 이딴 이름 누가 신경이나 쓴다고. 무게는 개뿔."

"자네가 받은 그 이름엔 자네의 부친. 그리고 선조들의 명예가 새겨져 있지. 자네는 그저 이름 하나가 아니라 바로 그 모두의 명예를 어깨에 짊어지게 된 거네."

다니엘이 앞으로 어찌 살아야 하는지 고민하게 만든 분이 바로 업다이크 변경백이다.

"이전에 뭐였는지는 상관없네. 그 이름을 받은 순간 자네에겐 전대 리하르트 공작들의 삶이 얹혀졌어. 다음번 리하르트 공작의 어깨에 불명예를 얹어 주고 싶은 게 아니라면. 이름에 어울리는 행동을 하게. 그것이 앞서 세상을 살아가는 자가 해야 할 의무라네."

다니엘은 위로와 격려를 담아 저와 같은 무게를 지고 살아가게 될 친구의 어깨를 툭 내리쳤다.

"제대로 해, 하인리히. 수도의 백성들이 차기 변경백을 믿을 수 있게 제대로 신뢰를 쌓아."

"신뢰도 보여 주고, 나의 친구 프리다도 잘 지키고 있을 테니 걱정하지 마시고. 어서 아내에게나 가 보시지. 너 기다리다 프리다 목 빠지겠다."

한참 전부터 다니엘의 시선은 구름이 잔뜩 낀 하늘 아래 선 프리다에게 향해 있었다.

아직 공식적으로 전쟁이 선포되지 않았기에 대규모 출정식 없이 조용히 길을 떠나기로 한 터였다. 그래서인지 그들을 배웅하러 나온 이는 벨뷔 궁사람들뿐이었다. 일행들 앞으로 다가간 다니엘은 먼저 아내의 왼편에 선 뮤리엘을 찾았다.

"로시발트 경, 프리다를 잘 부탁한다."

"미약한 힘이나마 목숨을 바쳐 지키겠습니다. 염려하지 마시고 잘 다녀오십시오, 전하. 무운을 빕니다."

고개를 까닥인 그는 뮤리엘 뒤편에 선 로잘린에게도 짤막한 당부를 남겼다.

"로잘린, 믿겠다."

"네, 전하. 무운을 빕니다. 언제나처럼 이기고 돌아오십시오."

드디어 프리다의 눈을 마주 보았다.

눈물을 참으며 치맛단을 꼭 쥔 손에 힘을 주고 있던 프리다가 입술을 파르르 떨며 그를 불렀다.

"다니엘."

아내의 떨리는 손을 바라보던 다니엘이 프리다의 어깨를 당겨 안았다. 주변 사람들이 알아서 두어 걸음 뒤로 물러나 주었다.

"내가 없는 동안 레오폴드와 하인리히가 그대를 지켜 줄 거야."

말을 마친 다니엘은 불만스레 살짝 눈을 찡그리며 그녀의 귀 가까이 고개를 숙였다.

"둘 다 음흉한 놈들이니 너무 믿지는 마. 친하게 지내지도 말고."

낮게 중얼거린 그의 말에 설핏 미소를 짓던 프리다가 이내 맑은 눈물방울을 뚝 떨어트렸다.

"미, 미안해요. 울지 않으려고 했는데."

토닥토닥, 울먹이는 프리다를 달랜 그가 그녀의 이마에 부드럽게 입술을 맞추며 속삭였다.

"유트레히트에 돌아가면 테라스가 있는 방에서 함께 윈터 호른을 보자. 당신이 되고 싶었다던 랄레 꽃이 흐드러지게 핀 산등성이도 함께 걷고."

프리다와 함께할 가슴 벅찬 미래가 있기에 다니엘은 꼭 무사히 돌아올 작정이었다.

"금방 올게. 당신이 내 빈자리를 그리워할 틈도 없이 금세 돌아올게."

프리다는 당신이 눈에서 보이지 않는 순간부터 그리워할 거란 말은 차마 하지 못했다. 떠나는 그의 발걸음이 무거울까 봐.

"기다릴게요."

그저 희미하게 웃으며 이 한마디만을 내놓았다.

"그래, 기다려."

당신이 기다리고 있다는 이유만으로도 난 끝끝내 살고 싶어질 테니. 아내를 안은 다니엘의 팔에 힘이 들어갔다.

"흠흠."

도미닉이 그만 가야 한다며 신호를 보냈다. 프리다에게 미소를 건넨 도미닉이 뒤에 있던 시종에게 발자크를 데리고 오라며 수신호를 보냈다. 꾹. 프리다의 어깨를 한차례 힘주어 쥔 다니엘이 힘겹게 그녀를 놔주었다.

"다녀올게."

그 한마디를 남기고 돌아서는 다니엘의 망토가 아쉬움에 살며시 뻗은 프리다의 손을 스쳤다. 더 할 말이 남았는데…… 다치면 화낼 거라는 엄포도 놔야 하고, 식사를 잘 챙기라는 당부도 해야 하는데…….

어느새 다니엘은 발자크의 등에 올라타 버렸다. 차마 그를 부르지도, 옷자락을 붙들지도 못하는 사이. 짧게 프리다와 눈을 맞춘 다니엘이 발자크의 옆구리를 쳤다. 그것을 시작으로 한 무리의 군대가 절도 있게 그를 따라 움직였다.

"다, 다니엘……."

가녀린 프리다의 목소리는 주위의 소음에 묻혀 제 귀에도 들리지 않았다. 이렇게 간다고? 정말 떠난다고? 난 아직 못 한 말이 많은데. 프리다는 하염없이 흐르는 눈물을 닦을 생각도 하지 못하고 성문을 향해 가는 남자를 멍하니 바라봤다.

보고 싶을 거라고, 당신을 많이 그리워할 거라고. 다치면 안 된다고, 아프지 말라고. 날 절대 잊지 말라고도 해야 하는데. 사랑한다는 말도…… 못 했는데. 하지 못한 말을 되뇌며 입술만 달싹이는 동안 다니엘은 점점 멀어져 갔다.

"다니엘……."

겨우 떨어진 입술 사이로 눈물에 젖은 이름을 부르던 순간, 돌연 행진하던 군대가 움직임을 멈췄다. 뚝뚝 떨어지는 눈물을 닦지 못한 프리다는 앞을 제대로 볼 수 없었다.

그저 듣기만 했다. 웅성대는 말소리, 군마들의 투레질 소리. 그리고 우두커니 서 있는 프리다를 향해 달려오는 발자크의 말발굽 소리를.

뿌옇게 먼지를 피워 내며 뒤돌아 달려온 발자크가 스무 발자국 앞에 멈쳤다. 말 등에서 펄쩍 뛰어내린 다니엘이 진한 보랏빛 망토를 펄럭이며 뛰어왔다. 펑펑 울고 있던 프리다도 그를 향해 힘껏 뛰었다.

가까스로 다니엘을 붙잡은 프리다는 쓰러지듯 그의 품에 안겼다. 하염없이 떨어지는 눈물이 그의 은빛 갑옷을 타고 흘러내렸다.

"흑흑, 다치지 말아요. 흑, 다니엘, 아프면 안 돼요."

흐느낌이 봇물 터지듯 쏟아졌다.

"무사히 돌아온다고 약속해요. 흑…… 털끝 하나 상하지 않을 거라고 맹세해 줘요."

멀어져 가는 그의 등을 보는 순간, 4년 전 수레에 실려 하크본 저택에 도착했던 다니엘의 핏기 없는 얼굴이 떠올랐다. 프리다는 극도의 공포에 빠졌다. 또다시 그때와 같은 모습을 보게 되는 건 아닐까 하는 두려움이 엄습했다. 그런 무서운 일이 또 생긴다면, 그때는 버티지 못하고 무너져 내리고 말 텐데 어떡하지.

짧고 덤덤한 인사로 이별을 끝내려 했던 그에게 설움마저 북받쳤다. 걸음을 돌린 다니엘을 마주하자, 프리다의 마음이 폭풍우에 휩쓸린 물푸레나무 가지처럼 갈피를 잡지 못하고 마구 요동쳤다.

"맹세해요. 이번엔 절대 다쳐서 수레에 실려 오지 않겠다고 맹세하란 말이에요. 엉엉, 맹세해요."

다른 귀부인들이 먼 길을 떠나는 남편과 어떤 식으로 이별하는지는 모르겠다. 우아하고 고상한 표정으로 끝까지 위엄을 잃지 않고 '잘 다녀오세요.' 이렇게 인사하고 담백하게 헤어지려나. 하지만 프리다는 그럴 수 없었다. 그래지지 않았다.

'어떻게 담담하게 보내. 이렇게 마음이 아픈데.'

이토록 침이 바짝바짝 마르고 심장이 찢어질 것 같은데, 어떻게 웃으면서 떠나보낸단 말인가.

다니엘의 보랏빛 망토를 움켜쥔 프리다는 답을 재촉했다.

"얼른, 흑…… 얼른 맹세해 줘요. 안 하면 이 손 안 놓을 거야. 엉엉……."

흐느낌은 어느새 통곡이 되었다. 슬픔을 이기지 못한 프리다의 몸이 땅으로 힘없이 무너져 내리자, 다니엘이 한쪽 무릎을 꿇고 그녀를 꽉 끌어안았다. 그 순간에도 프리다는 손에 쥔 다니엘의 망토를 놓지 않았다.

체통 없는 점잖지 못한 공작 부인이라고 욕을 먹어도 상관없다. 비록 말뿐인 약속이라 해도 그의 맹세를 듣고 싶었다. 맹세의 무게를 아는 다니엘은 입 밖으로 꺼낸 말을 반드시 지키려고 노력할 것이고, 저는 그 희망만으로도 버틸 수 있을 테니.

"다니엘…… 흑흑……."

어깨를 들썩이며 우는 프리다의 귓가에 탁하고 갈라진 음성이 들려왔다. 다니엘도 프리다만큼이나 감정을 다스리지 못하고 있었다.

"……맹세할게."

온갖 마음이 뒤섞여 소용돌이치는 목소리 가득 격정이 묻어났다. 프리다의 목에 입술을 묻은 그가 뜨거운 숨을 내뱉었다.

"맹세해, 프리다. 어디 하나 다친 곳 없이 멀쩡히 두 발로 걸어 당신에게 돌아올게."

고개를 든 그는 프리다의 어깨를 감싸 쥔 채 눈을 응시했다. 프리다의 눈가에 그렁그렁 차올랐던 눈물이 도르르 아래로 흘러내렸다. 물기에 젖은 보랏빛 눈동자가 막 슈프렌 강의 수면을 치고 올라온 붉은 태양 빛으로 채워지는 것을 바라보며, 다니엘이 낮고 뜨겁게 속삭였다.

"……사랑해."

다니엘은 심장을 녹이고도 남을 열기를 담아 고백했다. 눈물로 얼룩진 프리다의 뺨 위에 다니엘의 입술이, 뒤이어 입술보다 더 부드러운 목소리가 살포시 내려앉았다.

"돌아오면 두 번 다시 당신과 헤어지지 않겠다고도 약속할게. 그러니 울지 마."

후우, 짧게 한숨을 흘린 다니엘이 빙긋이 웃으며 말했다.

"모르나 본데, 당신이 울면 내 심장이 찢겨 나가는 거 같아."

프리다는 콧물을 훌쩍이며 어깨를 들썩였다.

"아, 알아요. 내가 왜 몰라요. 흑…… 나도 당신과 똑같다고요."

"알면 울지 마. 내 심장을 누더기로 만들고 싶은 게 아니라면 인제 그만 웃어 줘. 당신 웃는 얼굴 보고 가려고 돌아온 거란 말이야."

담담한 이별을 할 수 있을 거라 여겼다니…… 오만이었다. 발자크의 등에 올라탈 때부터 그의 머릿속은 온통 눈물을 참고 있는 프리다의 얼굴로 가득 차 버렸다.

그래서인지 도저히 발이 떨어지지 않았다. 누군가가 목 끝에 검을 들이대고 가지 않으면 죽이겠다고 협박한다 해도, 이대론 떠날 순 없었다.

"프리다, 이제 웃어 줘. 당신의 미소를 봐야 떠날 수 있을 것 같아."

도미닉이 달려와 그의 목덜미를 잡아끈다 해도 이대로는 못 간다.

"제발, 프리다……."

다니엘이 간절히 애원하며 그녀의 목을 어루만졌다. 손등으로 눈물을 훔친 프리다는 결심한 듯 예쁘게 눈을 접으며 웃었다. 제 미소가 부디 다니엘의 기억에 오래오래 남길 바라며, 눈이 부시도록 환하게 미소 지었다.

"잊지 말아요. 다니엘, 나 절대 잊으면 안 돼요."

그렇지만 그의 기억 속에 또 존재하지 않는 사람이 되어 버리면 어쩌나 쭉 애가 탔던 탓에, 바들바들 떨리는 목소리에 담긴 불안까지 감추진 못했다.

"안 잊어."

그 순간, 다니엘이 올곧은 눈빛으로 프리다를 응시하며 단호히 맹세했다.

"앞으로도 영원히 내 마지막 기억은 프리다 당신일 거야."

머리가 깨지고 심장이 멈춘다 해도. 하늘 높이 솟아오르는 태양을 어깨로 가린 다니엘이 설핏 안도하는 프리다의 뺨을 감싸고 깊이 입을 맞췄다. 때마침 회색 구름이 물러난 파란 하늘에 묵직한 뿔피리 소리가 울려 퍼졌다.

하룻밤 새 황태후 궁의 많은 것이 달라졌다. 모든 창을 커튼으로 가리라는 명령이 떨어졌고, 하인과 시종, 시녀들이 바쁘게 오가던 복도는 무장한 황실 근위대로 채워졌다. 스테인드글라스가 만들어 낸 다채로운 빛깔의 햇볕이 온종일 내리쬐던 홀과 복도엔 어둠과 정적만 감돌았다.

사람의 출입이 엄격하게 통제되어 더욱 을씨년스러워진 그곳에 홀연히 나타난 황제는 저벅저벅 복도를 걸어가 육중한 나무 문 앞에 섰다. 잠시 매무새를 가다듬은 레오폴드는 길게 심호흡을 한 후 똑똑 문을 두드렸다. 그다음, 들어오라는 허락을 기다리지 않고 바로 문을 밀었다.

복도와 똑같이, 짙은 색 커튼이 드리워진 방 안 한편에 앉아 있던 마그리트 황태후가 고개를 들었다. 같은 빛깔의 파란 눈동자가 서로 다른 의미를 담고 마주쳤다. 무미건조한 어머니의 시선을 묵묵히 받아 주던 레오폴드가 이내 천천히 입을 열었다.

"다니엘이 국경으로 떠났습니다."

"……."

아무 대꾸도 들려오지 않았지만, 그는 개의치 않고 계속 말을 이어 갔다. 어차피 어머니와 대화를 나누기 위해 온 것이 아니었으니까.

"남쪽에서 전서구가 도착했습니다. 쿠펀 항으로 들어오는 해협으로 수상한 함대가 몰려들고 있다더군요. 상선으로 위장한 투르크의 군함이었습니다. 투르크가 솔론족과 손을 잡았습니다. 우리의 눈을 동쪽 국경으로 돌리게 한 뒤, 남쪽 바다로 침범해 들어올 계획이었던 겁니다."

다니엘 말대로였다. 솔론족은 전처럼 그저 국경만 들쑤시다 갈 생각이 아니었던 거다.

"황태후도 투르크의 함대가 남쪽 바다를 통해 바이마르로 진격해 올 거란 예상까진 못 했겠지. 두 세력이 힘을 합쳤다는 정보를 듣고도 그저 국경의 전투가 전보다 치열해질 거라고만 예측했을 테고. 그래서 황태후가 잠자코 기다린 거야. 가장 효과적으로 네게 타격을 줄 때를."

어머니라면 당연히 그러고도 남을 사람이지만, 그럼에도 설마 했었다. 저 하나 몰아내자고 제국 전체가 위험에 빠지는 걸 보고만 있을 리가 없다고, 그리 여겼건만. 아무리 권력에 눈이 돌아 있어도 이건 아니지 않나. 담담하던 레오폴드의 음성에 돌연 분노가 더해졌다.

"어머니가 무슨 짓을 했는지 이제 아시겠습니까? 어머니와 그 잘난 바이첸들 덕에 스베르겐 제국이 쑥대밭이 될 뻔했습니다. 어찌 이러실 수가 있습니까?"

고요히 레오폴드를 응시하던 마그리트 황태후가 가소롭다는 듯 입술을 비틀며 입을 열었다.

"황제께선 본인이 다니엘의 손에 놀아나고 있다는 건 아십니까?"

"어머니!"

"모르셨나 보네요. 하긴 폐하께선 예전부터 유독 다니엘을 동경하셨죠. 천한 핏줄이라 무시하면서도 그 녀석을 닮아 가고 싶어 안달하셨어요. 다니엘 뒤를 졸졸 쫓아다니며 관심을 구걸하는 꼴이 영락없는…….."

레오폴드를 훑어 내리는 시선과 꿈틀거리는 입꼬리에 명백한 비웃음이 걸렸다.

"푸들…… 이었지."

"어머니!"

성이 나 테이블을 내려치는 아들을 보며 마그리트 황태후가 비릿한 미소를 흘렸다.

"어리석은 것. 이게 다 다니엘의 계획이었다는 걸 아직도 모르겠니? 그 아이는 내가 소피아를 저와 혼인시키려 한다는 걸 알고 있었어. 내가 누구를 제 짝으로 들이밀지 미리 알고, 너를 이용해 수를 쓴 거다."

곱씹을수록 어이가 없으면서도 한편으로는 감탄스러웠다.

"알면서도 모르는 척 의뭉을 떨며 때를 기다려 온 거지."

바이첸보다 더 바이첸스러운 수법에, 다른 이도 아니고 이 마그리트가 넘어가다니. 마그리트의 잇새로 피식피식 계속해서 실소가 새어 나왔다.

"다니엘에게 먼저 손을 내민 건 어머니였습니다. 입만 열면 다니엘을 천한 사생아라고 비웃던 분께서 그 녀석의 씨를 얻어 보겠다고 친히 그 혼인을 제안하셨지요."

어머니는 신념을 무너트리고 미움마저 잊으면서까지 친아들인 저를 몰아내고자 한 것이다. 레오폴드는 새삼 제 몸에 흐르는 바이첸의 냉정한 피에 치가 떨렸다.

"아쉽네요. 어머니의 계획이 성공했다면 제 자리는 라우라 님의 핏줄로 채워졌을 텐데."

돌연 황태후의 눈에 이채가 돌았다. 어머니가 반응하는 것을 느낀 레오폴드의 혀가 더 신랄해졌다.

"잊으셨습니까? 다니엘은 어머니 손으로 죽인 정부의 아들입니다. 제가 그리 원망스러우셨습니까? 남편의 마음을 가져간 것이 괘씸해서, 시답잖은 이유로 죽여 버린 정부의 핏줄을 필요로 할 만큼?"

"네가……."

마그리트는 화를 삼키듯 한 차례 호흡을 골랐다. 시리도록 차가운 파란색 눈동자가 이글이글 독기를 드러내며 레오폴드를 노려봤다.

"내가 이룬 것을 빼앗아 가려 했으니까. 내 아들인 네가, 내 손으로 황제의 자리에 앉힌 네가 바이첸이 정당하게 누려야 하는 것들을 인성하지 않았으니까."

"바이첸이 아니라 제 것입니다. 제국의 황제는 마그리트 바이첸이 아니라 바로 나 레오폴드 리하르트란 말입니다!"

"어림없는 소리!"

꽈당.

벌떡 일어서는 마그리트의 뒤로 의자가 넘어갔다. 그녀는 자신보다 한참이나 키가 큰 아들을 올려다보며 고함을 질렀다.

"이 제국은 바이첸이 지켜 왔다!"

황위 싸움에서 살아남기 위해 스스로 몸을 상하게 했던 아버지 바이첸 공작이, 그리고 뼈를 깎는 고통을 감내해 온 마그리트 자신의 노력으로 지켜 낸 제국이다.

"머리에 든 것 없는 순진하고 멍청한 리하르트 따위에게 주려고 그 모진 세월을 버틴 것이 아니란 말이다!"

마그리트의 아버지 바이첸 공작은 죽음의 위협에서 벗어나기 위해 스스로 다리에 검을 휘둘렀다. 덕분에 황위 싸움에서 멀어질 수 있었던 그는 다른 십이 공작들의 눈을 피해 철저히 집 안에서만 지냈다. 그러고는 일찍부터 마그리트를 황후로 만들겠다는 목표를 세웠다.

"마그리트, 황후가 되어라. 네 피를 물려받은 자식이 스베르겐의 황제가 되면 이 제국은 우리 바이첸의 것이 된다. 황제가 되지 않아도 이 제국을 영원히 우리 가문의 발아래 둘 수 있어."

황후 수업이란 명목으로 어린 소녀가 감당하기 힘든 과제들이 매일같이 그녀에게 떨어졌고, 마그리트는 모두 견뎌 냈다.

"이리 쉽게 남의 손에 넘겨주려고 내가 그 힘든 세월을 참아 왔는지 아느냐? 천만에. 내 가문의 인내와 노력이 없었다면 네가 황제가 되었을 것 같아? 은혜도 모르고……."

"은혜를 베푼 걸로 따지면 어머니께서 제게 고개를 숙이셔야지요. 잊으셨습니까?"

한 발 앞으로 걸어간 레오폴드가 허리를 숙이고 마그리트의 귓가에 속삭였다.

"섭섭하네요. 바이첸 가문이 합심하여 아버지를 서서히 말려 죽였다는 증거도 숨겨 드렸는데."

"증거라니? 무슨 소리냐?"

동요하는 모친을 지그시 내려다보던 레오폴드가 싸늘하게 미소 지었다.

"기억나십니까? 디기탈리스 독."

사람의 몸을 마비시켜 서서히 죽음에 이르게 하는 독의 이름을 언급한 레오폴드는 어머니를 향해 숙였던 어깨를 천천히 일으켰다.

"오늘은 경고를 드리러 온 겁니다."

"새삼 네 아버지 일은 왜 거론하는 거냐? 내막을 몰랐던 것도 아니면서."

레오폴드는 단정한 입매를 무너트리며 씁쓸하게 웃었다.

"네, 알았지요. 알면서도 살기 위해 입을 꾹 다물고 있었습니다. 하지만 과거와 달리 이젠 제게 진실을 밝힐 힘이 있어서요."

과거와 달리? 레오폴드의 말에서 한 가지 일을 떠올린 마그리트가 눈가를 찡그렸다.

"혹시 그때 그 탄원서가……?"

당시 리하르트 공작의 의문스러운 죽음을 조사해 달라는 의문의 탄원서가 황실 법원에 제출되었으나, 증거 불충분으로 흐지부지되었다. 그 탄원서를 법원에 보낸 이가 레오폴드였나? 레오폴드는 그녀의 추측이 맞다는 뜻으로 가볍게 고개를 끄덕였다.

눈치가 빠른 분이니 이 정도로 운만 띄워도 충분히 알아들었을 것이다. 레오폴드가 리하르트 공작의 의문사를 해결할 수 있는 확실한 증거를 가지고 있으며, 그것을 언제든 세상에 드러낼 준비가 되어 있다는 걸.

자기 아들이 바이첸 일가를 싹 쓸어버리기 위해 그때 일을 꺼내 든나면 무사할 이가 없을 거라는 것도. 레오폴드는 그를 의심스러운 눈초리로 바라보는 어머니에게 싱긋 미소를 건넸다.

"얌전히, 숨소리도 내지 말고 사세요. 제가 바이첸의 씨를 몽땅 말려 버리기 전에."

사실 리하르트 공작의 독살은 공공연한 비밀이었다. 당시에도 물증이 없어 의문을 제기하지 못했을 뿐이다. 당사자인 브루노 리하르트 공작조차 자신이 어디에서 뭘 먹고 중독된 건지 몰랐고. 무엇보다 몸이 이상하다는 걸 깨달았을 땐, 이미 손을 쓸 수가 없는 상태였다.

공작가의 의사들도 모두 마그리트에게 매수가 된 뒤였고, 후에는 공작 본인이 살 의지가 없었다. 라우라의 죽음을 알게 된 후론 오히려 죽음을 기다렸던 듯도 하다.

그런데 그때의 증거를 레오폴드가 가지고 있다고? 대체 뭘? 그때 레오폴드 나이가 겨우 열 살? 아니, 열한 살이었나? 그녀의 머릿속이 바쁘게 움직였다.

"그리 고민하실 것 없습니다. 어머니만 얌전히 계시면 그 증거가 황실 법원에 제출될 일은 없으니까요. 저는 몸이 불편하신 외조부께서 저택에서 편히 돌아가시길 바라고 있답니다."

자존심 강한 노인이 권력을 잃었으니, 레오폴드가 따로 조치하지 않아도 며칠 내로 화병이 도져 죽었다는 소식이 전해져 올지도 모른다. 굳이 자신이 손을 대지 않아도 외조부는 충분히 굴욕적인 죽음을 맞이할 예정이다.

"외조부를 그 연세에 살인 교사죄로 감옥에 들어가시게 할 순 없지요. 하지만 숙부는 죄가 워낙 크셔서 교수형을 면하기 어렵겠습니다."

레오폴드는 오래전 소년의 머리에 새겨 넣었던 편지의 문장을 하나하나 암송해 나갔다.

"마그리트, 리하르트 공작의 잔에 디기탈리스 독을 너무 많이 넣었어. 마비 증세가 급격하게 악화될지도 모르겠구나. 내가 양 조절에 실패했지 뭐냐.' 예나 지금이나 숙부는 조절이란 걸 할 줄 모르시니 안타까울 뿐입니다."

마그리트는 저도 모르게 주먹을 꽉 쥐었다.

그녀가 가문 사람들과 주고받는 편지는 모두 암호로 작성된다. 암호를 모르는 다른 이가 보기엔 그저 대수롭지 않은 일상적인 글에 불과했을 텐데, 그걸 겨우 열 살 남짓 된 아이가 해석해 냈다고?

자신이 구석에 몰렸다는 것을 깨달은 그녀는 재빠르게 머리를 굴렸다. 궁에 유폐된 와중에 과거의 일로 재판을 받게 되면, 그나마 추이를 살피고 있는 가신들까지 떨어져 나가게 된다. 게다가 비슷한 방식으로 해치운 다른 사건들까지 수면 위로 드러날 수도 있었다.

'어떻게든 레오폴드와 다니엘의 사이에 의심을 심어 시간을 벌어야 하는데……'

초조해진 그녀의 손가락이 연신 치맛단을 긁었다.

"어리석구나, 레오폴드. 다니엘이 온전한 네 편이 될 듯싶으냐? 그 야심 많은 녀석이 네 그늘에서 만족할 것 같아?"

어림도 없는 소리. 그럴 거라면 다니엘이 평생토록 굴욕을 참으며 레오폴드의 사냥개 노릇을 해 왔을 리 없다. 다른 사람은 몰라도 마그리트는 알고 있다. 어린 다니엘의 눈빛에 서렸던 힘에 대한 갈망은 저와 놀랍도록 닮아 있었으니까.

"천만에. 그 아이의 야망은 네가 짐작하는 것보다 크다. 결국 다니엘이 너를 무너트리고 이 제국을 삼키고 말 거야."

"상관없습니다. 전 지금 다니엘이 필요하고, 다니엘에게도 제가 필요합니다. 적어도 우린 서로 거래할 만큼 원하는 것들을 가지고 있고요. 딱히 다니엘에게 제시할 패가 없는 어머니와는 처지가 다르다는 이야기입니다."

물론 두 사람 사이에 쌓인 복잡한 응어리가 겨우 며칠 밤 심금을 터놓고 대화를 나눴다고 해서 풀릴 리는 없었다. 레오폴드는 다니엘을 온전히 믿지 못하고, 그건 다니엘 또한 마찬가지다.

"너와 나 사이의 문제는 당장 눈앞에 닥친 전쟁이 끝난 후에 생각해도 늦지 않아."

다만 어머니가 방관한 전쟁이 두 사람이 힘을 합치도록 도왔으니 아이러니한 일이라고 할 밖에.

"이만 가 보겠습니다. 보급 문제를 의논해야 해서 좀 바쁩니다."

할 말을 마친 레오폴드는 바짝 굳어 있는 어머니를 향해 건조한 미소를 보여 준 후 뒤를 돌았다. 끝까지 평정심을 지키던 마그리트는 문이 닫히자마자 바닥으로 주저앉았다. 뒤이어 들어온 황태후 궁의 시녀가 달려와 그녀를 부축했다.

"황태후 폐하, 괜찮으십니까?"

생각해 내, 마그리트. 이대로 무너질 수는 없어. 방법을 생각해야 한다. 방법을.

"아무도, 아무도 없어? 내 소식을 바이첸 저택에 전할 자가 이리도 없냐고?"

"네……. 하인들이 식자재를 들일 때만 문이 열린다고 합니다. 경비가 너무 철저해요."

레오폴드가 바이첸 가문의 암호를 알고 있으니 편지를 전하는 건 위험하다. 결국 사람이 직접 가야 한다는 건데…….

"사람을 매수해. 돈은 얼마가 들어도 좋으니 경비 하나를 구워삶아. 소피아 그 아이를 절대 프레더릭과 결혼하게 둬선 안 돼. 절대."

"하오나 이미 황실의 승인까지 떨어진 일이라……."

"무조건 막으라고 해. 클리마 백작은? 그 인간은 지금 어디 있지?"

"자택에 감금되어 있진 않으나, 황태후 궁 출입을 금지당했습니다."

레오폴드의 말대로 소피아 말고는 패가 없으니 절대 그 아이를 이대로 프레더릭과 결혼시킬 순 없었다.

"그에게 가서 내 말을 똑바로 전해. 바이첸의 떨거지로라도 살아남고 싶으면 아들을 말리라고."

이 방법만은 쓰고 싶지 않았지만 이제 다른 방도가 없다.

'날 여기까지 밀어 넣은 건 너다, 레오폴드.'

이 땅에 정통성을 갖춘 십이 공작의 후손이 리하르트 남자들뿐인 건 아니니 다른 이를 찾는 수밖에. 마지막 수단을 찾은 마그리트의 눈동자가 차갑게 번득였다.

다니엘이 떠난 지 보름 후, 투르크와의 전쟁 소식이 선포되었다. 그날 이후 첼리노는 국경으로 보급품을 보내기 위해 연일 바쁘게 돌아갔고, 벨뷔 궁의 앞뜰에도 프리다가 준비한 물건들이 쌓여 갔다. 머리를 식히기 위해 벨뷔 궁을 찾은 레오폴드는 꽃이 모두 뽑힌 자리에 심어진 새로운 작물의 정체를 물었다.

"대체 정원에 뭘 심은 겁니까?"

머리 위를 가린 양산을 빙글빙글 돌리며 밭 사이를 걷던 프리다가 작물을 가리키며 말했다.

"모두 약용 허브예요. 급히 씨를 뿌렸는데 잘 자라 줄지 걱정이네요."

"약용 허브? 이걸 지금 심어서 언제 재배하려고요?"

"만약을 위해서요. 혹시나 전쟁이 길어질 때를 대비하는 거죠. 남부 해안에서 벌어지는 대치가 길어지면 조만간 바이마르의 상황도 나빠질 거예요. 지금이야 제날짜에 보급품이 도착하고 있지만, 언제 보급로에 문제가 발생할지도 모르는 일이고."

곡창 지대로 둘러싸인 첼리노 주변엔 의외로 약용 허브를 기르는 곳이 많지 않았다. 그 사실을 알게 되자마자 프리다는 바로 정원의 꽃부터 뽑았다.

"이제 여름이 시작되면 전염병이 기승을 부릴 거예요. 이제 시작된 전쟁이 언제 끝날지 모르잖아요. 내년까지 갈 수도 있고……."

전쟁이 길어진다는 우울한 가정에 급 풀이 죽었지만, 프리다는 다시 씩씩하게 양산의 손잡이를 꽉 쥐었다.

"아무튼 준비해 둬서 나쁠 건 없으니까요."

레오폴드는 짐짓 씩씩한 척 굴며 밭을 돌아보는 프리다의 뒤를 따라 걸었다. 다니엘이 국경에 도착하자마자 본격적인 전투가 벌어졌다는 소식은 차마 전하지 못했다. 투르크의 부대들이 속속 국경에 집결하고 있다는 것도.

그녀의 예상대로 끝을 알 수 없는 전쟁이 이제 막 시작되었다. 귀족들을 데리고 연일 회의로 날을 보내는 탓에 까칠해진 레오폴드의 낯빛이 어두워졌다.

그는 시간이 날 때마다 이곳으로 달려왔다. 프리다가 내 주는 차를 즐기며 부리는 잠깐의 여유도 좋았고, 뭐라도 해 보겠다며 바지런을 떠는 그녀를 보고 있으면 게으름을 부릴 마음이 사라졌으니까.

"물론 다니엘이 잘 알아서 하겠지만, 저도 작은 도움이라도 되고 싶은 거죠."

다니엘을 향한 맹목적인 믿음으로 가득한 말을 들으며, 제 선택이 틀리지 않았음을 확인받는 것도 그에겐 필요한 일 중 하나다.

갓 심은 허브밭을 사뿐사뿐 거니는 프리다를 바라보고 있던 레오폴드의 시선이 창가로 향했다. 그의 시선이 닿자 오늘도 반쯤 열려 있던 커튼이 휙 빠르게 달혔다.

"페트리샤의 건강은 어떻습니까?"

병을 핑계로 벨뷔 궁에 머무는 정부의 근황도 그가 궁금한 것 중 하나였다.

"롤랜드 경의 진료도 거부했다던데요."

페트리샤는 레오폴드가 바빠진 틈을 타 이곳에 들어온 이후, 그의 방문은 물론 의사의 진료도 받지 않고 있었다.

'대체 무슨 수작을 부리는 건지.'

페트리샤도 그렇지만, 거기에 동조하고 있는 프리다의 속을 모르겠다.

"음…… 겨우 종기를 가지고 황실 주치의를 귀찮게 해 드릴 수 없다고 그러더라고요."

페트리샤가 그 정도로 상대를 배려하는 여자가 아니란 건 레오폴드가 가장 잘 안다. 다른 때라면 두통만 가지고도 황실 주치의를 불러 달라고 난리를 쳤을 여자다.

"종기란 게, 별건 아니어도 전염이 될 수 있는 병이잖아요. 한창 바쁘신 폐하께 옮기기라도 하면 어떡해요. 뷔테인 남작 부인이 생각이 깊더라고요."

"……네. 페트리샤가 생각이 깊긴 하죠."

일을 꾸미는 머리 하나는 바이첸에 버금갈 정도로 비상하지.

"아시다시피 제가 사람을 잘 돌봐요. 뮤리엘도 말벗이 생겨서 좋아하고요. 뷔테인 남작 부인은 제가 잘 보살필 테니 걱정하지 마세요, 폐하."

레오폴드는 제겐 옮기면 안 되는 종기를 로시발트에겐 옮겨도 되냐고 묻는 대신 입을 닫았다. 프리다와 있는 시간만큼은 골치를 썩여 가며 고민하고 싶지 않았다.

어차피 당분간은 루이즈 황후를 더 신경 써야 했기에, 페트리샤가 눈치껏 빠져 준다면 오히려 고마운 일이기도 하고. 레오폴드의 눈치를 보던 프리다가 살금살금 그의 곁으로 다가왔다.

'이번엔 또 뭘 부탁하려고?'

속내가 훤히 드러나는 투명한 얼굴을 하고도 짐짓 딴청을 피우는 모습에 희미한 미소가 지어졌다.

"폐하, 곧 장마가 시작되면 도로 사정도 나빠질 텐데……. 국경으로 가는 보급로에는 문제가 없을까요?"

"동부 지역은 전부터 군대의 이동이 빈번한 터라 도로 상태가 좋은 편입니다. 딱히 큰 문제는 없어요. 문제는 남부 지역인데……."

레오폴드는 까끌까끌한 턱을 매만지며 중얼거렸다.

"쿠펀 항에 문제가 생겼으니 다른 지역에서 수입하는 물품의 이동이 막힐지도 모르겠네요. 안 그래도 향신료의 값이 폭등하고 있어요."

투르크 놈들이 양쪽에서 밀려들 거라곤 상상도 못 한 탓에 미리 거기까지 준비할 시간이 부족했다. 당장은 문제가 될 정돈 아니지만, 남부의 상황이 나빠지면 귀족들이 동요할지도 모른다.

"제 말이요. 그래서 새로운 항구 개발과 도로 공사가 정말 중요한 거예요."

기다렸다는 듯 프리다가 눈을 빛내며 레오폴드 앞에 섰다.

"말이 나와서 말인데요, 폐하."

양산을 뒤로 젖힌 그녀가 생글생글 웃는 얼굴로 말했다.

"제가 이럴 때를 대비해서 진즉부터 유트레히트에서 남부 해안으로 가는 도로 공사를 준비 중이었거든요. 바이마르를 통하지 않고 바로 항구로 연결되는 도로를 만든다면 라파스와의 무역이 가능한 새로운 항구를 얻게 된답니다."

그녀가 손을 뒤로 뻗어 신호를 보내자, 멀찍이 떨어져 있던 로잘린이 득달같이 펜과 종이를 들고 걸어왔다.

"서류 한번 보시겠어요? 서명하실 펜은 여기……."

다니엘과 다른 듯 같은 강요를 건네는 눈동자가 과하게 반짝거렸다.

스베르겐 제국 동쪽 국경 지역의 명칭인 '슈바르츠발트'(검은 숲)는 그 일대를 둘러싸고 있는 울창한 숲의 색깔에서 유래되었다. 초대 황제 카를 1세는 슈프렌 강의 발원지이기도 한 이곳의 언덕 지대를 빙 둘러 높고 긴 성벽을 쌓았다. 동쪽과 북쪽에서 침입해 들어오는 적들을 막기 위해서였다.

거의 난장판에 가까운 황위 다툼으로 첼리노가 시끌벅적할 때도 황제들이 외부의 침입을 걱정하지 않았던 까닭이 여기에 있었다. 서쪽으로는 완벽한 천혜의 요새인 알타스 산맥이. 남쪽 바다엔 배 한 척이 겨우 통과할 수 있는 좁은 해협이.

그 외의 땅은 가문 대대로 국경 수호를 제외한 다른 일엔 관심을 두지 않는 청렴하고 출중한 변경백이 지키는 굳건한 성벽이 있으니 걱정할 이유가 있을 리가. 그러나 인간의 간절한 탐욕은 그 모든 장애물을 이겨 냈다.

세월이 흐르고 공성전 기술이 점점 발달하면서, 제국의 국경을 지켜 주던 굳건한 성벽이 조금씩 허물어져 군데군데 틈이 생겼다. 제국의 모든 권력이 수도 첼리노에 집중되면서 국경 지대에 소홀해진 영향도 컸다.

산악 지대를 중심으로 수렵과 약탈로 살아가던 솔론족은 식량과 물을 핑계로 매해 끊임없이 제국의 국경을 들쑤셨다. 슈바르츠발트의 칠흑 같은 어둠에 몸을 숨기고 살던 그들은 스베르겐 황실의 방관 아래 점점 더 무시할 수 없는 세력으로 커졌다.

업다이크 변경백이 매해 그에 관한 보고서를 쉔달 성에 올렸으나 황위 다툼에 바쁜 황실은 심각하게 여기지 않았다. 충직한 신하의 얘기에 귀 기울이지 않았던 대가를 이리 치르게 된 것이다.

검은 숲 사이, 여러 갈래로 나뉜 골짜기가 한눈에 보이는 언덕에 오른 다니엘은 머리 위를 빙빙 도는 독수리에게 눈길을 주었다. 주변을 탐색하던 독수리는 수풀 속에 숨어 있던 들쥐를 낚아채 검은 숲 너머로 사라졌다.

첼리노를 떠나온 지, 벌써 두 달. 얼굴에 닿는 바람의 온도에서 계절의 변화가 느껴졌다. 다니엘은 팔짱을 끼고 가만히 눈을 감았다.

오전 나절, 한차례 솔론족 주둔 지역을 휘젓고 온 그의 갑옷엔 미처 닦지 못한 핏자국이 덕지덕지 말라붙어 있었다. 그는 살갗을 스치는 미지근한 바람 속에 섞인 마른 나무 향기를 깊이 들이마셨다.

'저녁 무렵엔 비가 오겠군.'

몸에 찾아온 미세한 저림을 느낀 다니엘은 해가 지기 전 화살에 불을 붙여 숲으로 날려야겠다고 결정했다. 마침 바람의 방향도 동쪽으로 바뀌었다. 사방이 나무로 둘러싸인 숲에서 벌이는 화공 작전은 아군에게도 피해를 줄 수 있기에 신중해야 한다.

하지만 그의 예상대로 밤에 비가 내려 준다면 효과적으로 적의 주둔 지역만 공격할 수 있을 것이다. 숲에 불이 붙기 시작하면 당황한 적들은 바람의 반대 방향으로 도망을 칠 테니, 불을 피해 골짜기를 타고 올라오는 놈들을 향해 1차 공격.

해가 지고 비가 내리면 숲이 모조리 타기 전에 빗줄기가 불을 꺼 줄 것이다. 비에 젖은 축축한 숲에 남은 적들은 불도 피우지 못한 채 추운 밤을 보내게 되겠지. 그렇다면 날이 밝자마자 2차 공격. 공격 계획을 머릿속에 그리고 있는 다니엘 뒤로 따각, 따각 말발굽 소리가 들렸다.

"안드레아 공작의 전갈이 도착했습니다."

말에서 내린 도미닉이 다니엘의 곁으로 다가왔다.

"우려와 달리 안딘 프랑코가 그럭저럭 투르크의 함대를 잘 막고 있다고 합니다."

감았던 눈을 뜬 다니엘이 검은 숲을 물끄러미 내려다보며 물었다.

"그자가 아직 바이마르에 머물고 있다는 건 링겐의 여황제가 사망했다는 소식이 오보라는 뜻이겠군."

"아마도요. 사망 소식이 들려온 것이 두 달쯤 전이니, 진짜 사망했다면 진즉에 황실로 연락이 오고도 남았을 시간입니다. 그래도 생사를 오갈 정도로 심각한 상태였던 건 맞는 것 같습니다."

"덕분에 시간을 벌 수 있게 되었군."

우려했던 최악의 상황은 피했지만, 사망 소식이 들려올 정도면 여황제의 건강이 좋지 않은 건 분명하다.

레오폴드가 남부로 급히 병력을 보냈다지만, 해상 전투에 익숙지 않은 제국의 군사들이 얼마나 잘 싸워 낼지는 미지수. 아직은 시간이 더 필요하다. 만약 전투가 예상보다 불리해지면 투르크는 두 개로 나누었던 병력을 하나로 모으기 위해 남쪽 해안을 포기할지도 모른다.

'그렇게 되면 당장은 유트레히트가 안전해지겠지.'

어떻게든 선봉에 선 솔론족에게 큰 피해를 줘 내분을 만드는 것도 중요하다. 그러나 쉽진 않을 것 같다.

"솔론족이 제법 군대다워졌더군."

맘에 들진 않지만 인정할 수밖에 없는 사실이라 도미닉이 고개를 끄덕였다.

"그렇더군요. 막무가내로 싸우던 놈들이 이제 전술이 뭔지 배운 것 같더라고요. 투르크 군대를 이끄는 오르한 왕자가 뛰어난 검사라고 들었습니다. 제대로 준비한 모양입니다."

"그렇더군. 이번 싸움……."

제 입으로 내뱉을 말이 마음에 들지 않았던 다니엘이 지그시 숲을 노려보았다.

"길어지겠어."

"그래도 전황이 나쁘진 않으니 불행 중 다행이죠. 몇 달 더 시간을 끌면 장마가 시작되니 지대가 낮은 곳에 주둔 중인 저들이 불리해요. 그 전에 기를 쓰고 덤벼들겠지만."

"과거의 솔론족이 아니야. 투르크의 자금력이 뒤를 든든히 받쳐 주고 있으니 전처럼 무리해서 덤벼들진 않을지도 몰라. 이러다 남부 해협이 뚫릴 수도 있고. 우리도 유리하지만은 않아."

자고로 전쟁을 끝내려면 돈줄을 끊어 놔야 하는데. 고심하던 다니엘이 팔짱을 풀고 콜다르의 검 자루를 만지작거리며 물었다.

"앙크라 상황은? 술탄에게 건강상 문제가 있는 것 같다는 보고 이후에 추가된 건 없어?"

"오르한 왕자의 군대가 남쪽 해안이 아니라 이곳으로 방향을 돌린 이유가 술탄의 건강 때문인 것 같습니다. 만약의 경우 육지에 있어야 바로 앙크라로 복귀가 가능하니까요."

도미닉이 흙먼지 가득한 머리카락을 털며 중얼거렸다.

"사망 소식은 거기서 들려와야 하는데."

다니엘은 만지작대던 검 자루에서 손을 떼고 주먹을 쥐었다 폈다 하며 손가락을 풀었다. 미세하게 시작된 저릿함이 점점 더 강도를 더해 갔다.

'젠장, 프리다가 아프지 말랬는데…….'

"다치지 말아요. 흑. 다니엘. 아프면 안 돼요."

울면서 매달리던 아내를 떠올리자 조금 전까지 나던 나무 향기 대신 은은한 허브 향이 코끝을 맴돌았다. 다니엘의 입가에 오늘 처음으로 부드러운 미소가 감돌았다.

"좋은 향기가 나는군."

별 뜻 없이 낮게 읊조린 혼잣말에 도미닉이 벼락이라도 맞은 듯 화들짝 놀랐다.

"아차, 이걸 전해 드린다는 걸 깜박했네요. 그나저나 어떻게 아셨습니까? 이젠 하다 하다 늑대처럼 냄새를 맡는 능력까지 생기신 겁니까?"

"무슨 소리야?"

한껏 좋았던 기분을 방해받은 다니엘이 눈을 가늘게 찡그리며 묻자, 도미닉이 허겁지겁 품 안에서 종이를 꺼내 들었다.

"무슨 소리긴요. 공작 부인께서 편지 보낸 거 알고 물어보신 거 아녜요? 첼리노에서 보급품이 도착했는데, 그 안에 말린 허브가 한가득 들어 있더라고요. 온 막사에 허브 향기가 진동 중입니다."

도미닉이 고개를 절레절레 저으며 종이에 적힌 내용을 읽었다.

"도미닉, 배앓이를 하는 병사에겐 파란 자루, 두통이 심한 병사에겐 녹색 자루에 든 허브를 우려 먹이세요. 통증이 심한 병사에게 바르는 멜라루카 오일은 가죽 자루에 있어요. 그리고 인장이 찍힌 편지는 사랑하는 다니엘에게 전해 주세요."

다시 품 안에 손을 넣은 도미닉이 붉은 인장이 찍힌 편지를 꺼냈다.

"사랑하는 다니엘에게라니. 우리 공작 부인께선 의외로 애정 표현에 대담한 편이시라니까요."

그는 입가에 미소가 번지는 다니엘의 손에 편지를 건네며 못 볼 것을 봤다는 듯 오만상을 찌푸렸다.

14. 다니엘이 왔다

다니엘의 예상대로 밤사이 비가 쏟아졌다. 숲을 모조리 태울 듯 붉게 타오르던 불길이 검은 어둠과 함께 잦아들어 가는 것을 바라보던 오르한이 씁쓸하게 혀를 찼다.

"야무르, 리하르트 개자식에게 날씨를 알아맞히는 능력까지 생긴 걸까?"

불화살이 날아올 때만 해도 저놈이 미쳤나 했었다. 아무리 바람이 동쪽으로 분다지만 바싹 마른 숲이 어디까지 타오를 줄 알고 화공을 써.

그런데 불길은 정확히 성벽 아래쪽만을 태웠고, 피해는 고스란히 솔론족이 입었다.

그뿐인가. 불길을 피해 도망친 놈들이 전열을 정비하기도 전, 이번엔 비가 쏟아졌다. 불이 더 번지는 것을 막은 비는 이미 전의를 상실한 자들의 몸마저 차갑게 식혔다. 아마 오늘 밤이 지나면 선발대로 보낸 자들의 절반 이상이 추위에 얼어 죽은 시신이 되어 있겠지.

젠장, 앙크라를 떠나온 이후 뭐 하나 제대로 되는 것이 없다. 오르한이 검은 하늘 아래 어렴풋이 드러난 슈바르츠발트의 성벽을 바라보며 분노 어린 청록색 눈을 번뜩였다.

"여긴 그렇다 치고, 대체 우리가 바이마르로 쳐들어갈 거란 정보는 어떻게 눈치챈 거야? 진즉에 쿠펀 항만 점령했어도 일이 훨씬 수월해졌을 텐데…….'

오르한의 옆을 지키고 있던 뷰란이 제가 생각해도 어이가 없다는 듯 '휘이' 휘파람을 분 후 대답했다.

"그러게 말입니다. 어쩌면 라파스 출신 뱃놈들이 정보를 흘렸을 수도 있겠네요. 리하르트의 외조부 마시모가 유명한 라파스 출신 용병이잖아요. 한때 로슈만 대륙에 떠돌아다니는 용병 대부분이 그자의 손에 들어가 있었다니까, 아직도 영향력이 남아 있을 확률이 높죠."

"제기랄, 계획대로 내가 배를 탔어야 했어."

오르한이 분통을 터트리자 뷰란이 그를 달랬다.

"어쩔 수 없었잖아요. 술탄께서 언제 또 갑자기 쓰러지실지 모르는 와중에 배를 탔다가 소식이 끊기면 큰일이잖습니까. 7 왕자가 앙크라에 남아 있다는 걸 명심하세요. 그 인간의 외조부는 투르크 해군력을 절반이나 갖고 있다고요."

묵묵히 그들의 말을 듣고 있던 야무르가 툭 한마디 거들었다.

"쿠펀 항에 불을 냈을 때 꼬리가 잡혔을 수도 있어."

"가능성이 전혀 없는 얘긴 아니군."

뷰란이 심각한 표정으로 고개를 끄덕였다.

"쿠펀 항으로 들어가는 해협에 륑겐 출신 해적을 심어 놓은 걸 보면, 사전에 조처했다고 보는 게 맞긴 해."

하늘이 연기로 가득 차 더는 아무것도 보이지 않게 되자 오르한은 막사로 걸음을 돌렸다. 화려한 문양의 양탄자와 맹수의 가죽으로 장식된 막사 안은 급히 화로를 피웠음에도 쌀쌀한 한기가 돌았다.

흰 알타이카 가죽이 덮인 의자에 앉은 오르한이 팔꿈치에 머리를 기대고 짜증스레 욕설을 내뱉었다.

"빌어먹을 그 륑겐 출신 해적 놈은 왜 바이마르에서 얼쩡대고 있었던 거야?"

뒤따라 들어온 뷰란도 이 상황이 몹시 마음에 들지 않는지 있는 대로 미간을 찡그렸다.

"과거에 유라에서 활동했던 라파스 출신 놈 말에 의하면 그 자식이 '유라의 회색 그림자' 같답니다."

로슈만 대륙 사람들이 '끝이 없는 바다'라 부르는 대륙 북쪽 바다 '유라'. 룅겐과 스베르겐, 두 제국을 오가는 상선을 노리는 해적들의 출몰이 빈번하기로 유명한 곳이다.

"그 일대에선 꽤 유명한 해적 놈이었답니다. 한동안 모습을 보이지 않아 죽은 줄 알았는데, 거기서 볼 줄은 몰랐다고 하더라고요."

골치가 아픈지 주먹으로 머리를 누르고 있던 오르한의 목소리가 무겁게 가라앉았다.

"설마 룅겐과 스베르겐이 본격적으로 손을 잡은 건 아니겠지?"

앙크라 상황이 불안한 마당에 그리되면 일이 걷잡을 수 없이 커지게 된다. 이 판국에 술탄이 돌아가시기라도 하면 전쟁이고 뭐고 접고 돌아가야 하는데……. 최악의 경우를 가정해 나가던 오르한이 퍼런 실핏줄이 도드라지도록 주먹을 꽉 쥐었다.

다니엘의 불화살 작전으로 큰 피해를 보게 된 솔론족이 전략상 후퇴를 결정한 지 정확히 사흘 후. 허겁지겁 벨뷔 궁으로 달려온 로잘린이 프리다의 방으로 뛰어들었다.

"마, 마님. 크, 큰일 났어요."

"왜 그래? 무슨 일이야? 로잘린."

다니엘에게 편지를 쓰고 있던 프리다는 한달음에 일어나 방으로 뛰어 들어오는 로잘린을 맞이했다.

"구, 국경에서 연락이 왔어요."

"국경? 설마…… 다니엘에게 일이?"

다리에 힘이 빠진 프리다를 부축한 로잘린이 아니라며 마구 고개를 저었다.

"아니요. 업다이크 변경백께서 돌아가셨대요. 방금 황제 궁으로 전령이 들어가는 걸 보고 왔어요. 여기, 공작 전하의 서신이요. 전령이 저를 보자마자 주더라고요."

"세상에……."

프리다는 리하르트 공작가의 인장이 찍힌 다니엘의 서신을 품에 안고 무너지듯 의자에 주저앉았다. 업다이크 변경백이 돌아가셨다니. 마음의 준비를 했다고 해서 충격이 덜해지진 않았다.

잠시나마 다니엘이 아닌 다른 이에게 나쁜 일이 생긴 것에 안도했던 자신이 끔찍했고, 인간의 밑바닥을 드러내게 하는 전쟁의 참혹함에 치가 떨렸다. 프리다는 다니엘의 편지를 꼭 쥐고 크게 심호흡을 내쉬었다.

"하인리히는? 그는 지금 어디 있어?"

"성곽 주변을 시찰하느라 며칠째 첼리노 시내에 머물고 계세요. 황제께서 연락을 받으셨으니, 바로 불러들이실 거예요. 공식적으로 변경백 작위를 물려받고 국경으로 가셔야 하니까요."

"부친을 잃었으니 얼마나 상심이 클까. 하인리히가 궁으로 들어오면 바로 알려 줘, 로잘린. 그가 떠나기 전에 위로를 전해야지."

"네. 얼른 가서 황제 궁의 동향을 더 살펴보고 올게요."

로잘린이 방을 나간 후, 프리다는 다니엘의 편지를 열었다.

따각. 딱딱하게 굳어 있던 인장을 깨고 종이를 펼치자, 특유의 정갈하고 군더더기 없는 다니엘의 글씨가 눈에 들어왔다.

〈사랑하는 나의 아내, 프리다에게.〉

사랑하는 나의 아내. 겨우 세 단어를 읽었을 뿐이건만 프리다의 눈가가 촉촉하게 젖어 들었다. 그의 편지는 언제나 같은 문장으로 시작되었고, 간단한 일상과 그녀의 안부를 묻는 말들로 채워져 있었다.

오는 도중에 발생할지도 모르는 배달 사고를 대비해 다니엘은 자세한 전황이나 약점 잡힐 만한 내용은 편지에 쓰지 않았다. 그래서 프리다는 그의 편지가 반갑고 좋았다. 평범한 연인들이 주고받는 러브레터 같아서.

〈프리다, 동부는 이제 여름에 접어들고 있어. 어느 날은 녹음이 짙어진 숲속에서 당신이 종종 건네던 로즈메리 차의 향기가 나더군. 알고 보니 도미닉이 그대의 편지를 소맷자락에 넣어 놓고 있었던 거였어. 지금은 내 품 안에 있는 그 편지의 향기를 맡을 때마다 당신이 떠올라서 좀 힘들어.〉

그를 떠나보내고 난 뒤에야 알았다. 다니엘이 심장이 몽글몽글할 정도로 아주 예쁜 글을 쓸 줄 아는 사람이라는걸. 무뚝뚝하고 차갑던 그의 첫인상을 떠올리면 좀처럼 예상할 수 없었던 일이라, 처음 편지를 받았을 때 '이걸 정말 다니엘이 썼다고?'라며 의심했었다.

한 자 한 자 소중히 글을 읽어 나가던 프리다는 노크 소리가 들리자 얼른 눈물을 훔쳤다. 하지만 방 안으로 들어온 뮤리엘은 발개진 프리다의 눈을 놓치지 않았다.

"또 공작 전하의 편지를 보며 울고 계셨어요?"

"아, 아닌데. 나 안 울었는데."

"눈물이나 닦고 말하세요."

뮤리엘은 능청을 떠는 프리다의 손에 손수건을 쥐여 주었다. 눈가에 맺힌 물기를 콕콕 찍어 닦던 프리다는 손수건에 새겨진 글씨를 보곤 '어?' 하고 놀라며 레이스가 달린 흰 천을 넓게 펼쳤다.

"뮤리엘, 이거 내 이름이잖아. 설마 뮤리엘이 직접 수놓은 거야?"

심드렁한 표정으로 의자에 앉은 뮤리엘은 삐딱하게 고개를 기울이고 팔에 턱을 괴었다.

"온종일 바느질만 하는 뷔테인 남작 부인 옆에서 할 일이 있어야 말이죠. 심심해서 따라 하다 보니 금세 늘더라고요."

"와, 대단해, 뮤리엘. 나보다 솜씨가 좋은걸."

"제가 손으로 하는 건 뭐든 잘하는 편입니다."

뮤리엘은 요새 팔자가 늘어졌다. 세끼 꼬박꼬박 식사하고, 간식도 챙겨 먹고, 일찍 자고 늦게 일어난다. 가벼운 산책 외엔 몸을 놀릴 일도 없어 살이 붙는 게 매일매일 느껴질 정도였다.

프리다가 붙여 놓은 뷔테인 남작 부인이라는 아주 훌륭한 감시자가 그녀 옆에서 한시도 떨어지지 않고 잔소리를 해 대는 탓에 무리를 할 틈이 없었다. 요즘 들어 뮤리엘은 과거 자신이 프리다에게 했던 수많은 간섭을 뼈저리게 반성하는 중이었다.

'오늘도 과하게 날씨가 좋군.'

구름 한 점 없는 청명한 하늘을 무심히 바라보던 뮤리엘이 조금 전 들었던 발소리를 기억해 내곤 물었다.

"로잘린이 복도를 쿵쾅거리고 뛰어다니던데 국경에서 안 좋은 소식이라도 온 건가요?"

프리다가 우울한 얼굴로 손수건에 적힌 제 이름을 매만졌다.

"아…… 업다이크 변경백께서 돌아가셨대. 하인리히가 상심이 클 것 같아 걱정이야."

결국 그리되었군. 뮤리엘은 애도의 뜻을 담아 흐트러졌던 자세를 바로잡았다.

"업다이크 가문은 대대로 국경을 지켜 온 무인 집안이에요. 그 집안 남자들은 태어나면서부터 검을 들죠. 검을 든 자에게 필연적으로 따라오는 건 죽음이고요. 차기 변경백께서도 그쯤은 준비하고 계셨을 테니 너무 걱정하지 마세요."

"로시발트 가문도 대대로 무인 집안이잖아. 그럼 뮤리엘도 태어날 때부터 그랬어?"

뮤리엘의 입가가 드물게 냉소를 머금었다.

"무인 집안이라고 다 같나요. 업다이크는 진짜 명예를 아는 무인이고, 로시발트는 강한 자들에게 들러붙어 부를 좇는 기회주의자들인데."

뮤리엘이 가문을 박차고 나와 하크본 백작가에 의탁한 까닭에는 복잡한 사연이 있다. 로시발트 가문에선 뮤리엘을 최초의 여자 황실 기사단장으로 만들기 위해 여기저기에 줄을 댔다. 그 과정에서 자신보다 뛰어난 동료가 부당한 해코지를 당했다는 사실을 알게 된 뮤리엘은 가문과 상의 없이 독단으로 기사단을 뛰쳐나왔다.

로시발트 가문에선 자기들의 뜻을 어긴 뮤리엘을 받아들이지 않았고, 그녀도 가문으로 돌아가길 거부했다. 그때 프리다의 아버지 하크본 백작이 뮤리엘에게 북부행을 제안했고, 자식들의 호위 일을 맡긴 거였다. 긴 사연을 더듬어 내려가던 뮤리엘이 근심 어린 목소리로 말했다.

"그나저나 걱정이네요. 업다이크가 쉔달 성을 떠나고도 이곳이 지금과 같이 안정적일지……."

"왜 그래, 뮤리엘? 걱정되는 거라도 있어?"

걱정이 된다기보단 불안하다.

"너무 조용해요."

"조용하다니?"

프리다가 그게 왜 문제가 되냐는 듯 고개를 갸웃거렸다.

"바이첸들이요. 아무리 감시를 받고 있다고 하지만, 이토록 꼬리를 내리고 있다니 뭔가 수상하지 않아요?"

심지어 그들은 아주 일사불란하게, 마치 누군가의 지시를 받기라도 한 것처럼 숨을 죽이고 있었다. 그리고 어떤 동물이든, 하물며 곤충마저도 숨죽이고 웅크려 있는 시간이 길수록 높이 뛰어오르기 마련이다.

물론 지나친 염려일지도 모른다. 채찍과 당근을 적절히 사용한 황제는 예상보다 빨리 귀족 사회를 휘어잡았고, 첼리노의 경비도 그 어느 때보다 삼엄했다. 객관적으로 보아도 크게 문제 될 것은 없는 상황이 맞는데⋯⋯. 벌레가 등을 기어가듯 스멀거리는 이 불쾌함은 뭘까.

잃어버린 검사의 능력과 함께 직관력도 흐려진 것이면 좋으련만. 톡, 톡, 톡. 느리게 테이블을 두드리던 뮤리엘의 손가락이 멈췄다. 크게 기지개를 켜며 복잡한 머릿속을 정리한 뮤리엘이 주제를 바꿨다.

"그나저나 뷔테인 남작 부인은 언제까지 여기 숨겨 둘 작정이세요? 배도 제법 나와서 이젠 드레스로 가려지지도 않겠던데."

프리다 또한 그 일로 골머리를 앓는 중이다.

"페트리샤가 비밀로 해 달라고 저리 간절히 원하는데 어쩌겠어."

근래 들어 황제의 발길이 황후 궁으로 자주 향한다고 들었다. 이 와중에 황후가 아이를 가지면 페트리샤의 입장이 곤란해질 거란 건 불 보듯 뻔한 일. 그렇다고 황제의 후손을 가졌다는 사실을 언제까지고 속일 수도 없고⋯⋯.

눈치를 보아하니 페트리샤도 이 상황이 몹시 당황스러운 것 같았다. 그녀 딴엔 틈을 봐 첼리노를 빠져나갈 생각이었는데, 여러 일이 연달아 터지는 바람에 기회를 놓쳐 버렸으니까.

그것 말고도 맘에 걸리는 일은 또 있다. 뮤리엘 쪽으로 스윽 몸을 기울인 프리다는 그녀의 귀로 입을 바짝 가져다 댔다.

"뮤리엘, 솔직히 난 페트리샤의 두려움이 이해돼."

쉔달 성 생활이 길어지다 보니 자연스레 알게 된다고 해야 하나, 느껴진다고 해야 하나. 아무튼 몇 가지는 눈치챌 수 있었다.

"음⋯⋯. 있잖아, 뮤리엘. 루이즈 황후 폐하 말이야. 난 가끔 그분 무서워. 친절하고 인자한 미소가 다가 아닌 것 같아."

황후의 진짜 성품은 미소 짓는 겉모습과 다를지도 모른다는 촉이 왔다.

"뷔테인 남작 부인이 벨뷔 궁에 머물고 있다고요? 살 곳을 바로 찾아들다니. 역시 영리한 여자라니까."

마지막으로 프리다와 차를 마시고 가던 날 보았던 싸한 표정이 영 잊히지 않는다. 콧등에 잔주름을 만들며 심각하게 고민하고 있는데, 뮤리엘이 뭔가 하고 싶은 말이 있는 눈으로 프리다를 바라보았다. 할 말이 많은 눈치였다.

"왜 그렇게 봐?"

"대체 루이즈 황후의 미소 어디가 친절하고 인자했을까, 우리 아가씨는 여전히 눈치가 없구나, 공작 전하께서도 참 많이 힘드셨겠다, 그런 생각을 하는 중입니다."

"뮤리엘!"

분개하는 프리다를 보며 뮤리엘이 쿡쿡 웃음을 터트렸다.

작년이라면 여름을 준비하며 북적거렸을 미라벨 정원은 잡초만 무성한 채 봄과 이별하게 되었다. 진즉에 선선한 빛깔로 교체되었어야 할 황태후 궁의 커튼도 여태 금실이 수놓인 장밋빛 그대로였다. 황태후가 유폐된 지 두 달, 찾아오는 사람 하나 없는 적막한 방 안에 가을 낙엽을 닮은 그윽한 음성이 내려앉았다.

"업다이크 변경백이 죽었다고?"

"네, 황태후 폐하. 황제께서 새 변경백에게 작위를 이으라 명하시는 친서를 건네셨다 합니다."

방 안에 감도는 무거운 공기에 깔린 시녀장의 말소리 또한 황태후의 것과 비슷하게 낮고 무거웠다.

"첼리노의 경비대장이 곧 교체되겠군."

"새 변경백이 된 하인리히 업다이크가 이틀 뒤에 국경으로 떠난다고 하니, 후임은 오늘쯤 발표하실 듯합니다.”

현존하는 최고의 화가라 불리는 ‘모리스 부셰’가 그린 초상화 속 인물처럼 무감하게 앉아 있던 마그리트 황태후의 입가에 실금 같은 미소가 드리워졌다.

“첼리노의 성벽은 아주 튼튼하지.”

하지만 유구한 역사가 증명하듯, 첼리노의 피바람은 언제나 그 성벽 안에서 시작되는 법이다.

“그자는 준비가 되었다던가?”

“예, 폐하. 연락만 주시면 언제든 찾아뵙겠다고 했습니다.”

그자의 동태를 면밀히 주시하고 있던 것이 신의 한 수였다. 한때 관심을 보이던 다니엘이 언젠가부터 그자를 쫓지 않은 것도 다행이고.

“황제는 지금도 벨뷔 궁에 드나들고 있나?”

“예. 가끔 들러 리하르트 공작 부인과 산책하시고 담소도 나누신다고 합니다.”

“내 아드님께서 봄날의 끝을 즐겁게 보내고 계신다니 기쁘기 그지없군.”

감정을 지운 서늘한 눈으로 햇볕을 가리고 있는 장밋빛 커튼을 응시하던 마그리트는 마지막 생각을 마무리한 후 천천히 입을 열었다.

“그자에게 닷새 뒤에 보자고 전해라.”

이젠 끝을 내야지. 그것이 누구의 끝이든.

“황제 궁에 심어 놓은 자에게 연락하게. 그날 황제가 벨뷔 궁의 하얀 것을 찾게 만들라고.”

하인리히는 염려했던 것보다 밝은 얼굴로 쉔달 성을 떠났다.

"프리다, 나만 믿어요. 내가 가서 솔론족과 투르크 놈들을 싹 쓸어버리고 다니엘을 당신 곁으로 돌려보내 주리다."

"하인리히, 제발……."

이젠 제국의 변경백이 되었으니 항상 자중하고 들뜨지 말고 신중하게 굴라고 면박을 주려다 말았다. 다니엘이 조용하게 출정했던 때와 달리, 지금은 황제까지 나와 그를 배웅하고 있었기 때문이다.

"부디 조심해요. 하인리히. 무운을 빌게요."

프리다가 점잖게 인사를 건네자, 하인리히가 우스워 죽겠다는 듯 낄낄대며 그녀의 귀에 속삭였다.

"그따위 영혼 없는 인사는 집어치워요, 프리다. 잔소리를 퍼붓고 싶어 미칠 것 같다고 말하는 그 눈이나 어떻게 하고 점잔을 떨든가."

프리다도 덩달아 목소리를 낮췄다.

"품위를 지키세요, 하인리히. 변경백인 당신이 철없이 굴면 제국의 백성들이 불안해한다는 걸 명심해요."

"이런……."

하인리히는 프리다를 놀리듯 짓궂게 한쪽 눈을 찡그렸다.

"난 원래 품위가 없는 인간인데 어쩌죠, 프리다. 나 같은 무인들 사이에서 떠도는 얘기인데, 안 하던 짓을 하면 죽는다는 말이 있어요. 그러니 내가 오래오래 무탈하길 원한다면 하던 대로 살라고 하는 게 낫지 않겠어요? 존경하고 깊이 좋아해 마지않는 리하르트 공작 부인."

어깨를 틀어 주위의 시선을 피한 프리다가 하인리히를 향해 무섭게 눈을 흘겼다.

"하인리히, 불길한 말은 하지 말아요. 당신은 이제 놀고먹는 귀족 도련님이 아니라 제국을 책임져야 할 변경백이라고요, 변경백. 자신의 위치를 자각하세요."

"네네. 리하르트 공작 부인의 지엄하신 말씀, 가슴 깊이 새기겠습니다."

끝까지 진중함을 보이지 않던 하인리히가 말 등에 오르다 말고 돌연 차분하게 목소리를 가라앉혔다.

"프리다. 혹시나 사고 칠까 봐 불안해서 하는 말인데, 꼭 첼리노 안에만 머물러요. 첼리노의 성벽은 제국 어디보다 견고하니까 이 안에만 있으면 적어도 목숨은 지킬 수 있어요."

첼리노에 머무르는 내내, 하인리히는 개미 새끼 한 마리 얼씬 못 하도록 성벽을 둘러보고 또 봤다. 다니엘의 지시대로 역대 스베르겐 황제들이 곳곳에 파 놨다는 비밀 통로를 쥐 잡듯이 뒤져 입구를 막고, 통로를 무너트렸다.

하지만 아무리 다니엘이라도 삼백 년간 이놈 저놈이 파 놓은 모든 통로를 다 안다는 보장도 없고. 놓친 곳이 있을지도 모른다는 불안감을 떨쳐 내기가 힘들었다. 물론 자신이 과민한 것일 수 있지만……

이 말을 할까 말까 망설이던 하인리히는 심각한 표정으로 프리다와 눈을 마주쳤다.

"프리다, 만약 위급한 일이 생긴다면 하나만 명심해요."

지나친 기우라 해도 알려 주는 것이 맞다. 이 여자는 다니엘, 그 미친놈의 전부니까. 혹 프리다에게 변고가 생긴다면 다니엘이 흔들리고, 그놈이 흔들리면 이 제국은 끝이다.

"어떻게든, 어디에든 살아만 있어요. 그러면 다니엘이 당신을 구하러 올 겁니다. 내 말 이해했어요?"

살짝 놀라나 싶던 프리다가 하늘하늘 가녀린 외모와 어울리지 않는 다부진 표정으로 침착하게 고개를 끄덕였다.

"알았어요. 꼭 살아 있을게요. 그러니 하인리히, 당신도 명심해요."

차분했던 눈동자는 이내 간절한 눈빛이 되었다.

"당신도 꼭 살아남아요. 그리고 다니엘을, 그이를 지켜 줘요. 그 사람이 위험한 일을 하려고 하거든 말려 줘요. 리하르트 공작으로서 명예로운 죽음을 선택하려고 하면 멱살을 잡아채요. 그리고 내가 기다리고 있다고 전해 줘요."

프리다에겐 다니엘이 가장 소중하다. '다니엘 요하네스 리하르트'가 아닌 그저 다니엘이. 그가 리하르트 공작이 아니어도 상관없다. 평생 비가 새는 허름한 통나무집에서 말라비틀어진 빵만 먹고 살아도 좋다. 다니엘만 제 곁에 있어 준다면, 다 괜찮다. 물론 프리다는 그를 풍족하게 먹여 살릴 방법도 수십 가지나 알고 있다.

"나를 두고…… 개죽음당하면 절대 용서하지 않겠다고 전해요. 내가 여기서 당신이 올 때까지 기다리고 있을 거라고 꼭 전해 줘요. 알았죠?"

이거 원, 아내 없는 사람 서러워 살겠나. 키득 웃은 하인리히가 이별 인사의 끝으로 프리다의 손등에 정중하게 입을 맞췄다.

"한 마디도 빼지 않고 꼭 그대로 전하지. 다니엘 자식, 오금이 저리겠는데."

그 표정이 벌써부터 보고 싶다. 하인리히는 실없이 히죽히죽 웃으며 쉔달 성을 떠났다.

비가 스며드는 것을 막기 위해 막사의 천막에 바른 역청 냄새가 오늘따라 유난히 역겨웠다.

"음……."

침상에서 몸을 일으킨 다니엘은 깨질 듯이 아파 오는 머리를 꾹 누르며 움켜쥐었다. 요란하게 찌르륵대는 풀벌레 소리도 거슬렸다. 누군가 그의 머리를 박박 긁어 대는 것만 같았다.

이상하게 자꾸 마음이 불안하다. 변경백의 죽음을 봐서 그런가, 요 며칠

통 잠이 오질 않았다. 업다이크 변경백은 그답게 세상을 떠났다. 고통이 자심했을 텐데도 끝까지 의연하게 버티다⋯⋯ 갔다.

"리하르트 공작이 그대들과 함께 싸워 줄 것이다. 그러니 제군들은 흔들리지 말고 굳건히 제국의 국경을 지켜라. 리하르트 공작. 내 검을 그대에게 맡기니 하인리히가 도착하면 전해 주시오."

한 시대를 풍미한 진정한 무인의 명예로운 죽음이었다.

'명예로운 죽음 좋아하네. 죽으면 끝이지, 명예는 빌어먹을 무슨 명예.'

돌연 실소가 터진 다니엘은 콕콕 쑤셔 대는 머리를 한 차례 더 꽉 누른 후 일어섰다. 잠이 깨 버렸으니 막사 주위나 돌아볼 참으로 갑옷을 챙겨 입었다. 일찍 잠이 깬 종자가 있으면, 프리다가 보내온 차나 한 잔 타 달라고 해 볼까 고민하며 막 콜다르를 허리에 차는 순간.

막사 위가 대낮처럼 밝아졌다.

쾅!

하늘이 깨지는 듯한 굉음과 함께 우르르 돌벽이 무너지는 소리가 들렸다.

'뭐지? 이 찝찝함은.'

로잘린은 바람에 섞여 오는 낯선 쇠 냄새가 영 거슬렸다. 눈을 감고 정체 모를 냄새가 나는 곳의 위치를 찾으려는데, 황제의 웃음소리가 그녀의 집중력을 흐트러뜨렸다.

"찻잎을 잘못 우려냈는지 오늘따라 유독 황제 궁에서 내온 차가 떫더라고요. 그래서 왔어요. 여기 차 맛이 그리워서."

로잘린은 슬그머니 황제를 노려보며 끌끌 혀를 찼다.

'하다 하다 별 핑계를……. 다음엔 나도 확 떫게 우려 줄까 보다.'

점심나절이 살짝 지난 때, 황제가 사흘 만에 벨뷔 궁을 찾아왔다.

"오죽하면 시종장이 벨뷔 궁에 가면 향기 좋은 로즈메리 차가 있을 거라고 먼저 권했다니까요."

등신, 얼마나 까탈을 부렸으면 부리는 하인마저 너를 다른 곳으로 쫓아냈겠니.

'아이 씨, 그런데 진짜 이게 뭔 냄새지?'

로잘린은 바람이 부는 방향으로 코를 벌름거렸다. 아무리 자객 일을 관둔 지 오래됐다고 해도 이렇게까지 감이 떨어지나.

"!"

그때, 바람 속에서 번뜩 뭔가를 느낀 로잘린이 벨뷔 궁의 입구로 눈을 돌렸다. 쇠 냄새만 나는 게 아니다. 비릿한 가죽 냄새도 난다. 무엇보다 등골이 서늘해진다. 로잘린은 천천히 프리다의 앞을 지나치며 입구로 걸어갔다. 프리다가 '뭐지?' 하며 얼떨떨한 표정으로 로잘린을 올려다봤다.

"왜 그래, 로잘린?"

"……."

말없이 벨뷔 궁의 입구를 노려보던 로잘린이 긴장한 표정으로 황제를 바라봤다.

"폐하, 오늘도 기사들을 입구에 세워 두고 오셨습니까? 검은요? 그들에게 맡기셨습니까?"

로잘린은 평소 멀찌감치 떨어져 보기만 할 뿐, 황제에게 말을 거는 법이 없었다. 그런 사람이 연달아 질문을 해 오자, 레오폴드가 의아해하며 들고 있던 찻잔을 테이블에 내려놓았다.

"당연한 소리를 하는군. 벨뷔 궁 안으로는 어떠한 무기도 반입하지 않고, 무장한 기사들을 데리고 들어오지도 않는다. 다니엘과 그리 약속했다는 걸 모를 리 없을 텐데 그걸 왜 묻지?"

황제의 물음에 감히 침묵으로 응수한 로잘린이 예도 갖추지 않고 레오폴드의 앞을 지나쳤다. 그녀의 무례에 화들짝 놀란 프리다가 로잘린의 치맛자락을 붙들었다.

"로잘린, 그러면 안 돼. 황제 폐하의 앞을 지나치는 건 무례한……."

로잘린이 손을 들어 프리다의 말을 막았다. 흙냄새가 밀려온다. 심지어…… 진하다.

"마님, 움직이지 마세요. 황제 폐하도 가만히 계십시오. 가만히…… 이런 젠장!"

살기, 이건 명백한 살기다. 벨뷔 궁의 입구에서 본궁으로 들어오려면 나무가 우거진 숲길을 지나야 한다. 바로 그 방향에서 희미하게 검과 검이 부딪히는 소리가 들렸다. 야습에 단련된 로잘린만이 들을 수 있는 소리였다. 돌연 몸을 튼 로잘린이 프리다의 팔을 잡아챘다.

"마님, 얼른 궁 안으로 피하세요. 얼른."

그러고는 다급하게 프리다의 등을 떠밀었다.

"뛰어요!"

외마디 고함을 친 그녀는 멍한 눈으로 일어서는 레오폴드의 손을 잡아당겼다.

"폐하도 뛰세요. 뒤돌아보지 말고 전속력으로 달리세요!"

영문을 모르고 뛰던 프리다의 눈에 보랏빛 망토를 펄럭이며 달려오는 아메티스 기사단원들이 보였다. 정원 근처에서 경비를 서고 있던 그들은 심상치 않은 움직임을 발견하고 프리다를 향해 뛰어오는 길이었다. 로잘린이 그들을 향해 벼락같이 큰 소리로 외쳤다.

"기습이다! 적들이 벨뷔 궁 앞까지 쳐들어왔다. 어서 마님을 안으로 모시고 본궁의 모든 문을 걸어 잠가. 창문도 덧문까지 모두 닫아걸어. 서둘러!"

기습? 적들이 쳐들어왔다고? 급히 달려온 기사단원이 영문을 몰라 어리둥절해하는 프리다를 어깨 위로 들쳐 안았다.

"무례를 용서하십시오, 주군."

"자, 잠시만요. 폐하, 황제 폐하가 계세요. 저 뒤에 화, 황제 폐하가."

"폐하는 저희가 모시겠습니다. 조금만 참으십시오."

프리다를 업은 기사는 쏜살같이 정원을 가로질러 본궁으로 달렸다. 1층에 도착하자마자 그녀를 내려놓은 기사들이 양쪽으로 활짝 열려 있던 정문한쪽을 밀어 닫았다. 기사의 호위를 받으며 뛰어오던 레오폴드도 반쯤 열린문안으로 뛰어들었다.

쿵쿵쿵쿵.

급히 계단을 뛰어 내려오는 발소리와 뮤리엘의 목소리가 동시에 들렸다.

"뭐야? 왜 벨뷔 궁 입구에서 칼부림이 나고 있는 거야?"

칼부림? 헉헉 숨을 고르던 프리다는 그녀를 향해 달려오는 뮤리엘의 품에 쓰러지듯 안겼다.

쾅.

그 순간 벨뷔 궁의 정문 양쪽이 모두 닫혔다. 아메티스 기사단원들이 바쁘게 궁 안을 오가며 문이란 문은 모두 걸어 잠그기 시작했다. 미처 불을 켜지 못한 복도가 금세 어두컴컴해졌다. 턱 끝까지 찬 숨을 고르지 못한 레오폴드가 헐떡이며 물었다.

"대, 대체 이게 다…… 하아, 하아 웬 난린가, 로시발트 경."

어두워지는 복도와 분주히 오가는 기사들을 둘러보던 프리다도 뮤리엘의 팔을 붙들었다.

"뮤, 뮤리엘?"

난감한 표정의 뮤리엘이 거칠게 들썩이는 프리다의 등을 쓸어 주며 입을열었다.

"저도 정확한 정황은 잘 모르겠습니다. 제 방에서 창밖을 보고 있었는데,멀리서 검을 든 수십 명의 병사가 벨뷔 궁으로 달려오는 모습이 보였습니다. 입구에서 싸움이 난 것 같긴 한데……."

레오폴드가 땀에 젖은 앞머리를 쓸어 올리며 믿을 수 없다는 듯 고성을 질렀다.

"말이 되는 소리를 하게! 어떤 미친놈이 황제인 내가 있는 곳에 검을 들고 달려와?"

기가 막히긴 뮤리엘도 마찬가지였다. 하지만 명명백백한 사실이었다. 범상치 않은 옷차림을 한 사내 수십 명이 이곳을 향해 벌 떼처럼 들이닥치고 있었다. 순간 헛것을 봤나 싶었다. 설마, 황제가 여기에 온 걸 알고 이때를 노렸나? 아니면 프리다 아가씨를? 도대체 누가?

쾅쾅쾅.

뮤리엘은 육중한 나무 문을 두드리는 소리에 소스라치게 놀라는 프리다를 꽉 끌어안았다. 어느새 커튼으로 창문이 모두 가려진 탓에 앞이 잘 보이지 않았다.

나무 문 한편에 만들어 놓은 작은 틈으로 밖을 살피던 기사단원이 재빨리 문을 열자, 그 안으로 바람처럼 로잘린이 뛰어 들어왔다. 쾅. 그녀가 들어오자마자 다시 문이 닫히고, 커다란 나무 기둥이 가로로 문을 막았다.

"바, 반역입니다. 궁 앞에 대기하던 황실 근위대는 전멸했고, 입구에서 경비를 서던 아메티스 기사단원들도 모두 사망한 것 같습니다."

후우. 짧은 호흡으로 숨을 고른 로잘린이 하녀의 두건을 벗고 이마에 맺힌 땀을 닦았다.

"아서 노팅겐이 이끄는 무리가 벨뷔 궁을 에워싸고 있습니다."

아서 노팅겐? 볼슈타크 2세 재위 초기에 반란을 일으켰다 리하르트 공작의 손에 멸문당한 그 십이 공작? 그 남자 이름이 뜬금없이 왜 나와? 뮤리엘은 이해할 수 없다는 눈빛으로 로잘린을 바라봤다.

"무슨 소리야, 로잘린. 그 인간은 죽었잖아?"

"정확히는 실종이었습니다."

뮤리엘이 의심의 눈을 거두지 않자, 로잘린이 제 두 눈으로 똑똑히 봤다며 주장을 굽히지 않았다.

"노팅겐 공작이 반란을 일으켰을 때, 저도 그곳에 있었습니다. 그 인간의 주둔지를 드나들며 정보를 모으는 것이 제 일이었다고요. 그런데 어떻게 모르겠어요. 공작 전하의 검에 베인 상처가 뺨에 그대로 남아 있었어요."

아서 노팅겐이 겁도 없이 리하르트 공작 전하와 일대일로 맞붙다 검에 베이고 진흙탕에 나동그라지던 날에도 로잘린은 현장에 있었다. 그가 탄 말이 질척한 진흙밭에 자빠지지만 않았다면 뺨이 아니라 목이 베였을 것이다.

더 심각한 문제도 있었다. 아서 노팅겐을 따르던 무리, 바로 고트란 지역 출신 용병들이었다.

"노팅겐이 고트란족 용병들을 데리고 왔어요."

"뭐? 고트란 개망나니들이 여기에 왔다고?"

소스라치게 놀란 뮤리엘이 그때까지 안고 있던 프리다를 놓고 로잘린의 곁으로 다가왔다.

"정말 그치들이었어? 로잘린, 확실해?"

로잘린이 심각한 표정으로 고개를 끄덕였다.

"네. 가죽옷에 양날 도끼, 뿔 투구까지 틀림없는 그들이었어요. 어쩐지 누릿한 가죽 냄새가 나더라니. 고트란 자식들의 기습을 받았으니 황실 근위대나 공작가의 기사들이 버티지 못할 수밖에요."

고트란은 로슈만 대륙 북부 추운 지역을 말한다. 그곳을 기반으로 무리 지어 사는 고트란족은 주로 해적질이나 용병 일로 먹고살았다. 고트란족은 사내고 여인이고 할 것 없이 용맹하지만, 지나치게 난폭해서 주변 나라들엔 두려움의 대상이었다. 특히 수탈하기로 마음먹은 지역은 여자, 아이들 할 것 없이 아예 씨를 말려 버릴 정도로 잔혹했다.

그 잔인성 때문에 귀족 출신 기사보다 용병들을 선호하는 다니엘도 그들과는 아예 상종하지 않았다. 툭하면 일대를 쑥대밭으로 만들어 버리는 무시무시한 자들이 지금 벨뷔 궁 밖에 있다니. 뮤리엘의 뒷골에 식은땀이 송송

맺혔다. 두 사람의 대화를 듣고 있던 레오폴드가 땀에 흥건히 젖은 이마를 닦으며 말했다.

"그 하녀의 말, 아마 맞을 거야. 나도 아서 노팅겐이 국경 근처에 나타났다는 얘기를 들은 적이 있으니까."

업다이크 변경백도 같은 내용의 보고서를 보내온 적이 있었다. 챔벌린 백작이 레오폴드를 데리러 페트리샤의 영지에 왔을 때, 그걸 보여 주며 첼리노로 돌아가자고 종용했었으니까. 하지만 말을 마친 황제는 조금 전 뮤리엘처럼 이해할 수 없다는 표정이 되었다.

"나는 아서 노팅겐이 쉔달 성안으로 들어왔다는 것이 이해되지 않는다. 첼리노의 성벽은 이미 수비대에 의해 모든 곳이 봉쇄되어 있어. 하인리히 업다이크가 몇 번이나 성벽을 돌아보며 쥐구멍이란 쥐구멍은 죄다 막았는데……."

"누군가가 불러들인 거예요."

사람들의 시선이 프리다에게 몰려들었다. 양손을 모은 채 떨리는 가슴을 꼭 누르고 있던 프리다가 턱 끝에 매달린 땀을 닦으며 좌중을 둘러봤다. 사람들이 얘기를 나누고 있는 동안 홀로 생각을 정리하고 있었던지, 말하는 표정이 제법 다부졌다.

"쉔달 성안에 우리가 놓친 비밀 통로가 더 있었던 것이 틀림없어요. 폐하께서 벨뷔 궁에 오시는 날에 맞춰 누군가가 일부러 아서 노팅겐을 그리로 불러들인 겁니다."

일부러. 그 말을 들은 사람들은 모두 같은 사람을 떠올렸다.

"마그리트 황태후……."

뮤리엘이 그 이름을 입 밖으로 내뱉었다. 레오폴드는 도저히 믿을 수 없다는 듯 프리다가 한 말을 반복해서 되뇌었다.

"내가 이곳에 오는 날에 맞춰 일부러 그자를 불러들였다고요?"

프리다는 제 추측이 맞음을 확신하며 빛이 사라진 벨뷔 궁 곳곳을 눈으로 살폈다. 어둠 때문에 눈에 보이는 건 없었지만, 오래 머물렀던 곳이라 그런지 어렵지 않게 궁의 내부가 그려졌다.

"생각해 보세요, 폐하. 여긴 벨뷔 궁입니다. 쉔달 성에서 가장 외진 곳이요. 제가 머물기 전까지 존재 여부조차 잊고 지냈다고 들었어요."

루이즈 황후는 벨뷔 궁에 방문할 때마다 황후 궁과 너무 멀다며 투덜댔었다.

"이런 곳에 있으면 누가 죽어 나가도 모르겠어요. 외진 곳에서 지내기 무섭지 않아요?"

생사를 모르던 십이 공작 후손의 갑작스러운 등장. 잔인하기가 이루 말할 수 없다는 고트란족의 이름은 프리다도 익히 들어 본 적이 있다. 투르크 상인들도 그들을 만날까 두려워 하크본 백작가보다 더 위 지역으로는 아예 올라가지 않는다고 했었다.

"황태후께서 아서 노팅겐을 쉔달 성안으로 끌어 들여 이곳으로 보낸 것 같아요. 목적은 단 하나겠죠. 폐하의 고립. 만약 조금 전 폐하께 불행한 일이 닥쳤다 해도, 본궁에 소식을 전하는 이가 없다면 반나절쯤은 아무도 모르고 지나갔을 테니까요. 그래서……."

프리다는 그렁그렁 차오르는 눈물을 손등으로 훔쳤다.

"입구를 지키는 근위대와 기사들을 모두 죽인 거예요. 아무도 소식을 전하지 못하게 하려고."

로잘린의 말대로 그들은 모두 사망했을 것이다. 애꿎은 이들의 아까운 목숨이 희생되었다. 정신을 똑바로 차려야 할 때라는 걸 알고 있었지만, 눈물이 멈추지 않고 계속 흘러내렸다.

쨍그랑.

계단 위쪽에서 별안간 유리창 깨지는 소리가 들렸다. 아마 미처 닫지 못한 덧문이 있었던 것 같았다. 뮤리엘이 그들과 함께 궁 안으로 들어온 열 명도 되지 않는 기사단원 중 한 명에게 소리쳤다.

"위층으로 올라가서 문이란 모든 문은 하나도 남기지 말고 다 닫아라! 덧문의 걸쇠도 단단히 잠그고. 혹 나무를 타고 이 안으로 들어오려고 하는 놈들이 있을지도 몰라.”

“알겠습니다.”

기사가 계단으로 뛰어 올라가고 얼마 후, 위에서 사람의 말소리가 들렸다.

“대체 이게 다 무슨 일이야? 왜 대낮부터 온 궁 안의 창문을 걸어 잠가? 앞이 하나도 안 보이잖아.”

손에 등을 들고 나타난 페트리샤가 1층에 모여 있는 사람들을 발견하곤 조심히 계단을 내려오며 투덜댔다.

“로시발트 경, 밖이 왜 소란한 거예요? 답답해 죽겠는데 커튼은 왜 치라고…… 레, 레오폴드?”

황제와 눈이 마주친 페트리샤가 우뚝 걸음을 멈췄다. 어둠이 자욱이 내려앉은 궁 안, 손에 등을 들고 나타난 페트리샤의 주변에만 유독 환한 빛무리가 피어났다. 누가 봐도 봉긋 솟은 배, 통통하게 오른 살집. 본능적으로 배부터 감싸 안는 페트리샤를 멍하니 바라보던 레오폴드가 유령에 홀린 얼굴로 정부를 불렀다.

“페트리샤, 당신 배가…….”

쨍그랑.

그 순간, 그들의 머리 위에서 또 창문이 깨지는 소리가 들렸다.

다니엘은 한때 성벽이었던 돌무더기와 무너지기 일보 직전인 돌벽을 날카로운 시선으로 훑어 내렸다. 심상치 않은 그의 눈치를 살피던 도미닉이 은근슬쩍 말을 걸었다.

“막사가 무너졌다던데, 어디 다친 곳은 없으십니까?”

"투르크에서 사용한 무기 이름이 대포라고?"

다니엘이 도미닉의 말을 듣는 척도 하지 않고 물었다.

동도 트지 않은 새벽, 흐릿한 여명을 가르고 슈바르츠발트의 성벽으로 생전 처음 보는 물체가 날아왔다. 도미닉이 알아 온 신무기의 이름은 대포. 쏘긴 여러 개를 쐈다는데 성벽을 제대로 맞춘 건 하나. 그나마도 전략상 중요한 위치는 아니었지만, 위력이 심상치 않았다.

"예. 동방에서 들여온 화약으로 만든 무기라고 합니다."

도미닉이 발에 차이는 돌조각을 툭 걷어차며 말했다.

"보기만 저렇지, 피해는 크지 않습니다."

"사태 파악이 안 되나 보군, 도미닉 몰리."

화약에 대해선 다니엘도 들어 본 적이 있다. 하지만 그저 짧은 거리에서 상대의 머리를 깨거나, 손목을 날려 버리는 정도라고 들었었는데. 그 무기의 위력이 이렇게나 발전했다고? 그렇다면 중대한 일이 아닐 수 없건만, 대수롭지 않게 여기는 도미닉 때문에 확 짜증이 치밀었다.

"피해가 크지 않다고? 슈바르츠발트의 성벽이 자연이 아닌 인간의 힘으로 무너진 적이 단 한 번이라도 있었어? 이걸 눈으로 보고도 그딴 말이 나와? 있으나 마나 한 쓸모없는 눈깔은 왜 달고 있어, 파 버리지."

원래도 말본새가 과히 좋지 않았던 다니엘이지만, 오늘은 유난히 기분이 저조한 터라 용병들과 어울려 다니며 썼던 말투가 거침없이 쏟아져 나왔다.

"투르크가 저딴 걸 끌고 온 것도 모르고 있었던 주제에 어디서 입을 나불거려? 눈깔 가지곤 내 성에 안 찰 것 같은데 잘난 혓바닥도 뽑아 줄까?"

정작 오줌을 지릴 만큼 거친 욕을 들은 도미닉은 이 상황이 재밌다는 얼굴이었다.

"어쩐 일이십니까? 근래 들어선 통 험한 말도 안 쓰시고 귀족같이 빼질대기만 하시던 분이?"

그러다 새벽에 종자에게 들었던 말이 떠올라, 게슴츠레 눈을 좁히며 다니엘의 이곳저곳을 살폈다.

"혹시 막사에 깔린 여파로 머리를 다치신 건……."

"쓸데없는 소리 집어치우고 현 상황에 대해 정확히 보고해."

걱정을 완전히 떨쳐 내지 못한 도미닉은 기분만 거지 같을 뿐 겉으로는 아무렇지 않아 보이는 다니엘에게서 눈을 떼지 못한 채 대답했다.

"갑자기 생소한 공격을 당한 터라 당황스러웠던 건 사실입니다. 그러나 피해가 우리 측에만 있었던 건 아니에요. 적진에 염탐하러 간 놈들 보고로는 쏴 보지도 못하고 그 자리에서 터진 것들이 부지기수래요. 지난번 비로 물을 먹어서 아예 불이 안 붙은 것도 있고. 정확성도 떨어지고. 계속 써먹기는 불안하다는 거죠."

위협이 되지 않는다는 도미닉의 말에도 다니엘은 구겨진 이마를 풀지 않았다.

"무기는 무수한 실패를 거쳐 완성되는 거야. 지금은 열 개 중의 하나만 성공했을지 몰라도 후엔 두 개, 다섯 개. 그러다 열 개 모두 목표 지점에 맞추는 날이 오겠지."

문제는 대포가 이곳에 도착했다는 걸 다니엘이 모르고 있었다는 거다. 하루라도 빨리 끝내야 하는 전쟁이 길어질 기미가 보인다는 것만으로도 초조하고 화가 났다. 다니엘은 발아래 깔린 검은 숲의 전경을 물끄러미 노려보다 막사를 향해 내려갔다. 성벽 보수에 대해 몇 가지 주의를 남긴 후 도미닉도 그의 뒤를 따라왔다. 다니엘의 입에서 쉴 새 없이 명령이 떨어졌다.

"투르크에서 사용하는 무기에 대해 하나도 빠짐없이 다시 조사하라고 해. 특히 화약이란 걸로 무엇을 어디까지 만들었고 만들 수 있는지, 대포 말고도 몰래 숨겨 온 무기가 없는지도. 하나도 빼놓지 말고 샅샅이 조사해."

"알겠습니다. 그런데 진짜 의사한테 안 가 보셔도 되겠습니까?"

도미닉이 붉은 생채기가 생긴 다니엘의 이마를 보며 물었다. 지난밤 날아온 포탄 중 하나는 성벽을 비껴 맞았고, 다른 하나는 나무에 맞았다. 그런데 하필이면 그 나무가 다니엘과 주변의 막사 위로 쓰러지는 바람에, 그의 머리 위로 막사를 지탱하려 세워 두었던 기둥이 덮쳤다.

아슬아슬하게 피했지만, 다니엘은 오른쪽 머리에 충격을 받았다. 정신을 잃었었는지, 아니었는지는 모르겠다. 그저 잠시 빛이 번쩍이고 눈앞이 까매졌던 것 같기는 한데, 그거야 밤이라서 그랬던 것 같기도 하고. 그런데 이후로 머릿속에서 자꾸 환청이 들린다.

"그…… 다…… 엘. 첫사랑은…… 루어지지 않…… 요."

"형."

갑작스러운 호칭에 놀란 도미닉이 스스슥 뒷걸음질을 치며 주변에 도와줄 사람이 없는지 찾았다.

"너, 너 왜 갑자기 형이라고 불러. 나 많이 잘못했냐? 죽일 거냐? 아니면 죽도록 발로 찰 예정인가?"

언덕길에서 우뚝 선 다니엘이 오만상을 찌푸리며 손바닥으로 관자놀이를 꾹 눌렀다.

"첫사랑……."

"뭐? 뭔 사랑?"

아무리 환청이라도 간간이 제 귀에 들리는 음성이 프리다의 목소리라는 건 안다. 그런데 어째서 아내의 목소리가 반갑지 않고…….

"그 말 더럽게 기분 나빠."

거슬리는 건지 영문을 모르겠다.

창으로 전서구가 날아들 것을 염려한 황제는 황태후를 유폐시킨 후 황태후 궁의 모든 창문을 걸어 잠갔다. 그러나 창을 타고 들어오는 햇살까지 인간의 힘으로 막을 수는 없는 법. 마그리트는 형형색색의 스테인드글라스 사이로 들어오는 무지갯빛 햇살을 감상하며 히비스커스차를 삼켰다. 오늘 유독 바쁜 시녀장이 노크 소리를 내기가 무섭게 문을 열고 안으로 들어왔다.

"폐하. 아서 노팅겐 공작이 벨뷔 궁을 점령했다고 합니다."

"근위대는?"

"벨뷔 궁까지 호위한 자들은 모두 죽었고, 황제 궁에 남아 있는 황실 근위대는 황제 폐하의 안위에 문제가 생긴 것을 눈치채지 못하고 있습니다."

당연히 그럴 테지. 일부러 눈치 빠른 근위대장이 쉔달 성 밖으로 일을 보러 가는 날을 거사 일로 정했다. 더불어 다니엘이 벨뷔 궁 안으로 무장한 자들을 들이지 못하게 한 덕에 일이 훨씬 수월해졌고. 상대적으로 벨뷔 궁의 위험성을 낮게 판단한 근위대의 방심을 이용할 수 있었으니까.

이래서 연륜이 중요하다. 레오폴드나 하인리히는 풋내기에 불과하고, 심지어 대단한 전쟁 영웅이신 다니엘도 쉔달 성을 모두 꿰뚫고 있진 못했다. 이 성안에서 지난 삼백 년 동안 벌어진 온갖 더러운 협작, 음모, 복수의 역사를 젊은 그 녀석들이 알면 얼마나 알겠는가.

그래서 쉔달 성안에서의 싸움은 그 지저분한 역사의 중심에 서 있던 바이첸 가문의 후손인 자신이 무조건 승리할 수밖에 없다. 물론 다니엘과 하인리히가 제법 잘 들쑤시고 다녔다는 것은 인정한다. 단지 마그리트가 그들이 아는 것 이상을 보고 들으며 커 왔다는 것이 약간 나은 점이었을 뿐이다.

특히 응징의 검날을 오직 바이첸에게만 겨눈 건 꽤 괜찮은 전략이었다. 바이첸에게 협조한 가문에 최대한의 아량을 베풀어 귀족 사회를 빠르게 안정시키는 효과를 가져왔으니, 잘했다고 머리를 쓰다듬으며 칭찬해 주고 싶을 정도였다. 덕분에 마그리트는 꽤 곤욕을 치렀지만.

그러나 돈에 무너지지 않는 인간은 없는 법. 집요한 물량 공세에 하나둘 마그리트를 돕는 자들이 생겨났다. 레오폴드, 다니엘을 제외하고 나면 이 땅에 남은 십이 공작은 폰하임과 바이첸, 라이닝겐뿐. 애초에 소피아의 짝으로 그들을 고려하지 않았던 건 폰하임 공작가는 현 가주인 폰하임 공작이 죽으면 대가 끊기기 때문이다.

약삭빠른 라이닝겐을 제외한 건 정통성이 없어서였다. 다들 쉬쉬하고 있지만, 바이첸의 보고서에 따르면 라이닝겐 공작가의 사내들은 죄다 사생아다. 다시 말해 현 라이닝겐 공작 부부의 몸에서 태어난 적통은 루이즈 황후가 유일했다.

레오폴드에게서 황좌를 뺏어 온다 해도, 정통성을 갖춘 승계권자가 없다면 무의미하다. 그래서 최후의 수단으로, 다니엘을 바이첸 가문의 일원으로 받아들이겠다는 제 살을 깎는 결정을 한 것이다.

하지만 제 발로 싫다고 걷어차고 나갔으니…… 앞으로 무슨 일이 벌어지든 그건 다니엘 놈이 자초한 일이지. '아서 노팅겐'. 그 광포한 자까지 끌어들이고 싶진 않았지만 이미 일은 벌어졌다.

이제 남은 일은 황제의 신병을 빨리 확보하는 것. 마그리트는 바닥이 드러난 찻잔을 테이블 위에 올려놓으며 시녀장에게 물었다.

"황후 궁의 동향은 어떠하다더냐?"

"평소와 다를 바 없이 평온하다 합니다."

"자객들에게 단단히 일러라. 내가 신호를 보내는 즉시 망설이지 말고 확실하게 황후를 처리하라고."

"……네, 폐하."

"실수는 절대 용납하지 않겠다. 레오폴드와 루이즈 황후가 모두 사망해야만 내가 황제의 인장을 쓸 수 있다. 그게 있어야 내가 다시 첼리노를 손아귀에 넣을 수 있어."

아서 노팅겐에게 허락된 시간은 길어야 두서너 시간. 근위대가 황제의 위험을 알아채고 구하려 들기 전에, 모든 것을 끝내고 권력의 징표인 황제의 인장을 제 손에 넣어야 한다.

"명심하게, 노팅겐 공작. 두 시간일세. 그 안에 레오폴드가 스스로 인장을 내놓게 하거나 아니면 내놓을 수밖에 없게 만들게. 그렇게만 해 준다면 자네의 후손을 이 스베르겐 제국의 황제로 만들어 주지."

"퉤."

못 본 사이, 그가 끌고 온 야만족처럼 예법을 깡그리 잊은 모양이다. 아서 노팅겐은 무엄하게도 마그리트 앞에서 침을 뱉었다.

"꽃다운 바이첸 공녀를 내 품에 던져 주시겠다니 받긴 하겠는데, 분명히 말하지만 내 목적은 다니엘 그 개자식이오. 그 새끼의 심장을 파내 씹어 먹지 않고서는 내 원한이 풀릴 것 같지 않거든. 그거만 약속해 주면 내 기꺼이 당신 아들의 목을 베어 여기로 가져다드리지."

레오폴드와 다니엘의 죽음. 아서 노팅겐을 미라벨 정원의 연못과 연결된 비밀 통로로 불러오며 각오한 일이었다. 바이첸의 자손들이 써 내려갈 위대한 스베르겐의 역사를 위해 바쳐야 하는 어쩔 수 없는 희생이자 제물.

"마그리트, 당신은 독초야. 주변 사람들을 질식시켜 말라 죽게 만드는 끔찍한 독초라고."

남편의 말대로 그녀는 독초다. 그리고 조만간 그 독이 아들을 말려 죽일 것이다. 슬프고 안타깝지만 어쩔 수 없는 일이지. 마그리트는 빈 잔에 담담히 붉은 히비스커스차를 채웠다.

"방법은 하나뿐입니다. 밖으로 나가서 도움을 청해야 해요."

프리다가 단호하게 입을 여는 순간에도 끊임없이 날아든 돌이 창문에 부딪혔다. 벨뷔 궁을 에워싼 고트란족은 어떻게든 이 안으로 들어오기 위해

기를 쓰고 있었다. 시간이 없었다.

"로잘린이 벨뷔 궁을 빠져나가는 통로를 한 군데 알고 있다고 하니, 그곳으로 나가는 수밖에 없어요."

만약을 대비해 로잘린이 도피로를 확보해 놓고 있던 것이 천만다행이었다. 프리다는 그 얘기를 듣자마자 밖으로 나가야 한다고 주장했다.

"우선 쉔달 성 밖으로 몸을 피해야 합니다. 황제 폐하를 안전한 장소로 옮기는 것이 가장 중요해요."

벨뷔 궁으로 들이닥친 자들이 저리 난리를 피워 대는 건 황제의 신병을 확보하기 위해서가 틀림없다. 아니, 어쩌면 꼭 신병 확보가 목적이 아닐 수도 있었다. 심각한 표정으로 이마를 매만지던 뮤리엘이 고개를 끄덕였다.

"저도 동의합니다. 아서 노팅겐은 가장 먼저 폐하부터 해하려 들 겁니다. 그래야……."

그녀는 페트리샤와 조우한 이후 넋이 나간 채로 계단에 걸터앉아 있는 레오폴드를 곁눈질로 바라보았다.

"황태후가 다시 쉔달 성의 지배권을 가질 수 있으니까요."

"내 생각도 뮤리엘과 같아."

쿵.

도끼로 문을 내려찍는 소리에 흠칫 놀란 프리다가 뮤리엘의 팔을 붙들며 말했다.

"만약 황제 폐하께서 잘못되시면 황태후는 황후 폐하도 해하려 할 거야. 그래야 인장의 주인이 될 수 있으니까."

궁 안 어딘가에서 쿵쿵 소리가 날 때마다 깜짝 놀라 어깨를 떨면서도, 프리다는 기사들에겐 등을, 로잘린에겐 페트리샤가 두를 숄과 물을 준비하라고 명령을 내렸다. 그러곤 망연자실하게 앉아 있는 레오폴드의 팔을 잡아당겼다.

"폐하, 더는 이러고 있을 시간이 없어요. 어서 움직여야 해요."

그러자 레오폴드가 프리다의 손을 쳐 내며 짜증스레 외쳤다.

"여기서 나가면? 그다음엔 뭘 어쩌자는 겁니까?"

"당연히 첼리노의 경비대와 함께 쉔달 성을 포위해야죠. 그들이 벨뷔 궁을 고립시키려 했던 것처럼, 이번엔 우리가 쉔달 성을 고립시키는 겁니다."

몸이 휘청거릴 정도로 거칠게 밀려났지만 프리다는 다시 곧게 허리를 펴고 레오폴드 앞에 섰다.

"어차피 저들의 숫자는 수십 명, 많아야 백여 명이에요. 일단 몸을 피한 다음, 성안에 있는 황실 근위대와 연락을 취할 방법을 찾아보자고요. 안과 밖에서 협공한다면 제아무리 고트란족이라고 해도 얼마 버티지 못할 거예요."

하인리히가 당부했었다. 첼리노의 성벽은 제국 어디보다 견고하니 꼭 그 안에 머물러 있으라고. 황태후가 대규모 군대를 동원하지 못하고 소수의 용병들을 끌어들였다는 건, 달리 말하면 첼리노의 성벽을 뚫을 방법을 찾지 못했다는 뜻도 된다.

그러니 쉔달 성만 봉쇄하면 이번 반역은 충분히 막아 낼 수 있다. 뒤를 돌아보니 로잘린이 페트리샤의 숄을 들고 계단을 뛰어 내려오고 있었다. 프리다는 재차 레오폴드의 팔을 잡아끌었다. 허락도 없이 황제의 몸에 손을 대서는 안 된다는 걸 알지만, 지금은 그런 예법을 따질 겨를이 없었다.

"그러니 어서 여기부터 빠져나가요. 서둘러요, 폐하. 이러다 잡히면 죽을 수도 있어요."

"지금 내 처지가 죽어 말라비틀어진 시체와 뭐가 다릅니까?"

이번에도 프리다의 팔을 거칠게 쳐 낸 레오폴드가 주먹 쥔 손으로 난간을 내려치며 울부짖었다.

"어머니란 작자는 친아들을 죽이자고 야만족까지 끌어들이고, 내 애를 가졌다는 여자는……!"

벌떡 일어난 레오폴드가 얌전히 계단 옆에 웅크리고 있던 페트리샤를 노려봤다. 그녀는 로잘린의 손에서 숄을 받아 들곤 슬그머니 몸을 틀어 배를 가렸다.

"제 자식의 아비가 못 미더워 몰래 애를 낳을 작정까지 하고 있었다는데 내가 황제가, 사내새끼가 맞긴 한 거냐고!"

한눈에 봐도 아이를 가진 것이 분명한 페트리샤를 본 순간 끔찍한 자괴감이 밀려왔다.

"여태껏 벨뷔 궁에 숨어서 날 속여 왔다는 말이야? 페트리샤. 내게 임신 소식을 알릴 생각은 있었던 거야?"

"알리면요? 당신이 내 아이를 지켜 줄 수 있었을 거 같아요? 소문이 나는 즉시 난독을 먹거나 연못에 빠져 시체로 발견됐을 게 뻔하다고요. 또 모르죠. 황후는 나한테 독을 먹이고, 황태후는 독에 중독된 날 연못으로 밀어 버렸을지도. 그랬다면 이미 죽었으니 숨이 차서 괴로울 일은 없었겠네요."

그걸 말이라고 하는 거냐는 소리가 목 끝까지 차올랐다가 내려갔다. 차마 아니라고 할 수가 없어서. 하! 이리 못난 새끼가 세상에 또 있을까. 자괴감이란 말조차 아까웠다. 그냥 등신이다, 등신.

"도망칠 거면 당신이나 페트리샤 데리고 나가요. 나 같은 새끼를 누가 황제로 봐 준다고 뻔뻔하게 백성들에게 낯짝을 들이밀란 겁니까. 나도 창피를 아는 인간입니다."

도로 계단에 털썩 주저앉으려는데, 프리다가 자그마한 손으로 그의 팔목을 꽉 붙들었다.

"바보 같은 소리 하지 말아요."

계단 끝에 내려놓은 등불에 비친 눈빛이 달이 없는 밤하늘을 밝히는 별처럼 형형했다.

"진짜 창피한 게 뭔지 알아요? 바로 자신의 의무를 저버리는 비겁한 인간이 되는 거예요."

프리다의 무례한 태도를 지적하지 않은 건 정신이 없어서가 아니라, 순간 그녀에게서 라우라 님이 보여서였다. 아버지의 정부 주제에 툭하면 '수프를 남기지 마라', '하인들에게 친절하게 굴어라' 잔소리를 해 대던 그녀처럼 프리다가 그를 야단쳤다.

"폐하가 여기서 죽으면 혼자만의 죽음이 될 것 같아요? 천만에! 다니엘도 죽어요. 우리 다니엘이 죽는다고!"

프리다의 목소리가 점점 커졌다. 제 어깨에도 닿지 않는 여자에게서 어떻게 이런 기세가 나오는지. 순간 흠칫 뒷걸음질을 치던 레오폴드는 발뒤꿈치가 계단 끝에 걸리는 바람에 그 자리에 우뚝 서고 말았다.

"내 남편을 위해서라도, 난 당신이 개죽음당하는 꼴 절대 못 봐요. 레오폴드 볼슈타크 2세 폐하."

레오폴드의 턱 밑으로 다가온 프리다가 멱살을 잡아채듯 그의 조끼를 꽉 움켜쥐었다.

"당신은 내가 살리고 말 거니까 정신 똑바로 차려요. 알았어요?"

레오폴드의 생명을 지켜 주겠다 소리쳐 놓고 프리다는 오히려 죽일 듯이 그를 노려보았다.

"약한 소리 할 시간에, 본인이 없는 제국에 어떤 위험이 닥칠지부터 고민해 보세요."

그녀는 독기 서린 보랏빛 눈동자를 번득이며 당장이라도 레오폴드의 따귀를 후려칠 듯 덤벼들었다.

"폐하가 변을 당하고, 황태후의 손에 인장이 들어가게 되면 무슨 일이 벌어질 것 같아요? 황태후라면 아마 제일 먼저 자신을 핍박한 이들을 응징하겠죠. 한 번 당해 봤으니 두 번 다신 그런 일을 당하지 않도록 아주 철저히."

복수의 칼날을 가장 먼저 맞을 사람은 황제일지 몰라도, 가장 잔혹한 응징을 당할 사람은 바로 다니엘이다.

"국경으로 보내는 보급을 두고 장난질을 하며 다니엘을 곤경에 빠트릴 게 뻔하잖아요."

장난질만 하면 다행이게. 황태후라면 분명 더한 짓도 눈 하나 깜짝 않고 할 거다.

"다니엘에게 원한을 가지고 있는 아서 노팅겐은요, 그자는 가만있을 것 같아요? 그자가 자신이 데려온 용병들을 데리고 국경으로 향하기라도 한다면 다니엘은 솔론족과 고트란족 사이에 포위당하게 돼요. 아무리 다니엘이 용맹해도, 양쪽에서 협공당하고 보급까지 끊기면 버티기 힘들어진다고요."

한참 동안 분노의 불꽃을 뿜어 대던 프리다의 눈에 불현듯 간절함이 서렸다.

"폐하께서 다니엘을 구해야 해요. 폐하만이 할 수 있어요. 폐하가 아니면 그 누구도 못 하는 일이에요. 잊었어요? 다니엘이 목숨 걸고 폐하를 구해 줬잖아요."

그때 일로 다니엘은 다리에 심각한 부상을 입었고, 머리를 다쳐서 몇 달이나 깨어나지도 못했다. 그리고 프리다를 잊었다. 나의 다니엘이 당신을 살리다가 영원히 걷지 못할 뻔했고, 얼마 되지도 않는 나와의 소중한 추억을 송두리째 잊었다고.

그러니 이젠 당신이 나서서 다니엘을 지켜 줘야지. 프리다는 어느새 눈물로 흥건하게 젖어 든 눈을 한쪽 손등으로 마구 닦았다. 눈물을 흘릴 시간조차 아까웠다.

"레오폴드 볼슈타크 2세 폐하, 정신 똑바로 차리고 폐하께서 할 수 있는 일을 해요. 황제로 인정받고 싶으면, 당신의 여자가 당신을 믿게 하고 싶으면 똑바로 행동하란 말이야!"

프리다의 절규가 끝나자 주위가 일순간 정적에 휩싸였다.

쿵…… 쩍.

나무 문을 내려찍는 소름 끼치는 도끼 소리가 끊이지 않고 들려왔다.

쨍그랑, 쨍그랑.

위층에선 가구와 석상으로 막아 놓은 창문들이 연달아 깨지는 소리가 났지만, 그들 주변엔 긴장감이 역력한 숨소리만 들릴 뿐 누구 하나 입을 열지 않았다.

침묵에 감싸여 있는데도, 신기하게 레오폴드의 귀엔 시간이 없으니 어서 결정하라고 재촉하고 다그치는 소리가 들렸다. 프리다에게 그대의 일갈 덕분에 이제 내가 무엇을 해야 할지 조금은 알 것 같다는 인사를 전하며 감상에 빠져들 여유가 없다는 것도 깨달았다.

다니엘을, 내 사람들을 구해야 한다. 그는 프리다에게 옷깃을 붙들린 채로 로잘린을 돌아보며 물었다.

"탈출로는 어디지?"

"이쪽입니다. 절 따라오십시오."

마음을 삭이지 못해 씩씩대는 프리다를 한번 흘깃댔을 뿐, 로잘린은 조금도 시간을 끌지 않았다. 그녀가 앞장서서 등을 들고 걷기 시작하자, 주위에 모였던 기사들이 프리다를 호위하기 위해 다가왔다. 레오폴드는 그때까지도 마지막 희망처럼 제 옷을 꼭 잡고 있는 프리다의 손을 다정하게 감싸 쥐었다.

"이젠 날 놔줘야죠. 다니엘 구하러 가자면서요."

그 한마디에 적의 간담을 서늘하게 만들고도 남을 만큼 매서웠던 눈동자가 한결 부드러운 빛을 뿜었다. 아무튼 속내가 훤히 드러나는 여자라니까. 엉겁결에 이곳으로 쫓겨 들어온 후, 처음으로 레오폴드의 입가에 잔잔하지만 분명한 미소가 맺혔다.

기사들과 뮤리엘에게 프리다를 챙기라고 지시한 뒤, 레오폴드는 계단 옆에 조용히 서 있는 페트리샤에게 다가갔다. 그는 볼록하게 솟은 배를 두 손으로 감싼 채 덜덜 떨고 있는 여자에게 손을 내밀었다.

"페트리샤, 내 손 잡아. 많이 뛰어야 할 것 같은데 버틸 수 있겠어?"

적잖이 놀랐는지, 웬만하면 기죽는 법이 없는 여자가 어깨를 움츠린 채 좀처럼 고개를 들지 않았다. 나무 문짝이 도끼에 찍혀 떨어져 나가는 소리가 들릴 때마다 움찔움찔 떨면서도, 레오폴드의 품으로 들어오지 않는 걸 보면 아직도 그를 믿지 못하는 것 같았다.

기사들과 프리다는 황제가 먼저 걸음을 옮기길 기다리며 뒤편에 섰나. 열 발자국 앞에 선 로잘린은 이쪽이라며 등을 좌우로 흔들었다. 즉시 떠나야 했다.

"후우……."

짧은 한숨으로 복잡한 마음을 다잡은 레오폴드는 잘게 떨리고 있는 페트리샤의 손을 덥석 잡았다.

"가자. 우리 아이를 살리려면 서둘러야 해."

그러곤 성큼성큼 로잘린이 서 있는 쪽으로 페트리샤를 이끌었다. 버티나 싶던 그녀의 팔에 차츰 힘이 빠지는 것이 느껴졌다. 그의 뒤를 따르는 자들의 급한 발소리, 문이 거의 뜯겨 나간 듯한 심상치 않은 쩍 소리, 지옥의 사신들이 내지르는 듯한 끔찍한 고함 소리.

수많은 소리를 귀에 담으며 시작된 걸음이 점점 빨라졌다. 하고 싶은 말이 많았지만, 레오폴드는 우선 이 지옥 같은 곳을 빠져나간 다음에 하자고 마음먹었다.

오늘 이곳을 무사히 빠져나가 제게 말할 기회가 주어진다면, 고맙다고 말하겠다고 결심도 해 봤다. 저를 믿지 못하면서도 아이를 지키기 위해 노력해 준 페트리샤에게. 갈팡질팡하며 멍하니 있던 저를 일깨워 옳은 길을 가게 해 준 프리다에게.

그리고 다니엘에게. 그 잘난 인간을 다시 만나게 된다면 그동안 나를 지켜 줘서 고맙다고, 이번엔 내가 널 살려 줬으니 우린 비긴 거라고 너스레를 떨고 싶다.

'제발 그런 날이 오기를.'

레오폴드는 칠흑 같은 어둠으로 둘러싸인 통로 안으로 뛰어 들어갔다. 어느새 그들 모두가 뛰고 있었다.

멀리서 섬뜩한 고함 소리가 들렸다. 통로는 좁고 어두웠으며, 그들의 뒤를 쫓아오는 자들은 빨랐다. 고트란족에게 자신들이 가는 방향을 들키지 않으려면 빛을 숨겨야 했다. 등불의 빛을 최소한으로 줄인 채, 앞선 사람의 움직임을 보며 걷고 뛰었다.

그러다 보니 앞을 잘 보지 못하는 프리다가 계속 뒤처졌다. 일행의 맨 뒤에 있던 뮤리엘이 그녀에게 방향을 알려 주곤 했지만, 미로 같은 통로에서 방향을 바꿀 때마다 프리다는 어깨, 다리, 머리를 쉴 새 없이 벽에 찧었다. 보다 못한 기사 하나가 그녀를 업겠다고 나섰다.

그러나 사람 하나가 겨우 지나갈 수 있는 좁은 통로에서 건장한 사내가 그녀를 업고 달리는 건 불가능했다. 결국 앞서가던 로잘린이 들고 있던 등을 기사에게 건넨 다음 프리다를 부축하러 왔다.

하지만 길을 안내해야 할 로잘린이 뒤에서 설명하는 말만 듣고 가는 데는 한계가 있었다. 이동 속도가 현저히 늦어지자 프리다가 먼저 결정을 내렸다. 그녀는 제 팔을 부축하고 있는 로잘린의 어깨를 밀었다.

"로잘린, 폐하와 뷔테인 남작 부인을 데리고 이곳을 먼저 빠져나가."

"그게 무슨 말씀이세요, 마님?"

이 속도로 가다간 얼마 지나지 않아 따라잡힌다는 걸 로잘린도 알고 있었다. 하지만 차라리 다 같이 죽으면 죽었지, 프리다를 여기에 혼자 두고 빠져나갈 수는 없었다. 로잘린은 말도 안 되는 소리 하지 말라며 단호히 고개를 저었다.

"절대 그럴 수 없어요. 마님이야말로 약한 말씀 하지 마시고 힘내세요. 조금만 더 가면 출구가 나와요."

"거짓말하지 마. 난 다니엘과 몇 번이고 비밀 통로를 드나들어 봤어. 이 통로는 아직도 한참이나 더 남았잖아."

등을 밝히는 빛이 자꾸 사그라들고, 사람들의 얼굴이 창백해지고 있다는 것이 그 증거였다. 출구가 가까워졌다면 숨쉬기가 훨씬 편해져야 하는데, 극한 상황에 단련된 기사단의 숨결도 이미 한계에 다다른 듯 거칠었다. 프리다는 그들에게 불을 비춰 주고 있던 기사의 손에서 등을 빼앗은 다음, 벽에 허리를 기대고 숨을 헐떡였다.

"내 말 들어, 로잘린. 이건 명령이야."

여기저기에 부딪힌 팔다리가 통증으로 욱신거리고 숨이 턱 끝까지 차올랐지만, 머릿속은 오히려 또렷해졌다. 살아야 한다. 그러려면 우리 중 누구라도 여기를 빠져나가 도움을 청해야 한다. 단순한 그 생각 하나만이 계속 머리를 맴돌았다. 프리다는 그녀를 둘러싸고 있는 기사들을 향해 위엄 있는 목소리로 말했다.

"그대들도 잘 들어요. 나 아메티스 기사단의 주군 프리다 리하르트가 나의 기사들에게 명합니다. 그대들은 리하르트 공작 전하와 나의 명예를 걸고, 황제 폐하와 뷔테인 남작 부인을 지키세요. 저분들을 데리고 빨리 이곳을 빠져나가요."

"주군……."

"안 됩니다. 저희는 주군을 지켜야 합니다."

죽어도 그럴 수 없다며 반대하는 소리가 터져 나왔지만, 프리다는 단호히 그들의 말을 잘랐다.

"지금부터 한마디만 더 한다면 항명으로 받아들이겠어요."

몇 걸음 앞에서 숨을 헐떡이고 있던 레오폴드가 거의 쓰러져 가는 페트리샤의 등을 토닥여 준 후 그녀에게 다가왔다.

"말도 안 되는 소리 하지 말아요. 나 혼자선 안 나가. 그랬다가 다니엘에게 뭔 소리를 들으라고. 그러지 말고 조금만 더 힘을……."

"기사들은 내 명령이 들리지 않나요? 얼른 폐하를 모시고 나가라고."

레오폴드의 말을 중간에서 끊은 프리다는 로잘린의 팔을 잡아 제 앞으로 당겼다.

"네가 꼭 살아야 해, 로잘린. 다니엘에게 쉔달 성의 소식을 가장 빨리 알려 줄 수 있는 사람도, 이 통로의 출구를 아는 것도 너뿐이잖아."

"싫습니다. 마님을 여기에 버려두고는 죽어도 못 갑니다."

"로잘린!"

프리다가 땀이 홍건한 이마를 쓸며 힘겹게 미소 지었다.

"나도 다 생각이 있어. 난 살 거야. 꼭 살아 있을 거야. 하지만 계속 이러고 있으면 우린 다 죽어. 생각해 봐. 폐하가 계시면 나머지 인간들은 아무 가치가 없어. 하지만 나 혼자뿐이라면 얘기가 달라지지 않겠어?"

다니엘에게 원한이 있는 아서 노팅겐이 자신을 쉽게 죽이진 않을 것 같다는 예감이 본능적으로 들었다.

"아서 노팅겐이 다니엘을 엄청나게 싫어한다며? 그럼 다니엘의 화를 있는 대로 돋우고 싶어서라도 날 인질로 삼을 게 분명해."

아니라 해도 어쩔 수 없지만. 프리다는 아무렇지도 않은 척 예쁘게 눈을 접으며 웃었다.

"난 끝까지 버틸 거야. 절대 쉽게 죽지 않아. 남들이 다 스무 살도 넘기지 못할 거라 그랬지만 지금껏 버텨 냈잖아. 난 허브처럼 질긴 목숨을 가졌어. 그러니 얼른 다니엘에게 가서 말해. 내가 여기서 기다리고 있다고. 빨리 와서 날 구하라고."

다니엘의 이름을 말하는 것만으로도 어둠이 스며든 보랏빛 눈동자가 촉촉하게 젖어 들었다.

"네가 가서 전해 줘. 늦으면…… 용서하지 않을 거라고."

그를 두 번 다시 보지 못할지도 모른다는 예감에 눈물이 터져 나올 것 같았지만 꾹 참았다.

"그러니 서둘러. 어서."

"아가씨의 말대로 해, 로잘린."

뒤편의 동향을 살피던 뮤리엘이 프리다를 거들고 나섰다.

"로시발트 경……."

"서둘러. 고트란 망나니들 몰려오는 소리 안 들려? 여기까지 힘들게 와 놓고 다 같이 개죽음당하면 무슨 소용이야."

"그렇지만……."

뮤리엘이 우두커니 서 있는 기사단원 중 한 명에게 손을 내밀었다.

"자네 검, 내가 좀 빌리지. 시간 없으니까 빨리 내놔."

강탈하듯 기사의 검을 받아 낸 뮤리엘이 로잘린의 등을 세게 밀었다.

"넌 아가씨의 명령대로 황제 폐하를 지켜. 그리고 한시바삐 리하르트 공작 전하를 모셔 와."

그러곤 어둠 속에 줄지어 서 있는 기사단을 쭉 훑어보며 말했다.

"그대들도 개죽음당할 생각 말고 공작 전하를 도와 주군을 구하러 와. 그 때까지 리하르트 공작 부인은 내가 지키고 있겠다."

뮤리엘의 말이 끝나자마자 로잘린이 그녀의 손에서 검을 뺏으려 다가왔다.

"그 검 이리 주고 로시발트 경이 나가십시오. 제가 남겠습니다."

"난 지리를 모르잖아, 이 바보야. 그리고 우리 아가씨는 너보다 나랑 있고 싶을걸. 그렇죠?"

싱긋 웃으며 묻는 뮤리엘을 향해 프리다는 저도 모르게 고개를 끄덕이고 말았다.

"봤지? 그럼 이제 다들 꺼지시지."

의기양양한 뮤리엘의 목소리가 좁고 길고 어두운 통로에 낮게 울려 퍼졌다.

몇 차례 더 실랑이가 벌어졌다. 특히 프리다를 두곤 못 간다며 마지막까지 버티던 레오폴드는 결국 주군의 명을 받은 기사들 손에 입이 막힌 채 질질 끌려 나갔다.

로잘린이 훌쩍이는 소리가 통로를 떠나고, 약하게나마 앞을 비춰 주던 등불도 꺼졌다. 프리다와 뮤리엘 주위에 짧은 침묵이 찾아왔다. 뒤를 쫓는 자들의 음산한 걸음 소리는 점점 가까워졌다.

그제야 진정한 두려움이 밀려왔다. 돌벽에 등을 대고 숨을 몰아쉬던 프리다는 뮤리엘을 찾아 벽을 더듬거렸다.

"뮤, 뮤리엘……."

왼편에 바짝 붙어 있던 뮤리엘이 프리다의 손을 꼭 잡았다.

"무서워하지 마세요. 제가 곁에 있는데 뭐가 걱정입니까?"

왜 이제야 뮤리엘이 제 옆에 남았다는 것이 무슨 의민지 깨닫게 되었을까. 후회의 눈물이 프리다의 뺨을 타고 흘러내렸다.

"뮤리엘, 미, 미안해. 정말…… 흑. 정말 미안해. 근데 날 두고 가라는 말이…… 안 나와. 흑흑. 뮤리엘마저 없으면 너무…… 나 너무 무서워."

뮤리엘이 훌쩍이는 프리다의 손을 당겨 제 품에 안았다. 그러곤 엉망으로 엉킨 머리를 다정히 쓸어 주며 속삭였다.

"가라고 하셨으면 섭섭했을 거예요. 이제 너는 기사 자격이 없으니 쓸모없다는 말로 들리잖아요."

"뮤리엘. 흑흑, 뮤리엘……."

두려움에 잠식되어 멍해졌던 머리에 피가 돌며 조금씩 정신이 돌아왔다. 프리다는 재빨리 눈물을 훔치며 뮤리엘의 품을 벗어났다. 보이는 건 없지만, 감각만으로 로잘린이 떠났던 방향을 떠올린 그녀는 뮤리엘의 가슴을 그쪽으로 밀었다.

"여기 있으면 안 돼, 뮤리엘. 나랑 같이 있으면 죽어. 뮤리엘이라면 로잘린을 바로 따라잡을 수 있어. 그러니 빨리 떠나. 얼른 가."

하지만 막상 밀치고 나니 덜컥 겁이 났다. 프리다는 빛 한 줌 없는 어둠을 뒤져 제 손으로 보낸 뮤리엘을 다시 찾았다. 다행히 지척에서 뮤리엘의 목소리가 들렸다.

"아가씨, 기억하세요? 지난번에 제가 제대로 충성 맹세를 하겠다고 했던 거."

충성 맹세? 불현듯 다니엘이 자신에게 아메티스 기사단을 선물로 주었던 때가 생각났다. 뮤리엘이 도로 공사 현장으로 떠나기 전 나눴던 대화도 새록새록 떠올랐다.

"다음번 성에 들어오는 날. 저도 정식으로 예를 갖춰 충성 맹세를 바치겠습니다. 부친이신 하크본 백작님의 부탁 때문이 아닌, 오직 제 의지로요. 받아 주시겠습니까?"

"받아 주고말고. 누가 뭐래도 내 첫 기사는 뮤리엘인걸. 지금 당장 받아 줄게."

"싫습니다. 저도 몰리 경처럼 멋지게 갖춰 입고 정식으로 충성 맹세를 할 겁니다."

허공을 더듬는 프리다의 손에 검 자루를 쥐어 준 뮤리엘이 검날을 제 어깨에 맞춰 올린 후 한쪽 무릎을 꿇었다.

"아메티스 기사단의 멋진 보라색 망토를 어깨에 두르고 하고 싶었는데……. 아쉽지만 이대로 진행하시죠."

"뮤리엘, 이럴 시간 없어. 얼른……."

한 치 앞도 보이지 않는 어둠 속에서 단호하고 낮은 뮤리엘의 목소리가 들려왔다.

"아가씨가 뭐라 하시든 전 여기 안 떠나요. 여기서 아가씨를 지키고, 길을 떠난 사람들을 위해 시간을 끌어 주다 장렬히 죽기로 마음먹었거든요."

"뮤리엘!"

"아가씨."

뮤리엘이 무릎을 꿇은 채로 프리다의 손을 꼭 쥐었다.

그녀에게 검을 가르쳤던 스승은 죽음을 앞두면 주마등처럼 뇌리에 과거의 일들이 스치고 지나간다고 하셨다. 바로 그 순간이 이 생에서 너에게 마지막으로 허락된 시간이니, 혹 그때가 왔을 때 아끼는 이가 앞에 있다면 꼭 마음을 고백하라고. 한번 놓치면 영영 끝이니 멍청이처럼 굴다 헛되이 흘려보내지 말라고도 하셨다.

당시 뮤리엘과 친우들은 '이미 댕강 목이 잘려 나갔을 텐데 그럴 시간이 어딨냐'며 낄낄 웃었는데, 오늘에서야 스승의 말뜻이 이해되었다. 오늘이 나의 생이 끝나는 날이며, 이곳이 그녀의 무덤이 될 거라는 사실도. 울컥 목이 멜 줄 알았는데 의외로 담담한 기분이다.

그래도 죽기 전에 저를 돌아볼 시간을 가지게 되었으니, 그럴 시간도 없이 눈을 감은 놈들에 비하면 자신은 운이 좋은 편이다. 뮤리엘은 바들바들 떨리는 프리다의 작고 부드러운 손을 꼭 쥐었다.

"전 여기서 죽습니다. 기사에게 자신이 아끼는 이를 지키다 생을 마감하는 것만큼 영광스러운 죽음은 없어요. 제가 아가씨의 기사로서 그 영광을 누릴 수 있게 해 주세요. 부탁입니다."

"뮤리엘. 흑흑. 뮤리엘……."

"울지 마세요."

프리다가 흘린 눈물이 뮤리엘의 손등을 적셨다. 문득 그녀가 없어도 아가씨의 눈물을 닦아 줄 사람이 있으니 다행이라는 생각이 들었다. 리하르트 공작이라면 나의 작은 아가씨를 제 목숨보다 더 소중히 아껴 줄 테니. 그나저나 우리 아가씨 손이 제법 컸네. 언제나 소녀일 줄 알았더니. 물기로 젖은 손을 만지작대며 뮤리엘이 피식 웃었다.

"하크본 백작께서 제게 아가씨의 호위를 맡겼을 때, '대체 이 조그만 아가씨가 위험에 빠질 일이 뭐가 있다는 거지?'라고 생각했어요."

그 어떤 전투보다 치열한 일상이 제 앞에 펼쳐질 줄 모르고.

"후후. 제 오만이었죠. 살다 살다 아가씨처럼 일 벌이기 좋아하는 귀족 아가씨는 처음이었어요."

이 대책 없는 아가씨를 언제부터 사랑했는지는 모르겠다. 제겐 아무 감흥도 없는 하루하루를 감사하며 보내는 모습에 스며들었을 수도 있고, 길지 않은 생이나마 잘 살아 보겠다며 의지를 불태우는 게 기특했을 수도 있었다.

그럼에도 단 한 번도 프리다 아가씨보다 뮤리엘 자신의 생이 먼저 끝날 거라고 상상해 본 적 없었다.

이 또한 오만이었다. 그리고 상상대로 되지 않아서 다행스럽기도 하다. 내 작은 아가씨를 먼저 떠나보냈다면, 남은 삶이 무척이나 헛헛하고 지루했을 테니.

"자, 이제 충성 맹세를 받아 주세요. 제 마지막 소원인데 뿌리치지 마시죠."

"으흑, 뮤리엘……."

눈물에 젖은 손을 놓은 뮤리엘은 바닥에 접어 세운 오른쪽 무릎에 팔을 올리고 머리를 숙였다. 그리고 이젠 아가씨가 아니라 주군이 된 프리다에게 충성 맹세를 바쳤다.

"나 뮤리엘 로시발트. 온몸과 마음을 바쳐 죽음으로도 깨트릴 수 없는 굳건한 충성의 맹세를 주군, 프리다 클라우드 리하르트에게 바칩니다."

흐느끼던 프리다가 눈물로 범벅 된 입술을 떼어 뮤리엘의 맹세를 받아들였다.

"나…… 흑. 프리다…… 클라우드 하크본. 그대…… 흑흑. 뮤리엘…… 로시발트의 맹세를…… 받습니다. 그대는…… 나의 첫 기사이자…… 흑. 내가 사랑한 유일한 기사…… 입니다."

울먹임이 반이 넘는 말을 끝맺은 프리다는 뮤리엘을 끌어안고 펑펑 눈물을 쏟았다.

"뮤리엘, 뮤리엘……."

뮤리엘의 귀에는 이미 지척까지 다가온 적들의 발소리가 들렸다. 희미하게 통로를 비추던 불빛이 점점 밝아지더니 어느새 주위가 환해졌다. 엉엉 우는 프리다를 한 번 더 꼭 안아 준 뮤리엘이 바닥에 떨어진 검을 들고 자리에서 일어나 뒤를 돌았다.

"어디서 썩은 짐승 냄새가 난다 했더니 네놈들이었군."

뮤리엘과 고트란족 사이에 입에 담지 못할 욕설들이 오갔다. 하지만 프리다의 귀엔 오직 뮤리엘의 말만 들렸다. 눈물로 흐릿해진 시야 너머로 뮤리엘만 보였다.

"이 길을 지나고 싶다면 나를 이겨야 하는데, 네놈들 실력으론 힘들지 않을까?"

웅성대는 소리, 거친 고함 소리가 이어지는 와중에도 당당하고 호탕한 뮤리엘의 웃음소리가 들렸다.

"내가 누구냐고? 못 들어 봤어? 뮤리엘 로시발트. 리하르트 공작 부인의 첫 기사. 오늘 네놈들의 목숨을 거둬 갈 용맹한 기사이기도 하지."

프리다의 눈엔 이후로도 내내 좁은 통로를 휘날리는 뮤리엘의 적갈색 머리카락만 보였다. 까무룩 정신을 잃을 때까지, 프리다는 오래도록 그녀의 첫 기사만을 눈에 담았다.

스베르겐 제국력 322년. 볼슈타크 2세 재위 8년. 여름. 첼리노. 쉔달 성벽 앞. 그날의 전투는 지평선 아래서 꿈틀거리던 태양이 어둠을 밝히기 시작할 때쯤 시작되었다.

기시감인가. 다니엘은 밤새 쏟아진 폭우로 진창이 된 들판을 바라보며 언젠가 비슷한 광경을 보았던 적이 있음을 떠올렸다.

기억을 오래 더듬을 필요는 없었다. 제국 밖으로부터의 침범은 드물어도 황위 다툼은 끊이지 않는 제국 '스베르겐'이다. '황제의 사냥개'라 불리는 다니엘 요하네스 리하르트 공작을 원하는 전투야 흔하디흔한 일상인 것을. 물론 그때는 지금과 달랐을 것이다.

고급스러움이 덕지덕지 묻어나는 이런 번쩍번쩍한 갑옷이 아닌 흙탕물을 뒤집어쓰고 있었으니까. 닦아 냈다 한들 냄새까지 지워 낼 순 없으니, 아마 까맣고 커다란 늑대 같았을지도.

내 아내는 무지막지한 용병 티를 벗지 못한 내가 무서웠으려나. 조금씩 밝아 오는 하늘을 무표정하게 바라보고 있던 다니엘의 입가가 미세하게 꿈틀댔다.

생각해 보니 제 용감한 아내는 어떤 순간에도 다니엘을 무서워하지 않았다. 저보다 족히 두 배는 큰 시커먼 사내를 앞에 둔 그녀의 맑은 보랏빛 눈 속에 담긴 감정은 언제나 호기심, 신기함 혹은…… 흥미로움? 뭐가 되었든 확실히 두려움은 아니었다. 그랬다. 다니엘의 반쪽이나 될까 싶은 작고 가는 몸을 가진 여자는 사실 단 한 번도 그를 무서워하지 않았다.

용감한 제 아내는 지금도 두려움 없이 저를 기다리고 있겠지. 차가운 분노로 들끓던 그의 붉은 눈이 조금 연해지나 싶던 순간이었다.

태양의 머리가 막 지평선에 모습을 드러내던 찰나, 쉔달 성 위의 적들이 성벽 한가운데로 나무 십자가를 들고나왔다. 그 십자가 위에 매달린 하얀 옷자락이 첼리노에 불어오는 서풍을 따라 나부꼈다. 마치 천사의 날갯짓처럼.

다니엘은 아무것도 쥐고 있지 않은 오른손을 뼈가 도드라질 만큼 꽉 움켜쥐었다. 잘라 주는 이가 없어 내버려 두었던 다니엘의 머리칼도 나무 십자가에 매달린 하얀 옷자락, 그리고 같은 색의 머리칼이 나부끼는 방향으로 흩날렸다.

들판을 밝히는 어스름한 여명과 함께, 천상의 것이 아닐까 싶을 정도로 눈부시게 새하얀 형상이 그의 시야에 가득 들어왔다. 그가 본 것의 정체를 깨달은 도미닉이 다니엘의 뒤에서 험악한 욕설을 내뱉었다.

"아서 노팅겐, 저 뼈를 발라 죽일 망할 개자식이 감히 누구를……."

"궁수 앞으로."

다니엘의 명령을 들은 도미닉이 짙은 갈색 눈을 번뜩이며 그를 쳐다봤다.

"주군. 거리가 멀어 활은 소용없습니다. 괜히 적들의 심기만 건드릴 겁니다."

"궁수는 어차피 눈가림용일 뿐이다. 놈들이 화살에 집중하는 동안 넌 그거나 차질 없게 준비해 둬. 곧 해가 뜬다. 그 전에 끝내지 않으면 내 아내가 위험한 건 마찬가지야."

담담히 말을 마친 다니엘은 가죽 건틀릿에서 손을 빼내는 것을 시작으로, 몸을 감싸고 있던 보호 장구들을 하나씩 풀어 빠르게 바닥으로 내던졌다.

"발자크를 데려와라."

궁수를 앞으로 배치하라는 수신호를 보내던 도미닉의 눈이 휘둥그레졌다.

"설마, 이 진창을 말을 타고 달리시겠다는 겁니까? 발자크가 아무리 명마라지만 그건 불가능……."

"도미닉 몰리."

가슴을 가린 흉갑만을 남기고 모든 갑옷을 벗어 버린 다니엘이 빛이 사라진 알타스 숲의 밤처럼 까만 머리칼을 뒤로 넘기며 말했다.

"그만 떠들고 데려와."

머리칼 아래로 드러난 다니엘의 눈동자가 언제 연해졌나 싶게 한없이 붉었다. 주군이 마음을 돌리지 않을 것을 직감한 도미닉은 짧게 한숨을 내쉬곤 근처에 있는 사병을 불렀다.

"주군의 말을 데려와. 당장."

궁수들이 간격을 맞춰 도열하는 동안, 다니엘은 점점 밝아 오는 하늘을 등지고 성벽 위에 선 새하얀 형상을 우두커니 보았다.

"다니엘. 난 잘 지낼 거예요."

거짓말쟁이.

"잘 먹고. 잘 자고. 건강하고 튼튼하게 여기서 당신을 기다리고 있을게요."

당신은 순 거짓말쟁이야, 프리다.

"금방 올게. 당신이 내 빈자리를 그리워할 틈도 없이 금세 돌아올게."

하긴, 나도 거짓말쟁이군. 금세 온다고 해 놓고 이리 늦었으니.

"맹세해. 프리다. 어디 하나 다친 곳 없이 멀쩡히 두 발로 걸어 당신에게 돌아올게."

그래도 난 멀쩡히 오겠다는 약속은 지켰어. 그러니 당신도 약속 꼭 지켜.

발자크의 발굽 소리를 들은 다니엘은 몸을 돌려 한순간도 망설이지 않고 검은 군마 위로 훌쩍 올라탔다. 아내를 구하러 갈 시간이었다.

발자크가 거칠게 투레질을 하며 당장이라도 내달릴 것처럼 앞발을 치켜들었다. 저도 모르게 말고삐를 세게 잡았던 모양이다.

"진정해, 발자크."

다니엘이 제 성격을 꼭 닮은 괴팍한 애마의 갈기를 도닥이며 말했다.

"진흙 구덩이에 처박혀 목 부러지고 싶지 않으면 집중력 흐트러트리지 마. 우리에게 기회는 한 번뿐이다. 네 녀석이 그 기회를 놓친다면 저 더러운 진창에 기꺼이 널 묻어 주마."

살벌한 경고가 연이이 날아들었다.

"프리다에게 도착하는 시간이 늦어져도 마찬가지다. 저 질척한 진흙 구덩이에 파묻히고 싶지 않으면 정신 바짝 차려."

사지가 오그라드는 협박을 듣고도 발자크는 꼬리를 내리는 대신 연신 콧바람을 불어 댔다. 한 발만 삐끗해도 다리가 꼬여 자빠지고 말 진창을 앞에 두고도 겁먹은 기색이라곤 없었다. 꼭 안장에 올라 있는 제 주인처럼.

그때 건장한 중년의 사내가 일사불란하게 자리 잡는 궁수와 수십 명의 군사 사이를 제치고 그들 곁으로 다가왔다. 며칠 전 다니엘의 군대에 합류한 '리카르도 몰리'였다. 그는 남부 해협으로 몰려든 투르크의 함대가 술탄의 사망 소식과 함께 퇴각한 후 첼리노로 달려왔다.

발자크 옆에 선 그는 제가 본 것이 맞는지 확인하기 위해 목을 쭉 빼고 게슴츠레 눈을 좁혔다. 쉔달 성벽 위를 응시하던 그가 바람을 가르듯 재빠른 솜씨로 검집에서 검을 빼 들며 고함쳤다.

"이 눈알을 파 버릴 후레자식들이. 감히 우리 공작 부인을……."

심상치 않은 기운을 느낀 도미닉이 당장이라도 내달릴 기세인 아버지의 어깨를 덥석 안아 붙들었다.

"아버지. 참으세요."

"놔라, 도미닉. 우리 공작 부인께서 저러고 계시는데 어떻게 참아. 손목을 꺾어 버리기 전에 당장 놔!"

"눈이 있으면 좀 보세요. 주군께서도 참고 계십니다."

도미닉의 말에 팔을 놓으라고 난동을 피워 대던 리카르도가 일순 잠잠해졌다. 오십이 넘었으나 여전히 저보다 힘이 넘치는 아버지를 붙잡고 낑낑대던 도미닉이 '휴우' 한숨을 쉬며 뼈가 으스러지도록 꼭 안고 있던 아버지의 어깨를 놔주었다.

"남는 힘 있으면 아껴 두고 계세요. 이제 곧 쓰시게 해 드릴 테니까."

"남다 못해 힘이 펄펄 넘친다. 온종일 어깨 빠지도록 싸우고 싶어 몸이 근질근질해 미칠 지경이라고."

분을 참지 못하고 씩씩대던 리카르도는 고개를 치켜들었다. 다니엘은 이 난리 통에도 담담히 성벽만을 바라보고 있었다. 그를 물끄러미 쳐다보던 리카르도가 조급증을 참지 못하고 입을 열었다.

"벌써 해가 저만큼이나 올랐어요. 이 뙤약볕에 공작 부인의 연약한 살갗이 상하기라도 하면 어쩌려고 이리 우물쭈물 시간을 끌고……."

"도미닉."

"예, 주군."

리카르도에게 그만하라고 눈짓을 주던 도미닉이 즉시 대답하며 아버지를 밀치고 발자크 옆에 섰다. 버드나무 가지처럼 하늘하늘 힘없이 흔들리는 하얀 머리칼에서 눈을 떼지 않고 있던 다니엘이 낮고 무거운 목소리로 명령을 내렸다.

"발자크가 진창에 발을 내디디는 순간, 궁수들에게 화살을 쏘라고 지시해. 조준은 정확히 내 머리 위로. 내가 진창을 벗어날 때까지 쉴 새 없이 쏜다. 한 치의 실수도 있어선 안 된다. 알아들었나?"

"존명!"

습관처럼 존명을 외친 도미닉이 아랫입술을 깨물었다. 뒤늦게 이건 미친 짓임을 깨달았지만, 다니엘을 말리기엔 이미 늦었다는 걸 알기에 토를 달지 않을 작정이었다.

지금 다니엘은 자신이 성문으로 달려가는 동안, 머리 위로 화살을 날려 엄호하라는 지시를 내리는 거였다. 성벽 위에 있는 놈들이 다니엘을 향해 화살을 쏘지 못하도록, 우리 편에서 먼저 화살로 방패를 만들어 그들의 시야를 방해하라는 말이다.

'말이야 쉽지.'

달려가는 중에 바람의 방향이라도 바뀌면 어쩔 건데. 자칫하다가 우리 편의 화살이 다니엘의 등, 어깨, 머리로 날아들기라도 하면 벌집이 되는 건 한순간이다. 게다가 길이나 멀쩡하냐고.

땅마서 밤새 내린 비로 진창이라 걸어서 지나가는 것도 힘들다. 이런 날, 갑옷을 칭칭 두르고 행군을 했다간 성벽에 닿기도 전에 온몸에 진이 빠지고 말

것이다. 다니엘이 발자크의 등에 오르기 전에, 몸에 두른 보호구를 죄다 벗어 던진 이유도 그래서였다.

말발굽에 쩍쩍 달라붙는 진흙 더미를 헤치며 달려야 하는 발자크의 다리를 조금이라도 가볍게 해 주려고. 화살로부터 발자크를 보호해 줄 말 갑옷을 벗길 순 없으니, 제 것을 벗은 것이다.

공성전은 성을 지키는 쪽이 무조건 유리하다. 그걸 알기에 적들도 쉔달 성안에서 단단히 문을 걸어 잠그고 밖으로 나오질 않는 거다. 황제가 다니엘이 도착하기 전까지 쉔달 성을 꽁꽁 에워싸고 막아 놨기 망정이지, 그마저도 하지 않아 바이첸의 사병들이 고트란족과 합류했다면……

어휴, 생각만 해도 끔찍하다. 도미닉은 절레절레 고개를 저었다.

아서 노팅겐이 공작 부인을 저리 나무 기둥에 매달아 보란 듯이 성벽에 세워 놓은 건 다니엘을 도발하려 함이다. 어서 저 진창에 발을 들여 화살의 유효 사거리 안으로 들어오라고. 건너올 테면 와 보라. 오는 족족 머리에 화살을 박아 주마. 갑옷 위에 펄펄 끓는 기름을 부어 주마. 성벽에 몸을 숨긴 채 이리 벼르고 있을 것이 분명하다.

'아서 노팅겐, 이번에야말로 네놈의 뼈를 발라서 아작아작 씹어 먹고 말 테다. 개자식.'

침착한 척 가면을 쓰고 있을 뿐, 리카르도만큼이나 분을 삭이지 못하고 있는 도미닉의 머리 위로 차가운 음성이 내려앉았다.

"그것들은?"

"눈에 띄지 않도록 숲속에 잘 숨겨 놓았습니다."

"내가 적들의 시선을 붙들어 놓는 동안, 도미닉 넌 그것들을 끌고 최대한 빨리 숲을 가른다. 서두르지 말고 최대한 안정적인 장소와 거리를 확보한 후 시작해. 섣불리 움직였다 실패하면 두 번째 기회는 없어."

"염려하지 마십시오. 수십 번도 넘게 연습했습니다. 정확성 하나는 자신 있습니다."

실수는 절대 용납하지 않겠다는 엄중한 시선이 도미닉에 이어 리카르도에게 향했다.

"리카르도는 내게 화살이 집중되는 틈을 타 보병 부대를 이끌고 진창을 건넌다. 거추장스러운 보호구는 모두 벗고 최대한 가벼운 차림으로 진군해. 장비는 검과 화살을 막아 줄 방패면 충분하다."

"당연한 말씀. 갑옷을 입고 저런 진흙 바닥을 지났다간 넘어져 밟혀 죽기 십상입니다. 우린 알아서 잘 따라갈 테니 걱정 말고 주군이나 조심하십시오."

말을 마친 리카르도가 빠르게 군사들 속으로 사라졌다. 그가 사라진 뒤편이 진군 준비를 서두르라는 쩌렁쩌렁한 고함으로 금세 시끄러워졌다.

이제는 말 머리를 완전히 정면으로 돌린 다니엘이 말고삐를 바짝 쥐었다. 그는 마지막으로 걸치고 있던 흉갑까지 벗어 바닥으로 던졌다. 도미닉이 근심 어린 표정으로 잽싸게 흉갑을 주워 들었다.

"주군, 화살이 빗발칠 겁니다. 적어도 흉갑은 걸치시는 게……."

"만에 하나 낙마를 하더라도 몸이 가벼운 쪽이 부상을 줄일 수 있어. 내가 걱정되면 적들이 날 고슴도치로 만들기 전에 네가 먼저 싹 쓸어버리면 되잖아."

"……알겠습니다."

도미닉은 더는 말을 보태지 않았다. 그들 뒤로 궁수들의 도열이 끝났음을 알리는 나팔 소리가 들려왔다.

"시작하지."

달랑 이 한마디를 남긴 다니엘은 지체 없이 발자크의 옆구리를 걷어찼다. 도미닉은 불시에 달려 나가는 주군 뒤에서 목뒤를 부여잡았다.

"아우, 저 미친놈."

그러나 머뭇거리는 시간도 잠시뿐이었다. 다니엘의 뒷모습에 잠깐 눈을 준 그는 즉각 궁수들 앞으로 나섰다.

"우리는 지금부터 주군을 엄호한다!"

자세를 잡는 궁수들 앞에서 휙 검을 빼 든 도미닉이 큰 눈을 희번덕거리며 무섭게 부라렸다.

"화살은 주군의 머리 위로, 최대한 멀리! 집중해! 누구라도 주군의 등에 화살을 박는 놈이 있다면 뼈마디를 하나하나 부순 다음 머리통을 박살 내주고 말 테다!"

"존명!"

"셋에 시위를 놓는다. 하나, 둘, 셋!"

그 순간, 도미닉의 머리 위로 수백 개의 화살이 하늘을 갈랐다. 고개를 돌린 도미닉의 눈에, 동이 터 오는 하늘과 서서히 모습을 드러내고 있는 태양을 향해 달려가는 검은 사내가 보였다. 수백 개의 화살이 그의 머리 위로 그늘을 만들며 날아가다 바닥에 꽂혔다.

보랏빛 날개를 펼친 검은 독수리가 작고 여린 아내를 구하기 위해 목숨을 걸고 달려가는 모습을 숙연하게 바라보던 도미닉은 급히 숲으로 달렸다.

"우리도 이동한다, 서둘러!"

그는 거침없이 수풀을 베며 앞으로 나아가는 용병들 뒤에 바짝 붙어 힘껏 수레를 밀었다.

"와아……!"

왼편에서 리카르도가 이끄는 보병 부대가 우레 같은 함성을 내질렀다.

"쉬지 말고 성문 앞까지 뛰어라, 돌격!"

훗날 역사가들에 의해 '리하르트의 분노'라 불리게 되는 쉔달 성 최후의 날이 시작되고 있었다.

하얀 밤의 계절, 온종일 대지에 내리쬐던 태양이 긴 하루의 끝을 알린 지 얼마나 되었다고 다시 날이 밝았다. 뺨을 스치는 미지근한 바람에 느리게 정신을 차린 프리다는 초점이 잡히지 않는 눈을 느릿느릿 두어 번 깜박이다 도로 감았다.

심장이 뛰고, 소리가 들리고, 목이 말랐다. 그러나 자신이 아직 살아 있다는 증거들을 되새기고 있음에도, 아무런 감흥도 느껴지지 않았다.

과거 어느 날엔 매일 아침 눈을 뜨며 살아 있음에 감사했던 적도 있었던 것 같은데……. 이젠 그런 날들이 있긴 했었는지 기억조차 까마득했다.

더는 머릿속을 헤집고 싶지 않아 프리다는 다시 멍하니 고개를 숙였다. 요즘 그녀는 종종 그랬다. 기억을 더듬다 보면 감당하기 힘든 일에 맞닥트리게 될 것 같은 두려움이 엄습했다. 그래서 아예 생각하지 않고 의식을 놓아 버리는 쪽을 택했다. 자연스레 말도 잃어 갔다.

"이년 벙어리야? 성녀가 아니라 병신이었어?"

"쓸데없는 소리 말고 방에 처박아 놔. 이 성에 남아 있는 인간 중 가장 값어치 있는 인질이시다."

"노팅겐. 자네 취향은 이런 말라비틀어진 비리비리한 여자였구나?"

"지랄하네. 수레째 금화를 얹어 준다고 해도 사양이다. 네놈 같으면 곧 죽을 것 같은 여자를 데리고 흥이 나겠냐?"

처음엔 음식을 가져다주며 뭐라 뭐라 말을 걸던 하녀들도, 프리다가 대꾸하지 않자 어느 날부턴가 아무도 그녀에게 말을 걸지 않게 되었다. 차츰 귀도 닫았다. 모든 감각이 하나, 둘 서서히 사라져 갔다. 보고 싶지 않은 것을 보지 않고, 듣고 싶지 않은 말을 듣지 않게 되니 점차 견딜 만해졌다.

졸리면 자고, 배고프면 먹고, 눈을 뜨고 있을 때는 멍한 채로 그렇게 살았다. 오늘도 여기 왜 끌려왔는지 까닭을 모르겠다. 다짜고짜 방으로 쳐들어 온 사내들이 그녀를 어깨에 둘러업었다. 그 상태로 방을 나와 나무에 묶이는 동안 프리다는 반항하지 않고 순순히 굴었다.

"이년, 살아 있는 건 맞는 거지?"

"등신아. 숨 쉬잖아."

가까이서 들리는 욕설에 얼른 귀를 닫았다. 웅성대는 소리가 점점 커졌지만, 정확히 들리지 않으니 상관없었다. 어깨와 허리, 허벅지와 발목에 묶인 끈이 살갗을 파고들었지만 아픔도 차츰 잊혔다. 뺨에 닿는 적당한 온도의 바람을 느끼며 다시 스르르 의식을 놓고 있을 때였다.

"어이쿠, 리하르트 개자식. 벌써 진흙 구덩이를 거의 다 빠져나왔는데."

리하르트. 방심한 틈을 타 프리다의 귀로 익숙한 단어 하나가 스며들었다. 힘없이 떨구고 있던 고개를 든 프리다가 내내 감고 있던 눈을 스르르 떴다.

그녀는 재가 들어간 것처럼 까슬한 눈을 두어 번 느릿느릿 깜박였다. 어슴푸레하게나마 가장 먼저 눈에 잡힌 건 성벽 위에서 나부끼는 붉은 깃발이었다. 깃발을 물들인 붉은빛이 어찌나 선명한지, 눈앞을 뿌연 안개가 가린 듯한 와중에도 핏빛만큼은 또렷이 보였다.

깃발의 색을 알아본 것을 시작으로, 탁하고 흐릿하던 그녀의 시야가 조금씩 트였다.

눈이 뜨이자 자연스레 귀도 열렸다. 신기하게도 내내 인지하지 못하고 있던 감각들이 봄꽃이 터지듯 일시에 깨어났다. 뺨을 스치는 세찬 바람이 느껴졌고, 위태롭게 출렁이는 머리에선 어지럼증이 일었다.

바로 옆에서 들려오는 줄 알았던 사내들의 말소리가 발밑에서 올라오고 있다는 것도 그제야 알았다.

"리하르트 저 미친놈이 탄 말! 저거 테살리아산 맞지?"

휘잉-.

그녀의 머리칼을 마구 헝클여 놓고, 기둥에 묶인 어깨를 휘청이게 할 정도로 거센 바람 소리에 섞여 또 그 이름이 들려왔다.

'리하르트……'

프리다는 오랜 시간 굳어 있던 혀를 조심히 달싹여 소리 없이 그 이름을 되뇌었다. 그녀의 시야를 가득 채운 깃발 색을 닮은 눈동자가 어렵지 않게 떠올랐다.

"아마도. 진창을 저리 내달리는 다리 힘을 가진 말이라면 테살리아 출신일 확률이 높지."

"맞을걸. 테살리아에 '헤팔루스'라고 유명한 종마가 있거든. 성질이 더러워 씨받기 엄청 어려운 놈인데 대신 성공만 하면 값이 장난 아니래. 지금까지 낳은 자식 놈들도 어마어마하게 비싸게 팔렸다더군."

"나도 들었어. 왜, 링겐 제국에 그 재수 없는 모렌하이츠 놈이 타고 다니는 말도 '헤팔루스' 놈 자식이잖아."

프리다도 하크본 백작가를 오가는 상인들을 통해 테살리아 지방의 말이 비싼 값에 팔린다는 얘기를 들은 적이 있었다. 바람이 쉴 새 없이 머리를 때려 정신이 아득했지만, 또렷이 기억났다.

"어이쿠. 진짜로 진흙 구덩이를 다 빠져나왔잖아. 아무튼 미친놈이니까. 이 삐쩍 마른 여자 하나 구하자고 제 발로 죽을 자리를 찾아오다니."

"전에 다친 머리가 아직도 낫지 않았나 보지. 무슨 상관이야. 오래간만에 재밌는 구경 하게 생겼는데."

"내 말이. 성에만 갇혀 지내려니 몸이 근질거려 죽는 줄 알았는데 잘됐네. 그럼 슬슬 리하르트 놈 머리에 화살이나 박아 볼까?"

"그나저나 뭐가 보여야 쏘지. 다니엘 자식 부하들은 주군을 닮아 하나같이 미치기라도 한 거야, 뭐야? 왜 화살을 저희 대장 머리 위로 쏘고 지랄이야?"

'다니…… 엘.'

소름 끼치는 함성과 험한 욕설들 때문에 다시 공포가 엄습했지만, 뇌리에 박힌 이름 하나가 무기력하게 늘어졌던 프리다의 감각을 일깨웠다. 프리다는 도로 눈을 감고 의식을 지워 버리고픈 충동을 참으며 남은 힘을 끌어모아 고개를 들었다. 비에 젖은 나무 냄새와 누릿한 가죽 냄새, 서늘한 쇠 냄새가 진동하는 허공 너머에 질척이는 흙 밭이 보였다.

그리고……. 막 지평선 위로 솟아오르는 태양이 눈부셔 찡긋 감았던 눈을 뜬 곳에 검은 말을 탄 남자가 나타났다. 사방으로 물컹한 흙을 튕겨 내며 달려오는 그는 오직 방패와 검만으로 머리 위로 날아드는 화살을 막아 내고 있었다.

화살 사이를 재빠르게 지나쳐 가는 몸놀림이 예사롭지 않았다. 성벽 위의 인간들이 멍하니 그를 내려다보다, 채근을 받고서야 허둥지둥 활시위를 당길 만큼.

어느 틈에 진창을 완전히 벗어난 그가 프리다가 있는 성벽 바로 아래에 다다랐다. 눈 하나 깜짝 않고 얼굴로 날아드는 화살을 검으로 쳐 낸 그와 그녀의 눈길이 부딪혔다고 느낀 순간.

"프리다!"

다니엘이 성벽 아래서 그녀를 불렀다.

"눈 감아!"

그가 방패로 화살을 막아 내며 소리쳤다. 발자크의 갑옷에 튕겨 나가는 화살을 정확히 반으로 쪼개며 그녀를 향해 외쳤다.

"눈 꼭 감고 백까지 세고 있으면 내가 금방 데리러 갈게!"

남편이 왔다. 그녀를 구하러 다니엘이 온 것이다. 그 사실을 깨닫자마자 한동안 소리를 내지 못했던 프리다의 목 안에서 다급한 절규가 흘러나왔다.

"다…… 니…… 엘. 오, 오지 말아요……!"

오면 죽어요. 당신도 죽는다고. 당신도 나로 인해…… 나를 지키려다…… 내가 살아 있어서…….

"도망쳐요, 다니엘. 달아나요. 여기 오면 안 돼. 오지 마. 흑. 당신도…… 죽어. 나, 나 때문에, 흑흑, 죽는다고…… 뮤, 뮤리엘처럼 당신도 나 때문에……."

왈칵 쏟아진 눈물이 턱을 타고 흘러내렸다. 물기가 차올라 더는 아무것도 눈에 보이지 않았다.

바람은 네 잘못이 맞다고 질타하듯, 오열하는 그녀의 머리를 쉬지 않고 때리며 지나갔다. 아래쪽에서 누군가가 기둥을 치며 지나갔는지 몸이 앞뒤로 심하게 요동쳤다. 섬뜩한 함성에 묻혀 들릴 리 없다는 걸 알면서도 프리다는 계속 다니엘을 향해 힘겹게 외쳤다.

"다니엘. 흑흑, 다니엘, 오지 말아요. 흑. 오지 말라고……."

얼마나 같은 말을 반복하며 흐느꼈을까.

쾅!

하늘이 땅으로 무너져 내리는 것 같은 어마어마하게 큰 소리와 함께 그녀의 몸이 심하게 흔들렸다.

쾅!

연이어 들리는 굉음에 놀란 프리다는 정처 없이 흔들리는 목에 힘을 주지 못하고 그만 까무룩 정신을 놓고 말았다.

성벽 위에서 날아드는 화살은 두서가 없고 정확성이 떨어졌다. 아무리 전술에 능한 아서 노팅겐이라 해도, 그를 도와 체계적으로 전투를 치를 군대가 없으니 공성전에는 서투를 거란 다니엘의 예상이 맞았다. 평생 제 것을 지켜 본 적 없이 남의 것만 약탈하며 살아온 고트란족은 화살보다 검으로 직접 맞붙어 싸우는 전법에 익숙한 이들이었다.

쉔달 성의 견고한 성벽과 포로로 잡혀 있는 이들이 아니었다면, 레오폴드가 진즉에 성을 함락했을지도 모른다. 그만큼 그는 기민하게 움직였다. 레오폴드가 발 빠르게 쉔달 성을 봉쇄하는 바람에 오도 가도 못하게 되고, 바이첸의 도움도 받을 수 없게 된 아서 노팅겐은 가장 먼저 마그리트 황태후를 죽였다.

바이첸에 대한 아서 노팅겐의 분노를 얕잡아 본 마그리트 황태후의 오만이 낳은 실수였다. 우습도록 허망하게 세상을 떠난 그녀는 미라벨 정원의 연못에 수장되었다고 알려졌다.

그래도 귀족 출신이라고 황실에 대한 예우만은 지키고 싶었는지, 아서 노팅겐은 검이 아니라 독을 썼다. 후일 황태후의 잔에 독을 탄 시녀장의 자백에 의하면 고통을 느낄 새도 없이 죽을 정도로 많은 양이었다고.

먼저 세상을 떠난 덕분에, 자신이 그토록 지키고 싶어 했던 가문이 완전히 망가진 것을 보지 않아도 되었으니 따지고 보면 자비롭다 할 만한 죽음이었다. 쉔달 성벽 밖의 바이첸들은 레오폴드의 손에 처형되었다.

혼인하여 바이첸의 성을 쓰지 않게 된 여인들만 살아남았다. 혼인 승인서가 정식으로 인정된 '소피아 바이첸'은 '소피아 클리마'가 되어 목숨을 부지했다.

포로로 잡힌 루이즈 황후는 황후 궁에 유폐되었다는 소식을 끝으로 여태 생사를 모른다. 끝까지 황후를 지키던 황실 근위대는 모두 몰살된 것으로 알려졌다. 성안에 고립된 아서 노팅겐과 고트란족은 보란 듯이 쉔달 성을 철저히 파괴하고 있었다.

정원에 불을 지르고, 역대 스베르겐 황실의 초상화를 거기에 던져 함께 태웠다. 쉔달 성엔 밤낮으로 연기가 피어올랐다. 다니엘이 첼리노에 도착해 처음 본 것도 쉔달 성 방향에서 모락모락 올라오는 검은 연기였다.

로잘린이 프리다를 비밀 통로에 두고 나온 지 한 달이 되던 날이었다. 첼리노로 오는 내내 다니엘은 아서 노팅겐을 믿었다. 다니엘에게 복수하고 싶어 안달이 난 그가 프리다를 해치진 않을 거라고. 꼭 그녀를 살려 뒀다가 저를 도발하는 데 쓸 것이라고.

제발 세월이 그 녀석의 복수심을 무디게 하거나, 저처럼 기억력에 문제가 생기는 일이 없도록 해 달라고 빌고 또 빌었다.

그래서 나무 기둥에 매달려 위태롭게 흔들리고 있는 아내를 본 순간 안도했다. 살아 있으니 되었다고. 지금 이 기분이라면 아서 노팅겐을 고통 없이 죽여 줄 수도 있을 것 같았다.

막 다리로 날아드는 화살 하나를 더 쳐 낸 다니엘과, 팔짱을 낀 채 곧게 허리를 펴고 성벽 위에 서 있는 아서 노팅겐의 시선이 얽혔다. 표정이 보일 리 없다는 걸 알면서도 다니엘은 피식 웃어 주었다.

그리고 이내 프리다와 눈이 마주쳤다. 서로의 위치를 알아보는 게 다일 정도로 먼 곳이었지만 느낄 수 있었다. 프리다가 자신을 보고 있다는 것을. 그거면 충분했다. 목숨만 붙어 있으면 다른 건 아무래도 상관없으니까.

한참 동안 화살을 튕겨 내며 제게 시선을 집중시키고 있던 찰나, 수풀 속에서 도미닉이 신호를 보내왔다. 어느 틈에 진창을 넘어왔는지 등 뒤에서 리카르도의 고성도 들렸다.

지금이었다. 다니엘은 있는 힘껏 프리다를 향해 외쳤다.

"프리다! 눈 감아! 눈 꼭 감고 백까지 세고 있으면 내가 금방 데리러 갈게!"

다니엘은 콜다르를 번쩍 들어 도미닉에게 신호를 보냈다.

"발사!"

쾅! 쾅!

지축을 흔드는 요란한 굉음과 함께 쉔달 성의 오른쪽 돌벽이 와르르 무너졌다. 투르크의 새 술탄 오르한 3세의 목숨과 바꾼 대포 두 개가 연이어 불꽃을 뿜어내며 성벽을 깨부쉈다.

쾅! 쾅!

하얀 밤의 계절. 이른 아침을 알리는 태양이 하늘의 중심에 가까워질 무렵, 쉔달 성벽이 무너지는 소리가 들렸다. 레오폴드는 착잡한 표정으로 흙먼지가 일어나는 쉔달 성의 오른편에 눈을 두었다.

"오늘 쉔달 성벽에 구멍을 낼 겁니다. 제 군대가 그곳으로 침투해 도개교를 내릴 테니, 황실 군은 지체 말고 성문으로 밀고 들어오십시오."

다니엘은 그의 장담대로 대포를 쏴 성벽에 구멍을 냈다. 프리다의 소식을 듣자마자 득달같이 달려올 줄 알았던 놈이 어째서 도착이 늦어지나 했더니 대포를 싣고 오느라 그런 거였다.

성문이나 비밀 통로가 아니면 사실상 침투할 묘안이 없는 곳이 쉔달 성이다. 그 안으로 들어가기 위한 유일한 방법이라면 성벽을 부수는 것뿐.

눈이 돌아가 있는 와중에도 거기까지 생각하고 있었다는 것이 놀라웠다.

하늘도 그들을 도왔다. 시기적절하게 투르크의 술탄이 사망하며 남부 해안에 몰려들었던 군함들이 투르크 수도 앙크라로 돌아갔다.

이젠 술탄이 된 오르한 왕자와 다니엘 사이에 레오폴드가 모르는 모종의 거래가 있었던 것도 같지만, 그건 나중에 따져 물을 참이다. 지금 중요한 건 쉔달 성을 되찾는 것이므로. 폭발 소리를 들은 근위대장이 레오폴드의 곁으로 다가왔다.

"폐하, 출정하실 시간입니다."

알았다며 고개를 끄덕인 레오폴드가 흉갑을 벗어 던지며 앞으로 나섰다.

"모두 가벼운 차림으로, 최대한 빨리 진창을 지나 쉔달 성안으로 향한다."

근위대장은 선봉에 나서려는 황제를 말리려다가 이내 '존명'을 외치고 물러났다. 결코 뒤로 물러서지 않겠다는 황제의 의지가 읽혔기 때문이다. 아니나 다를까, 황실 군 맨 앞으로 나온 레오폴드가 검을 높이 들며 소리쳤다.

"그대들에게 약속한다. 오늘 이후 우리는 새로운 스베르겐을 맞이하게 될 것이며, 나 레오폴드 볼슈타크 2세는 오늘을 함께해 준 그대들을 절대로 잊지 않을 것이다. 야만족과 반역자의 손에서 쉔달 성을 되찾자!"

"와아!"

쾅! 쾅!

황실 군의 함성 너머로 연달아 대포 소리가 들려왔다. 뒤로 돌아선 레오폴드는 망설임 없이 진창을 향해 내달렸다.

눈꺼풀에 차가운 물기가 닿자 프리다는 흠칫 목을 움츠렸다.

찰싹찰싹.

누군가 조심히 프리다의 뺨을 두드렸다.

"마님, 정신이 드세요? 눈 좀 떠 보세요, 마님."

반가운 목소리를 들은 프리다는 힘겹게 눈꺼풀을 들어 올렸다.

"로…… 잘린?"

"네, 저예요. 마님. 제가 왔어요. 로잘린이 돌아왔어요."

프리다의 머리를 제 허벅지 위에 올린 로잘린이 물을 적신 손수건으로 연신 그녀의 얼굴을 닦아 주며 울먹였다.

"늦어서 죄송해요, 마님. 흑. 제가 더 빨리 왔어야 했는데."

"로잘린…… 흑흑……."

익숙하고 다정한 손길에 막힌 둑이 터지듯 긴장이 풀렸다. 프리다는 로잘린의 품에 안겨 엉엉 울기 시작했다.

"뮤리엘이…… 로잘린, 뮤리엘이 나 때문에……."

"제가 뭐요?"

눈물로 얼룩진 시야에 진중한 회색 눈동자가 불쑥 밀려 들어왔다. 눈앞이 물안개가 낀 듯 희뿌옇게 흐렸다. 얼핏 스쳤던 회색 눈동자의 주인을 빨리 확인하고 싶었던 프리다는 시야를 가린 눈물을 훔쳐 내려 손을 들었다.

그러나 축 늘어진 팔에는 힘이 들어가지 않았다. 팔뿐만이 아니었다. 제 몸이 제 것이 아닌 듯, 어느 것 하나 마음대로 움직일 수가 없었다. 어떻게든 몸을 일으켜 보려 버둥대는 프리다를 로잘린이 급히 말렸다.

"마님, 움직이지 마세요."

프리다의 이마에 맺힌 땀을 닦아 주던 로잘린이 아이를 달래듯 다정히 그녀의 어깨를 토닥였다.

"아무래도 부러진 기둥에 깔려 다리뼈가 부러진 것 같습니다. 로시발트 경, 마님을 지금 옮기는 건 어렵겠어요. 까닥 잘못하다 뼈라도 어긋나면 큰일입니다."

로시발트 경이라고? 로잘린이 방금 분명 로시발트라고……. 그 순간 프리다의 눈가에 망울망울 맺혀 있던 눈물이 도르르 뺨을 타고 굴러떨어졌다. 한결 맑아진 눈앞에 한쪽 눈썹을 삐뚜름히 치켜뜬 뮤리엘이 보였다. 그녀는 심각한 표정으로 아랫입술을 깨물며 프리다의 다리를 살펴보고 있었다.

"고트란족 놈들이 기둥을 무너트리기 전에 내가 더 빨리 처리했어야 했어. 젠장, 내 실수야."

언제나처럼 적갈색 머리를 하나로 묶어 넘긴 뮤리엘이 프리다의 눈을 보며 말하고 있다.

"아가씨, 이대로 가만히 계세요. 아무래도 뼈를 맞춰야 할 것 같아요."

얼굴, 목소리. 숨소리 하나까지 의심할 바 없는 진짜 뮤리엘을 앞에 두고도 프리다는 반가움보다 두려움이 앞섰다.

'난 지금 꿈을 꾸고 있는 건지도 몰라.'

깊은 그리움이 만들어 낸 환영이면 어떡하지? 내가 환청을 듣고 있는 거라면? 섣불리 입을 열었다가 뮤리엘과 말 한마디 나눠 보지 못하고 꿈에서 깨어 버리면 어쩌나 덜컥 겁이 났다. 프리다가 믿을 수 없다는 표정으로 멍하니 바라만 보자, 뮤리엘이 걱정스레 그녀의 얼굴을 만졌다.

"왜 그러세요, 아가씨. 통증이 심해요?"

이토록 생생히 들리는데, 이렇게나 분명히 보이는데……. 꿈이라면 이건 너무 잔인하잖아. 몸 안에 남은 힘을 밑바닥까지 짜낸 프리다는 천천히 입술을 달싹였다. 불러도 대답이 들려오지 않으면 어쩌나 두려워 차마 입에 올리지 못했던 이름이, 겨우 떨어진 입술 사이로 흘러나왔다.

"뮤…… 리엘?"

돌연 빛 한 줌 들어오지 않았던 그날의 캄캄한 통로가 떠올랐다. 뮤리엘이 눈앞에서 죽어 가고 있는데 펑펑 우는 것 말고는 아무것도 할 수 없었던 무기력한 제 못난 모습도. 그녀를 그 어두컴컴한 통로에 홀로 버려두고 왔다는 죄책감에 괴로워하다 결국 스스로 말을 지웠던 나날들까지.

프리다는 신께 간절히 빌고 또 빌었다. 제발 바라오니 자신이 지금 꿈을 꾸는 것이 아니게 해 달라고. 그녀의 눈 안에 가득 담긴 저 여인이 자신의 자책이 만들어 낸 환영이 아니기를.

"흑…… 진짜 뮤리엘이야?"

재차 입술을 떼는 순간 내내 참았던 눈물이 봇물 터지듯 터져 나왔다.

"으흑흑. 나…… 꿈꾸는 거 아니지? 뮤리엘 살아 있는 거 맞지? 맞는 거지?"

꺽꺽 목 놓아 흐느끼는 프리다를 물끄러미 응시하던 뮤리엘이 싱긋 웃으며 갓 태어난 아이를 껴안듯 조심히 그녀를 안았다.

"네, 저예요. 아가씨의 기사 뮤리엘이에요. 우리 아가씨, 나 때문에 많이 놀라셨구나."

어릴 적부터 맡아 온 익숙한 향기와 따스한 온기가 프리다를 감쌌다. 꿈이 아니었다. 프리다의 뮤리엘은 살아 있었다. 프리다는 그제야 뮤리엘의 품 안에서 맘 놓고 펑펑 눈물을 쏟아 냈다.

"뮤리엘, 미안해. 으흑. 뮤리엘. 정말 미안해. 거기에 혼자 두고 와서 미안해. 나 때문에 죽게 해서 미안해, 뮤리엘. 흑흑흑……."

"우리 아가씨, 너무하시네."

뮤리엘이 프리다를 조심히 바닥에 눕히며 믿지 않게 눈을 흘겼다.

"내가 얼마나 힘들게 살아남았는데 왜 자꾸 죽었대요. 멀쩡히 눈 뜨고 있는 뮤리엘 듣기 섭섭하게."

제 외투를 벗어 프리다에게 덮어 준 뮤리엘이 프리다의 어깨를 부드럽게 문지르며 그녀의 눈꺼풀 위로 손을 덮었다.

"공작 전하께서 데리러 오실 때까지 조금만 더 주무시고 계세요. 금세 오실 거니까 아무 걱정 하지 마시고요."

다니엘이 왔다. 그리고 뮤리엘이 살아 있다. 이 두 가지면 충분하다. 다른 건 아무래도 좋았다. 저도 모르게 스르르 긴장이 풀렸다. 정체 모를 굉음과 요란한 고함 속에서 프리다는 거짓말처럼 잠에 빠졌다.

"으악!"

성벽으로 올라오려던 고트란족이 로잘린이 던진 표창을 목에 맞고 계단 아래로 떨어졌다. 뒤따라오던 동료 두어 명이 냉큼 계단 아래로 몸을 숨기며, 성벽 위에서 쉴 새 없이 표창을 날리는 로잘린에게 욕설을 퍼부었다.

"이 망할 것, 누군지 걸리기만 하면 뼈도 못 추릴 줄 알아! 대체 저건 갑자기 어디서 나타난 거야?"

프리다와 함께 멀찌감치 떨어져 있던 뮤리엘이 로잘린에게 소리쳤다.

"로잘린, 도와줘?"

"몸도 성치 않은 분이 돕긴 뭘 도와요. 거기서 마님이나 잘 지키고 계시는 게 절 도와주시는 겁니다."

"너무하네. 이젠 아예 뒷방 늙은이 취급이군."

"뒷방 늙은이치곤 꽤 쓸모가 있으신 편이니, 실망하실 건 없고요. 로시발트 경의 순발력이 아니었다면 마님은 다리가 아니라 목이 부러지셨을지도 몰라요."

돌계단 아래로 표창 두어 개를 더 던진 로잘린이 흘끔 뒤를 보며 물었다.

"마님은 좀 어떠세요?"

편안한 표정으로 눈을 감고 있는 프리다의 코끝에 검지를 대 보던 뮤리엘이 긴 한숨을 내쉬었다.

"기절하신 것 같아."

뮤리엘과 마주한 프리다는 하염없이 눈물만 흘리다 까무룩 정신을 잃었다. 통증이 심했을 테니 차라리 잘됐다 싶기도 하다. 안쓰러운 마음이 들어 더는 닦아 낼 먼지도 없는 프리다의 하얀 얼굴로 자꾸만 손이 갔다. 우리 착한 아가씨, 얼마나 놀랐으면 본인이 다친 줄도 몰랐을까.

하긴 밑동이 부러진 기둥과 함께 성벽 위로 넘어졌으니 충격이 만만치 않았을 것이다.

기둥이 완전히 넘어가기 전, 뮤리엘이 로잘린의 표창에 맞아 쓰러진 고트란 놈 하나를 발로 차 기둥 밑으로 밀어 넣었다. 덩치가 산만 한 놈이 돌벽 위로 냅다 자빠지는 기둥에 대신 깔려 준 덕에 바닥으로 바로 떨어지진 않았으니 그나마 다행이었다.

애초에 놈들이 기둥을 넘어트리지 못하도록 재빨리 해치웠어야 했건만, 한발 늦고 말았다. 이래서 리하르트 공작이 실수 없이 해낼 자신 없으면 따라나서지 말라고 했었는데. 새삼 부족한 제 능력에 화가 치밀었다.

"의지만 있다고 할 수 있는 일이 아니야. 나를 끌어들이는 데 성공한 아서 노팅겐이 다음엔 뭘 할 것 같나? 보나 마나 가장 먼저 프리다를 해치겠지. 난 그 일을 확실하게 막아 줄 사람이 필요해. 자네는 지난번에 입은 검상조차 회복하지 못했다고 들었네만."

고트란족 용병들에게 찔린 어깨와 옆구리가 아물지 않은 건 사실이지만, 프리다를 구하러 가는 일에 빠질 순 없었다.

"쉔달 성안에 사내놈들의 씨가 말랐다는데, 어설프게 남자를 들여보냈다 들키면 그땐 어쩌시려고요."

어차피 로잘린이 찾아낸 통로로 잠입해, 전투 전까지 성안에서 몸을 숨길 수 있는 사람은 만약의 경우 하녀 행세가 가능한 여인뿐.

"전 로잘린이 아니었다면 이미 그 통로에서 죽었을 사람입니다. 아가씨를 구하지 못하면 이번에야말로 그곳에서 죽을 겁니다."

"죽을 사람은 필요 없다. 난 살아서 내 아내를 구해 낼 사람을 원한다."

"정정하겠습니다. 죽을 각오로 아가씨를 구해 내겠습니다. 보내 주십시오. 이번엔 꼭 아가씨를 지키겠습니다."

죽음으로 프리다를 지키겠다고 충성 맹세까지 했는데, 정작 프리다는 인질이 되고 뮤리엘만 살아남았다. 그날 뮤리엘이 목숨을 구할 수 있었던 건 황제 일행을 탈출시킨 후 다시 돌아온 로잘린 덕분이었다.

예상보다 복잡한 비밀 통로를 뒤지는 걸 빠르게 포기한 아서 노팅겐의 결단도 한몫했다고 해야 하나.

처음부터 뮤리엘의 목적은 앞서간 사람들이 도망갈 시간이라도 벌어 주는 거였다. 팔 힘이 온전히 회복되지 않은 뮤리엘이 가진 건 힘뿐인 고트란 족을 막기란 애초에 불가능했으니까.

검을 휘두르기 적합지 않은 좁은 통로에선 뮤리엘의 화려한 검술이나 잔재주가 무용지물이 되었다. 여러 차례 어깨와 옆구리를 찔린 뮤리엘은 얼마 버티지 못하고 바닥으로 쓰러졌다.

프리다는 극심한 공포와 호흡이 곤란할 정도로 탁한 공기를 버티지 못하고 이미 기절한 상태. 뮤리엘마저 의식을 놓는 와중, 희미하게 그들이 나누는 대화가 들려왔다.

"바닥에 쓰러져 있는 저 하얀 여자가 다니엘 놈의 아내인가?"

거친 말투로도 숨길 수 없는 스베르겐 귀족의 악센트. 어디선가 아서 노팅겐이 어슬렁어슬렁 나타났다.

"그런 것 같군. 성녀라더니 생김새가 다르긴 하네."

"여기 더 있다간 숨이 막혀 죽겠군. 다니엘의 아내만 업어. 그만 나가자."

"황제는 놔두고? 아들을 놓친 걸 알면 늙은 여우가 가만있지 않을 텐데."

"무슨 상관이야. 바이첸 여우 따위 수틀리면 바로 죽여 버리면 그만인데."

아서 노팅겐이 황제를 쫓는 것을 포기하고, 프리다를 이곳에서 데리고 나가겠다고 말했을 때. 의식이 거의 사라진 와중에도 다행이라는 생각이 절로 떠올랐다.

"천하의 마그리트 바이첸도 이젠 늙었더군. 바이첸이라면 이가 부득부득 갈리는 나를 일부러 찾아내서 한다는 소리가 뭐? 바이첸 집안 여자와 결혼을 해서 아들을 낳으라고? 노망이 나도 단단히 났지."

그가 복수하고픈 이는 리하르트 공작이구나, 그러면 우리 아가씨는 당분간 살려 두겠네. 역시 우리 아가씨는 현명하시다니까. 다행이다, 정말 다행이야. 그렇게 정신을 잃었다 깨어나 보니 쉔달 성 밖이었다.

로잘린이 그녀를 데리고 통로를 빠져나왔다는 건 나중에 뷔테인 남작 부인에게 들었다. 프리다를 악귀 같은 놈들이 우글대는 소굴에 두고 저만 빠져나왔다는 걸 깨달았을 때부터, 매 순간 그녀는 지옥 속에 살았다.

맹세컨대…… 국경으로 떠난 로잘린이 돌아오길 기다리며 무력감에 빠져 있던 그날들보다, 아물지 못하고 터진 상처를 부여잡고 뛰어다니는 오늘이 천배, 만 배 나았다.

계단 아래서 고성이 울리고 검이 부딪히는 소리가 들렸다. 여차하면 뛰어나가야겠다고 준비하던 찰나, 돌벽에 몸을 숨기고 계단 아래를 경계하던 로잘린이 '휴우' 안도의 한숨을 내쉬며 손에서 표창을 내려놓았다.

"도미닉 님이 도착하셨어요. 계획대로 성벽이 뚫린 모양입니다."

타닥타닥. 누군가가 계단을 뛰어 올라왔다.

"기둥이 꺾이는 걸 봤는데 공작 부인께선 무사하신 거야?"

흙먼지를 잔뜩 뒤집어써 잿빛으로 보이는 도미닉의 검은 머리가 오늘따라 유독 반가웠다.

쉔달 성은 성문 앞에 반달 모양의 해자를 파고 양옆으로 새의 날개처럼 긴 성벽을 쌓은 구조다. 그리고 오늘, 성을 보호하는 양 날개 중 오른쪽 성벽이 대포 공격에 처참히 무너져 내렸다.

대포 소리가 사라진 성벽 안으로 다니엘이 성큼성큼 걸음을 옮겼다. 어느새 진창을 넘어와 그를 엄호하고 있던 리카르도는 망설임 없이 성의 정문으로 향했다. 황제가 이끄는 군대가 쉔달 성안으로 수월하게 진입할 수 있도록 도개교를 장악하는 것이 오늘 그가 맡은 최종 임무였다.

모두가 알고 있었다. 쉔달 성벽이 무너졌을 때 사실상 이 전투는 끝났다는 걸. 눈치 빠른 고트란족 몇몇이 무릎을 꿇고 항복을 선언하자, 리카르도를 따라 들이닥친 용병들이 그들의 주위를 감쌌다. 그들 앞에 선 다니엘이 여름 햇살 아래서도 등골이 서늘해질 만큼 싸늘한 목소리로 물었다.

"아서 노팅겐은 어디에 있나?"

그때 성문 바로 위 성벽에서 뿔 나팔 소리가 울리고 구름 한 점 없는 하늘에 프리다의 머리칼을 닮은 새하얀 천이 나부꼈다. 프리다를 찾았고, 그녀가 무사하다는 도미닉의 신호였다. 다니엘의 눈빛이 조금 전 지평선 위로 솟아올랐던 태양보다 붉게 타올랐다.

'이런, 프리다에게 백까지 세고 있으라고 했는데…….'

그의 입가에 돌연 난처한 미소가 그려졌다.

쉔달 성벽에 구멍을 내는 일이 예상보다 만만치 않아, 어림잡아도 애초 계획보다 두 배는 넘고도 남을 시간이 흘러 버렸다. 부디 그녀가 숫자를 천천히 세 주고 있길 바랄 뿐이다.

어서 아서 노팅겐을 쫓아가 이 지리멸렬한 싸움의 끝을 봐야 한다는 걸 알면서도, 도미닉이 흔드는 흰 천에서 눈이 떨어지지 않았다.

불현듯 한여름 소나기처럼 내리퍼붓는 화살 사이로 얼핏얼핏 보이던 프리다의 모습이 떠올랐다.

다니엘은 당장이라도 성벽 위로 뛰어 올라가려 들썩이는 다리를 꾹 내리눌렀다. 아직은 아니다. 프리다를 위험에 빠트리게 할 어떤 요소도 남겨 두지 않은 다음 그녀를 볼 것이다.

'실수는 한 번이면 충분해.'

다니엘은 펄럭이는 흰 천에서 힘겹게 눈을 거둬들였다. 따지고 보면 이 모든 일은 다니엘의 방심 때문에 벌어진 거나 마찬가지였다.

애초에 그가 노팅겐 공작가의 반란을 완벽히 진압했다면. 4년 전, 의식이 돌아왔을 때라도 아서 노팅겐을 끝까지 쫓았더라면. 지난해, 폭풍우 속에서 레오폴드를 구하다 도로 기억을 잃지만 않았어도.

잡초의 뿌리를 뽑을 땐 잔털 하나 남기지 않고 몽땅 도려내야 한다. 어설프게 매듭지은 일이란 대부분 후환으로 남게 된다는 걸 누구보다 잘 알면서 방심하다니.

프리다를 아서 노팅겐 일당이 장악한 쉔달 성에 두고 왔다는 로잘린의 말을 듣는 순간, 다니엘은 오만과 자만에 찌들어 있던 못난 자신을 원망하며 홀로 울부짖었다.

은연중 저를 놓친 마그리트 황태후가 달리 방법을 찾지 못해 낙담하고 있을 거라 오만을 부렸다. 저를 놓쳤으니 대안을 찾지 못하고 포기했을 거란 우습지도 않은 자만은 대체 어디서 나왔단 말인가.

다니엘은 자신이 덩치만 컸을 뿐, 실상 한 뼘도 자라지 못한 과거의 철부지 소년 그대로라는 걸 새삼 깨달았다. 마땅히 그가 치러야 할 철없음의 대가를 프리다가 대신 겪고 있다니. 밀려드는 자괴감을 견디다 못해 온몸의 피가 거꾸로 솟았다.

삭이지 못한 분노는 결국 겉으로 터져 나왔다. 혈관이 터진 눈엔 흰 곳이 하나도 없었고, 입술은 짓물렀으며, 귀밑엔 군데군데 멍울이 돋아났다. 때마침 하얀 밤의 계절이 시작되어 밤이 짧아지는 바람에 잠을 이루지 못하는 날까지 많아졌다.

어떤 날은 별안간 숨이 막혀 와 몸을 가누지 못하고 철퍼덕 바닥으로 주저앉았던 적도 있다.

죽느니만 못한 그 참담한 시간을 오직 프리다를 생각하며 버텼다. 그녀를 구하고, 두 번 다시 위험에 빠트리지 않겠다는 일념 하나로. 나무를 깎아 조잡하게 만든 쉔달 성의 모형을 앞에 두고 도미닉, 하인리히와 함께 몇 날 며칠을 머리를 싸매며 참고 또 참았다.

"대책 없이 첼리노로 떠났다가는 국경도 잃고 쉔달 성도 탈환하지 못하게 되고 말아."

최소한의 이성만 남은 머리가 앞뒤 재지 않고 무작정 첼리노로 말을 달리고 싶어 오장육부가 미칠 듯이 들끓는 다니엘을 말렸다. 하인리히는 첼리노가 몽땅 마그리트 황태후 손에 넘어가지 않았으니 최악의 상황은 아니라며 그를 달랬다.

"수도를 지키는 병력이 바이첸에게 넘어가지 않았으니 시간은 번 셈이지. 쉔달 성을 뚫고 들어가는 것도 힘든 판국에 첼리노의 성벽까지 그들 손에 넘어갔다면……. 어우, 상상도 하기 싫다."

도미닉이 쉔달 성의 정문 모형을 톡톡 건드리며 말했다.

"한시라도 빨리 쉔달 성안으로 들어갈 방법만을 찾아야 하는데, 정문으로 들어가는 것 말고는 침투할 묘안이 없으니 답답합니다."

"로잘린이 아무에게도 들키지 않는 통로를 하나 더 안다며?"

"몇 명 정도라면 모를까, 한 번에 많은 인원을 들여보내려면 안에서 도와주는 이가 있어야 합니다. 무작정 들어갔다가 들키는 날엔 오히려 역공을 당할 수도 있고요."

하인리히가 어이가 없다며 투덜댔다.

"난 우리가 모르는 비밀 통로가 아직도 더 있다는 게 놀라워. 이쯤 되면 쉔달 성을 개미굴이라고 불러야 하는 거 아냐?"

"변경백께선 이 와중에도 농담이 나오십니까? 그럴 시간에 성안에 잠입할 방법이나 고민해 보십시오."

그렇게 무의미한 논의로 시간만 보내기를 며칠, 다니엘의 막사로 전령이 뛰어 들어왔다.

"공작 전하, 투르크의 술탄이 사망했습니다. 그리고 수도 앙크라에 남아 있던 7 왕자가 오르한 왕자의 승계권에 이의를 제기하며 성문을 막았다고 합니다."

뜻밖의 소식이 전해진 이후 소란스러워진 막사 안에 낮게 갈라진 다니엘의 목소리가 내려앉았다.

"도미닉, 투르크의 군대가 퇴각하는 즉시 리하르트 공작가의 기사단과 용병들은 은밀히 첼리노로 돌아간다. 서둘러 준비시켜."

제 할 말만 하고 돌아서는 다니엘의 팔을 하인리히가 붙들었다.

"다니엘, 나도 널 붙잡을 마음 없어. 투르크의 군대만 물러간다면 변경백령의 군사만으로도 국경을 지키는 건 문제없기도 하고. 하지만 대안도 없이 무조건 첼리노로 가는 건 무모해. 우선 방법을 강구한 뒤에……."

"방법 찾았어."

빠작.

허리춤에서 콜다르를 빼내 든 다니엘이 쉔달 성벽 모양으로 늘어서 있던 나무 조각의 가운데를 반으로 갈랐다.

"우린 쉔달 성벽을 부수고 들어간다."

빠작, 빠작.

인정사정없이 나무 조각을 박살 내는 다니엘의 얼굴은 엉망인 몰골에 비하면 차분하기 그지없었다.

솔직히 당시 그는 꽤 기분이 좋았다. 내내 터져 버릴 것 같던 머리가 며칠 만에 처음으로 맑아졌으니까. 쉔달 성 정문 모형만 남기고 성벽을 모두 때려 부순 다니엘이 한결 짜증이 가신 얼굴로 도미닉을 돌아봤다.

"도미닉, 오르한 왕자에게 전령을 보내. 병력 손실 없이 무사히 앙크라로 돌아가 술탄이 되고 싶다면 먼저 나부터 만나야 할 거라고."

잠시 상념에 빠져 있던 사이, 힘차게 나부끼던 깃발이 내려가고 멀리서 도르래가 내려가는 소리가 들렸다. 리카르도가 성문을 탈환했다는 것을 확인한 다니엘은 가차 없이 가장 가까운 곳에 있는 고트란 용병의 허벅지에 검을 꽂았다.

"으악!"

고통을 호소하는 비명이 터져 나왔다. 생살을 뚫고 나오는 핏물을 고요히 내려다보던 다니엘이 그 옆에 나란히 붙잡혀 무릎을 꿇고 있는 동료 용병에게 물었다.

"아서 노팅겐은?"

감정이 조금도 느껴지지 않는 버석하게 마른 목소리였다. 허벅지에 검을 꽂은 채 몸부림치는 동료를 바라보던 사내가 무릎으로 바닥을 밀면서 뒤로 물러나다 기사들에게 어깨를 붙들렸다.

사내가 몸을 비트는 사이, 다니엘의 검이 동료의 허벅지 안으로 더 깊숙이 박혔다.

"으아악!"

저 검이 금방이라도 제 살을 뚫고 들어올 것만 같은 끔찍한 공포를 느낀 사내가 옴짝달싹 못 하게 잡힌 어깨를 뒤틀며 소리쳤다.

"우, 우라질. 나, 나도 정확히는 몰라. 아마 황태후 궁에 갔을 거야. 대부분 거기서 시간을 보내니까."

"성벽이 뚫렸는데 지휘관이 전투에 나서지 않고 후방으로 빠졌다고? 나보고 그 말을 믿으라는 거냐?"

"노팅겐은 전투에 나서 봤자 방해만 돼. 어깨뼈가 아작 나서 검을 들지도 못한다고."

그러니까 고트란족을 움직인 건 노팅겐이 아니라 노팅겐의 돈이란 뜻이군. 대체 그 많은 돈이 어디서 난 거지?

"성안에 남은 고트란족의 수는?"

"모, 몰라. 난 아는 것이 없……."

"커억!"

사내가 원하는 답을 내놓지 않자 다니엘이 무심히 검을 눌렀다. 결국 사내의 동료는 흰 눈자위를 뒤집으며 의식을 잃었다. 검을 꽂을 때와 같은 무덤덤한 얼굴로 검을 뽑아낸 다니엘이 사내의 가죽옷에 스윽 피를 닦았다.

"네놈이 아는 게 없다면, 다른 놈에게 듣겠다."

동료의 허벅지를 향했던 검 끝이 제 목에 닿자 사내가 다급히 목소리를 높였다.

"배, 백오십 명쯤 된다. 처음엔 그보다 더 많았는데 근위대와 싸우다 죽은 놈도 있고, 근래엔 약탈한 물건을 들고 빠져나가다 황실 군에 걸려 수십 명이 죽었다고 들었다."

"백오십 명……."

많다는 건지 적다는 건지 속을 알 수 없는 표정으로 숫자를 중얼거린 다니엘이 검을 거둬들였다. 그의 검이 검집으로 들어가는 것을 확인한 사내의 고개가 안도의 한숨과 함께 푹 꺾였다. 머리 위에서 뭐라 뭐라 명령을 내리는 말소리가 들렸다.

"온 성안을 구석구석 뒤져서 한 놈도 남기지 말고 모두 찾아내 지하 감옥에 처넣어."

"존명!"

"기사 스무 명은 나를 따라라. 나머지는 황제께서 도착하시면 황제 궁까지 엄호하고, 리카르도에겐 용병들을 이끌고 미라벨 정원으로 오라고 전해."

"존명!"

오늘따라 유독 파란빛이 선명한 하늘에 떠다니는 구름 뒤로 태양이 완전히 사라질 즈음. 프리다가 있는 성벽에 눈길을 준 다니엘은 아메티스 기사단과 함께 황태후 궁으로 발길을 돌렸다.

돌보는 자가 없어도 미라벨 정원은 여전히 아름다웠다. 매 계절 색을 달리해 자라나던 꽃밭엔 잡초와 이름 모를 꽃들이 무성히 자라나 있었고, 등나무꽃이 흐드러지게 피어 있던 아치에선 전과 다름없이 진한 향기가 났다. 정돈되지 않은 탓에 오히려 전보다 더 인간미가 넘쳤다.

아서 노팅겐은 녹음이 짙어진 정원 한편, 마그리트 황태후가 차를 즐기던 테이블에 앉아 있었다. 길게 자란 금발 머리를 촘촘히 뒤로 땋아 내린 그는 얼굴에 튄 피를 닦으며 다가오는 다니엘을 향해 반갑다며 가볍게 손을 흔들었다.

"오랜만이야, 리하르트. 뒈졌다는 소문이 무성하던데 잘난 낯짝이 그대로인 걸 보면 죄다 헛소문이었나 보군. 역시 입만 살아 떠드는 첼리노 양아치들의 허풍은 믿으면 안 된다니까."

원래도 북부의 노팅겐 공작가는 호전적이고 귀족의 기품과는 다소 거리가 먼 말투로 유명했다. 그리고 거친 말투로는 노팅겐 공작가에 지지 않는 다니엘이다.

"자넨 더 짐승 같아졌군. 내가 뭐랬나? 노팅겐은 인간보다 그쪽이 더 어울린다고 했잖아."

담담히 대꾸한 그는 땅바닥에 뒹굴고 있는 의자를 바로 세워 앉았다. 먼지와 낙엽이 수북이 내려앉은 의자에서 삐걱 소리가 났다. 다니엘의 대거리가 마음에 들었는지 아서 노팅겐이 어깨를 들썩이며 쿡쿡 웃었다.

"내가 아무리 짐승이 됐어도 사냥개 소리를 듣는 네놈보다는 낫지 않나? 내 덕분에 이젠 '바이첸의 개'란 소리는 안 듣게 됐으니 고마워해야 하는 거 아냐?"

"고맙다는 소리를 듣고 싶었으면 이따위 귀찮은 짓을 벌이지 말았어야지. 외모도 모자라 머리마저 짐승이 됐나 보군."

"바이첸의 늙은 여우를 죽일 기회가 날이면 날마다 오는 건 아니니까. 내가 좀 흥분하긴 했지. 그년과 네놈을 동시에 도려낸다고 생각하니 한시도 못 참겠더라고."

전투가 벌어진 정원 밖에서는 연신 소란스러운 소리가 들려왔지만, 녹음이 우거진 정원은 평화로웠다. 길게 숨을 들이마셨다 내쉰 아서 노팅겐이 뭐가 우스운지 피식피식 헛웃음을 터트리며 다니엘을 바라봤다.

"마그리트 바이첸이 죽어 가면서 뭐라고 했는지 알아? 기왕 이리된 거, 다니엘 너를 자기 곁으로 함께 보내 달라더군."

내가 정말 기가 막혀서. 노팅겐이 나지막이 중얼거리며 혀를 찼다.

"네 녀석이 살아 있으면 레오폴드의 앞날이 불안하다나 뭐라나. 그래도 반쪽이나마 바이첸의 피가 흐르는 레오폴드가 살아 있어야 된대. 독한 년이 기껏 배려해 독을 구해다 줬더니, 그걸 앞에 두고도 오직 빌어먹을 제 가문 걱정만 하더라고. 그냥 확 목을 베어 버릴걸 그랬어."

"모처럼 배려했으면 연못이 아니라 땅속에 고이 묻어 드리지 그랬나?"

"내가 그 정도까지 품위가 있었으면 노팅겐이 아니지."

픽 웃은 그가 고심하듯 턱을 매만졌다.

"음……. 너를 어떡할까? 다니엘. 고이 죽이자니 바이첸의 떨거지가 된 기분이 들어 영 별론데 말이야."

"그 질문은 내가 해야 될 것 같은데."

건조한 미소를 지으며 대꾸한 다니엘이 바람에 날리는 앞머리를 뒤로 쓸어 넘겼다. 갑자기 모든 것이 귀찮아졌다.

"질문은 그만두지. 난 이미 자넬 죽이기로 결심했거든."

다니엘은 프리다 옆에 있지 못하고 노팅겐과 대화를 나눠야 하는 현실에 짜증이 치밀었다.

"묻는 말에 고분고분 대답하면 고통 없이 죽여 주고."

그러니 당연히 말이 곱게 나갈 리 없었다.

"아무튼 네놈은 예나 지금이나 일관되게 재수가 없어."

하하하. 노팅겐이 고개를 젖히며 시원스레 웃었다. 무성히 우거진 미라벨 정원의 수풀에 실린 웃음소리가 미지근한 여름 바람에 떠밀려 나풀거렸다. 뒤이어 잡초들이 해변에 들이치는 파도처럼 한 방향으로 출렁거렸다.

그 움직임을 보고 있던 다니엘의 눈길이 한때 보랏빛 꽃 무리가 대롱대롱 매달려 있었던 등나무 덩굴에 머물렀다. 제멋대로 가지를 뻗고 맘껏 이파리를 키워 낸 덩굴에 감싸인 아치는 그가 사는 세계와 전혀 다른 공간으로 연결되는 통보처럼 보였다.

그곳에 발을 들이자마자 알 수 없는 세계로 빨려 들어갈 것만 같달까. 하긴, 아치 너머에 있는 연못에 수장된 마그리트 황태후에겐 저곳이 삶과 죽음의 세계를 가르는 통로였을지도. 죽음을 직접 눈으로 보지 못해서인지 마그리트 황태후가 존재하지 않는 현실이 새삼 낯설었다.

"대체 뭘 보고 있는 거야?"

노팅겐은 다니엘의 시선을 따라 고개를 돌렸다. 그러나 도통 어디에 눈을 두고 있는 건지 모르겠다는 표정이 되었다.

"아무리 내가 같잖아도 너무 방심하는 거 아냐? 네 목에 검을 들이댈지도 모르는 적을 앞에 두고 딴생각이라니."

아직 난 어깨로 허세. 단정하게 다물려 있던 다니엘의 잇새로 픽, 가는 바람 소리가 새어 나왔다. 그는 가벼운 턱짓으로 하늘을 가리켰다.

"날씨가 좋아서."

"……미친놈."

기가 찬다는 듯 다니엘을 비웃던 노팅겐이 고개를 젖혀 하늘을 올려다보았다. 타고나길 험악한 외모에 잔 상처까지 더해져 더욱 험상궂어진 얼굴에 어울리지 않는 잔잔한 미소가 걸렸다.

"마그리트 그 늙은 여우가 죽던 날도 이렇게 날씨가 좋았지."

그날을 떠올리는 것만으로도 기분이 좋은지 노팅겐의 입매가 길게 휘어졌다.

"다니엘 네놈이 앉아 있는 자리, 바로 거기서 독을 탄 차를 마시고 자빠졌어. 잘 살펴봐. 그년이 흘린 피가 어딘가 묻어 있을지도 몰라."

피식피식 웃던 그가 돌연 쯧 혀를 찼다.

"아무리 생각해도 독살스러운 바이첸 년의 말로치곤 너무 점잖았어. 목을 잘라 성문에 걸어 버릴 걸 내가 왜 그렇게 너그러웠는지 몰라."

진심으로 안타깝다는 표정이었다.

"피가 끓렸나 보군."

다니엘이 시큰둥하게 대꾸하자 노팅겐이 홍 코웃음을 쳤다.

"피가 끓리긴 지랄. 몇 방울이나 섞였다고."

"한 방울이든 두 방울이든 섞인 건 섞인 거지."

귀하신 노팅겐 공작의 아드님에게도, 천한 사생아인 다니엘의 몸에도 제국의 초대 황제 카를 1세에게서 물려받은 피가 흐르고 있는 건 부정할 수 없는 사실이었다.

"너도 모르게 핏줄이 당겨 과거의 원한을 잊었나 보지. 엘레나 황녀가 아시면 섭섭해하시겠어."

아내가 될 뻔한 여인의 이름을 들은 아서 노팅겐의 눈언저리가 가늘게 일그러졌다.

"그 이름…… 오랜만에 듣는군."

쓸쓸한 목소리에 웬만해선 눈치채기 힘든 작은 그리움이 묻어났다. 전 황제 로보프 3세의 딸인 엘레나 황녀는 바이첸과 리하르트가 합심하여 일으킨 황위 싸움 당시 가족들과 함께 희생되었다.

전대 노팅겐 공작이 로보프 3세와 연을 끊고 바이첸, 리하르트와 협력했기에 망정이지, 아니었다면 노팅겐 가문도 로보프 3세 일가와 함께 그때 사라졌을 것이다. 어쨌든 결국 사라지긴 했지만.

다니엘은 이 야만적인 사내의 심장이 황녀를 품고 있다는 걸 알고 있는 거의 유일한 사람이었다. 그가 품은 마음이 사랑인지, 아니면 제 것이라 여긴 것에 집착하는 사내의 단순한 치기인지는 모르겠다.

아무튼 당시 엘레나 황녀를 구하겠다며 쉔달 성에 숨어든 아서 노팅겐을 붙잡아 아무도 모르게 지하 감옥에 가둔 이가 다니엘이었다. 다니엘은 마그리트 황태후가 로보프 3세 일가를 모두 죽이고 난 이후에야 아서 노팅겐을 풀어 주었다.

노팅겐 공작의 유일한 후계자가 전 황제의 편에 섰다는 것이 알려져 봐야 여러모로 상황만 더 복잡하게 꼬일 거라고 판단했기 때문이었다. 이런 사연도 아서 노팅겐이 다니엘이라면 이를 부득부득 가는 까닭 중 하나였다. 어쩌면 제 가문을 몰락시킨 것보다 그 이유가 더 클지도 모르겠다.

아서 노팅겐은 몰랐겠지만 사실 엘레나 황녀는 이미 오래전부터 독에 중

독되어 있었다. 시간문제일 뿐, 설혹 그가 황녀의 목숨을 구했다 해도 오래 살지 못했을 것이다. 누군가를 추억하듯 잠시 먼 곳을 응시하던 노팅겐이 긴 실금이 새겨진 상처가 있는 눈썹을 씰룩이며 말했다.

"네놈이 여유를 부리는 걸 보니 성벽에 두고 온 놈들이 실패했나 보군. 비리비리한 네 아내가 여태 살아 있나 보지?"

"물론."

다니엘이 고개를 끄덕였다.

"아니었다면 자네 몸은 진즉에 이 정원의 거름으로 쓰이고 있었겠지."

노팅겐이 기분을 잡쳤다며 퉤 바닥에 침을 뱉었다.

"빌어먹을 고트란 놈들. 나한테 받아 처먹은 돈이 얼만데, 가만 놔둬도 죽어 나가게 생긴 여자 하나도 제대로 처리 못 해서. 쯧쯧."

"돈 얘기가 나와서 말인데, 룅겐 제국의 변경백이 자네에게 꽤 많은 돈을 가져다 바친 것 같더군."

"쳇, 냄새만 잘 맡는 줄 알았더니 눈치도 빠르네."

노팅겐은 검지로 후비적후비적 귀를 후비며 심드렁히 말했다.

"받았지. 아주 많이. 아니면 내가 무슨 돈이 있어 고트란 놈들의 충성을 샀겠어."

"모렌하이츠 변경백이 네게 뒷돈을 대 준 진짜 목적이 뭐야? 그 영리한 자가 겨우 네게 금화를 쏟아붓는 것 따위로 스베르겐 황실을 뒤엎을 수 있다 여기진 않았을 텐데."

"모렌하이츠가 어떤 놈인데 그런 헛짓을 해. 그놈은 그저 스베르겐 땅에 분란을 만들고 싶었을 뿐이야. 모르겠어?"

다니엘이 모르겠다는 듯 조용히 있자 그가 한심하다며 짜증스레 미간을 찡그렸다.

"머리가 그렇게 안 돌아가? 네놈이 말라비틀어진 하크본 딸에게 미쳐 이 난리를 피우고 있는 것과 같은 이유라고. 스베르겐이 룅겐에 관심을 두지 못하도록 계속 이 안에서 갈등을 만들고 소란을 피워야 제 아내인 황제가 편하게 국정을 돌볼 거 아냐. 그걸 노린 거지."

말을 마친 그는 생각에 빠진 다니엘을 보며 절레절레 고개를 저었다.

"너나 모렌하이츠 놈이나 다 제정신이 아냐, 제정신이."

부웅, 부웅, 부웅.

때마침 가까운 곳에서 뿔 나팔이 세 번 울렸다. 모든 상황이 종료되었고 황제 궁을 탈환했다는 신호였다.

"빨리 죽으라고 재촉하는 거야 뭐야, 쳇."

나팔 소리가 나는 곳으로 눈을 돌린 아서 노팅겐이 씁쓸한 미소를 흘렸다.

"어차피 마지막인데 편하게 끝내자. 자리 좀 비켜 줘. 너나 나나 서로의 뼈를 발라 먹고 싶을 만큼 증오하는 사이긴 하지만, 이 마당에 그 정도 배려 는 해 줄 수 있잖아."

다니엘은 궁지에 몰린 것치곤 묘하게 무덤덤한 아서 노팅겐의 태도가 거슬렸다.

"무슨 꿍꿍이야?"

"꿍꿍이는……."

삐딱하게 목을 꺾은 노팅겐이 다니엘을 보며 의미심장한 미소를 지었다.

"그저 리하르트 형제에게 복수할 확실한 방법을 찾은 덕에 네놈들을 꼭 내 손으로 죽여야 할 필요가 없어졌다고나 할까."

"복수?"

"어. 복수. 너와 레오폴드가 살아생전에는 절대 원하는 것을 가질 수 없도 록 만드는 것이 바로 내 복수야."

"내가 뭘 원하는지 알고는 있고?"

"다니엘 리하르트가 원하는 거야 뻔하지."

아서 노팅겐이 다니엘의 붉은 눈을 뚫어져라 응시하다 입을 열었다.

"삶이지. 평온하고 안정적인, 누구에게도 방해받지 않는 자유로운 삶. 핏빛으로 물들지 않는 평범한 삶."

말을 마친 그는 비릿한 조소를 머금었다.

"하지만 네 못난 이복동생 덕에 넌 영원히 불안하고 위태로운 삶을 살게 될 거다, 다니엘."

"레오폴드가 가질 수 없는 건 뭔데?"

노팅겐의 조소가 차츰차츰 더 진해졌다.

"자신의 피를 물려받은 정당한 후계자."

"더 들을 가치도 없군."

레오폴드의 정부가 아이를 가진 걸 모르니 저딴 소리를 지껄이지. 미련 없이 일어선 다니엘은 담담히 마지막 인사를 건넸다.

"알아서 뒈져 주시겠다는데 굳이 내 손을 더럽힐 필요는 없지. 잘 자게, 노팅겐."

때마침 정원 안으로 리카르도가 뛰어 들어왔다. 그에게 잠시 시선을 빼앗기던 찰나, 진득한 웃음소리와 합쳐진 노팅겐의 음성이 들려왔다.

"레오폴드에게 내 유언을 전해. 부디 나를 대신해 좋은 아버지가 되어 달라고."

꽈당.

의미를 되물을 틈도 없이 의자가 나자빠졌다. 다니엘은 멍하니 서서 붉은 피로 물들어 가는 푸른 수풀을 한동안 말없이 바라보았다.

가물가물 흐려진 의식 너머에서 익숙한 향기가 건너왔다. 옷 사이사이 진하게 밴 풀 냄새와 젖은 흙내. 그리고 그것들을 지워 내겠다며 뒤집어쓴 청량하고 맑은 물 향기. 다니엘과 한 몸처럼 붙어 다니던 향기들은 따로따로 프리다를 찾아왔다 이내 하나로 합쳐졌다.

그리웠던 향기를 맘껏 음미하는 프리다의 이마에 갓난아이를 어루만지듯 조심스러운 손길이 닿았다. 슬며시 이마를 쓸다 머뭇머뭇 뺨을 만지는 동작에서 그의 망설임이 느껴졌다. 부드럽게 그녀를 돌보는 손길이 기분 좋아 도로 잠에 빠지고 싶어졌다.

그렇게 나른한 시간이 얼마쯤 흐른 후, 이번엔 살랑대는 봄바람을 닮은 보드라운 숨결이 프리다의 이마에 내려앉았다. 이마를 지난 숨결은 눈을 덮고, 콧등으로 올라왔다 뺨을 스쳤다. 그녀의 잠을 깨우고 싶었는지 간질거리며 프리다의 얼굴을 맴돌았다.

간지러움을 견디다 못한 프리다는 이마를 옅게 찡그리며 서서히 눈을 떴다. 끔벅끔벅 몇 차례 눈을 감았다 뜬 프리다는 흰자 가득 핏발이 선 적갈색 눈동자를 물끄러미 마주 보았다.

"......"

"......"

시선이 마주친 뒤에도 두 사람은 말없이 서로를 바라만 보았다. 그를 만나면 할 말이 아주 많았건만, 막상 얼굴을 보니 도저히 입이 떨어지지 않았다. 입을 여는 순간 왈칵 눈물이 쏟아질 것만 같았다.

다니엘은 그녀가 예상했던 것보다 훨씬 더 참담한 모습이었다. 켜켜이 쌓인 피로와 불안이 뒤섞인 까칠한 얼굴을 보고 있자니, 참은 보람도 없이 눈시울이 뜨거워졌다. 왜 이렇게 핼쑥해졌냐고, 눈은 어쩌다 이 모양이 됐냐고, 머리칼이 이리 눈을 가릴 동안 아무도 잘라 주는 이가 없었던 거냐고 볼멘소리를 하려는데 말문이 꽉 막혔다.

얼마나 애가 달았으면. 대체 며칠이나 잠을 설쳤으면 세상에서 가장 단단하던 남자가 이리 지쳐 보일까. 누구도 차마 입을 떼지 못했다. 그저 서로를 향한 애달픈 시선만이 오갔다.

'보고 싶었어.' 다니엘이 눈으로 말했고, '나도요.' 프리다가 표정으로 대답했다. '당신이 그리웠어요.' 프리다가 눈을 깜박이자 '나도. 미치는 줄 알았어.' 다니엘이 살포시 눈웃음을 건넸다.

결국 한마디도 꺼내지 못한 프리다는 힘겹게 입꼬리를 끌어 올렸다. 움직여지지 않는 다리가 아프고, 들리지 않는 팔은 무거웠다. 어딘가에 부딪힌 게 분명한 머리도 꾹꾹 쑤셨다.

하지만 그 모든 통증을 다 합쳐도, 다니엘이 겪었을 괴로움이 생생히 전해진 심장만큼 쓰리진 않았다. 그의 불안이, 염려가, 고통이 뼈 마디마디, 살갗의 주름 사이를 타고 스며들었다.

아팠다. 너무 아팠다. 그래서 웃어 주고 싶었다. 걱정하지 말라고, 나는 괜찮다고. 당신이 와 주었으니 그것으로 되었다고. 힘겹게 미소 짓는 프리다를 바라보던 다니엘이 뭐라 말하려다 입을 닫았다.

다시 입을 달싹이다 다물었다. 빤히 내려다보는 눈동자가 유독 붉다고 느낄 때쯤, 그의 입술이 열리고 격정을 가누지 못한 들뜬 말소리가 흘러나왔다.

"사랑해."

촉촉이 젖은 다니엘의 낮은 목소리가 프리다의 입술에 포개졌다.

15. 완벽하게 행복한 오늘

달그락. 작은 소리를 들은 것치곤 사뭇 놀라며 눈을 뜬 프리다의 앞에 천장이 아니라 흰색과 푸른색이 보기 좋게 어우러진 침대 커튼이 보였다. 아마 오늘도 왼쪽으로 누워 잠이 들었던 모양이다. 다니엘이 하루도 빼지 않고 그녀를 품에 꼭 끌어안고 자는 바람에 생긴 새로운 버릇이었다.

몽롱해진 시야에 무지개를 닮은 빛무리가 퍼져 나갔다. 프리다는 눈꺼풀을 끔벅대며 잠을 떨쳐 내려 애썼다. 그녀는 반쯤 젖힌 커튼에 걸린 색색의 빛무리 너머에서 남편을 발견한 뒤에야 완전히 잠에서 깨어났다.

매일 보던 남편의 모습이 오늘따라 무척 새로웠다. 눈만 뜨면 보이는 넓은 가슴 대신 등을 보게 돼서 그런가. 아니면 꽁꽁 얼어 버린 한겨울의 호수를 닮은 은색 갑옷이나 리하르트 가문의 문장이 새겨진 망토가 아닌 단정한 예복을 입은 그가 오랜만이라서?

무장하지 않고 긴장을 푼 리하르트 공작을 보는 것만으로도 기분이 나른해졌다. 다니엘을 만난 후 마음을 푹 놓아 버린 프리다와 달리, 다니엘은 지난 열흘간 초긴장 상태였다. 그는 침대에 누울 때 이외엔 한시도 갑옷을 벗거나 허리춤에서 검을 푸는 법이 없었다.

심지어 침대에서도 프리다를 재우는 손길만 부드러웠을 뿐, 팔은 뻣뻣하게 굳어 있었다. 그랬던 다니엘이 갑옷을 벗었다는 건, 이제 쉔달 성이 완벽하게 안전하다는 뜻이겠지.

프리다는 창을 타고 들어온 햇살에 섞여 금빛으로 물든 남편을 보며 배시시 입꼬리를 올렸다. 어디 하나 나무랄 데 없는 옷매무새도 근사했지만, 느리지도 급하지도 않은 적당한 속도로 움직이는 유연한 몸짓을 보고 있으려니 심장이 떨렸다. 아침부터 그녀를 설레게 만든 근사한 신랑의 모습 중 굳이 거슬리는 부분을 꼽자면 목깃을 덮는 긴 머리카락 정도다.

'얼른 잘라 줘야 하는데.'

몇 번이나 솜씨 좋은 하인을 시켜 길게 자란 머리칼을 자르라고 해도 말을 안 들었다.

"팔이 회복되면 당신이 잘라 줘."

이 말만 반복했다.

다친 팔이 문제가 아니라 솜씨가 부족하니 다른 사람을 시키라고 해도 괜찮다며 요지부동이었다. 고집쟁이 같으니라고.

손목 통증도 많이 줄었고, 손가락도 자유롭게 움직이게 됐으니……. 오늘은 다니엘의 머리카락을 손봐 줄까.

며칠 전 감각이 돌아온 손가락을 침대 위에 올리고 꼼지락거리자 다니엘이 그녀의 기적을 알아채고 돌아섰다. 그가 테이블에서 비켜서자 늘씬한 몸에 가려져 있던 트레이가 모습을 드러냈다. 로잘린이 놓고 간 것이 확실한 트레이엔 음식이 한가득 채워져 있었다.

'맙소사, 저걸 다 먹으라고?'

프리다는 난감해하며 베개에 푹 얼굴을 묻었다.

'하아…… 로잘린. 어제저녁에 먹은 양고기도 아직 소화가 안 됐어.'

가벼운 발소리에 이어 봄날의 늦은 아침 햇살을 닮은 따스한 손길과 목소리가 그녀의 머리칼을 쓰다듬었다.

"일어났어?"

나직이 속삭이는 음성이 무척이나 다정해서, 철없는 아이처럼 마구 떼를 쓰고 어리광을 피우고 싶은 심정이 되었다. 프리다는 이때다 싶어 응석을 부렸다.

"다니엘, 로잘린 좀 말려 줘요. 저걸 다 어떻게 먹어요."

"먹을 수 있어."

"배가 빵빵해져서 숨쉬기가 힘들다고요."

"힘들면 쉬었다가 먹으면 돼."

"이러다간 다리가 나아도 걷기는커녕 데굴데굴 굴러다닐 정도로 살이 찌고 말 거예요."

"귀엽겠네. 살찐 토끼 같고."

"다니엘!"

휙 고개를 들고 노려보자 다니엘이 그녀의 이마를 가린 머리칼을 치워 주며 말했다.

"뭐가 걱정이야. 살찐 토끼가 된다 해도 더 예뻐지는 것뿐인데."

으…… 말이 안 통한다. 말이. 프리다는 기껏 다니엘이 정리해 준 머리카락을 헝클이며 베개에 얼굴을 비볐다. 요즘 들어 다니엘은 매사 저런 식으로 답하곤 했다.

프리다의 말이라면 뭐든 '괜찮아', '뭐 어때', 뜻대로 하라며 고개를 끄덕인다. 봄바람을 닮은 부드러운 미소는 덤이고. 하지만 그녀의 식사와 건강, 외출 문제만큼은 절대 타협 불가다. 옆으로 고개를 튼 프리다는 입술을 삐죽 내밀며 툴툴댔다.

"다니엘, 혹시 아직도 마음이 그런 거예요?"

"그런 거?"

테이블로 돌아간 다니엘이 프리다에게 먹일 수프 그릇을 들며 되물었다. 그는 수저로 수프를 뒤적뒤적 식히며 프리다 곁으로 다가왔다. 수저

가득 뜬 수프를 입술 근처에 대 보더니, 온도가 마뜩잖은지 몇 번 더 뒤적이다 협탁 위에 올렸다.

"당신 자꾸 나한테……."

"프리다, 잠시만."

프리다의 말을 막은 다니엘이 푹신한 베개를 여러 개 쌓아 올린 뒤, 침대 위에 누워 있는 그녀를 안아 일으켰다. 다니엘은 그녀의 등을 베개에 기대 준 후 놓아두었던 수프 그릇을 집어 들었다.

지난 열흘간 하루도 빠지지 않고 프리다를 돌봐 온 탓인지 모든 행동이 물 흐르듯 자연스러웠다. 그녀가 먹기 좋은 온도를 맞추기 위해 확인하고 또 확인하는 정성을 보고 있자니 저절로 목소리가 나긋나긋해졌다. 프리다는 다니엘의 눈치를 살피며 슬그머니 말을 꺼냈다.

"계속 나한테 미안하다고만 하잖아요. 힘든 일을 겪게 만들어서. 그리고 늦게 도착해 다치게 만들어서 미안하다고."

열흘 전, 첼리노의 성벽이 무너지던 날. 프리다는 다리가 부러졌다. 걷는 건 당연히 안 되거니와 무릎을 바닥에 대고 기어 다니는 것도 불가능했다. 그뿐만이 아니었다. 어깨와 손목의 뼈도 어긋나 팔을 움직일 수가 없었다. 성한 곳 없이 깨어난 그녀 앞에서 다니엘은 미안하다는 말만 반복하고 또 반복했다.

"늦게 와서 미안해."

"다치게 돼서 미안."

"당신이 백까지 세기 전에 도착해야 했는데…… 정말 미안해."

'사랑해'라는 짧은 고백 이후 다니엘이 한 말이라곤 죄다 '미안해, 미안해, 미안해'뿐이었다. 같은 말만 반복한다는 앵무새를 남편으로 둔 줄 알았다.

삐죽 내밀었던 입술을 도로 거둬들인 프리다는 보란 듯이 멀쩡하게 나은 손을 들었다. 그리고 다니엘의 눈을 가린 머리칼을 치워 주며 해맑게 웃었다.

"그렇게까지 미안해할 것 없다고 했잖아요. 심지어 늦지도 않았어요.

나 그때 딱 구십구까지 세고 있었는걸요.”

그 난리 통에 백까지 세고 있으라는 다니엘의 말이 어떻게 들렸는지 모르겠다. 곱씹을수록 신기해 별안간 웃음이 터졌다.

“당신이 자꾸 이러면 내가 불편하단 말이에요.”

“내가 어떤데?”

다니엘이 그녀의 입술 앞에 수저를 가져다 대며 물었다. 고소한 감자 향기를 맡자 놀랍게도 확 군침이 돌았다. 수프를 꿀꺽 삼킨 프리다는 양쪽 검지로 눈가를 누르며 아래로 쭉 잡아당겼다.

“당신 내내 죽을죄를 지은 사람처럼 눈을 이렇게 축 늘어트리고 있는 거 알긴 해요?”

그것뿐이게.

“게다가 날 수저 하나 들 힘도 없는 갓난아기 대하듯 하잖아요. 이건 너무 과해요, 다니엘.”

그가 한가한 사람이라면 프리다도 맘 편히 시중을 받겠지만, 이 쉔달 성에서 가장 바쁜 사람이 바로 다니엘이다. 매일같이 이 일 저 일을 수습하느라 쉴 틈 없이 돌아다니는 사람이 꼬박꼬박 프리다의 식사를 챙기러 벨뷔 궁에 들렀다. 그러니 막 전쟁터에서 돌아왔을 때보다 더 말라 보이지.

“다른 건 몰라도 음식 시중은 로잘린에게 맡겨요.”

걱정스레 저를 바라보는 프리다의 입으로 수프를 밀어 넣는 다니엘의 목소리가 낮게 가라앉았다.

“프리다, 내가 옆에 있는 게 불편해?”

“아니요. 내 말은 그런 뜻이 아니라…….”

여기저기 터지고 갈라진 프리다의 입술에 별안간 수프 대신 다니엘의 입술이 닿았다. 부드럽게 머금는 것으로 시작된 입맞춤이 깊어지려던 찰나, 다니엘이 아쉬운 듯 입술을 꾹 붙들었다 놔주었다. 다니엘은 혀로 입술을 쓸어 제 입에 묻은 감자수프를 맛보더니, 맛이 괜찮다는 뜻인지 가볍게 고개를 끄덕인 후 프리다의 입 앞에 수저를 가져다 댔다.

"더 먹어. 그리고 그런 뜻이 아니면 날 그냥 내버려 둬. 그래야 내 맘이 편해."

말투는 다정했지만, 차분한 표정과 분위기에서 그의 기분이 많이 가라앉았다는 것을 느낄 수 있었다.

꿀꺽.

반사적으로 수프를 삼킨 프리다는 더는 따져 묻지 못하고 눈만 껌벅였다. 자신의 눈치를 살피는 아내의 모습에 다니엘의 눈빛이 금세 혼탁해졌다.

"후우, 프리다."

짧은 한숨을 내쉰 그가 프리다의 눈을 똑바로 마주 보다 입을 열었다.

"당신을 이 방에 홀로 두고 나갈 때마다 내가 얼마나 불안한 줄 알아?"

격해지는 그의 감정을 말해 주듯, 수저를 쥐는 다니엘의 손가락 뼈마디가 하얗게 도드라져 올라왔다.

"당신을 여기 두고 벨뷔 궁을 나설 때면 난……."

그의 목울대가 눈에 띄게 불거졌다. 수저를 내려놓은 다니엘은 불룩 튀어나온 자신의 목울대를 꾹 눌러 쓸어내렸다.

"난 정말…… 두려워서 미칠 것 같아."

목을 만지는 손길에서, 떨리는 말 한마디 한마디마다 정제되지 않은 그의 감정이 느껴졌다. 예상치 못했던 격렬한 반응에 놀란 프리다는 목을 조르는 듯 누르고 있는 그의 손을 얼른 붙들었다.

"다니엘, 그러지 말아요. 그리고 난 한 번도 방에 혼자 있었던 적 없어요. 당신도 알잖아요. 로잘린이 언제나 내 옆에 함께 있는 거. 뮤리엘도 매 순간 붙어 있다시피 하는걸요."

"그들이 있어도…… 결국 위험에 빠졌잖아."

참고 있던 분노가 터지기 시작한 다니엘의 눈동자가 핏빛으로 물들었다. 눈동자에 이어 나흘 전에 겨우 회복된 흰자위에도 시뻘건 핏발이 섰다.

"그들은 당신을 지켜 주지 못했어."

"다니엘, 그건……."

"나도 알아."

멍들고 부러진 몸으로 끙끙 앓다 잠든 프리다 옆을 지키며, 다니엘은 끓어오르는 울분을 누르고 또 억눌렀다. 그 누구의 탓도 아니다. 자신 때문이다. 프리다를 이리 만든 사람은 나다. 다른 이를 원망해선 안 된다. 수십 번을 되뇌었다.

"어쩔 수 없었다는 거. 그 상황에서 당신이 내릴 수 있는 가장 현명한 결정이었다는 것도 알아."

프리다의 결정은 분명 옳았다. 로잘린과 다른 일행이 프리다와 뮤리엘을 그 통로에 남겨 두고 먼저 빠져나오지 않았다면, 레오폴드는 분명 아서 노팅겐의 손에 죽었을 것이다. 황제의 인장을 손에 얻은 황태후는 즉시 권력을 틀어쥐고 제게 반기를 든 자들을 제거해 나갔을 테고.

그런 상황이라면 아서 노팅겐이 훗날을 기약하며 마음을 바꿔 먹었을지도 모른다. 그 영악한 자라면 우선은 마그리트 황태후에게 협력하는 척하며 기회를 노렸을 수도 있다.

그리됐다면 프리다는 황태후 손에 죽거나, 살아 있다 해도 더 큰 고초를 겪게 되었겠지. 결국 그녀의 결정이 모두를 살렸다. 안다. 알고 있지만 화가 나는 걸 어쩌라고.

"프리다…… 당신은 죽을 뻔했어. 내 인생에서 당신이 영원히 사라질 뻔했다고."

그때까지 한 손에 들고 있던 수프 그릇을 던지듯 내려놓은 다니엘은 제 손을 꼭 쥐고 있는 프리다의 손등에 입을 맞췄다.

"그 생각만 하면 난 무서워 죽겠어."

이 보드라운 살결을 영영 만질 수 없게 되었다면, 과연 내가 살 수 있을까? 프리다를 잃고 나 홀로?

'아니, 절대로.'

기다릴 틈도 없이 답이 나왔다. 자그마한 손을 내려놓은 다니엘은 벌떡 일어나 그녀의 얼굴 위로 몸을 숙였다. 양손으로 뺨을 감싸고 세상의 그 어떤 보석보다 아름다운 프리다의 눈에 저를 밀어 넣었다.

"난 이제 두 번 다시 당신을 홀로 두고 떠나지 않아."

다른 이의 손에 프리다를 맡기는 일은 더 이상 없다. 그녀를 잃을지도 모른다는 공포 속에 사는 경험은 한 번이면 충분하니까.

"오늘의 다니엘이 오늘의 프리다에게 맹세할게. 난 앞으로 당신 옆에 평생 달라붙어 있을 거야. 끔찍하게 싫은 게 아니라면 날 견뎌."

아니, 싫어도 견뎌.

"다, 다니엘 당신 혹시……."

다니엘은 뭔가를 깨닫고 화들짝 놀라는 프리다의 뺨을 부드럽게 어루만지며 고개를 끄덕였다. 상대를 태울 듯 활활 타오르는 눈을 하고도 그녀를 만지는 손길만큼은 한없이 부드러웠다.

"내가 기억하지 못하는 당신은 없어."

그가 기억하지 못하는 시간도 이젠…… 없다.

깜짝 놀란 프리다가 토끼 눈을 하고 다니엘의 얼굴을 살폈다.

"어, 언제부터요? 대체 언제 기억이 돌아온 거예요?"

제법 혈색이 돌아온 아내의 뺨을 만지작대던 다니엘이 가볍게 입을 맞춘 후 멀어졌다. 다시 수프 그릇을 든 그가 프리다의 입에 수저를 가져다 댔다.

"좀 됐어. 먹어."

꿀꺽 수프를 삼킨 프리다가 얼굴을 들이대며 물었다.

"어떻게요? 어쩌다 돌아왔어요?"

"슈바르츠발트에서 투르크의 대포 공격을 받고 막사가 무너졌어. 그때 머리에 충격을 좀 받았지."

"막사가 무너졌다고요? 당신 머리 위로?"

다니엘은 먹기 좋게 기울인 수저를 화들짝 놀라는 프리다의 입술 틈으로 밀어 넣었다. 프리다가 오물오물 꿀꺽 수프를 삼키며 다니엘의 머리로 팔을 뻗었다.

"머리 봐 봐요. 혹시 또 다친 거예요? 가만히 있는데 갑자기 기억이 돌아오진 않았을 거 아녜요."

"막사 기둥에 깔리긴 했는데 크게 다치진 않았어."

"기둥에 깔렸다고요? 어디요. 부딪힌 곳이 어디예요?"

꾸물꾸물 엉덩이를 밀면서 다가온 프리다는 다친 다리를 침대 아래로 늘어트리고 그의 이곳저곳을 살피기 시작했다. 머리칼을 헤집고 목깃을 내려 상처가 있는지 확인하는 손이 무척 분주히 움직였다.

수프 그릇을 든 다니엘은 얌전히 앉아 제 몸을 살살이 확인하는 프리다의 손길을 기다려 주었다. 별다른 상처를 발견하지 못한 뒤에야 안심이 됐는지 프리다는 이내 어깨를 축 늘어트렸다.

"큰 상처는 없는 거죠?"

다니엘이 다시 수프를 떠먹여 주며 빙긋 웃었다.

"없어. 살짝 스쳤는데 이상하게 그날부터 하나씩 하나씩 기억이 떠오르더라고. 당신이 내 방에 처음 들어왔던 날부터, 레오폴드와 숲에 갔다 벼락을 맞은 날까지 모조리 다 떠올랐어."

"어디까지 기억나는 거예요?"

"하나도 남김없이 전부 다."

삼 년 만에 의식이 돌아오던 날 맡았던 희미한 탄 냄새와 은은한 꽃향기. 그리고 난데없이 눈앞에 나타난 새하얀 천사의 모습. 그보다 훨씬 전, 쫑긋 귀를 세운 토끼를 닮은 꼬마 소녀가 어른으로 자라 그의 아내가 된 날의 기억까지. 생생하게 다 기억났다.

"우리가 처음 한 침대에서 잤던 날, 그날 내가 당신에게 했던 짓, 그때 당신이 지었던 표정 하나하나까지 다."

"다, 다니엘!"

양손으로 제 뺨을 감싼 프리다가 어쩔 줄 몰라 하며 얼굴을 붉혔다. 순간 다니엘은 수프고 뭐고, 성에 안 차게 끝낸 입맞춤을 다시 제대로 이어 가고 싶다는 충동에 빠졌다. 하지만 하루라도 빨리 프리다를 회복시켜 이 빌어먹을 쉔달 성을 벗어나는 것이 먼저였다. 다니엘은 수저를 꼭 쥐고 훗날을 기약했다.

"난 이제 멀쩡해. 그러니 내 걱정은 말고 당신이나 빨리 회복하는 데 집중해. 그러려면 무엇보다 잘 먹어야 해. 살찐다느니 굴러다닌다느니 하는 쓸데없는 걱정은 하지 말고, 로잘린이 챙겨 오는 그릇을 싹싹 비워. 난 한시 바삐 유트레히트로 돌아가고 싶으니까."

"나도요. 나도 얼른 돌아가고 싶어요."

공작령으로 간다는 말에 프리다가 대번에 눈을 반짝였다.

"나 많이 회복했어요, 다니엘. 마차쯤은 얼마든지 탈 수 있다고요. 이곳에 더 머무를 이유가 없다면 우리 내일이라도 돌아가요, 다니엘. 나 집이 너무너무 그리워요."

"아직은 안 돼."

다니엘이 단호하게 고개를 젓자 프리다가 울상을 지으며 매달렸다.

"다니엘, 나 정말 정말 다 회복됐다니까요."

짧게 한숨을 내쉰 다니엘이 수프 그릇을 도로 협탁에 올려놓은 후 프리다를 빤히 내려다보았다.

"우린 회복의 기준이 다른 것 같군."

홍조가 남은 복숭앗빛 뺨으로 팔을 뻗은 다니엘이 짐짓 심각한 표정을 지으며 그녀를 불렀다.

"프리다."

프리다의 뺨을 만지는 그의 손에 은근한 열기가 실렸다.

"내가 말하는 회복은 당신이 나와 무리 없이 부부 관계를 맺을 정도의 체력을 가지는 걸 의미해. 그 정도가 되기 전까진 이 방에서 단 한 발짝도 나갈 생각 하지 마."

"어머."

부끄러운 듯 눈을 흘기던 프리다가 딴청을 피우며 큼큼 목을 가다듬었다. 그러곤 큰 결심이라도 한 듯 양손을 꼭 맞잡은 채로 말했다.

"그, 그런 거라면 지금이라도……."

비스듬히 고개를 기울인 다니엘이 눈썹을 찌푸리며 인상을 썼다.

"프리다, 내 말 정확히 이해했어?"

"그, 그럼요. 내가 결혼한 지가 언젠데 그런 것도 모르겠어요. 말했지만 난 지금도 얼마든지 부부의 의무를 다할 체력을 가지고 있다고요."

"하!"

다니엘은 어이가 없다는 듯 헛웃음을 터트렸다. 프리다의 발칙한 도발 때문이 아니라, 그게 뭐라고 벌써 몸이 뜨끈하게 달아오르는 자신이 기가 차서 괜스레 목을 만졌다.

기억을 잃기 전에도 잃은 후에도 지나치게 예의를 갖춰 그녀를 안았었다. 이제 슬슬 아내에게 다니엘 리하르트가 어떤 놈인지 보여 줄 때가 된 것 같았다. 성큼 한 발짝 다가온 그는 프리다에게 서서히 몸을 붙이며 그녀를 침대 위로 밀었다.

"프리다. 미리 말해 두지만, 과거의 나는 기억에서 잊는 게 좋아."

"다, 다니엘."

순식간에 뜨거운 열기를 뿜어내는 남편의 모습에 당황한 프리다가 슬그머니 어깨를 물렸다. 피식 미소 지은 다니엘은 프리다가 아예 침대 위로 누울 때까지 그녀에게 몸을 붙였다. 그러곤 파도처럼 하얗게 흐트러지는 머리칼 아래로 팔을 뻗었다.

"각오 단단히 하는 게 좋을 거야. 당신은 회복되자마자 매일 무리하게 될 테니까."

아쉽지만 오늘의 무리는 입맞춤까지만. 그는 달달한 속삭임과 함께 입술을 내렸다.

어느 때보다 뜨거웠던 아침 식사 후, 다니엘은 방을 나섰다. 그는 기다렸다는 듯 다가온 로잘린에게 빈 접시가 담긴 트레이를 넘겨주었다. 복도로 돌아서자마자 도미닉이 바짝 등 뒤에 붙었다.

"주군의 예상이 맞았습니다. 루이즈 황후가 하녀와 시녀를 모두 제 가문 사람으로 모조리 교체했습니다."

역시 그랬군.

"황후는 여전히 궁 안에만 머무르고 있나?"

"네. 누구의 방문도 받고 있지 않습니다. 심지어 황제도 만나려 하지 않습니다."

뚜벅뚜벅. 깊은 상념에 젖은 다니엘의 발소리가 무겁게 복도에 내려앉았다. 다시 찾은 쉔달 성은 처참했다. 외부와 단절된 한 달여 동안 성안에 갇힌 고트란족이 얼마나 무도하게 날뛰었는지 부서지지 않은 곳, 불에 타지 않은 곳을 찾기가 어려웠다.

외진 데다 귀한 물건이 없는 벨뷔 궁이 그나마 원래 모습을 보존하고 있는 유일한 곳이었다. 사람도 많이 죽었다. 정착 생활을 하지 않아 포로 개념이 없는 고트란족은 마치 사냥하듯 사람을 죽였다고 한다. 보호해 줄 사람들이 없으니 가장 약한 이들부터 죽어 나갔을 것이다.

특히 황후 궁의 피해가 심했는데, 시녀고 하녀고 할 것 없이 황후 궁에 머물던 이들 모두가 시신으로 발견되었다.

그 난리 통에 오직 루이즈 황후만 살아남았다. 최후의 전투가 있던 날, 그녀는 죽은 시녀의 옷을 입고 시체 더미에 숨어 죽은 척했다고 들었다. 레오폴드가 쉔달 성으로 입성하던 날. 황후 궁에 널린 시체 더미에서 발견된 루이즈 황후는 저를 지키려다 많은 사람이 희생되었다며 울부짖었다.

황제가 당신 탓이 아니라며 달래도 목 놓아 울다 정신을 잃었다. 이후로 현재까지 그녀는 식음을 전폐하고 궁 안에만 틀어박혔다고 알려져 있었다. 그런데 어느새 제 집안사람들을 불러들였다니…….

벨뷔 궁 정원 한가운데에서 발걸음을 멈춘 다니엘은 내내 신경을 거슬리게 만들던 노팅겐의 마지막 말을 떠올렸다.

"레오폴드에게 내 유언을 전해. 부디 나를 대신해 좋은 아버지가 되어 달라고."

그는 당연히 그 말을 레오폴드에게 전하지 않았고, 전할 필요도 느끼지 못했다. 도미닉이 굳은 듯 서 있는 다니엘에게 보고를 이어 갔다.

"그런데 이상한 점이 있습니다. 제가 가족에게 돌아간 시신들 몇몇을 살펴봤는데, 고트란족의 솜씨가 아니었습니다."

"어떤 점에서?"

"시신 상태로만 봐선 독살에 가깝습니다. 피에 환장하는 고트란 놈들이 철퇴나 도끼를 휘둘렀다면 모를까, 독 같은 걸 썼을 리 없죠."

다니엘은 굳이 제 의견을 보태지 않았다. 발자크가 대기하고 있는 정문으로 걸어가던 그는 따가운 햇볕이 내리쬐는 푸른 수풀을 바라보며 담담히 말했다.

"살아남은 이들. 특히 여인들이 다른 피해를 보지 않도록 신경 써. 레오폴드가 성안에 남고 싶어 하는 이들은 무조건 수용하겠다고 했지만, 네가 은밀히 알아봐. 혹 쳴리노가 아닌 다른 곳에 이주하길 원하는 자가 있다면 몰래 살 곳을 만들어 주고."

사내들이 모두 죽어 나간 성안에서 여인들이 어떤 고초를 겪었을지는 뻔하다. 그들을 지켜 주지 못한 건 결국 황실이 나태했고, 방심했으며, 무능했기 때문이다. 레오폴드가 어느 정도 급한 일을 수습하고 나면 따로 말해 둘 참이었다.

황실의 보호를 받지 못해 상처 입은 여인들에게 가게 될 모욕은 응당 너의 것이라고. 그러니 최대한 그들을 보호하라고. 다니엘은 뜨거운 여름 바람이 흔들고 간 매듭으로 손을 뻗었다. 그가 어깨 매듭을 만지작대자 도미닉이 다가와 비틀린 부분을 바로잡아 주었다.

"쉔달 성에선 언제 떠날 예정이십니까?"

"프리다가 회복되면 바로."

왼쪽으로 틀어졌던 옷깃을 중심에 맞춘 도미닉이 빙긋 웃으며 장난스레 중얼거렸다.

"로잘린에게 쉔달 성의 새 주방장을 닦달하라고 해야겠네요."

"이미 하고 있어. 아마 그 아이가 우리보다 더 이곳을 뜨고 싶어 할걸. 공식적으로 황태후의 장례식이 끝나면 일정을 잡아 봐야지."

도미닉이 순간 알 수 없는 표정을 지었다.

"왜 그래?"

바로 낌새를 알아챈 다니엘이 이유를 묻자, 그가 입술을 씰룩이며 손가락으로 코끝을 비볐다.

"그냥…… 마그리트 황태후가 죽었다는 사실이 실감 나지 않아서요."

충분히 깔끔한 다니엘의 옷매무새를 괜히 이곳저곳 봐 주던 도미닉이 뜬금없이 시선을 맞춰 왔다.

"다니엘. 우리, 정말 다 끝난 거 맞지?"

그는 말없이 도미닉이 얘기하는 끝의 의미를 되새겼다. 평생을 거쳐 그를 괴롭히던 마그리트 황태후가 죽었다. 첼리노를 통째로 썩게 만들던 바이첸 가문도 멸문됐다. 레오폴드는 제법 나쁘지 않은 황제 흉내를 낼 테고, 제국은 서서히 평화를 찾아갈 것이다.

하지만 독버섯은 어디에나 있고 어디에서든 잘 자란다. 그러니 그 뿌리를 뽑아내도 절대 사라지지 않는다. 영양분을 간직한 땅이 있고, 비를 내리게 하는 하늘이 있는 한.

"그럴 리가."

다니엘은 도미닉의 눈을 바라보며 고요히, 그러나 단호히 대답했다.

"그저 한 세대가 무너졌을 뿐이야, 도미닉."

언젠간 무너졌을 세대가 그저 조금 더 빨리 무너진 것에 불과하다.

"무너진 성벽 위에 새로운 벽이 세워지듯, 누군가가 비워진 자리는 또다른 이가 채우겠지."

빈자리를 새로 채우는 자는 마그리트 황태후보다 더 악독할 수도, 아닐 수도 있다.

"끝은 없어. 모든 것이 다시 새롭게 시작될 거다."

그러니 지치지 말고 계속 나아가야 한다. 넘어지고 뒤처져도. 내 가족을, 내 사람을, 그리고 내 땅을 지키기 위해.

"다만, 전보다는 좀 더 멋지게 시작해 볼 순 있겠지."

이젠 알 것 같다. 자신이 무엇을 지켜야 하는지.

"공작님께선 제게 지참금을 돌려주지 않으셔도 됩니다. 저는 제 돈이 아니라 우리의 돈을 다른 누구도 아닌 우리의 땅을 위해 썼으니까요."

"……우리 땅?"

"네. 우리 땅이요. 위대한 '십이 가문'이신 리하르트 공작님과 제가 머무는 이 공작령 유트레히트요."

프리다와 자신의 집. 도미닉과 리카르도, 로잘린과 보일드 남작 부부, 그리고 이름 모를 수많은 사람이 모여 사는 그곳을 어떻게 지켜야 하는지도. 도미닉이 빤히 그를 쳐다봤다.

"왜 그렇게 봐?"

"그냥. 네가 이젠 진짜 리하르트 공작처럼 보여서."

뜬금없이.

"어디 아파?"

말해 놓고 저도 민망했는지 도미닉이 피식 실소를 터트리며 귀밑을 긁적였다.

"네 아버지처럼 보인다는 뜻이야. 흠잡을 데 없는 진짜 훌륭한 귀족이셨던 네 아버지. 리하르트 공작 전하. 이제야 네가 그분 핏줄이라는 게 믿어지네."

"헛소리할 시간 있으면 성벽 보수 상황이나 살펴보든가."

앞장서 걷던 다니엘이 뒤를 돌아보지 않은 채 소리쳤다.

"안 따라와?"

찬란한 태양이 내리쬐는 길로 걸어 나가는 다니엘의 뒤를 도미닉이 성큼 따라나섰다.

"기꺼이 따르겠습니다. 주군."

다니엘이 간만에 갑옷이 아닌 예복을 갖춰 입은 까닭은 황제를 알현하기 위해서였다. 알현실이 아직 복구되지 않은 터라, 레오폴드는 겨우 행색만 갖춘 집무실에서 다니엘을 맞았다.

"어서 와."

그간 마음고생이 심했음을 알려 주듯 레오폴드의 눈빛이 거뭇했다.

"안드레아 공작이 전령을 보내왔어."

다니엘도 안드레아 공작이 보낸 개인적인 서신을 받았다. 아마 거기에 적힌 내용 중 많은 부분이 황제께 올린 서신엔 생략되어 있었을 것이다.

"서신에 의하면 마지막까지 남아 있던 투르크 함대가 완전히 물러났대. 만약을 대비해 공작의 배가 해협 근처를 계속 감시하고 있다더군."

식사를 다 마치지 못했는지, 레오폴드의 책상 위엔 반도 비우지 못한 음식 접시가 놓여 있었다. 바닥을 비운 건 민트 향이 나는 찻잔뿐이었다.

"안딘 프랑코는 정확히 어떤 자야? 링겐의 황제와 개인적인 인연이 있다던데, 그럼 링겐 황실에서 우릴 도와줬다고 봐야 하는 거야?"

"그건 아닙니다."

레오폴드가 앉아 있는 책상으로 다가간 다니엘은 찻주전자를 기울여 비워진 찻잔을 채웠다. 투박한 다니엘의 손이 달그락 소리 한 번 내지 않고 물 흐르듯 자연스럽게 차를 따랐다. 프리다의 식사를 챙기다 보니 어느새 이런 일에도 많이 익숙해졌다.

그는 레오폴드가 보고 있는 서류를 치운 뒤 모락모락 김이 나는 잔을 내려놓았다. 황제의 옆에 선 근위대장도 말없이 보기만 할 뿐, 다니엘의 행동을 말리지 않았다.

"처음엔 링겐 제국을 위해 일했지만, 현재는 개인 상선으로 사업을 하는 자입니다. 이번 일은 제 부탁을 받고 한 일이며 링겐 황실과는 무관합니다. 드십시오."

물끄러미 찻잔을 내려다보던 레오폴드가 차를 한 모금 마신 후 다니엘을 바라봤다.

"보수를 꽤 줘야 했을 텐데?"

"네. 많이 줬습니다."

몇 초 더 다니엘을 응시하던 레오폴드가 서류를 다시 집어 들며 말했다.

"황실에 청구해."

"괜찮습니다. 리하르트 공작가에서 제국의 평화를 위해 기부한 셈 치겠습니다."

레오폴드가 흥, 코웃음을 쳤다.

"네가 무슨 돈이 있어서?"

"황실 모르게 숨겨 둔 재산이 좀 됩니다."

금광 열네 개에, 철광석과 보석이 나는 산 서너 개면 스베르겐 제국에서 가장 부자 아닌가.

"라파스 산맥에 내 소유의 금광이 열 개가 있어요."

"스물한 번째 생일이 되면 선물로 금광 하나를 줄게요. 스물두 번째 생일에 또 하나. 생일마다 하나씩 당신에게 선물하겠습니다."

"전부 다 가져가."

문득 그중 열 개를 프리다에게 줬다는 걸 깨달은 다니엘은 피식 웃고 말았다. 갑자기 미소를 보이는 다니엘을 의아한 눈으로 쳐다보던 레오폴드가 습관적으로 누군가를 불렀다.

"세바스티안!"

그러나 고트란족의 손에 죽임을 당한 빈더만 자작이 그의 부름에 대답할 리 없었다. 잠시 숨을 멈추고 주먹을 꽉 쥔 레오폴드는 감정을 다스린 후 근위대장을 불렀다.

"네, 폐하."

"내 앞으로 되어 있는 리하르트 가문의 권리는 오늘부로 모두 리하르트 공작 앞으로 돌린다. 영지는 물론이고 거기에서 걷히는 작물과 세금까지 전부 다. 그 권리는 리하르트 공작의 후손이라면 성별에 상관없이 상속할 수 있다. 이 내용으로 문서 작성해 오게, 지금 바로."

"알겠습니다, 폐하."

방금 자신에게 어마어마한 재산이 넘어왔다는 걸 아는지 모르는지, 다니엘의 표정은 방에 들어올 때와 마찬가지로 고요하기만 했다. 근위대장이 황제가 시킨 일을 마무리하기 위해 방을 나서자 레오폴드가 그제야 서류를 놓고 의자에 등을 기댔다.

"이젠 그 깍듯한 예의 집어치우고 편하게 말해. 네놈이 '이랬습니다. 저랬습니다.' 할 때마다 벌레가 등을 기어 다니는 기분이야."

"그러지."

무심히 대꾸한 다니엘은 방 한편에 놓인 소파로 걸어가 다리를 꼬고 앉았다.

"이번 기회에 해군력을 다시 손보는 게 어때? 황실 군을 재편성하는 걸 고려해 봐. 투르크의 새 술탄은 야심가라, 내부 사정이 안정되면 언제라도 다시 이곳을 넘보고도 남을 자야. 한 번 실패했으니 다음엔 더 치밀하게 준비할 테고."

"바이마르에 군대를 주둔시키라는 얘기야?"

"우선은 그곳부터. 하지만 다른 곳도 살펴봐야겠지. 쿠펀 항에 상륙하는 게 어렵다는 걸 깨달았으니 다음엔 다른 곳을 찾을지도 모르니까."

남은 차를 모조리 입에 털어 넣은 레오폴드가 자리에서 일어섰다. 그는 남은 창문을 모두 활짝 연 다음 커튼을 확 젖히곤 크게 숨을 내쉬었다.

"후…… 답답해 죽겠어. 할 일은 많은데 뭐부터 해야 할지도 모르겠고."

창틀을 짚은 채 잠시 망설이던 레오폴드가 다니엘을 돌아보며 물었다.

"너, 첼리노에 남을 생각 없어? 리하르트 영지도 넘겨줬잖아."

"전혀."

다니엘은 기다렸다는 듯 심드렁하게 고개를 저었다.

"프리다가 회복되면 바로 유트레히트로 돌아갈 거야."

레오폴드는 그럴 줄 알았다는 듯 입술을 피식거렸을 뿐, 더는 아무 말도 보태지 않았다. 그저 입술을 꾹 닫고 멀리 슈프렌 강의 전경에만 눈길을 주었다.

창밖은 소란스러웠다. 황실 일을 아는 사람들이 거의 다 죽임을 당하다 보니 쉔달 성은 말 그대로 엉망이었다. 새로 성에 들인 사람들은 낯선 황궁에서 길을 헤매기 일쑤였고, 성안에 남은 핏자국은 여태껏 다 지워 내지도 못해 군데군데 흉물스럽게 남아 있었다.

우두커니 창밖을 바라보던 레오폴드가 질문인지, 자신에게 하는 다짐인지 모를 말을 중얼거렸다.

"나…… 제대로 할 수 있을까? 할 수 있겠지……."

어깨가 축 늘어진 레오폴드의 뒷모습을 쳐다보던 다니엘이 시큰둥하게 외쳤다.

"레오폴드, 네가 무너지면 여긴 내가 가진다. 그 꼴 보고 싶어?"

"……아니. 절대."

휙 돌아선 레오폴드가 창틀에 허리를 기대선 채 삐딱하게 팔짱을 꼈다.

"다니엘 네놈이 잘되는 꼴은 죽어도 못 보지, 내가."

한결 나아진 목소리였다.

"그럼 어깨 펴."

다니엘이 건방지게 턱을 까닥이며 말했다.

"목에 힘주고."

긴 다리를 펴고 일어선 그는 재킷을 당겨 옷매무새를 정리한 후 레오폴드 앞으로 걸어갔다. 담담히 황제를 마주 보던 그는 나무랄 데 없는 정중한 예법으로 허리를 숙였다.

"꼴사납게 구는 건 오늘까지만입니다, 황제 폐하."

그는 태어나서 처음으로 진심을 담아 레오폴드를 황제 폐하라고 불렀다. 하하하. 쉔달 성으로 돌아온 이후 처음으로 황제의 방에서 웃음소리가 들렸다.

그로부터 다시 열흘이 흘렀다. 태양 빛은 점점 강해졌고, 한밤에도 해가 지지 않는 하얀 밤의 계절이 절정에 다다랐다. 로잘린의 부축을 받은 프리다는 조심히 침대 아래로 발을 내디뎠다.

"어떠세요, 마님? 발에 통증이 느껴지세요?"

"음…… 조금. 하지만 걸을 순 있을 것 같아."

뮤리엘이 매서운 눈초리로 프리다의 다리를 살폈다.

"빨리 회복하고 싶다고 거짓말하시면 안 돼요. 아프면 아프다고 바로 말하세요."

"흥. 그러는 뮤리엘이나 본인 몸 상태에 대해 똑바로 말하시지. 정말 괜찮은 거 맞아?"

프리다가 노려보자 뮤리엘이 양팔을 벌리고 보란 듯이 한 바퀴 돌았다.

"제가 검에 한두 번 찔려 보나요. 보시다시피 멀쩡합니다."

그러다 테이블에 놓인 과일을 집어 들곤 아작아작 베어 물었다.

"뮌하임 성에 돌아가면 아델에게 요리를 가르쳐 달라고 할까 봐요. 검 실력을 그냥 썩히긴 아깝잖아요. 곰곰이 생각해 봤는데, 전 그쪽에 재능이 있는 것 같아요."

프리다의 팔을 붙들고 있던 로잘린이 '흥' 하고 콧방귀를 뀌었다.

"만드는 게 아니라 먹는 데 재주가 있으시겠죠. 로시발트 경께서 마님이 드셔야 할 음식을 야금야금 대신 먹어 주고 있는 거 제가 모를까 봐서요. 다 아는데 그냥 모른 척해 드리는 거라고요."

"어머, 로잘린. 그건 뮤리엘의 탓만은 아니야. 솔직히 네가 준비한 음식은 내가 먹기엔 너무 많아."

"많아도 다 드셔야 해요. 공작 전하께서 마님이 완전히 회복되기 전엔 절대 쉔달 성을 떠나지 않겠다고 하셨단 말이에요. 전 정말 얼른 공작령으로 돌아가고 싶어요."

"저도요."

구석에 조용히 앉아 있던 페트리샤가 불룩 솟은 배를 감싼 채 중얼거렸다.

"저도 제 영지로 돌아가고 싶네요. 이곳에서 아이를 낳을 걸 생각하면 밤에도 잠이 안 와요."

가시방석에 앉은 기분이 이런 걸 거라며 툴툴대던 페트리샤가 연이어 한숨을 내쉬었다. 긴 한숨 소리에서 그녀의 답답한 속내가 느껴졌다.

로잘린의 부축을 받고 두어 걸음 걷던 프리다는 이내 지치고 말았다. 힘들다고 손짓을 보내자 뮤리엘이 얼른 그녀 옆으로 의자를 가져왔다. 조심조심 의자에 앉은 프리다는 이마에 송골송골 맺힌 땀을 닦으며 길게 호흡을 내쉬었다 들이마셨다.

"후우, 루이즈 황후께선 아직도 궁 안에만 계신다죠?"

"그렇다네요. 힘드시겠죠. 아끼던 궁인들이 모두 안 좋은 일을 당했으니 얼마나 충격이 크시겠어."

페트리샤가 또 한 차례 더 길게 숨을 내쉬었다.

'남편이 정부만 데리고 도망을 갔으니 충격이 더 컸겠지.'

뮤리엘은 마음속으로 이 말을 삼켰다. 첼리노엔 황제가 황후를 두고 임신한 정부만 데리고 도망쳤다는 소문이 쫙 퍼졌다. 자연스레 동정표를 얻은 황후에 반해, 페트리샤는 희대의 악녀가 되어 있었다.

쉔달 성엔 매일같이 새로운 사람이 채워졌지만 페트리샤를 돌보겠다고 나서는 사람은 없었다. 오만 일로 바쁜 황제에게 허드렛일해 주는 하녀를 구해 달라 떼를 쓸 수도 없는 노릇이라, 페트리샤는 아예 벨뷔 궁에 눌러앉았다.

누구보다 축하를 받아야 할 시기에 제 탓이 아닌 일로 원망을 들어야 한다니. 어쩌다 보니 상황이 그리되었을 뿐이란 걸 알기에, 프리다는 진심으로 페트리샤의 처지가 안타까웠다.

"뷔테인 남작 부인, 소문에 너무 마음 쓰지 말아요. 나중에라도 사정을 알게 되면 모두 미안해할 거예요."

"신경 안 써요. 작정하고 악의적인 소문을 만들어 퍼트리는데 뭘 어쩌겠어요. 그들과 싸울 든든한 가문도 없는 제가 막을 수 있는 일이 아니잖아요."

응? 프리다는 갸웃하며 그녀의 말에 의문을 제기했다.

"누군가가 일부러 소문을 부풀렸다는 뜻인가요? 말도 안 돼요. 아이를 가진 사람을 두고 대체 누가 그런 나쁜 짓을 하겠어요?"

"당연히 이 일로 가장 득을 보는 사람이 시작했겠죠. 뻔하잖아요."

쯧쯧. 혀를 차던 페트리샤는 똑똑 문을 두드리는 소리에 손에 들고 있던 바느질거리를 챙겨 들었다. 그녀가 아는 한 저토록 간결한 소리로 공작 부인의 방문을 두드리는 인간은 단 한 명뿐이었다.

"다니엘!"

프리다가 환하게 미소 지으며 자리에서 벌떡 일어났다.

'아니, 매일매일 보면서 뭐가 저렇게 반가워.'

페트리샤는 고개를 숙인 채 입술을 삐죽였다. 그녀가 주섬주섬 물건을 챙기는 것을 본 뮤리엘이 다가와 그녀의 손에서 바구니를 받아 들었다.

"다니엘, 봐요. 나 이제 바닥에 설 수 있어요. 조만간 걸을 수도 있을 것 같아요."

그러나 밝고 천진한 말소리에 페트리샤의 입가가 그녀도 모르는 사이에 부드럽게 휘어졌다.

"마님의 회복 속도로 봤을 때 보름 정도면 완전히 걸을 수 있을 듯합니다. 그때에 맞춰 귀환 준비를 할까요?"

그것도 잠시, 기대에 부푼 로잘린의 말을 듣는 순간 입꼬리가 푹 꺼졌다. 저들마저 쉔달 성을 떠나면 자신은 외로워서 어쩌나. 너무 우울해 눈물이 날 것만 같았다.

"공작 부인께서 여행이 가능할 정도로 회복됐는지는 내가 직접 판단한 후 알려 주지. 모두 나가 주겠나."

그래, 페트리샤의 마지막 희망은 깐깐한 리하르트 공작뿐이다.

'제발, 제발. 공작님, 당신의 연약한 아내는 아직도 한참이나 더 회복되어야 한다고요.'

하고픈 말을 꾹 감춘 채 천천히 벽을 등지고 움직이던 페트리샤는 흘끔 리하르트 공작의 얼굴을 쳐다보다 깜짝 놀랐다.

'어디 아픈가? 왜 저리 얼굴이 붉어. 하긴, 그동안 무리했으니 아플 만도 하지. 이 와중에 공작까지 아프면 출발이 더 늦어지겠지?'

페트리샤는 홀로 기뻐하며 공작 부인의 방을 나섰다. 마지막으로 방을 나간 로잘린이 문을 닫자 다니엘이 성큼 다가와 프리다를 안아 들었다.

"이제부터 확인해 볼까? 내 아내께서 얼마나 건강을 회복하셨을지 기대되는군."

"다니엘……."

프리다가 수줍게 얼굴을 붉히며 다니엘의 목을 끌어안았다.

"이러고 있으니까 당신이 나를 처음 안아 줬을 때가 생각나요."

"처음이면, 뮌하임 성의 그 비밀 통로?"

"정말 다 기억하네요."

반색하는 낯빛이 반짝반짝 빛을 뿜었다.

'남의 속도 모르고 웃기는.'

다니엘의 심장은 바닥에 발을 대고 서 있는 프리다를 발견한 순간부터 빠르게 뛰었다. 하필이면 그때, 창문을 타고 들어온 햇살이 얇은 천 안에 숨겨진 그녀의 허리선을 고스란히 드러낸 탓이었다.

그녀의 빠른 쾌유를 비는 자가 과연 공작령으로 돌아가고 싶어 안달이 난 로잘린이나 도미닉뿐일까. 밤마다 한 침대에 누워 얌전히 안고만 자는 남편 속이 얼마나 타들어 가는지도 모르고 해맑기는.

"말했잖아. 다 기억난다고."

다니엘은 무정한 하얀 콧등에 가볍게 입을 맞췄다.

"당신 몸에서 나던 옅은 허브 향기, 하늘하늘 흔들리며 우리 앞을 밝혀 주던 등잔의 불빛. 다 기억나.”

콧등에서 떨어진 다니엘의 입술이 뺨을 타고 목으로 내려왔다. 저벅저벅 걸어 침대 앞에 도착한 다니엘이 조심히 프리다를 침대 위에 눕혔다. 걸음 연습을 하느라 힘들었는지 프리다의 이마에 땀이 맺혀 있었다. 다니엘은 땀에 엉킨 머리칼을 떼어 주며 그녀의 이마에 입술을 내렸다. 그의 무릎이 슬그머니 프리다의 치마를 젖히며 자리를 잡았다.

“주인만큼 솔직했던 심장도 기억나. 지금의 나처럼 쉼 없이 뛰고 있었어.”

가슴을 침대 가까이 내리며 은근하게 프리다의 몸을 누르자, 그녀의 심장 소리가 살갗을 타고 그에게로 전해졌다.

“느껴져? 내 심장 소리.”

아마 제 심장 소리도 그녀에게 전해졌겠지.

“당신 때문에 뛰는 거야, 프리다. 세상에서 오직 당신만 날 이렇게 만들 수 있어.”

그러니 이렇듯 태연한 표정이면 섭섭하잖아.

“지금부턴 잘 생각해 보고 대답해, 프리다.”

다니엘이 프리다의 눈동자 한가득 제 모습이 비치도록 몸을 가까이 붙이며 속삭였다.

“정말 괜찮겠어? 당신이 괜찮다고 하면⋯⋯.”

뜨거운 숨결이 닿자 간지러운지 프리다가 조금 전 자신이 입 맞췄던 콧등을 살짝 찡그렸다. 그 와중에도 제게 고정된 시선이 무척 맘에 들었다.

“오늘 당신은 선을 지킬 줄 모르는 남편을 보게 될 거야.”

그녀가 허락해 줬으면 하는 마음이 반. 좀 더 회복된 뒤에 안아야 하지 않을까 하는 걱정이 반. 솔직히 아직도 마음을 정하지 못한 다니엘의 뺨을 프리다가 부드럽게 감싸 쥐었다.

“보여 줘요.”

갈피를 잡지 못하고 망설이던 자신이 우스워지는 단호한 대답이었다.

이러니 사랑하지 않을 수가.

"보고 싶어요."

흔들림 없는 보랏빛 눈동자를 응시하던 다니엘이 천천히 옷깃으로 손을 가져갔다.

툭, 툭. 파란 힘줄이 도드라진 손으로 단단히 여몄던 예복의 매듭을 하나씩 풀어내던 다니엘이 이내 단 한 번의 손길로 모든 매듭을 남김없이 뜯어냈다.

그로부터 열흘 후, 벨뷔 궁 앞에 사람들이 모여들었다. 레오폴드는 다리를 절룩거리는 프리다와 그런 아내를 조심히 부축하며 걸어오는 다니엘의 모습을 물끄러미 바라보았다.

아마 다니엘은 다리가 불편한 아내를 안고 가겠다고 고집을 피웠을 테고, 프리다는 절대 싫다고 고집을 피웠겠지. 황제께 작별 인사를 건네는 자리니 체통을 지키라며 남편을 타박했을지도 모른다.

결국 이리될 일이었는데……. 온 제국을 혼란에 빠지게 하고 쉔달 성을 폐허로 만들고 만 그동안의 제 헛짓은 한심했고, 굳이 저 혼자 두고 떠나겠다며 고집 피우는 다니엘은 얄미웠다. 못마땅한 심사가 불퉁스러운 불평이 되어 입 밖으로 튀어나왔다.

"가을이나 되면 가라니까, 몸도 불편한 아내를 구태여 이 땡볕에 데려갈 건 뭐야."

"배려해 주신 덕에 다 나았습니다, 폐하."

남편이 싫은 소리를 듣는 것이 마음에 걸렸던지 프리다가 득달같이 편을 들고 나섰다.

"다니엘은 더 있자고 했는데 제가 가겠다고 우긴 거예요."

"맞아. 아직 부족해. 당신은 조금 더 회복해야 해."

다니엘의 말이 끝나자마자 프리다의 얼굴부터 발끝까지 온몸이 확 붉어졌다. 다행히 차양과 옷에 가려진 덕분에 그 모습을 본 사람은 다니엘 말고는 아무도 없었지만, 프리다는 한쪽 눈으로 남편을 흘겨보며 손등을 꾹 눌렀다. 지난 며칠간 프리다와 다니엘은 팽팽한 신경전을 벌였다.

"아직 안 돼. 당신은 더 회복해야 해, 프리다."

매일같이 뜨거운 밤을 보냈지만 다니엘은 연신 안 된다며 고개를 저었다. 프리다가 기억하기론 과거 그 어느 밤보다 뜨겁고 격렬했는데도 말이다. 결국 그들의 신경전은 프리다의 선언으로 일단락되었다.

"뮌하임 성에 있는 공작 부인의 방이 아니면 절대로 당신 품에 안기지 않겠어요."

이후 다니엘은 이틀 만에 출발 준비를 마치라는 지시를 내렸다.

'진즉에 이럴걸.'

프리다는 여유 있는 승자의 미소를 지어 보였다. 뒷짐을 진 채 그들을 바라보던 레오폴드가 프리다를 향해 다가오더니 손을 내밀었다.

"리하르트 공작 부인은 마차까지 내가 에스코트하죠. 긴 이별이 될지도 모르니 그쯤은 양해해 주시겠습니까, 형님?"

다니엘에게 황제의 뜻에 따르겠다는 눈빛을 보낸 프리다는 레오폴드의 손을 잡고 천천히 걸었다. 그러다 낯익은 사람을 찾아 주변을 살폈다.

그녀가 누구를 찾는지 짐작한 레오폴드가 차분히 가라앉은 목소리로 말했다.

"페트리샤가 대신 인사 전해 달라고 하더군요. 사람들 앞에 나서고 싶지 않답니다."

"아, 네."

그녀의 귀환 소식을 들은 이후 내내 우울해하던 페트리샤의 얼굴이 떠올라 마음이 좋지 않았다.

"폐하, 다른 일로도 바쁘시겠지만 뷔테인 남작 부인에게 자주 들러 주세요. 많이 외로울 거예요."

그러다 문득 이 자리에 없는 또 한 명의 여인이 떠올랐다.

"루이즈 황후께서도 어서 쾌차하셔야 할 텐데 걱정이네요."

"아무래도 난 여인들을 행복하게 만드는 재주는 없나 봅니다."

레오폴드는 뒤따르는 다니엘을 가리키며 씁쓸한 미소를 지었다.

"아버지께서 그 능력은 모조리 형님에게만 물려주셨나 봐요."

"그럴 리가요. 다만 그분들이 행복하길 원한다면 누구보다 폐하부터 행복해지셔야 해요."

안쓰럽게 황제를 바라본 프리다가 그의 손을 꼭 쥐며 위로를 건넸다.

"행복한 사람과 함께 있으면 주변 사람도 덩달아 행복해지거든요. 폐하가 노력하신다면 황후 폐하도, 뷔테인 남작 부인도 모두 행복해질 거예요."

"그래서 형님이 저리 실실 웃고 있는 거군요. 행복한 당신 때문에."

따스하게 웃은 레오폴드는 프리다의 손등에 입을 맞추곤 마지막 인사를 건넸다.

"그동안 제가 저질렀던 결례는 부디 잊어 주시고 앞으로도 지금처럼 행복하시길 바라겠습니다, 형수님."

차양을 살짝 걷은 프리다는 레오폴드의 뺨에 가볍게 입을 맞춘 후 마차에 올랐다. 그녀의 뒤를 따라 마차에 오른 다니엘이 마차 벽을 툭툭 치며 출발을 알리자, '출발!' 하고 외치는 도미닉의 목소리가 들렸다. 차양을 모자 뒤로 완전히 걷은 프리다는 남아 있는 사람들을 향해 손을 흔들었다.

수많은 일을 겪은 쉔달 성이었지만 집으로 돌아간다는 기쁨에 이별이 하나도 아쉽지 않았다. 그들이 탄 마차는 빠르게 벨뷔 궁을 지나 쉔달 성 밖으로 나왔다. 마차가 첼리노의 시내로 들어서자 환호성과 함께 수많은 꽃잎이 바람을 타고 마차 안으로 들어왔다.

리하르트 공작의 귀환을 보기 위해 나온 사람들이 그들을 향해 꽃잎을 뿌려 대고 있었다. 환호하는 인파에 손을 흔들어 주던 프리다는 하늘을 향해 고개를 들었다. 구름에 가려 있던 아침 태양이 소나기를 내리듯 빛을 뿌려 댔다.

"다니엘, 하늘 좀 봐요. 빛으로 된 비가 내리는 것 같아요."

신비로운 광경을 보며 신나 하는 프리다의 손을 꼭 쥔 다니엘이 그녀의 귓가에 나지막이 속삭였다.

"성녀의 귀환을 배웅하러 천사들이 내려오셨나 보군."

서로를 향해 미소 짓는 두 사람의 머리 위로 꽃잎이 나풀나풀 내려앉았다.

여행은 순조로웠다. 뜨거운 열기 속에 마차를 타는 건 쉬운 일이 아니었지만, 해가 길어 오래 이동할 수 있다는 건 장점이었다. 게다가 리하르트 공작의 일행은 어딜 가나 뜨거운 환영을 받았다. 여전히 프리다를 성녀로 여기는 귀족들은 앞다퉈 자신들의 저택에 머물러 달라고 사람을 보내왔다.

마차를 타고 가는 동안 프리다는 다니엘에게 쉴 새 없이 질문을 던졌다. 다니엘은 그녀의 질문을 귀찮아하지 않고 듣기 좋은 목소리로 차근차근 설명해 주었다. 오늘 프리다는 제국의 남부 해안을 지켜 준 안딘 프랑코에 관한 얘기를 물었다.

"나도 링겐의 황제에 대해 들은 적이 있어요. 끝이 없는 바다 유라에서 죽은 줄 알았던 황녀가 살아 있었다고 당시에 상인들이 얼마나 떠들어 댔는데요. 그럼 안딘 프랑코라는 자는 황제의 오빠가 되는 건가요?"

다니엘이 땀을 흘리는 프리다의 얼굴에 부채질해 주며 말했다.

"피가 섞이진 않았지만 거의 남매처럼 컸다고 하더군. 안딘 프랑코는 황제의 외조부인 드레이코 프랜시스 백작의 양자야. 프랜시스 백작은 유명한 해적이었어. 아마 바다에서 조난된 사내아이를 구해 키운 걸 기야."

"해적이요?"

"응. 큰 배를 타고 바다를 돌아다니며 남의 물건을 훔치는 도적들."

바다를 본 적 없는 프리다는 꿈꾸는 표정을 지으며 그의 말에 귀를 기울였다. 그러다 다니엘이 그녀를 바다에 데려다주겠다고 했던 일이 생각났다.

"바다를 본 적 있습니까?"

"바다요? 아니요."

"유트레히트의 남쪽 영지 끝에 바다가 있습니다. 거기서 배를 타고 닷새쯤 가면 라파스 산맥 아래에 있는 베네토 공국에 도착합니다."

"베네토? 금화 두카트를 만드는 곳이요?"

"맞습니다. 도로가 완성되면 마차를 타고 당신과 함께 항구로 갈 겁니다. 그곳에서 가장 큰 배를 사서 당신을 베네토 공국에 데려가 줄게요."

커다란 배에 몸을 싣고 며칠씩 파란 물만 보인다는 바다를 떠다닌다니. 상상만으로도 심장이 벅차올랐다. 프리다는 흥분에 겨워 부채를 들고 있는 다니엘의 팔을 잡아당겼다.

"다니엘, 지난번에 나 바다에 데려다준다고 했던 거 기억해요?"

"기억한다니까. 앞으로 매번 이렇게 내 기억력을 확인할 거야?"

다니엘이 피식 웃으며 다시 부채질을 시작했다.

"유트레히트로 돌아가면 도로 공사를 서두를 참이야."

"당연하죠. 내가 황제 폐하께 승인 허가서도 받았는걸요. 당장 황실의 자금 지원을 받는 건 어렵겠지만, 우선 완성만 해 놓으면 우린 떼돈을 벌 수 있어요."

이렇게 귀여운 표정으로 대놓고 속물근성을 드러내는 여자가 또 있을까. 다니엘은 제 눈이 서서히 붉어지고 있다는 것도 모른 채 입가를 한껏 늘어트리며 편안하게 웃었다.

"아마 내년쯤이면 바이마르에 황실의 함대가 머물게 될 거야. 그러면 상인들은 지금처럼 자유롭게 쿠핀 항으로 드나들지 못할 테니 쿠핀 항을 대신할 큰 항구가 필요한데……."

문득 떠오른 생각이지만 무슨 상관인가. 현실로 만들면 그뿐인 것을.

"리하르트 공작 부인께서 그 항구의 이름을 지어 주셔야 할지도 모르겠군."

"다니엘……."

프리다의 보랏빛 눈동자가 마차 위에 내리쬐는 한낮의 태양보다 더 뜨겁게 빛났다. 내 아내는 금화를 떠올리며 저리 행복해하는구나. 그럼 종종 떠올리게 해 줘야겠네.

다니엘은 유쾌하게 웃으며 푹신한 마차의 좌석 위로 프리다를 밀어 눕혔다. 여름 태양도 녹일 만큼 뜨겁고 강렬한 입맞춤으로 아내의 건강을 확인할 시간이었다.

순조롭던 귀환길에 먹구름이 드리운 건 유트레히트에 도착하기 이틀 전, 점심나절이었다. 근방에 있는 호위츠 자작의 저택에서 하룻밤 묵을 예정이라, 일행은 계곡에서 휴식을 취하며 이동 속도를 조절 중이었다.

뜨거운 태양을 피해 나무 그늘에서 휴식을 취하던 프리다가 눈을 감고 쉬고 있는 다니엘에게 말을 걸었다.

"다니엘. 내가 고민을 해 봤는데요, 쉔달 성의 성벽을 부순 그 대포요. 그걸 도로 공사에 써 보면 어떨까요?"

"대포를?"

다니엘이 감았던 눈을 떴다. 그 순간 여름치곤 제법 시원한 바람이 두 사람의 얼굴을 스치고 지나갔다. 프리다의 옆에 누워 하늘거리는 아내의 머리칼을 만지작대던 다니엘은 자신의 짐작이 맞는지 그녀의 의중을 재차 물었다.

"내포를 써서 바위를 깨부수자는 얘기야?"

"네. 그럼 인부들이 길을 다듬기가 수월해져서 작업 속도가 훨씬 빨라질 것 같아요."

"대포의 성능을 발전시키려면 계속 시험해 보긴 해야 하니 그 방법도 괜찮겠군."

값비싼 화약을 그런 곳에 사용하려면 만만치 않은 비용을 지불해야 하겠지만, 확실히 작업 속도는 빨라질 게 틀림없었다. 후일을 고려하면 필요한 일이기도 하고.

레오폴드에게도 말했듯 호전적이고 야심 많은 투르크의 새 술탄은 제나라의 내부 사정이 안정되는 즉시 스베르겐으로 눈을 돌릴 것이 분명했다. 하루라도 빨리 대포의 성능을 발전시켜 주요한 곳에 배치한다면 적에게 적잖은 위협이 되긴 할 것이다. 다니엘은 순순히 고개를 끄덕였다.

"도미닉, 들었나? 공작령에 도착하면 도로 공사 현장에 대포를 이용할 방법을 연구해 봐. 인부들의 안전을 가장 최우선으로 고려해서."

"알겠습니다."

다섯 발짝 떨어져 두 사람을 호위하고 있던 도미닉이 심드렁하게 대답하며 눈으로 날아드는 날파리를 향해 휘휘 손을 내저었다. 풀 향기 가득한 시원한 바람이 계곡을 타고 또 불어오자, 다니엘은 청량한 공기를 깊이 들이마셨다.

모든 것이 너무도 평화로웠다. 바람을 타고 살랑이는 프리다의 머리칼이 다니엘의 손가락 사이에서 부드럽게 흩어지는 느낌도 좋았다. 한껏 기분 좋은 나른함에 취한 그는 눈을 감은 채 공작령에 도착한 후 해야 할 일들을 하나씩 되새겼다.

우선 안드레아 공작에게 일러 라파스의 질 좋은 철광석을 유트레히트로 실어 오라고 하는 것이 먼저다. 대포를 대량 생산하려면 철광석이 반드시 필요할 테니까. 펜하임 성의 대장장이에게 대포를 해체해 내부 구조를 살펴보라고도 할 참이다. 투르크의 대포는 너무 무거워 이동이 힘들다는 단점이 있었다. 조준도 정확하지 않고.

'그 문제도 해결해야 하는데.'

영주가 자리를 비운 동안 실컷 쉬었을 테니, 한시바삐 두 가지 사항을 모두 보완한 새 대포를 만들라고 대장장이 파비안을 닦달해야겠다. 대포가 완성되자마자 시험을 해 보려면 화약도 넉넉히 사들여야겠군. 다니엘 덕에 무사히 영지를 지켰으니, 안드레아 공작을 좀 더 벗겨 먹어도 되겠지.

'이거야 원. 쉴 틈이 없겠네.'

느긋하게 여유를 부리려던 계획이 틀어졌지만 상관없었다. 도로가 완성된 후 겪을 일을 상상하는 것만으로도 고생할 가치가 충분하다 여기는 다니엘이었다. 바다를 보며 신기해하는 프리다. 바다를 담은 푸른빛으로 반짝반짝 빛날 프리다. 그 모습을 볼 수만 있다면 무엇도 아깝지 않았다. 그깟 금화 좀 퍼낸다고 티가 날 것도 아니고.

"그런데 다니엘, 대포는 어디서 났어요? 투르크 군대가 앙크라에서부터 싣고 온 거였어요?"

나른한 여름 한낮, 기분 좋은 졸음기를 느끼고 있던 다니엘의 얼굴에서 돌연 미소가 사라졌다. 천천히 눈을 뜬 그는 손가락 사이로 흘려보내고 있던 프리다의 머리칼을 놓고 몸을 일으켜 앉았다. 제 머리칼에 묻은 자잘한 나무 이파리를 짜증스레 털어 내던 다니엘이 무뚝뚝하게 툭, 뜻밖의 말을 내뱉었다.

"당신 첫사랑한테 뺏었어."

"누, 누구요?"

뭔가를 고민하듯 눈을 좁히던 프리다가 화들짝 놀라 소리쳤다.

"오르한 왕자한테서 뺏었단 얘기예요?"

프리다의 대답을 들은 다니엘이 딱 봐도 기분 상했다는 표정을 지으며 눈살을 찌푸렸다.

"지금 그 새…… 자식이 당신 첫사랑이 맞다고 인정하는 거야?"

불쑥 터져 나오려던 욕설을 삼킨 다니엘의 눈이 언제 평온했냐는 듯 화르르 붉어졌다.

'어쩐지. 오르한 왕자에게 왜 그리 날을 세우나 했더니. 어휴, 유치한 자식.'

도미닉은 제 주군이 벌인, 차마 눈 뜨고 볼 수 없었던 수준 낮은 짓거리가 떠올라 비웃음을 흘렸다. 그사이 다니엘의 얼굴엔 시시각각 짜증이 차올랐다. 다니엘이 기억을 되찾은 걸 유일하게 후회했던 순간이 바로 투르크의 오르한 왕자인지 뭔지 하는 그 빌어먹을 놈과 마주했던 그날이었다.

"말한 그대로예요. 하크본 저택에 드나들던 투르크 상인들이 제 외모를 보고도 놀라지 않는 게 신기해 이유를 물어봤거든요. 그러다 투르크엔 청록색 눈을 가진 사람도 있다는 얘기가 나오게 된 거고요."

"어린 마음에 그런 남자와 결혼한다면 나도 주위의 이목을 끌지 않고, 조용히 살 수도 있겠구나 싶었던 것뿐이라고요."

청록색 눈을 가진 투르크 남자를 눈앞에 둔 다니엘은 유감스럽게도 프리다와 나눴던 대화를 또렷이 기억해 냈다.

"투르크에 청록색 눈을 가진 놈이 너 말고 또 있나?"

그러니 명색이 공작이라는 사람이 타국의 왕자를 앞에 두고도 시비부터 걸 수밖에. 다니엘이 예의를 밥 말아 먹은 부랑아처럼 굴자 오히려 놀란 건 도미닉이었다. 쟤가 왜 저러나, 뭘 잘못 먹었나. 협상이 아니라 한판 뜨자는 의도였나?

당황한 건 도미닉뿐만이 아니었다. 오르한 왕자와 함께 온 우락부락한 수행원들도 대번에 얼굴을 붉혔다. 꼴에 왕자라고 오르한 혼자 웃는 여유를 부렸을 뿐이었다.

"왜. 찾는 자라도 있나? 말본새를 보아하니 반가운 친구를 찾는 건 아닌 거 같고……."

"대답이나 해. 있어, 없어?"

반말을 지껄이는 다니엘을 보다 못한 오르한 왕자의 측근이 다니엘에게 항의하고 나섰다. 뷰란이란 자였다.

"리하르트 공작은 왕자님께 예의를 지키시오. 조만간 투르크의 술탄이 되실 분입니다."

"술탄이 될지, 돌아가다 뒤질지 어떻게 알아? 그리고 내 조국을 망가트리겠다고 쳐들어온 놈들한테 예의는 무슨 예의? 경고하는데 한 번만 더 이 대화에 끼어들면 네놈의 머리 가죽부터 벗겨 주지."

다니엘이 핏물처럼 붉어진 눈으로 뷰란을 노려본 후 다시 오르한에게 물었다.

"말귀가 어두운 놈 같진 않은데, 더 기다려야 하나? 술술 대답하고 싶도록 우선 네놈의 막사부터 확 다 불사르고 시작할까?"

다니엘이 왜 뜬금없이 눈을 부라리는지 알지 못한 도미닉은 당시 '협상은 끝이구나.'라고 생각했었다. 이럴 거면 굳이 왜 불러오라고 했나. 도망가는 등판에 그냥 불화살이나 쏘고 말지. 도미닉은 다니엘의 의중을 궁금해하며 빤히 노려봤다.

"청록색 눈을 가진 이는 나뿐이다. 네가 찾는 자는 아마 나일 듯하군."

오르한의 대답을 들은 다니엘은 그를 죽일 듯이 노려만 볼 뿐 한동안 말이 없었다.

"가져온 대포를 모두 놓고 꺼진다면 뒤를 쫓진 않겠다. 부리나케 뒤꽁무니를 빼야 하는데, 그 거추장스러운 물건을 끌고 가다가는 수도에 도착하기도 전에 죽기 십상이니 네게도 나쁜 제안은 아닐 거다."

그러더니 기껏 꺼낸다는 말은 죄다 상대의 자존심을 마구 깔아뭉개는 얘기투성이였다.

"빈손으로 돌아가기 부끄럽다면 향후 이 년간 라파스 금광 두 곳의 채굴권을 보장해 주지. 이는 황실과는 무관한 나 다니엘 리하르트의 개인적인 약속으로, 문서로 작성해 넘거주겠다."

거친 말이 오가던 시작과 달리 무난히 끝나나 싶던 협상은 마지막에 한

번 더 고비를 맞았다.

"리하르트 공작 부인께 안부 전해 다오. 오르한이 돌아오는 뮌하임 성의 봄에 랄레 꽃이 만발하길 기원하고 있다고."

"내 아내는 네 안부 따윈 궁금해하지 않아."

"확실한가? 아닐 텐데."

낌새가 이상하다고 느꼈을 때 말렸어야 했다. 오르한 왕자가 다니엘의 심기를 아주 걸레짝으로 만들기 전에.

"보자마자 알았지. 내 외조부께서 손자며느리로 점찍어 놓은 신비한 보랏빛 소녀가 그녀란 걸."

그땐 오르한 왕자가 다니엘을 도발하려고 헛소리를 지껄이는 줄 알았는데, 지금 보니 공작 부인과 투르크의 왕자 사이에 인연이 있긴 있었나 보군. 아무튼 협상장은 곧 난장판이 되었다.

"네놈의 그 재수 없는 눈알을 파 버려야겠군."

으르렁대는 다니엘과.

"야무르, 진정해."

그런 다니엘에게 달려드는 동료를 말리는 오르한 왕자의 수행원들이 뒤엉켜 자기 나라 말로 욕하고 고성을 지르고. 떠올리는 것조차 낯부끄러운 그 장면이 그러니까…….

'다니엘 저 자식의 졸렬한 질투 때문이었단 말이지. 하!'

기가 차 콧방귀를 뀌고 있는데 프리다가 기어코 잠자는 사자의 코털에 불을 붙여 버렸다.

"아니, 뭐 오르한 왕자가 내가 전에 말했던 그 첫사랑은 맞는데요……."

아이고. 공작 부인.

"그래서 그 투르크 놈을 졸졸 따라갔나? 드디어 만나게 된 첫사랑이 반가워서?"

아이고. 다니엘, 이 쪼잔한 놈아. 아무리 화가 났어도 그렇게 말하면 안 되지.

"따라가긴 누가 따라가요. 쉔달 성까지 호위해 줄 사람은 필요하고, 다른 이에게 부탁할 순 없으니까 그런 건데."

공작 부인, 제발.

"애초에 내가 깨어나길 기다렸어야지. 당신이 왜 거길 가?"

"그렇게 따지면 먼저 죄 없는 마틸다를 가둔 건 당신이잖아요. 왜 알아보지도 않고 사람을 고문해서 다리를 절게 만들어요, 만들긴."

"고문 안 했어. 도미닉에게 물어봐. 우린 협박만 했다고."

맙소사. 도미닉은 손으로 이마를 탁 짚고 말았다.

"그래서 지금 고작 그딴 문제로 온종일 사람들을 불편하게 만들고 있다는 거예요?"

뮤리엘이 한심해 죽겠다는 표정으로 도미닉을 흘겼다. 한심하지. 도미닉이 생각하기에도 한심하기 그지없다는 거 안다. 그래도 긴 세월을 함께해 온 정이 있는지라 팔이 안으로 굽었다.

"받아들이기에 따라선 그딴 문제가 아닐 수도 있습니다. 주군의 입장에선 충분히 마음 상할 수 있는 상황……."

"닥쳐요. 도미닉 몰리."

어떻게든 다니엘을 옹호하려는 도미닉의 시도는 가차 없이 무시되었다. 옆에 있던 로잘린이 슬그머니 말을 보탰다.

"저녁 만찬이 끝나고 호위츠 자작 부인이 하녀들에게 하는 소리를 들었는데요. 리하르트 공작 부부가 소문과 달리 사이가 안 좋은 거 같다고 수군대더라고요."

호위츠 자작 부인 입장에서 보면 당연히 그리 말할 법도 했다. 저녁 만찬 내내 대화 한마디도 나누지 않는 공작 부부를 보며 정겨운 한 쌍이라고 표현하기는 어려웠을 테니까.

"계속 저러시면 이상한 소문이 돌 텐데 큰일입니다."

걱정스레 이마를 쓸며 도미닉이 말하자, 뮤리엘도 심각하게 턱을 매만지며 중얼거렸다.

"그러게요. 알잖아요. 우리 아가씨 고집 장난 아닌 거. 잘못한 것도 없는데 왜 사과를 해야 하냐고 버틸걸요."

"놔두세요. 내일 아침이면 사이좋게 방을 나오실 겁니다."

로잘린이 별걸 다 걱정한다는 투로 대꾸하자 뮤리엘이 뭔 소리냐며 인상을 썼다.

"그게 무슨 말이야, 로잘린? 문제가 해결되지 않았는데 어떻게 다시 사이가 좋아져?"

"맞아. 검 끝에 묻은 녹은 바로바로 제거해 주지 않으면 검날을 죄다 망치게 된다고. 그냥 두면 두 분 사이에 오해만 깊어질 뿐이야."

도미닉도 즉시 거들었다. 이분들이 정말 몰라서 이러나. 로잘린이 어리둥절한 얼굴로 물었다.

"공작 전하와 마님이 지금 어디에 계신지 아세요?"

"어디긴? 침실이지."

"그래. 침실. 나도 아가씨가 침실로 주무시러 들어가는 걸 보고 오는 길인데."

다 알면서 왜들 이러는 거야?

"그러니까요. 두 분이 침실에 함께 계시잖아요. 이래도 모르시겠어요?"

재차 묻는 로잘린의 말에도 뮤리엘과 도미닉은 동시에 '그게 뭐?'라는 표정을 지어 보였다.

어휴, 이 남녀 간의 연애마저 검으로 배운 천하의 무식자들. 하등 도움

될 것 없는 머리를 맞대고 고민에 빠진 인간들을 보던 로잘린이 말도 아깝다며 쯧쯧 혀를 찼다.

저녁 식사 이후 계속 속이 안 좋더니 갑자기 토기가 밀려왔다.

"욱……."

침대 끝에 모로 누워 있던 프리다는 급히 손으로 입을 막은 후 손바닥으로 가슴 가운데를 눌렀다. 아무래도 저녁 만찬 때 먹은 음식이 얹힌 모양이었다. 하긴 음식이 코로 들어가는지 입으로 들어가는지도 몰랐으니 탈이 날 만도 하지.

'호위츠 자작 부부는 괜찮은지 모르겠네.'

저녁 만찬 내내 제대로 된 말이라곤 한 마디도 꺼내지 않는 다니엘 때문에 적잖이 당황한 것 같던데, 저처럼 탈이 난 건 아닌지 걱정이 되었다. 프리다는 눈동자를 왼쪽으로 굴려 등을 맞대고 누운 남자를 흘깃 노려보았다.

'흥.'

속으로 코웃음을 흘린 그녀는 이불을 가슴 위까지 바짝 끌어당겼다. 별일도 아닌 걸 가지고 토라져선 심술이나 부리는 얄미운 남편에겐 이불도 아까웠다. 낮에 계곡 근처에서 다툼이 있고 난 후, 프리다는 여태 분을 삭이지 못하고 있었다.

'이해심이라곤 좁쌀만큼도 없는 남자 같으니라고. 내가 먼저 사과하나 봐라. 절대 안 해, 안 할 거야.'

아니, 사과할 이유가 있어야 사과를 하지. 어떻게 나와 오르한 왕자 사이를 의심할 수가 있어? 난 하늘을 우러러 한 점 부끄러움도 없거든. 그리고 뭐? 마틸다를 협박만 했다고? 하! 지금 그걸 말이라고.

자기가 귀족이면 다야? 영주면 다냐고. 애면 마틸다의 다리가 부러지고 뮤리엘이 다쳐서 사경을 헤맨 게 다 누구 때문인데. 비록 오해로 인해 벌어진 일이었다 해도 유감이다, 안타깝다, 미안하다. 이렇게 나와 줘야지.

그리고 내가 황제를 따라가고 싶어서 갔어? 정든 공작령을 떠나 쉔달성까지 가는 길이 나라고 쉬웠겠냐고. 황제를 따라 첼리노 주변 도시를 빙빙 돌아다니느라 내가 얼마나 힘들었는데.

솔직히 원망하자고 들면 열흘 밤낮을 안 자고 따질 수도 있다고. 미워 죽겠는데도 아픈 사람이라 봐줬더니, 기억을 잃었다기에 안쓰러워 넘어가 줬더니 뭐? 애초에 황제를 따라가질 말았어야 했다고?

분을 참지 못한 프리다는 먹잇감을 앞에 둔 멧돼지처럼 씩씩 콧김을 뿜어 댔다. 다니엘이 잘못한 건 그것뿐만이 아니다. 만찬이 끝난 후 프리다가 정말 즐거운 시간이었다며 몇 번이나 칭찬해 주는 걸 보면서도 다니엘이 내놓은 말은 고작 '초대해 줘서 고맙네.'가 다였다. 흙빛으로 물들어 가던 호위츠 자작 부인의 낯빛을 떠올리고 있자니 아직도 얼굴이 화끈거렸다.

아무리 화가 났어도 하룻밤 묵을 곳을 내어 주고, 저녁 만찬을 열어 성대하게 그들을 맞아 준 호위츠 자작 부부에겐 정중하게 예의를 갖췄어야지. 첼리노 귀족 여인들의 밤잠을 설치게 했다던 그 대단하신 리하르트 공작의 빼어난 예법은 전설 속에 존재하는 드래곤이나 유니콘 같은 거였냐고.

'봤다는 얘기만 있으면 뭐 해, 난 못 봤는데.'

언짢아서 그런지 속이 점점 더 거북해졌다. 이 밤에 로잘린을 깨우긴 싫고, 그렇다고 저택의 하인들을 불러들이는 요란도 떨고 싶지도 않았다.

"음……."

손날을 세워 명치를 꾹 눌러 봤지만, 토기가 가라앉기는커녕 도로 목 끝까지 치밀어 올랐다.

"우욱!"

증세가 점점 심해지자 프리다는 침대 밖으로 나가기 위해 이불을 젖혔다. 그 순간 그녀의 어깨가 휙 돌아갔다.

"어맛!"

"당신 어디 아파? 아까부터 왜 그래?"

깜짝 놀라 눈을 감았다 떠 보니, 등을 돌리고 자는 줄 알았던 다니엘이 눈살을 찌푸린 채 그녀를 내려다보고 있었다.

"왜 그래? 어디가 아픈데?"

프리다의 이마와 뺨, 목을 차례차례 짚어 나가던 그가 갑자기 이불을 모조리 치우고 프리다의 등을 일으켜 세웠다.

"젠장, 온몸이 차갑잖아. 대체 어디가 아픈 거야? 몸이 이 지경인데 왜 여태 가만있었어?"

과하게 놀라는 다니엘의 모습에 당황한 사람은 오히려 프리다였다. 제 몸이 그렇게까지 안 좋아 보이나? 프리다는 그의 손길이 지나갔던 뺨과 귀, 목을 만졌다. 확실히 평소보다 찬기가 느껴지긴 했지만, 체기가 있고 긴 여행 중인 걸 고려하면 이렇게 난리를 피울 정돈 아니었다. 프리다는 설렁줄로 향하는 다니엘의 팔을 급히 붙들었다.

"다니엘, 난 괜찮아요. 줄 흔들지 말아요."

"무슨 소리야, 당장 의사를 불러야……."

프리다는 그녀의 손을 뿌리치는 다니엘의 허리를 꽉 끌어안아 침대로 잡아당겼다. 중심을 잃은 다니엘이 털썩 침대 위로 주저앉았다.

"글쎄, 괜찮다니까요. 의사 부를 정도로 심각한 거 아니라고요. 그냥 속이 좀 더부룩한 거뿐이에요."

프리다는 그를 말리다 흐트러진 머리칼을 야무지게 귀 뒤로 넘기며, 어성썽하게 앉아 있는 다니엘을 노려보았다.

"그리고 내 속이 답답한 건 바로 당신 때문이거든요. 저녁 식사 내내 무게를 잡고 계셨던 리하르트 공작 전하 탓에 체한 거잖아요.”

“……..”

프리다가 매서운 눈빛으로 톡 쏘아붙이자 다니엘이 움찔하며 그녀의 시선을 피했다. 그 와중에도 팔을 프리다에게 뻗은 그는 무심히 그녀의 등을 쓸어 주며 말을 얼버무렸다.

“어릴 적에 내가 체하면 어머니가 이렇게 해 주셨던 것 같은데…….”

프리다의 어머니도 그랬던 것 같다. 그녀가 체한 것 같다, 속이 안 좋다, 하면서 징징대면 따뜻한 손으로 등을 쓸어 주거나, 배를 만져 주시며 금세 나을 거라고 그녀를 안심시키곤 하셨다.

문득 어머니의 손길이 그리워진 프리다는 아무 말 없이 다니엘의 손에 등을 내주었다. 다니엘이 등을 만져 주자 답답했던 속이 조금 뚫리는 것도 같았다. 프리다의 눈치를 보며 몇 분 동안 등을 쓸어 주던 다니엘이 슬그머니 말을 걸어왔다.

“정말, 의사 안 불러도 되겠어? 로잘린이라도 깨울까?”

“그 정도로 심각한 건 아니라니까요.”

뾰로통하게 대꾸한 프리다는 아예 등을 휙 돌리고 앉았다.

“등이나 계속 쓸어 줘요.”

쓱쓱 열심히 등을 쓸어내리던 다니엘이 갑자기 엉덩이를 뒤로 밀며 프리다의 허리를 당겼다.

“이리 와.”

게슴츠레 눈을 좁힌 프리다가 어림도 없다며 그의 팔을 밀어냈다.

“나 아직 화 안 풀렸어요. 엉큼하게 굴면 침실 밖으로 쫓아낼 거예요.”

그를 매섭게 노려보는 아내의 눈길에 다니엘이 피식 헛웃음을 터트렸다.

“엉큼하게 굴려는 거 아냐. 편하게 해 주려고 그런 거야. 이 자세 불편하잖아.”

아닌 게 아니라, 침대 위에 앉아 앞으로 허리를 숙이고 있으려니 불편하긴 했다. 잠시 망설이던 프리다는 이내 네발로 기어 꾸물꾸물 다니엘이 있는 곳으로 올라갔다. 다니엘이 그녀를 번쩍 안아 제 허벅지에 올렸다. 그러곤 커다란 손바닥으로 목뒤부터 엉덩이 바로 위까지 길게 등을 눌러 내렸다.

프리다는 자연스레 그의 목과 어깨 사이에 얼굴을 기댔다. 시원스레 쓸어내리는 손길에 속이 뻥 뚫리는 것 같았다. 한참을 그렇게 등을 만져 주던 다니엘이 살짝 고개를 숙이며 조심스레 물었다.

"너무 세진 않아? 좀 약하게 할까?"

프리다는 고개를 끄덕이며 그의 목에 더 깊이 얼굴을 묻었다.

"네…… 조금만 더 부드럽게 눌러 주세요."

다니엘이 그녀의 정수리에 턱을 올린 채 조용히 중얼거렸다.

"돼지고기가 좀 질겼던 것 같긴 했어."

질기긴. 껍데기는 바삭하고 살은 육즙이 좔좔 흘러 먹음직스럽기만 하던데.

"리하르트 공작님의 심술보가 질겼겠죠."

삐딱하게 대꾸했더니 다니엘은 아니라며 턱을 저었다.

"아니야, 퍽퍽했어."

"리하르트 공작님의 인상이 더 퍽퍽했어요."

지지 않고 되받아치자 다니엘이 픽 웃음을 터트리며 한결 부드러워진 목소리로 속삭였다.

"속 좁게 굴어서 미안해."

"어머? 본인이 속이 좁았다는 건 알고 계시네요, 리하르트 공작님."

"알아. 하지만 어쩔 수 없었어. 아마 난 앞으로도 청록색을 볼 때마다 기분이 더러워질 거야. 그 자식이 떠올라서."

"진짜 이럴 거예요?"

휙 고개를 든 프리다가 반항기 어린 눈으로 노려보자, 다니엘이 쿡쿡 웃으며 눈꺼풀 위에 입을 맞췄다.

"당신을 탓하겠다는 게 아니야. 상황을 그렇게 만든 못난 나를 용서하지 않겠다는 뜻이지."

꼭 오르한 그놈 때문에 짜증이 난다기보단, 프리다가 자신 때문에 고초를 겪었다는 사실 자체가 싫었다.

"생면부지의 인간들에게 도움을 받아 가며 그 험한 길을 떠났을 당신의 심정을 떠올리면 다시 머리가 부서져 버리는 게 나을 것 같다는 생각이 들 정도야."

"그건 안 돼요. 절대 안 돼."

프리다가 도리질을 치며 목을 감싸 오자, 다니엘은 잠시 등을 만져 주던 손길을 거두고 그녀의 허리를 꼭 끌어안았다.

"마틸다라는 하녀의 일. 안타까웠지만 한편으론 어쩔 수 없는 희생이라고 여겼었어. 하녀니까 그래도 된다고 쉽게 생각했던 것도 맞아."

당시에 그로선 충분히 오해할 만했었다. 하지만 변명하진 않을 참이다. 명백한 자신의 실수가 맞으니까.

"하지만 이젠 알아. 그 하녀도 내가 지키고 보호해야 하는 공작령의 식구란 걸. 당신이 말한 가족이 어떤 의미인지 이제야 좀 알 것 같아."

프리다를 사랑하면서 깨닫게 됐다. 사랑이란 내가 사랑하는 사람이 사랑하는 것을 함께 아껴 주는 일이란 걸. 프리다가 그런 마음으로 공작령과 공작령의 사람들을 가꾸고 아껴 왔음을 이제야 비로소 알게 되었다. 이런 아내에게 신경질을 내다니, 잠깐 미쳤었던 게 분명하다.

"난 배움이 좀 늦어. 그러니까 당신이 내 옆에서 꼭 붙어서 계속 가르쳐 줘. 내가 제대로 알아들을 때까지."

다니엘은 빙긋 웃으며 프리다의 뺨에 얼굴을 비볐다.

"아이참, 다니엘. 간지러워요."

간지럽다며 목을 웅크리던 프리다는 다니엘의 넓은 가슴에 안긴 채 승자의 미소를 지었다.

"많이 반성하신 것 같으니 특별히 이번 한 번은 용서해 주겠어요, 리하르트 공작님. 그리고 당장 내일 당신이 해야 할 일부터 알려 줄게요."

"그보다 속은 이제 괜찮아?"

"네. 당신 덕에 다 나은 것 같아요. 꺄악, 다니엘! 뭐 하는 거예요?"

다 나았다는 말을 들은 다니엘이 갑자기 프리다의 몸을 뒤집어 침대에 눕혔다. 엉겁결에 그의 아래에 눕게 된 프리다의 머리칼이 침대 위로 어지럽게 흩어졌다. 순식간에 그녀의 위에 올라탄 다니엘이 한 움큼 쥔 머리칼의 향기를 맡으며 음흉하게 입꼬리를 끌어 올렸다.

"어머니가 그러셨어. 체했을 땐 몸을 구석구석 따뜻하게 만져 줘야 한다고."

"이, 이젠 괜찮은데. 다, 다니엘. 어머!"

그 밤, 따뜻하다 못해 뜨겁게 달아오른 몸에서 땀이 뻘뻘 나도록 다니엘은 프리다를 만지고 또 만져 댔다.

실패한 저녁 만찬을 되새기며 뜬눈으로 밤을 새운 호위츠 자작 부인은 어제와 전혀 다른 새로운 아침을 맞았다.

"호위츠 자작 부인의 환대에 뭐라 감사를 드려야 할지 모르겠습니다. 부디 날이 따뜻해지면 유트레히트에 방문해 주십시오. 저와 제 일행을 돌봐 주신 은혜에 보답할 기회를 주신다면 영광이겠습니다."

아침 식사 중에도 음식 하나하나가 다 훌륭하다며 칭찬을 늘어놓던 리하르트 공작이 그녀의 손등에 입을 맞추며 감사의 말을 건넸다. 황제의 예법 스승조차 혀를 내두른다는 명성에 걸맞은 정중한 태도였다. 그러면 그렇지. 불을 때지 않은 굴뚝에 연기가 날 리 없지.

이런 완벽한 귀족을 두고 누가 살육자니, 사냥개니 하는 못된 소리를 해 대는 건지. 알게 되면 '너나 잘하세요.'라고 쏘아붙이고 싶은 심정이었다. 호위츠 자작과 인사를 나누고 마차에 오르려던 리하르트 공작이 다시 자작 부인을 돌아보았다.

"아, 자작 부인, 오늘 아침에 나온 요리 말입니다. 닭고기로 만든 아인토프(일종의 수프)."

다니엘이 갑작스레 아침 식사로 내놓았던 수프를 입에 담았다. 그의 의중을 헤아리지 못한 자작 부인은 침이 바짝바짝 말랐다.

'왜 그러지? 어제저녁 만찬에 내놓은 귀한 요리들을 거들떠보지도 않기에 오늘은 좀 소박한 음식으로 준비하라고 했는데……. 혹시 홀대받았다고 여기시는 걸까.'

어떤 말이 나올지 몰라 바들바들 손이 떨렸다. 그 순간 다니엘이 잔잔히 웃으며 말했다.

"레시피를 좀 알고 싶군요. 뮌하임 성에 가서도 그 맛이 그리울 것 같아서요."

이 정도면 충분하겠느냐는 표정을 지은 다니엘이 우아하게 그의 옆을 지키고 있는 아내를 바라보았다. 프리다는 배움이 빠른 남편이 기특해 하마터면 머리를 쓰다듬어 줄 뻔했다.

덜컹.

바퀴가 제법 큰 돌부리를 밟고 지나갔는지 마차가 크게 요동쳤다. 놀라 번쩍 눈을 뜬 프리다의 어깨 위로 크고 따뜻한 손이 내려와 그녀를 감쌌다.

"괜찮아, 더 자."

다정한 토닥임에 안정을 찾은 프리다는 다시 스르르 눈을 감았다. 온종일 뜨거운 평지를 지나느라 지친 몸이 좀처럼 회복되지 않았다. 그래도 조금 전 그늘이 많은 숲길로 들어선 이후론 좀 살 것 같았다.

프리다는 열린 창 사이로 들어오는 미지근한 바람을 맞으며 계속 꾸벅꾸벅 졸았다. 그러다 또 덜컹. 이번엔 다니엘이 미리 그녀의 몸을 꽉 붙들고 있어 줘서 심하게 출렁이진 않았다.

그렇게 잠든 것도 아니고, 깬 것도 아닌 몽롱한 상태로 눈을 감고 있는 프리다의 코끝에 익숙한 향기가 섞여 들었다. 유트레히트와 노히만 백작령의 경계가 되는 숲에서 나는 특유의 나무 향기였다.

프리다가 의식이 없는 다니엘과 함께 처음 유트레히트에 오던 날에도, 황제를 뒤쫓아 쉔달 성으로 가기 위해 떠나던 날에도 이 숲을 지나쳤고 그때마다 항상 같은 향기가 났었다. 이 향기가 난다는 건 유트레히트가 지척이라는 의미.

곧 집에 도착한다고 생각하니 졸음과 피로를 이겨 내지 못하는 와중에도 입가에 기분 좋은 미소가 걸렸다. 그러다 도로 깜박 깊은 잠에 빠졌었나 보다.

"프리다."

그녀를 부르는 다니엘의 나지막한 목소리에 기분 좋은 웃음이 서려 있었다.

"프리다, 일어나 봐."

머리칼에 닿은 그의 입술과 어깨를 흔드는 조심스럽고도 작은 움직임이 그녀를 깨웠다.

"음······."

힘겹게 눈꺼풀을 뜨자 부드럽게 웃고 있는 적갈색 눈동자가, 살랑살랑 불어오는 바람에 흔들리는 윤기 나는 검은 머리칼이 보였다. 꼭 잘 빗질한 발자크의 갈기를 보는 것 같았다.

"프리다, 다 왔어."

"……정말요?"

그의 말이 의미하는 바를 깨달은 프리다는 후다닥 몸을 일으켜 마차의 작은 창문에 달라붙었다. 울창하게 우거진 나무들 사이로 멀리 뮌하임 성의 탑이 눈에 들어왔다.

"다니엘, 저기요. 저기 좀 봐요. 뮌하임 성의 탑이에요."

"조심해, 프리다. 그러다 마차 문이 열리기라도 하면 큰일 나."

다니엘이 창틀에 달라붙는 프리다의 허리를 급히 당겨 안았다. 하지만 아무리 그래도 흥분치가 최고조에 다다른 프리다를 말리긴 역부족이었다. 프리다는 연신 창밖을 가리키며 외쳤다.

"다니엘, 마을이 보여요. 우리 마을이요. 유트레히트에 도착했어요. 우리가 드디어 집에 왔다고요."

선발대가 이미 마을에 진입했는지 멀리서 함성이 들려왔다. 팔랑대는 나무 이파리 사이로 흥겨운 노랫소리가 섞여 들어왔다. 누가 들어도 그들을 환영하는 소리였다.

"들어 봐요. 다니엘. 영지민들이 우리를 마중 나왔나 봐요. 우리를 반겨 주고 있어요."

프리다의 눈가에 눈물이 차올랐다. 거의 한 해 만에 돌아온 집이었다. 로잘린의 집, 도미닉의 집, 뮤리엘의 집. 그리고 프리다와 다니엘의 집. 바로 우리 모두의 집이었다. 점점 가까워지는 함성과 커지는 노랫소리. 이 모든 것에 귀를 기울이며 눈물을 글썽이던 프리다는 다니엘에게 당겨져 그의 품에 안겼다.

"그래. 집에 왔어. 우리 집, 우리 땅에."

프리다의 허리를 안은 다니엘이 빙긋 웃으며 엄지로 그녀의 눈물을 닦아 주었다.

"앞으론 위엄 있는 공작 부인이 되고 싶다며? 이러다 울보 공작 부인이라고 놀림받으면 어쩌려고 그래."

"흑. 이, 이건 기쁨의 눈물이에요. 절대 슬퍼서 우는 게 아니라고요."

"알아."

민망함에 콧물을 훌쩍이는 프리다의 이마에 입을 맞춘 다니엘이 여름 햇살보다 뜨겁게 웃었다.

"집에 온 걸 환영합니다, 리하르트 공작 부인."

부우웅.

영주의 귀환을 반기는 뿔 나팔 소리가 막 마차가 들어선 마을 하늘로 널리 퍼져 나갔다.

이후론 다니엘의 예상대로였다. 뮌하임 성에 도착한 후에도 그에게 느긋한 여유의 시간은 찾아오지 않았다.

우선 두 사람이 도착한 다음 날부터 공작령엔 사흘간 폭우가 쏟아졌다. 보일드 남작이 지난해부터 시작한 저수지 공사가 막바지 단계라 큰 피해를 막을 순 있었으나, 저지대에 터를 잡은 백성들은 때아닌 물난리를 겪었다.

꽤 많은 이재민이 발생했고, 침수된 집도 수십 채나 되었다. 도로 공사가 길어지며 자연스레 형성된 마을이 제법 규모가 커지고 있다는 소식을 보고받긴 했지만, 상상했던 것보다 더 크고 인구도 많았기 때문이었다.

처리할 일이 한둘이 아니었다. 미리 안전 조치를 해 놓은 덕에 사상자는 없었다 해도, 무너진 돌무더기 때문에 몇 달간의 작업이 헛수고가 된 것도 문제였다.

"공사 진척이 다소 늦더라도 안전하게 진행하는 것을 우선으로 해. 젖은 땅이 마르는 대로 낙석 방지 작업부터 다시 시작하고. 인부가 더 필요하면 고용해도 좋아."

다니엘의 말에 일 년 사이 부쩍 수척해진 보일드 남작이 바로 고개를 끄덕였다.

"알겠습니다. 바이마르에 인부를 더 요청하겠습니다. 만약을 대비해 불러 둔 용병들이 아직 다 돌아가지 않고 있다니 일할 사람은 충분할 겁니다."

쿠펀 항이 뚫릴 것을 염려한 다니엘은 진즉부터 라파스 등지에 많은 용병을 불러 모았다. 그들 중 일부는 도로 공사 현장으로 모였고, 일부는 항구에 일자리를 잡았다고 했다. 도미닉이 쩌억 하품을 하며 구시렁거렸다.

"오늘은 이쯤에서 끝내고 쉬면 안 됩니까? 지금 일주일째 이 모양입니다. 솔직히 전 집에 돌아오면 최소한 열흘은 침대에서 등을 떼지 않을 참이었다고요."

다니엘의 반응이 시큰둥하자, 그는 리하르트 공작이 절대 거절할 수 없는 마지막 수단을 꺼내 들었다.

"공작 부인께서도 많이 피곤해 보이시던데 저러다 몸 상하실까 봐 걱정입니다. 남편이 이러고 다니니 눈치가 보여 그런지, 그 몸으로 계속 무리를 하고 계신 것 같더라고요. 남작님이 보기에도 좀 창백해 보이지 않던가요?"

도미닉이 눈을 찡긋찡긋하며 눈치를 주자 보일드 남작이 용케 알아듣고 바로 맞장구를 쳤다.

"그, 그렇죠. 오늘도 제 아내와 함께 수해 피해를 당한 영지민들을 위해 바느질 모임을 하신다고 들었습니다. 저러시다 몸져눕진 않으실지 염려됩니다."

뻔한 방법이 먹혔는지, 서류를 검토하던 다니엘이 바로 고개를 들었다.

"매일 프리다가 휴식을 취하는지 아닌지 확인하고 있는데 무리라니 그게 무슨 소리야? 아침에도 잠들어 있는 걸 보고 나왔다고."

도미닉이 한심하다는 투로 쯧쯧 혀를 찼다.

"영지가 물난리가 났는데 공작 부인께서 가만히 계실 거라고 생각했다니 놀랍네요. 보나 마나 주군이 방에 계실 땐 쉬는 척하다 주군이 영지를 돌보는 틈을 타 발발거리고 다니셨겠지요. 그러다 지쳐 일찍 주무시고. 그러니 주군 눈엔 매일 잠만 자는 아내만 보인 거고."

"몰리 경, 발발거리고 다녔다니. 그 무슨 상스러운……."

"그럼 뭐라고 해요? 그 표현보다 잘 어울리는 게 있으면 말씀해 보시든가요."

곰곰이 고민하던 보일드 남작은 끝내 다른 단어를 내놓지 못한 채, 그래도 공작가의 기사단장이 그런 말을 쓰면 되겠냐고 주의를 주는 것으로 끝내고 말았다. 그 순간 온종일 의자에서 엉덩이를 뗄 줄 모르던 다니엘이 즉각 자리에서 일어서며 보일드 남작에게 물었다.

"내 아내와 남작 부인은 어디에 있나?"

"주방에 계실 겁니다. 아델이 요즘 공작 부인을 살찌우고 말겠다며 의지를 불태우고 있는 터라 대부분 주방에서 시간을 보내십니다."

그건 맘에 드는군. 다니엘이 작게 중얼거리며 방을 나섰다. 도미닉과 보일드 남작은 성공을 자축하며 손바닥을 짝 맞부딪혔다.

그해 여름이 끝나 가기 전 황후의 임신 소식이, 가을엔 뷔테인 남작 부인이 황제의 첫 딸을 낳았다는 소식이 연이어 들려왔다. 첼리노에 황후의 임신을 두고 삿된 소문이 떠돌고 있다는 얘기도.

가을이 끝나 갈 때 즈음엔 오늘내일하던 폰하임 공작이 결국 후계자를 정하지 못하고 죽었다는 전보가 날아들었다. 황제가 폰하임의 이름을 방계에 허락하지 않겠다는 공표를 함에 따라, 십이 공작은 이제 '리하르트', '라이닝겐' 둘만 남게 되었다.

겨울이 된 후에도 유트레히트의 영지민들은 연일 눈코 뜰 새 없이 바빴다. 대포의 도입으로 공작령에 세워질 첫 항구까지 이어지는 도로 공사의 속도가 빨라졌기 때문이다. 곡괭이로 아무리 때려도 꿈쩍도 하지 않던 언 바위를 단숨에 깨 버리는 대포의 위력에 인부들 모두 입을 다물지 못했고, 놀라 뒤로 자빠지는 사람도 있었다.

리하르트 공작 부인은 공작령의 첫 항구의 이름을 '빌보 항'으로 정했다. 빌보는 며칠 전 인부들이 모여 사는 마을에서 태어난 첫 아이의 이름이었다.

바쁘고 긴 겨울이 지나고 유트레히트에 다시 봄이 찾아왔다.

봄을 맞은 멘하임 성 주변의 산등성이에는 지난해보다 족히 세 배는 많은 랄레 꽃이 피었다. 리카르도, 뮤리엘과 함께 꽃밭을 걷는 프리다의 얼굴에 감출 수 없는 뿌듯함이 서렸다.

"리카르도 님, 정말 너무 아름다워요. 제가 지금껏 본 광경 중 최고로 아름다운 풍경이에요. 제 방에서 보는 윕터 호른의 전경보다 더 끝내줘요."

"흠흠. 공작 부인께서 사용하시기엔 '끝내준다'보다 '아름답다', '멋지다'라는 표현이 더 예법에 맞지 않을까요?"

요즘 들어 예법 공부에 부쩍 열을 올리고 있는 뮤리엘이 참견을 해 왔다. 리카르도가 껄껄 웃으며 프리다의 편을 들었다.

"'끝내준다'가 뭐 어때서요. 때로는 고상한 말보다 약간 상스럽더라도 솔직한 단어가 인간의 감정을 더 정확히 드러내 주는 법이라오, 로시발트 경."

"경은 무슨. 기사 관둔 지가 언젠데. 이게 다 리카르도 님이 아가씨께 이상한 말을 가르쳐서 그런 거잖아요."

날이 갈수록 물이 오르는 건 프리다의 외모뿐만이 아니었다. 뮤리엘은 제국 귀족들 중에서 가장 막강한 권력을 가진 공작 부인인 프리다의 말투가 어째 자꾸 리카르도 님을 닮아 가는 거 같아 걱정이 컸다.

어제만 해도 그렇다. 새로운 물빛 드레스를 입은 뮤리엘을 본 프리다는 손뼉을 짝 치며 함께 서 있던 보일드 남작 부인을 기함하게 만드는 감탄사를 내뱉었다.

"와우. 뮤리엘. 죽이는데."

짝짝.

"와우…… 쭈기. 쭈기."

꼬마 콜린 보일드 도련님까지 손뼉 치는 흉내를 내며 프리다의 말을 따라 하려고 해서 얼마나 놀랐는지, 원. 이번 기회에 프리다 아가씨 앞에서 말조심하라고 단단히 일러야지. 뮤리엘이 단단히 벼르고 있던 찰나, 산등성이 아래서 로잘린이 허겁지겁 뛰어오는 모습이 보였다.

"마님, 마니임……."

리카르도와 프리다도 로잘린을 발견하곤 그녀가 달려오는 방향으로 돌아섰다.

"로잘린이 왜 저리 급히 달려오는 걸까요?"

"글쎄요."

이 정도 거리면 목소리가 들리겠다 싶었는지, 로잘린이 고함을 치며 손을 마구 흔들었다.

"얼른 와 보세요, 얼른! 공작 전하께서 마차에 실려 오셨어요!"

"뭐? 다니엘이 왜?"

아침 일찍 도로 공사 현장을 돌아보겠다고 나간 다니엘이 마차에 실려 왔다니. 프리다는 야무지게 치맛단을 붙잡고 산등성이를 뛰어 내려갔다. 그녀가 뛰자 리카르도와 뮤리엘도 따라 뛰었다.

신등성이 정도는 이제 쉬지 않고 달려도 문제없었다. 프리다는 뛰면서 동시에 다니엘의 상태를 물었다.

"로잘린, 대체 그게 무슨 소리야? 다니엘이 왜 실려 와? 어디 다치기라도 한 거야?"

"아니요. 다치신 것 같지는 않은데. 아무튼 가서 보셔야 해요. 말로 설명을 못 하겠어요."

그 정도로 심각하다고? 랄레 꽃 몇 송이를 발로 밟고 치마로 뭉개며 내려온 프리다의 눈에 내성 옆 계단에 서서 난감한 표정으로 무언가를 지시하고 있는 도미닉이 보였다.

"도미닉, 다니엘이 실려 왔다는 게 무슨 말이에요. 왜요?"

"그게…… 저도 이유를 잘 모르겠습니다. 의사가 봐야 할 것 같습니다."

"모르겠다니요."

도미닉에게 다가가던 프리다는 오른편에서 들려오는 낯선 소리에 놀라 고개를 돌렸다.

"우욱…… 욱!"

다니엘이 나무 기둥을 짚고 구역질을 해 대고 있었다.

"우욱! 제기랄. 도미닉, 이 냄새 좀 어떻게 해 봐. 온 성안에 비릿한 냄새가, 우욱……"

한참 동안 구역질을 해 대던 다니엘은 기진맥진한 채로 침대에 뻗어 버렸다. 남편이 깊은 잠에 빠졌음을 확인한 프리다는 조용히 발소리를 죽이고 침실을 빠져나왔다.

보통의 경우라면 프리다가 아무리 기척을 죽이고 다녀도 귀신같이 그녀의 움직임을 알아채던 다니엘이었다. 그러나 오늘만은 달랐다.

몸에 남은 기력을 모조리 소진해 버린 그는 누가 업어 가도 모를 정도로 정신없이 잠들었다. 어제까지만 해도 새벽부터 늦은 밤까지 지치지도 않고 영지를 돌아다니던 남자였다는 사실이 믿기지 않았다.

'갑자기 왜 저러는 걸까…….'

깊은 염려가 서린 눈빛으로 남편을 응시하던 프리다는 그의 잠을 깨우지 않기 위해 조심조심 침실 문을 닫았다.

"주군께선……."

"쉿, 도미닉. 우리 주방에 가서 얘기해요."

다니엘의 잠을 방해하고 싶지 않았던 프리다는 목소리를 한껏 낮추고 도미닉의 옷자락을 끌었다. 복도에 대기 중이던 보일드 남작과 로잘린도 알아서 발소리를 죽이며 프리다를 따라 주방으로 내려갔다. 주방이 있는 1층 입구에 들어서자 문 사이로 고기 굽는 향이 솔솔 흘러나왔다. 냄새만으로도 입 안 가득 군침이 돌았다.

'아델이 저녁 식사로 화덕에 구운 양갈비를 준비했다고 했었지.'

칼집을 낸 고기 사이사이에 허브를 넣어 센 불에 구워 낸 육즙 팡팡 터지는 양갈비를 상상하니 점심 식사를 배불리 했음에도 배가 고팠다. 주방에 들어오자 뮤리엘이 그들을 기다리고 있었다. 프리다가 제 자리를 찾아 앉자, 다들 자연스레 주변에 자리를 잡았다.

그녀를 중심으로 뮤리엘과 로잘린이 오른편, 도미닉과 보일드 남작이 왼편에. 아델이 알아서 음료가 든 잔을 그들 앞에 차례대로 탁탁탁 내주었다. 프리다 앞에는 꿀을 탄 시원한 허브 차가, 그녀를 제외한 사람들 앞에는 요즘 멘하임 성의 최고 인기 음료인 비어가 놓였다.

작년 가을에 대대적인 수리와 보수를 거친 멘하임 성의 양조장에서 만든 비어였다. 영지에 사람이 늘며 다양한 직업군이 형성되었는데 그중엔 수도사들이 운영하는 양조장에서 양조 비법을 전수받은 여인들도 있었다. 마을에 자주 드나드는 도미닉이 거기서 마셔 본 비어가 맛이 좋았다고 하자, 아델이 즉각 달려가 그중 가장 솜씨가 좋은 여인을 멘하임 성으로 데리고 왔다.

원래 있던 양조 방식에 아델의 비법이 더해져 새로운 맛으로 탄생한 멘하임 성의 비어는 바이마르에서 따로 찾는 이가 생길 정도로 인기가 높았다. 프리다는 올 겨울 도로 공사가 대충 마무리되면 아델의 비어를 대량으로 생산해 볼 계획을 세웠다.

며칠 전에 동생 요제프를 보러 성에 들른 마틸다는 뮌하임 성에서 만든 비어가 다른 것과 구분될 수 있도록 이름을 붙이고 장식을 새기는 건 어떠냐는 의견을 냈다. 마틸다는 아델에게 배운 솜씨로 마을에 빵 가게를 열었는데, 뮤리엘 말로는 돈을 쓸어 모으고 있는 수준이라나.

"마을에 빵 가게가 하나 더 생겼거든요. 제가 만든 빵을 다른 가게와 구분할 방법이 뭐가 있을까 고민하다, 빵의 겉면에 불에 달군 꼬챙이로 M 자를 새겨 팔았더니 일부러 제 빵을 사러 오는 사람들이 있더라고요. 마님도 그렇게 해 보세요. 분명인기를 끌 거예요."

다니엘도 좋은 아이디어라며 마틸다를 칭찬했다. 꿀이 들어간 민트 맛 아이스티로 시원하게 목을 축인 프리다가 도미닉에게 물었다.

"다니엘의 상태가 정확히 언제부터 저랬던 거예요?"

"갑자기요. 오전 내내 멀쩡히 공사 현장을 잘 돌아다니시던 분이 느닷없이 발자크 등에서 뛰어내리더니, 계속 비린내가 난다고 구역질을 해 대는 거예요."

아델이 단숨에 비워진 도미닉의 잔을 도로 채워 주며 갸웃거렸다.

"누린내면 몰라도 산속에서 비린내가 난다고요?"

"내 말이. 풀 냄새, 짐승 썩는 냄새면 몰라도 비린내라니. 아니, 항구까지 길이 연결되려면 아직도 몇 달이나 더 작업을 해야 하는데 비린내가 말이 돼? 그 근처에선 물고기 냄새를 맡을 일 자체가 없었다고."

보일드 남작이 평소처럼 신중하게 말을 거들었다.

"안톤 말로는 다행히 큰 이상은 없다고 하니 좀 두고 보시죠. 만약 증세가 심해진다면 안드레아 공작에게 부탁해 바이마르에 머무는 의사를 보내 달라고 하겠습니다. 저번에 들어 보니 꽤 유명한 의사가 바이마르에와 있다고 하더군요."

"우리 안톤도 뛰어난 의사예요."

제 사람이 인정받지 못했다는 사실이 불만이었는지 프리다가 눈살을 찌푸렸다.

"다니엘의 건강에 문제가 있었다면 안톤이 바로 알아챘을 거예요. 다니엘이 사고 후유증으로 머리가 아플 수 있으니 조심하라고 주의를 준 사람도 바로 안톤이라고요."

프리다가 따지듯 안톤을 편들고 나서자 뮤리엘이 알았다며 그녀를 달랬다.

"그럼요. 우리 안톤 선생은 엄청…… 훌륭한 의사죠. 보일드 남작님 말은 기왕이면 여러 사람에게 진단받아 보는 게 좋겠다, 뭐 그런 거죠. 공작 전하께서 워낙 특이하게 구시니까."

이 산골짜기에서 비린내라니. 뮤리엘이 어이가 없다며 웃었다.

"자, 자. 공작 전하는 괜찮으실 테니 염려 마시고 이거나 맛보세요. 양고기를 굽기 전에 닭으로 테스트를 해 봤는데 맛이 어떨지 모르겠네요."

바삭한 껍질 사이로 육즙이 좔좔 흐르는 닭고기를 접시에 올린 아델이 큼지막한 칼로 단번에 배를 갈랐다. 잘 익은 속살과 함께 진한 향이 풍겨 나왔다. 저도 모르게 침을 꼴깍 삼킨 프리다가 코를 벌름대며 향기를 들이마셨다.

"와. 향 좋다. 아델, 이거 세이지 향 맞지? 고기에 들어가니 향이 더 진하게 느껴지는 것 같아."

"역시 우리 마님이라니까. 네. 갓 재배한 세이지를 써 봤어요. 맛이 강해서 양고기의 누린내를 잡는 데 아주 효과적일 것 같은데, 어떠세요?"

아델은 프리다의 접시 위에 큼지막한 닭 다리를 얹어 주었다. 구운 감자와 양파, 구운 토마토가 닭 옆에 곁들여지며 접시를 가득 채웠다. 프리다는 아델의 말이 끝나기도 전에 이미 포크로 살코기를 쿡 찍어 입에 넣고 있었다. 다른 사람들도 제 접시를 채운 고기를 맛보기 시작했다.

"음…… 이거 좋은데. 향이 조금 진한 감이 있지만 양고기라면 문제없이 어울릴 것 같아."

뮤리엘의 품평에 로잘린은 약간 다른 의견을 내놓았다.

"양고기도 향이 강한데, 세이지까지 곁들이면 오히려 향이 더 진해지지 않을까요? 저는 향이 평범한 허브가 더 어울릴 것 같아요. 로즈메리라든가, 아니면 월계수 잎도 괜찮고요."

"난 뭐든 좋으니까 계속 잘 부탁해."

낄낄 웃으며 잘 익은 닭고기를 우물대던 도미닉이 순식간에 비워진 프리다의 접시를 보며 입을 턱 벌렸다.

"공작 부인께선 요즘 입맛이 아주 좋으신가 봅니다."

"아델이 솜씨가 너무 좋아서 그래. 이렇게 가다간 옷을 다 새로 맞춰야 할 판이야, 아델."

농담이 아니라 진짜 그랬다. 아델이 해 주는 음식은 하나같이 맛있고 입에 딱 맞았다. 그러다 보니 요즘은 매일 배가 빵빵해질 때까지 과식을 하게 되었다. 아델이 그녀의 접시에 고기와 소스를 더 얹어 주며 호탕하게 웃었다.

"잘 드시니까 얼굴도 뽀송하니 얼마나 좋아요? 다른 걱정은 넣어 두시고 입에 맞는 건 다 드세요. 구운 토마토 더 드릴까요?"

"응."

프리다는 접시에 눈을 고정하고 입맛을 다셨다. 문득 뭔가를 깨달은 로잘린이 신나서 접시를 비우는 프리다를 물끄러미 바라보았다.

한숨 자고 일어난 다니엘은 상태가 좀 나아진 듯 보였다. 그러나 로잘린이 들고 온 부드럽고 고소한 닭고기 감자 수프를 보자마자 다시 구역질을 해 댔다.

"욱, 우욱. 프리다, 제발 저 냄새나는 수프 좀 치워 줘."

"왜 그래요, 다니엘? 설마 또 비린내가 나요?"

"우욱!"

다니엘의 헛구역질은 결국 속에 든 것을 모두 비워 내고서야 끝이 났다. 완전히 기력을 소진한 그는 물을 마시는 것조차 힘겨운지 몇 번에 걸쳐 목을 축인 후 쓰러지듯 침대맡에 등을 기댔다. 이쯤 되자 슬슬 불안해지기 시작했다.

"다니엘……"

울상이 된 아내를 지그시 바라보던 다니엘이 진이 모두 빠져 버린 지친 얼굴로 미소 지었다.

"이젠 좀 알겠어? 당신이 아플 때 내가 어떤 기분인지."

지금 그걸 말이라고 하는 거냐고 쏘아붙여 주려다 참았다. 핏기가 사라진 창백한 얼굴을 보고 있자니 안쓰러운 마음에 절로 눈꼬리가 아래로 처져 내렸다.

"그걸 알려 주려고 굳이 아플 것까진 없는데요, 리하르트 공작님."

앞머리를 가지런히 넘겨 주며 풀 죽은 목소리로 속삭이자, 다니엘이 말없이 프리다와 눈을 마주쳐 왔다. 그녀의 눈길이 움직이는 곳으로 그의 시선이 계속 쫓아왔다. 제게 닿는 집요한 눈길이 좋아서, 프리다는 장난스레 콧등을 씰룩거리며 얼굴을 가까이 가져다 댔다.

"무슨 생각 해요? 내 생각?"

"응."

고분고분 인정한 다니엘이 프리다의 허리를 당겨 안고는 쪽 가볍게 입을 맞췄다.

"내 아내 참 예쁘네. 새삼 그런 생각이 들어서."

아닌 게 아니라 프리다는 요새 미모에 물이 오르고 있었다. 하얀 볼에 통통하게 살이 오른 모습이 흡사 탱글탱글 잘 익은 과일 같았다. 한 입 베어 물면 다디단 과즙이 푹 배어 나올 것만 같달까. 프리다가 예쁘게 눈을 흘기며 생글거렸다.

"내가 예뻐 보인다면 그건 다 당신 덕분이에요. 당신이 나한테 너무 큰 선물을 줘서."

"내가 선물을 줬다고? 언제? 뭘?"

처음 듣는 얘기라며 다니엘이 의아해했다. 그의 반응이 재밌어 쿡쿡 웃은 프리다는 다니엘의 옆에 앉아 그의 어깨에 머리를 기댔다. 다니엘이 그녀의 팔을 다정히 감싸 안았다.

"당신은 내가 맘껏 내일을 꿈꿀 수 있는 오늘을 선물해 줬잖아요. 기억 안 나요?"

"기억나. 태어나 내가 한 일 중에 가장 잘한 일인데 어떻게 기억이 안 나겠어."

어깨를 쓸어 주던 다니엘이 슬그머니 프리다를 만지며 개구쟁이처럼 웃었다.

"덕분에 나도 늘 기분 좋은 꿈속에 살고 있지."

"아이참."

짓궂은 다니엘의 손바닥을 찰싹 때린 프리다가 그의 가슴에 얼굴을 비비며 속삭였다.

"나의 내일엔 꼭 당신이 있어야 해요. 없으면 절대 안 돼. 그러니까 아프지 말아요. 당신이 아프면 나 겁난단 말이에요."

다니엘은 빙긋 웃으며 제 품에 안겨 드는 프리다를 꽉 끌어안았다.

"걱정 마. 오늘도 내일도 당신 옆에 꼭 붙어 있을게."

그녀에게서 나는 향긋한 살 냄새가 조금 전까지 치밀어 오르던 토기를 가라앉혀 주었다. 다니엘은 프리다의 목에 얼굴을 묻고 깊게 숨을 들이마셨다.

며칠 맥을 못 추던 다니엘이 겨우 기력을 찾았다. 프리다가 매일같이 냄새가 없는 음식들을 찾아서 먹인 결과였다. 그래도 얼마나 모질게 시달렸던지, 푹 꺼진 볼만은 돌아올 기미가 보이지 않았다.

그 와중에도 일을 하겠다며 도미닉과 보일드 남작을 불러들이자 도미닉이 독종이라며 툴툴거렸다.

"윗사람이 알아서 게으름도 좀 피워 주고 그래야 아랫사람이 편한 법인데, 영주 부부가 하나같이 부지런하니 집사장 몰골이 이 모양 이 꼴 아닙니까. 뮌하임 성에 오신 이후 우리 남작님 십 년은 늙으신 것 같습니다."

보일드 남작이 수척해진 건 다니엘과 도미닉이 공작령을 비운 이후, 인간의 몸으론 감당하기 어려운 살인적인 업무량에 시달려서였다. 더불어 아들 콜린 때문이기도 했다. 하지만 그는 바쁜 시간을 쪼개 아들과 놀아 주다 보니 잠잘 시간이 부족해서 그렇다는 말은 구태여 하지 않았다.

"제 생각도 도미닉, 아니, 몰리 경과 비슷합니다."

보일드 남작은 이젠 엄연한 기사단의 단장이 된 도미닉의 호칭을 바꾼 후 말을 이어 갔다.

공작령으로 귀환하던 중, 리카르도는 아메티스 기사단의 단장직을 내려놓겠다고 요청했다. 이젠 늙었으니 앞으로는 공작 부인을 도와 농사나 지으며 살고 싶다고. 도미닉이 얼떨결에 얻게 된 경의 호칭이 낯설다는 듯 목덜미를 벅벅 긁을 때였다.

"고, 공작 전하! 마님께서, 우리 마님께서……!"

로잘린이 문도 두드리지 않고 헐레벌떡 안으로 뛰어 들어오며 소리쳤다.

"제 생각이 맞았어요. 맞았다고요! 우리 마님께서 아이를 가지셨어요! 전하께서 아빠가 되신다고요!"

로잘린의 말을 단박에 알아듣지 못한 다니엘이 눈살을 찌푸렸다.

'내가…… 뭐가 돼?'

멋대로 창문을 넘나드는 용병 시절의 버릇을 거의 고친 것 같더니, 집자기 노크도 없이 뛰어 들어와서는 대체 뭐라는 건지. 신이 나 어쩔 줄 몰라 하는 로잘린이 생경해 야단칠 타이밍을 놓치고 말았다.

로잘린이 누구인가. 왜, 언제 혼자가 됐는지도 모를 어린 나이에 가족을 잃고 돼지우리만도 못한 허름한 첼리노 뒷골목을 헤매고 다니다 리카르도의 눈에 띄어 잡혀 온 아이다. 겁도 없이 리카르도의 돈주머니를 소매치기하려다 걸렸다나.

제법 배짱 있고 손이 빠르다며 그가 직접 허리춤에 대롱대롱 안고 왔을 땐 어디서 늑대 새끼를 데리고 온 줄 알았다. 여기저기 쥐어뜯긴 머리는 산발이 된 채 엉망이고, 얼굴엔 눈, 코, 입이 구분되지 않을 정도로 오물과 진흙이 덕지덕지 묻어 있었다.

버둥대며 빽빽 내지르는 욕설이 스베르겐 말이었기에 사람인 줄 알았을 뿐이다. 그랬던 아이가 단정한 하녀복을 입고, 아니, 단정하다고 할 순 없겠다. 머리에 쓴 두건은 비틀려 있고, 앞치마는 구겨져 있으며, 뛰다 밟았는지 너덜너덜해진 치맛단은 실밥이 여기저기 풀어져 있었으니까.

아무튼 그때와는 비교도 안 되게 사람다워진 외모로 어째서 더 알아듣기 힘든 소리만 내뱉는 것인지. 어안이 벙벙한 채로 앉아 있는 다니엘에게 보일드 남작이 말을 걸었다.

"축하드립니다. 공작 전하. 하하. 정말 기쁜 소식이네요."

보일드 남작이 너털웃음을 쳤다. 이 꼿꼿하고 재미없는 인간이 웃을 줄도 아는 사람이었다니. 다니엘의 주변에 연달아 낯선 일들이 벌어졌다.

"맙소사. 로잘린, 그게 대체 무슨 소리야? 더 자세히 말해 봐."

그나마 도미닉이 저처럼 정확한 진실에 도달하지 못한 채 당황하고 있는 듯 보여 마음이 놓였다.

"말 그대로예요. 조금 전에 의사가 와서 확인해 주었어요. 빠르면 늦은 가을, 늦어도 한겨울이 닥치기 전엔 아기 리하르트 님이 태어나실 거라고요. 공작 전하, 제 말 듣고 계신 거죠? 마님이 아기님을 가지셨다니까요."

로잘린이 초점을 흐린 채 멍하니 앉아 있는 다니엘을 불렀다. 겨우 알아들은 단어들이 하나하나 그의 뇌리를 스쳐 지나갔다. 의사. 가을. 한겨울. 아기…… 리하르트? 아기?

꽈당.

의자가 뒤로 단숨에 넘어갈 만큼 벌떡 일어난 다니엘이 혼란스러워하며 도미닉을 바라봤다. 얼떨떨한 얼굴로 말을 잇지 못하는 다니엘의 표정이 우스웠던 나머지, 도미닉은 피시식 바람 빠지는 소리를 내며 웃고 말았다.

거울이 있다면 들어서 비춰 보여 주고 싶었다. 이런 일이 생길 거라곤 단 한 순간도 상상해 본 적 없다는 듯, 마치 무언가에 잔뜩 겁을 먹은 소년처럼 굳어 있는 다니엘의 저 얼굴을. 치 떨리게 두렵고 긴박한 순간이 닥쳐도 평정심을 잃지 않던 다니엘이 이토록 당황할 줄이야.

하긴, 아이라잖아. 차가운 심장이라 불리는 도미닉의 맥박도 이리 걷잡을 수 없이 빨라지는데 다니엘 이 자식은 오죽 놀랐을까. 놀람, 기쁨, 까닭 모를 안쓰러움이 한데 뒤섞인 괴상망측한 감정에 빠진 도미닉은 예법도 잊고 졸지에 겁쟁이가 되어 버린 다니엘의 어깨를 툭 쳤다.

"정신 차려. 인마."

그러곤 다니엘의 등을 가볍게 밀었다.

"뭐 해? 얼른 공작 부인께 가 보지 않고."

도미닉의 재촉에도 다니엘이 쉬이 발을 떼지 못하고 있자, 참다못한 로잘린이 다가와 그의 팔을 당겼다.

"뭐 하세요, 공작 전하. 얼른 가셔서 마님을 보살펴 주셔야죠. 어찌나 놀라셨는지 펑펑 우셨단 말이에요."

"울어? 프리다가 울었다고?"

다니엘의 입에서 몇 분 만에 처음으로 말 같은 말이 흘러나왔다. 로잘린이 그의 팔을 재차 당기며 마구 고개를 끄덕였다.

"그렇다니까요. 아주 펑펑 우셨어요. 로시발트 경을 붙잡고 엉엉……
이크!"

언제 굳어 있었냐는 듯, 다니엘이 알타스 산의 맹수 알타이카처럼 쏜살
같이 뛰어나갔다. 저를 쌩하니 지나쳐 가는 다니엘을 피하다 넘어질 뻔한
로잘린이 잽싸게 중심을 잡고 그를 따라 뛰기 시작했다.

한순간에 주인이 떠난 집무실에 덩그러니 남은 보일드 남작과 도미닉
은 잠시 서로를 멀뚱멀뚱 바라보다, 누가 먼저랄 것도 없이 문밖으로 뛰
어나갔다.

성큼성큼 계단을 올라가는 다니엘의 뒤에 바짝 달라붙은 로잘린이 쉴
새 없이 조잘거렸다.

"제가 느낌이 오더라고요. 아, 마님께서 뭔가 다르다. 이건 좀 이상하다."

한동안 하녀로 얌전히 숨죽이고 살았다지만, 긴 세월 자객질과 염탐으
로 인이 박인 로잘린이었다. 뜀박질하며 떠드는 것쯤은 힘든 일 축에도
못 꼈다.

"마님이 원래 달거리가 불규칙하셨거든요. 그래도 두 달 연속 거른 적
은 없었는데, 곰곰이 날짜를 계산해 보니까 이번엔 두 달이 훨씬 넘었더
라고요. 아기님을 가지신 지 최소 두 달에서 석 달은 됐다는 얘기예요. 가
장 위험한 시기가 별 탈 없이 지났다는 뜻이라고요, 전하."

로잘린은 프리다의 임신을 가장 먼저 눈치챈 사람이 저라는 사실이 너
무나 자랑스러웠다. 로시발트 경이야 그쪽으론 무지한 분이니 그렇다 쳐
도 보일드 남작 부인이나 아델 주방장, 다른 나이 든 하녀들도 몰랐던 일
을 그녀가 알아챈 것이다.

'이 얼마나 완벽한 하녀냐고.'

다니엘이 제 말을 듣든 말든, 대꾸를 하든 말든. 드디어 뛰어난 하녀로
인정받았다고 생각하니 하늘을 뚫고 올라갈 것처럼 기뻤다.

"요즘따라 음식이 뭐든 입에 맞는다고 하시는 점도 이상했어요. 보통 아이를 가지면 처음 몇 달이 제일 힘들다던데 역시 우리 마님은 보통 분이 아니세요. 힘들어하시긴커녕 오히려 혈색이 더 좋아지셨잖아요. 알타이카가 눈앞에서 으르렁대도 눈 하나 깜짝 안 하실 분이라니까요."

이런 마님을 닮았으니 우리 아기님도 엄청 용감하실 게 틀림없다. 내가. 이 로잘린이 아기 리하르트 님을 돌보게 된다니. 보송보송 귀여운 아기를 어르고 달래고 목욕시킬 날들을 그리느라 어느덧 공작 부인의 침실 앞에 도착한 것도 몰랐다. 잠시 머뭇대고 있는 다니엘을 앞서 지나간 로잘린이 문고리를 잡았다. 그러자 다니엘이 급히 그녀를 말렸다.

"잠깐만, 로잘린. 잠시만 뒤로 물러나 있어."

로잘린을 뒤로 물린 다니엘은 문고리를 잡은 채 잠시 숨을 골랐다. 오긴 왔는데, 프리다를 보면 뭐라고 해야 할지 머릿속이 뒤죽박죽 엉망이었다. 기뻤다. 기쁜 건 맞는데 분명 그것과는 다른 감정이 그 안에 숨어 있었다.

솔직해지자면 젠장, 두렵다. 무섭고 막막하다. 등골이 오싹오싹 떨려 왔다. 작은 반딧불 하나 없는 어둠 속에 갇힌 듯 아득해졌다. 이 문을 열면 프리다가 있다. 내 아이를 가진 내 작은 아내가. 내 어머니보다 한참이나 더 작은 그녀는 아이를 낳는다는 것이 어떤 일인지 과연 알고 있을까?

어머니처럼 씩씩한 여인도 아이를 낳다 거의 죽을 뻔했다고 들었다. 가물가물한 기억이지만 다니엘에겐 동생이 있었다. 태어나자마자 한 번 울어 보지도 못하고 죽은 동생. 워낙 오래전 일이라 완전히 잊고 살았었는데, 갑자기 어머니가 동생을 낳던 날 지르던 끔찍한 비명이 떠올랐다.

동생을 낳기 전에도 어머니는 무척이나 괴로워하셨었다. 잠 못 자는 건 기본이고 음식이란 음식은 먹는 족족 게워 내고. 머리, 어깨, 팔다리. 온몸이 안 아픈 곳이 없다고 힘들어하셨지. 기억난다. 모조리 다 기억이 나 버렸다.

은연중에 프리다와 저 사이엔 아이가 생기기 어려울 거라고 여겼던 까닭인지는 몰라도, 정말 한순간도 이런 날이 오리라고 예상한 적 없었다. 이거 기뻐해야 하는 일 맞아? 대체 왜 다들 좋아하는 거야. 프리다가 위험에 빠졌다는 생각들은 안 해?

"공작 전하…… 왜 그러세요? 안 들어가실 거예요?"

"……기다려 보라니까."

진정 좀 하고. 이 불안과 떨림을 어떻게든 가라앉히고. 머릿속을 정리 좀 한 다음에.

쿵쾅, 쿵쾅, 쿵쾅.

"로잘린, 그게 사실이냐? 우리 공작 부인께서 아이를 가지셨다는 게 진짜야?"

두려움을 이기지 못한 제 심장이 내는 소린 줄 알았더니, 리카르도가 계단을 뛰어 올라오는 소리였다.

"아니, 여기서 뭐 하고 계십니까? 후딱 들어가지 않고."

리카르도가 말릴 새도 없이 문고리를 붙들고 있는 다니엘을 밀치며 요란하게 문을 열었다.

"공작 부인! 하하하, 축하드립니다. 정말 축하드려요. 이 리카르도가 살면서 들은 소식 중 가장 기쁜 소식입니다. 하하하. 어디 아픈 데는 없으시지요? 안톤 말이 공작 부인께서는 어느 때보다 건강하시다네요. 다른 건 염려하지 마시고 잘 먹고 잘 쉬세요. 그것만 하시면 됩니다."

얼떨결에 방에 들어오긴 했는데, 과하게 팔을 휘젓는 리카르도 때문에 프리다가 보이지 않았다. 다니엘은 문가에 멀뚱히 서서 보일드 남작 부인과 뮤리엘, 그리고 리카르도에게 둘러싸인 프리다의 머리카락 끄트머리만 물끄러미 바라보았다.

"축하해 줘서 고마워요. 리카르도 님."

프리다의 목소리가 들렸다. 울었다는 것치곤 다행히 목소리가 밝았다. 다니엘은 한 발짝 걸음을 떼려다 멈칫하며 다시 그 자리에 섰다. 로잘린이 쌩하니 그를 지나쳐 방으로 들어갔다. 껄껄껄. 리카르도의 웃음소리가 점점 더 높아졌다.

"당연히 축하해야죠. 세상에 이보다 더 축하할 일이 어딨답니까? 공작령 곳곳에 당장 이 소식을 알려야겠습니다. 모두 기뻐할 겁니다."

"그러지 마세요. 너무 요란 떨 필요 없어요."

"요란이라뇨. 공작 부인도 그렇지만, 우리 아기님은 세상 누구보다 축하받을 자격이 있습니다. 앞으로 공작령을 이끌어 나가실 분이 아닙니까. 그러니 다 같이 축하해야 하고말고요."

"제 말이요."

보일드 남작 부인이 방 안을 휘젓고 다니는 아들 콜린을 붙들며 말했다.

"공작령 사람들에게도 함께 축하할 기회를 주셔야죠. 그들이 공작 전하와 부인을 얼마나 존경하는데요. 성 밖에 나가 보세요. 새로 태어난 여자아이들 이름은 죄다 프리다고, 남자애들은 다니엘이에요. 이러다 삼십 년쯤 뒤엔 공작령에 다니엘과 프리다만 살게 될지도 모르겠어요."

뮤리엘이 엄마의 손에 잡혀 버둥대는 꼬마 콜린을 안아 올리며 특유의 심드렁한 말투로 거들었다.

"혼란을 막기 위해 지금이라도 그 이름을 쓰는 걸 금지한다고 공표하시죠. 내 남편도 다니엘, 옆집 남편도 다니엘, 건넛집 남자도 다니엘인 건 좀 그렇지 않나."

뮤리엘이 꼬마 콜린을 높이 들고 흔들어 주자 신이 난 아이가 깔깔깔 웃으며 팔과 다리를 버둥거렸다. 어느 틈에 방 안으로 들어온 보일드 남작이 그 모습에 기겁하며 아들을 받으러 뛰어갔다.

"로, 로시발트 경. 그러다 떨어트리기라도 하면 어쩌려고……."

"참 나, 별걱정을 다 하십니다. 아무리 로시발트 경의 팔 힘이 전과 같지 않다지만 아무렴 저 조그만 아기를 놓칠까."

보일드 남작의 어깨를 툭 치며 지나간 도미닉이 우스꽝스럽게 팔을 뻗치며 프리다에게 허리를 숙였다.

"리하르트 공작 부인. 축하드립니다. 부디 태어나실 아기님이 아버지가 아니라 어머니를 쏙 닮았으면 좋겠네요."

"도미닉도 참. 당연히 아빠를 닮은 건강한 아이여야죠."

"부모를 닮았으면 당연히 건강하겠죠. 전 여태 공작 부인만큼 건강하고 열정이 넘치는 여인을 본 적이 없는걸요. 전 성격을 말하는 겁니다. 성격."

성깔머리요. 도미닉이 아이가 들으면 안 된다는 듯 작게 소곤댔다. 수줍게 볼을 붉힌 프리다가 입가에 웃음을 머금은 채 그를 흘겨보다 물었다.

"그런데 다니엘은 많이 바쁜가요? 외출한다는 얘기는 못 들었는데, 성 밖에 나간 거예요?"

"네?"

그제야 다니엘이 프리다 곁에 없다는 걸 깨달은 도미닉이 어리둥절해하며 주변을 두리번거렸다. 얼마 후, 뭰하임 성을 받치는 기둥처럼 우두커니 문가에 서 있는 다니엘을 발견한 도미닉이 저도 모르게 소리쳤다.

"너, 거기서 뭐 해?"

프리다를 둘러싸고 있던 사람들이 일시에 문 쪽으로 몸을 돌렸다. 다니엘과 프리다가 드디어 서로를 마주 보았다.

남편을 발견한 프리다의 눈가가 금세 촉촉해졌다.

"다니엘……."

아내의 부름에 답을 하듯 다니엘의 입꼬리가 부드럽게 휘어졌다. 허구한 날 힘을 빡 주고 사는 눈가도 흐물흐물 녹아 버린 밀랍처럼 풀어졌다. 리하르트 공작이 오직 아내에게만 보여 주는 표정이었다.

'애틋하다, 애틋해. 녹겠다, 녹겠어.'

도미닉이 도리질을 치며 옆으로 비켜섰다. 눈과 입이 모두 웃고 있는 다니엘이라니.

'하아…… 보고 또 봐도 당최 적응이 안 돼, 적응이.'

딱딱한 무표정, 아니면 불만으로 가득 차 눈살을 찌푸리는 리하르트 공작만을 봐 온 보일드 남작이나 도미닉에겐 저 모습이 미소가 아니라 광기로 보였다. 리하르트 공작 부부는 구경꾼을 여럿 주변에 두고도 자기들만의 세상에 빠진 듯 달달하고 끈적끈적한 시선을 주고받았다.

가장 먼저 뮤리엘이 뮌하임 성 사람들이 '빌리 도련님'이라고 부르는 아기 콜린을 안고 방을 나섰다. 보일드 남작이 뮤리엘의 뒤를 따르며 아이를 향해 팔을 뻗었다.

"로시발트 경, '빌리'는 내가 안겠습니다."

"슈테판, '빌리'가 아니라 '콜린'이요. '콜린'으로 부르기로 약속해 놓고 왜 자꾸 '빌리'라고 불러서 사람들을 헷갈리게 해요?"

남편의 뒤를 따라 나가던 보일드 남작 부인이 즉각 반론을 제기했다. '빌헬름 콜린스 보일드'라는 이름을 가진 금발 머리의 이 꼬마 도련님은 모친이 있는 곳에서는 콜린, 그 외의 장소에선 '빌리 도련님'이라고 불렸다.

각자의 부친 이름을 따 '빌헬름 콜린스'라고 작명한 것까진 좋았는데, 남작 부부가 아이의 애칭에 대해서만큼은 한 치의 양보도 없이 제 뜻을 주장하고 있었기 때문이었다.

"대체 우리 꼬마 도련님은 뭐라고 불러야 합니까? 누구는 콜린이랬다가, 누구는 빌리랬다가. 어려서부터 인생이 이리 복잡해서야 원."

도미닉이 헤벌쭉 웃고 있는 리카르도의 팔을 붙잡아 끌고 나가며 투덜댔다. 마지막으로 로잘린이 조용히 문을 닫고 사라지자 주위가 조용해졌다. 단둘이 남게 된 방 안에 기분 좋은 온기가 감돌았다. 문이 닫히고도 한참 동안 문 옆자리에 그대로 굳어 있던 다니엘이 한 발 한 발 걸어와 프리다 앞에 섰다.

머릿속은 여전히 거미줄에 칭칭 감긴 듯 복잡했지만, 물기가 촉촉이 차오르는 프리다의 얼굴을 보고 있으려니 달래 줘야 한다는 생각이 앞섰다. 프리다 앞에 무릎을 구부리고 앉은 그가 엄지를 들어 살며시 프리다의 눈가를 쓸었다.

"왜 울어. 아까도 울었다면서."

"너무……."

맑은 물이 퐁퐁 솟아오르는 샘물처럼, 눈물이 밀려난 자리에 또 눈물이 차올랐다.

"행복해서요. 다니엘, 나 진짜 진짜 기뻐요. 너무 좋아서 꿈을 꾸고 있는 것 같아요. 꿈이라면 깨지 않았으면 좋겠어요."

프리다는 의심할 바 없이 진심으로 기뻐하고 있었다. 눈물을 뚝뚝 흘리면서도 어느 때보다 화사하고 눈부시게 웃고 있다는 것이 그 증거였다. 그래서 다니엘도 불안한 속내를 감춘 채 웃고 말았다.

"나도 기뻐. 꿈이 아니라서 더 기쁘고."

"정말? 당신도 우리에게 아이가 찾아와 줘서 기뻐요?"

"당연하지."

프리다가 혹여나 제 속마음을 들여다봤으면 어쩌나 걱정된 다니엘은 크게 고개를 끄덕였다. 제 마음이야 나중에 따로 다스리면 될 일. 지금은 그저 프리다와 함께 기뻐만 하고 싶었다. 그녀가 이토록 행복하다는데 그깟 불안, 두려움쯤이야. 제 손등을 적시는 프리다의 눈물을 닦아 낸 다니엘이 아내의 눈가에 다정히 입을 맞췄다.

"이제 그만 울어, 프리다. 행복하면 웃어야지, 울면 어떡해."

"실은요, 다니엘. 행복하기만 한 건 아니에요. 이 말이 하고 싶어서 당신을 기다렸어요."

눈물이 방울져 있던 눈에 선연한 두려움이 떠올랐다. 뒤이어 불안, 공포, 초조함까지. 다니엘이 느끼고 있는 것과 같은 감정들이 차례차례 모습을 드러냈다.

"나 무서워요. 우리 아이가 날 닮으면 어쩌죠? 머리칼도 피부도 하얗게 태어나면 어떡해요? 나처럼 평생 햇볕 아래 얼굴을 드러내지 못하고 살게 되면요? 혹시나 언니들처럼……."

차마 뒷말까지 꺼내진 못한 프리다는 더는 행복에 겨워 웃고 있지 않았다. 다니엘의 손목을 꼭 붙든 채 두려움에 떨고 있었다.

"안톤에게 처음 아이를 가졌다는 얘기를 들었을 땐 무작정 기뻤어요. 그런데 점점 무서워져요. 난 너무 두려운데 다들 기뻐하니까 무섭다는 말을 못 하겠더라고요. 그래서 당신이 보고 싶었어요, 다니엘. 당신이 빨리 와서 내 얘기를 들어 줬으면 좋겠다고 마음속으로 계속 바랐어요."

두려움의 대상이 다르긴 했으나, 프리다도 저와 같은 감정을 느꼈다고 생각하니 별안간 번쩍 정신이 들었다. 다니엘, 이 모자란 놈. 못나 빠지게 뭐 하고 있었던 거냐. 겁쟁이같이 홀로 숨어 달달 떨지 말고 프리다를 먼저 돌봤어야지.

프리다에게 안 좋은 일이 생기면 어쩌나 걱정하지 말고, 그런 일이 애초에 생기지 않도록 싹을 자를 생각을 먼저 했어야지. 작고 가녀린 제 아내는 아이를 낳다가 자신이 잘못될 수도 있다는 염려 같은 건 하지 않을 게 뻔했다.

지금도 오직 태어날 아이만을 걱정하고 있잖아. 그러니 프리다를 챙기는 건 다니엘이 해야 한다. 무릎을 펴고 일어난 다니엘은 의자에 앉아 있는 프리다를 꼭 안았다. 그의 허리를 감싼 프리다가 울먹이며 얼굴을 비볐다.

"다니엘, 만약에 우리 아이가 정말 나처럼……."

"프리다."

그는 겁먹은 토끼처럼 바들바들 떨고 있는 아내의 어깨를 꼭 안았다.

"난 우리 아이가 꼭 당신을 닮았으면 좋겠어."

진심으로 태어날 아이가 프리다를 닮아 주길 바라고 있었다.

"당신을 닮은 여자아이라면 아마 제국에서 가장 어여쁘고 총명한 아이가 되겠지. 제아무리 뛰어난 사내놈이라도 우리 딸 발끝에도 미치지 못할 걸. 아마 난 평생 옆에 끼고 살겠다고 할지도 몰라. 내 딸을 데려가겠다는 놈이 있으면 다리를 분질러 버리고 말 거야."

어깨를 떨던 프리다가 그러면 안 된다며 쿡쿡 웃었다.

"아들이 당신을 닮았다면 누구보다 용맹하고 현명한 리하르트 공작이 되겠군. 나처럼 제 맘도 몰라서 아내를 고생시키는 반편이는 아니겠지."

당신은 반편이가 아니라며 프리다가 고개를 흔들었다.

"아들이든 딸이든 머리칼이 하얗든 검든 우리 아이는 편견에 굴하지 않고 당당하게 자기 삶을 살아갈 거야. 제 어머니가 그랬던 것처럼."

프리다 리하르트를 어머니로 둔 아이가 어떻게 당당하지 않을 수 있겠는가. 해가 동쪽에서 뜨고 서쪽으로 지는 것과 같은 당연한 일이었다.

"뭐가 걱정이야? 내가, 당신이 그 아이들을 지켜 주는 든든한 성벽이 되어 줄 텐데."

당신에겐 내가 성벽이 되어 줄게. 누구도 무너트리지 못하게, 감히 내게서 뺏어 가지 못하게 꼭 내가 지킬게.

"프리다, 날 믿어. 내가 당신을 믿듯이."

당장 오늘부터 프리다를 위해 스베르겐 제국을, 아니, 로슈만 대륙을 몽땅 뒤져 의사든 산파든 유능한 이는 죄다 유트레히트로 불러 모아야겠다. 다니엘은 마음이 무척 바빴다.

그해 봄, 뭰하임 성에서 피워 낸 랄레 꽃이 첼리노에 도착하자 봄의 도시에 한바탕 소동이 일어났다고 한다.

"말도 마십시오. 웃돈을 낼 테니 올가을엔 자신들에게 구근을 팔라는 업자들이 한둘이 아니었습니다."

리카르도는 의기양양하게 첼리노의 원예업자들과 맺은 수십 장의 계약서를 팔랑팔랑 흔들었다. 휑하니 비어 있는 계약서의 금액란을 본 프리다는 뛸 듯이 기뻐했다. 아무것도 적혀 있지 않은 빈 금액란이 뜻하는 건 바로 부르는 대로 값을 치르겠다는 의미였으니까.

프리다의 예상대로 랄레 꽃은 제국 곳곳에서 선풍적인 인기를 끌었다. 게다가 의외의 호재도 뒤따랐다. 황제가 지난해 허물어진 쉔달 성 대신 첼리노 근처에 새로운 황궁을 짓겠다고 발표한 것이다.

리카르도와 함께 첼리노에 다녀온 보일드 남작이 지친 얼굴로 황실 소식을 전해 주었다.

"황후 폐하께서 후일 새 황궁이 완공되면 황후 궁의 정원에 랄레 꽃을 심고 싶다고 하셨습니다. 겸사겸사 공작 부인께서 직접 와 주시면 좋겠다고 청하셨지만 당분간 공작령을 떠나긴 힘들게 되셨다고 전하고 양해를 구했습니다."

말을 마친 그는 프리다에게 밀랍으로 봉인된 편지를 내밀었다.

"이건 뷔테인 남작 부인의 서신입니다. 누구에게도 맡기지 말고 리하르트 공작 부인께 직접 전해 달라며 손수 들고 오셨더군요."

프리다는 붉은 밀랍으로 봉인된 편지를 받아 들었다.

"첼리노에 간 일은 잘 해결됐나요?"

"네. 공작 전하께서 유명한 산파란 산파는 죄다 데리고 오라고 하셔서 샅샅이 뒤지느라 시간이 좀 걸렸습니다."

"산파를 또요?"

따깍. 밀랍을 쪼개던 프리다가 미간을 좁히며 큰 소리로 되물었다.

"전 남작께서 보일드 가문의 영지 일을 보러 간 줄 알았어요. 미리 알았다면 말렸을 텐데."

"물론 그 일도 처리했습니다만, 더 큰 목적은 산파를 알아보는 거였어요."

"맙소사. 다니엘도 참. 아이를 낳으려면 아직 한참도 더 남았다고요. 이러다 공작령에 산파 마을이 생기겠어요."

기실 이미 생긴 거나 마찬가지였다. 다니엘이 제국 곳곳에서 불러들인 능력 있는 산파들이 벌써 수십 명. 그들은 리하르트 공작이 마련해 준 집에 모여 살며 간혹 바이마르까지 출산을 도우러 다니곤 했다.

"개인적으로 미리미리 준비해 두고자 하시는 공작 전하의 뜻은 옳다고 봅니다. 콜린도 안톤이 말한 예정일보다 한 주 정도 빨리 태어났거든요."

꼬마 보일드 도련님의 이름을 두고 벌어진 치열한 전투는 얼마 전 남작부인의 승리로 끝났다. 비록 아델이 빌리 도련님이란 귀여운 애칭에 미련을 떨치지 못하고 있긴 했지만.

그해 가을, 유트레히트 남쪽 '빌보 항'까지 연결되는 도로 공사 일부가 끝났다. 아직 도로를 둘러싼 숲까지 다 정리된 건 아니었지만 마차 하나 정도는 지나갈 수 있는 매끈한 도로가 닦였다.

올겨울 본격적으로 스베르겐 해군 함대가 주둔하게 될 쿠펀 항의 경비가 삼엄해지자, 상선 일부가 하나둘 개항도 하지 않은 빌보 항으로 몰려들었다. 바이마르와 유트레히트에서 각각 치안을 담당하는 책임자가 파견되었고, 그들은 일부 구역이라도 개항을 서두르자는 의견을 보내왔다.

더는 쿠펀 항을 무역 거점으로 쓸 수 없게 된 안드레아 공작도 거의 매일 전서구를 보내와 다니엘을 졸랐다. 프리다가 아이를 낳기 전, 골치 아픈 일 몇 가지를 해결하고 싶었던 다니엘이 그 제안을 받아들이며 드디어 '빌보 항'의 개항식이 열리게 되었다.

영주 부부가 참석한다는 소식이 전해지자 공작령은 물론, 바이마르와 인근 영지에서까지 사람들이 모여들었다. 물론 어린 빌보도 부모의 품에 안겨 제 이름이 붙은 항구를 찾았다.

서늘한 가을바람에 찬 공기가 드문드문 섞여 불던 어느 날. 여타 다른 상선과 다를 바 없는 크기였으나 훨씬 더 견고해 보이는 떡갈나무로 만든 '코그선'이 막 '빌보 항'에 도착했다.

코그선과 항구를 연결하는 판자 다리가 놓이자, 짜증스럽다는 듯 오만 상을 찌푸린 회색 머리칼의 사내가 터벅터벅 다리를 건너왔다. 뒤이어 적 갈색 머리칼의 건장한 사내가 모습을 드러냈다. 사내는 다리를 건너오다 말고 뒤를 돌아 막 선실에서 나온 소년을 향해 팔을 뻗었다.

"황태자 전…… 아니, 콜린 도련님. 위험하니 제 손을 잡……."

뚜벅 뚜벅 뚜벅.

아이의 걸음이라곤 믿어지지 않을 정도로 위엄 있게 다리를 지나가던 백금발의 소년이 적갈색 머리칼의 남자를 담담히 바라보며 말했다.

"막스 슈바벤, 내 앞에서 비켜 주겠나."

먼저 다리를 건너가 기다리고 있던 안딘 프랑코가 낄낄 웃으며 얄밉게 손가락을 까닥였다.

"어이, 근위대장. 우리 콜린 도련님께서 비키라고 하시잖아. 바다로 밀어 버리기 전에 얼른 꺼지시지."

"안딘, 목소리 낮춰. 근위대장이라니. 누가 들으면 어쩌려고?"

휙 돌아선 막스가 주변을 둘러보며 서둘러 다리를 건넜다. 그는 뒤따라온 소년이 다리를 잘 지나오는지 확인한 다음 안딘을 노려보며 으르렁댔다.

"조심 좀 하지. 우리 정체가 알려지면 어떤 사달이 날지 몰라서 이래?"

"알면 댁이나 조심해. 조금 전에도 황태자 전하라고 할 뻔했으면서."

"이봐, 제발 그 입 좀 다물라고."

두 남자가 아웅다웅하는 동안 판자 다리를 건너온 소년이 무심하지만 날카로운 눈으로 주위를 살폈다. 실제 나이는 일곱 살이지만 또래보다 건장한 체격 때문인지 족히 열 살은 되어 보였다.

소년을 어른스럽게 보이게 하는 건 큰 키뿐만이 아니었다. 로슈만 대륙 북쪽 지역이 아니면 보기 힘든 신비로운 백금발에 옅은 푸른빛이 감도는 차분한 회색 눈동자. 그리고 무엇보다 아이답지 않은 태연하고 무표정한 얼굴. 한눈에 봐도 범상치 않은 외모에 특유의 분위기가 더해져 지나가는 이들의 눈길을 붙들었다.

소년의 뒤를 따라 판자 다리를 건너온 다부진 사내들이 세 사람을 빙 둘러서서 행인들의 눈을 가렸다. 마지막으로 끈이 긴 가죽 가방을 어깨에 두른 남자가 허겁지겁 다리를 건너오다 휘청였다.

"이크."

그는 둥그렇게 둘러선 사내들의 틈을 비집고 들어와 손에 들린 망토를 다급히 소년의 어깨에 걸쳐 주었다.

"전하, 아무리 이곳이 즈네부보다 따뜻하다고 해도 겉옷은 꼭 입고 다니셔야 합니다."

"그렉."

힘이 전혀 들어가지 않은 낮은 음성이었지만, 듣는 이의 등골을 서늘하게 만드는 묘한 힘이 있는 목소리였다. 제 주치의의 이름을 부른 소년은 막스와 안딘을 차례차례 바라보며 세 사람과 눈을 마주쳤다.

"자네들은 유트레히트의 영주에게 륑겐 제국의 황태자가 왔노라 고해 바치고 싶어 안달이 난 것 같군."

소년의 차가운 회색 눈은 부친인 '발트 모렌하이츠' 대공을 똑 닮았지만, 서늘하고 냉정한 분위기는 영락없는 모친 '스카디아 클레어' 황제였다.

'누가 까칠한 발트 놈 아들 아니랄까 봐.'

'클레어, 그 계집애는 낳아도 꼭 저 같은 오지게 거만한 아들을 낳아서는.'

막스와 안딘은 각자의 어릴 적 기억에만 존재하는 두 사람을 떠올리며 속으로 혀를 찼다.

"그대들에게 건네는 마지막 경고다. 내 정체를 숨길 자신이 없다면 지금이라도 배로 돌아가라. 한 번만 더 날 실망하게 한다면 그땐 가벼운 경고로 끝나지 않을 거야."

링겐 황실의 근위대장 막스 슈바벤과 링겐의 수도 즈네부와 바이마르의 교역을 맡은 상단주 안딘 프랑코는 일곱 살 아이 앞에서 고분고분 머리를 조아렸다. 그들 앞에 선 소년은 바로 링겐 제국의 유일한 황위 계승권자인 황태자 '니콜라스 할슈타인 프리드리히 링겐'.

링겐의 황태자가 사전 연통 없이 유트레히트에 발을 디딘 것이 알려지면 난리가 나는 것으로 끝날 리 없었다. 경우에 따라선 첩자로 몰려 인질이 될 수도 있었다.

니콜라스 황태자가 이토록 수많은 위험 요소가 산재한 이곳에 올 수 있었던 건, 모친인 스카디아 황제와의 체스 대결에서 이겨 당당히 소원 요구권 하나를 따냈기 때문이었다. 소년은 자신이 따낸 소원 요구권을 스베르겐 남부 리하르트 공작의 영지에 들어서는 새 항구를 보러 가는 데 쓰고 싶다고 요청했다.

"황태자는 어째서 그곳에 가려고 하느냐?"

그날을 기억하는 막스는 모친의 질문을 받은 소년이 특유의 고요한 눈으로 어머니의 푸른 눈동자를 똑바로 응시하던 순간을 떠올렸다.

"은색 유니콘이 머물게 될 땅입니다. 미리 봐 두고 싶습니다."

은색 유니콘은 링겐 황실의 상징. 즉 언젠가는 스베르겐을 링겐 제국의 발아래 두겠다는 선전 포고였다. 어린 소년의 맹랑한 치기라며 웃어넘긴 막스와 달리, 황제인 모친은 물론 부친인 모렌하이츠 대공도 웃지 않았다.

그저 조용히 특유의 깊고 차분한 날카로운 시선만을 주고받았다. 당시 세 사람이 똑같은 생각을 하고 있었을 거라는 데 막스는 전 재산을 걸 수도 있었다.

'아무튼 일 벌이기 좋아하는 유난한 혈통들.'

제국을 물려받을 유일한 후계자임에도 스카디아 황제는 아들을 치마폭에 감싸 키우지 않았다. 그녀는 아들의 여행에 황실 근위대장 막스와 근위대 열 명, 그리고 황실 주치의 그렉과 뱃길을 안내할 안딘 프랑코를 딸려 보냈다.

제국의 유일한 후계자다. 만약 신변에 문제가 생기면 어쩌려고 그러느냐며 막스가 말렸지만 스카디아 황제는 귓등으로도 안 들었다. 그쯤도 이겨 내지 못한다면 제국을 물려받을 자격이 없다나 뭐라나.

'어우. 독해, 독해.'

그리고 그의 눈앞에 있는 저 소년은 제 모친만큼이나 독한 어른이 될 싹이 다분했다.

"이만하면 알아들었을 거라 믿겠다."

경고를 마친 니콜라스 황태자가 까딱 고갯짓하자 그들 주위에 있던 황실 근위대원들이 뿔뿔이 흩어져 번화한 거리로 섞여 들었다. 그들은 인파 사이에 섞여 눈에 띄지 않게, 티 나지 않게 숨죽인 채 니콜라스 황태자를 경호하라는 지시를 받고 이내 사라졌다.

벽이 되어 주던 근위대원들이 떠나자 주변이 즉시 소란스러워졌다. 개항을 앞둔 빌보 항은 각국에서 몰려든 상인들로 발 디딜 틈이 없었다. 다양한 의상을 입은 사람들이 각각 제 나라 말로 떠들며 거리를 오갔다. 안전을 염려한 막스가 니콜라스의 옆으로 바짝 붙어 걸었다.

"치안은 꽤 괜찮아 보입니다."

니콜라스도 막스와 같은 생각이라 말없이 고개를 끄덕였다. 얼핏 무질서해 보이는 거리였지만, 약간만 주의를 기울이자 어렵지 않게 몇 가지가 눈에 들어왔다.

인파가 한곳으로 지나치게 몰리지 않도록 적절하게 통제되고 있는 동선이라든가. 사고를 칠 것으로 의심 가는 이들에게서 떨어지지 않는 기사단의 날 선 시선 같은 것들이.

항구 곳곳에 리하르트 공작가를 상징하는 보라색 망토를 입은 기사들이 경계를 서고 있었고, 바이마르의 푸른 깃발도 군데군데서 펄럭였다. 셈이 빠른 바이마르의 영주는 아예 리하르트 공작의 편에 서기로 결심을 굳힌 듯싶었다.

그때 동방에서 왔는지 머리에 터번을 쓴 상인 무리가 그들 옆으로 우르르 지나갔다. 식사를 마치고 나오는 길인지 그들에게서 구운 양고기 냄새가 풀풀 풍겨 나왔다. 주치의 그렉이 니콜라스 황태자 앞으로 나서며 안딘의 어깨를 툭툭 쳤다.

"숙소부터 갑시다. 황, 아니, 콜린 도련님 식사하실 시간이 지났습니다."

"지금 가고 있잖아. 나도 뱃가죽이 등에 달라붙어서 더는 못 참겠다고."

안딘은 귀찮다는 듯 꽥 소리를 질러 놓고는 느닷없이 피식 웃었다.

"그나저나 우리 도련님을 콜린이라고 부르자고 한 건 대체 누구 머리에서 나온 생각이야?"

스카디아 황제가 하나뿐인 아들에게 내린 이름은 '니콜라스'. 그녀가 부친이자 제국 초대 황제의 이름이기도 한 '니콜라스'를 얼마나 애지중지하는지 모르는 이가 없건만, 반반한 얼굴로 여자를 후리는 사내들에게나 붙일 법한 이름인 콜린이라니.

"제 귀한 아들이 이리 닭살 돋는 간지러운 이름으로 불렸다는 걸 알게 되면 우리 클레어가 기겁하겠는걸."

안딘이 스카디아 황제의 처녀 시절 이름을 거론하자 막스가 즉시 그를 향해 눈을 부라렸다.

"입조심해라, 안딘. 네놈이 함부로 입에 올려도 되는 분이 아니다."

"어허. 막스 대장, 콜린 도련님의 당부를 잊으셨습니까? 소리를 낮춰요. 이목을 끌어 좋을 것 없다고."

능청을 떠는 안딘에게 니콜라스가 차분한 말투로 물었다.

"리하르트 공작은 언제 도착하지?"

"이미 도착해 있을 겁니다. 공작이 머무는 뮌하임 성에서 이곳까지 오는 도로가 아주 반질반질하게 잘 닦였다고 하더군요. 마차로 하루도 안 걸린다고 들었습니다."

다니엘 리하르트. 니콜라스는 가만히 그 이름을 읊조렸다. 부친인 모렌하이츠 대공에 버금가는 용맹과 지략을 가졌다고 알려진 자. 스베르겐에 은색 유니콘의 깃발을 꽂는 데 가장 방해가 될 것으로 예측되는 자.

그를 지척에서 볼 기회를 놓치고 싶지 않아 몇 날 며칠을 홀로 체스를 두며 밤을 지새웠다. 어머니가 즐겨 쓰는 방식을 연구하고, 반격할 기회를 고심하며. 이곳으로 오기 위해 격자무늬의 사각 틀을 한 달이나 끼고 살았고 겨우 어머니를 이길 수 있었다.

앞서 걷던 안딘이 어슬렁어슬렁 니콜라스 주위를 돌며 장난을 걸었다.

"그나저나 콜린 도련님, 이제 슬슬 제게 말을 높이셔야지요. 리하르트 공작에게 내 아내의 조카라고 소개할 참인데 어린애에게 존대를 하면 이상하잖아요. 안 그러냐, 콜린?"

부들부들 떠는 막스를 말린 니콜라스가 감정의 동요가 느껴지지 않는 평온한 말투로 대답했다.

"네, 이모부."

어쩜 저리 의뭉스러운 것도 제 어머니를 빼다 박았을까. 안딘이 피식 웃으며 너스레를 떨었다.

"자자, 실수하면 안 되니 다들 연습들 해. 콜린은 바다 건너 즈네부에서 놀러 온 내 아내의 언니의 아들. 막스 대장은 처조카의 호위 기사. 머리에 꽉 처박아 두라고. 하하하."

자신도 한때는 안딘만큼이나 막 나가는 인간이었다는 걸 기억해 낸 막스 슈바벤이 안딘의 뒤통수에 주먹과 욕설을 날렸다.

식사를 마친 일행은 리하르트 공작 부부가 머물고 있다는 빌보 항에서 가장 큰 여관에 도착했다. 외관은 그리 으리으리하지 않았지만 내부가 제법 웅장했다. 리하르트 공작 측에서 방문 인원을 엄격히 제한하는 바람에 안딘만 여관 안으로 들어올 수 있었는데, 니콜라스는 아이라는 이유로 특별히 동행이 허락되었다.

사전 약속이 되어 있는 안딘이 리하르트 공작을 만나러 방으로 올라가자 니콜라스는 홀로 복도를 지나 햇살이 새어 들어오고 있는 뒷문으로 걸어갔다. 여관 입구에서와 마찬가지로, 말끔히 옷을 갖춰 입은 잘생긴 소년을 제지하는 사람은 없었다.

경비가 허술하다기보단 어린 소년쯤은 두려워하지 않는다는 공작가 기사들의 여유라고 보는 편이 맞을 것이다. 가을임에도 진한 꽃향기가 나는 정원에 막 발을 들이려는 찰나였다.

"콜린."

니콜라스는 저를 부르는 소리를 따라 고개를 돌렸다. 콜린? 대체 여기서 누가 나를 알고? 저도 모르게 조금 놀랐던 것 같다.

"콜린, 그러다 넘어져."

아장아장 걷는 아기와 그 뒤를 쫓는 여인들의 시선을 보고서야 저를 향한 소리가 아님을 알았다. 연보랏빛 꽃이 흐드러지게 핀 정원을 바라보던 니콜라스의 눈이 가늘게 찌푸려졌다.

그가 아는 일반적인 정원의 풍경과는 사뭇 다른 모습이 낯설어서였다. 입구에서 정원 한가운데까지 이어진 아치 위로 연보랏빛 캐노피가 덮여 있었는데, 그 아래로는 흰색 레이스가 달린 커튼이 죽 이어져 달린 채 펄럭거렸다.

마치 정원과 건물을 연결하는 긴 방을 만들어 놓은 듯한 화려한 광경에 좀처럼 눈이 떨어지지 않았다. 외관이 단조로웠던 여관의 입구와 사뭇 비교되었다. 펄럭이는 커튼 사이로 보이는 장면도 소년의 눈을 끌었다.

'은빛…… 머리칼?'

여자가 보였다. 그의 백금발과는 다른 새하얀 은빛 머리칼을 마치 새의 날개처럼, 아니, 유니콘의 갈기처럼 나풀나풀 바람에 날리고 있는 여자가.

'천사인가?'

그럴 리 없다는 걸 알면서도 잠시 사람을 착각하게 만드는 신비로운 장면에 눈을 두고 있는데, 평화롭던 정원에 갑자기 혼란이 찾아왔다.

"로, 로잘린."

"마님, 왜 그러세요?"

"로잘린, 배, 배가…… 아윽!"

"마님!"

하얀 머리칼을 가진 여자가 의자를 짚고 무너지듯 바닥으로 주저앉자 하녀가 달려와 그녀를 부축했다. 그때서야 소복이 부풀어 오른 여자의 동그란 배가 니콜라스의 눈에 들어왔다.

"맙소사."

외마디 탄식을 터트린 하녀가 주변을 두리번대다 니콜라스를 발견하곤 고함을 질렀다.

"거기, 꼬마. 얼른 가서 리하르트 공작 전하를 모셔 와, 얼른!"

하녀가 니콜라스를 향해 리하르트 공작을 데려오라고 소리친 건 아마도 그녀의 눈에 가장 먼저 띄어서였던 것 같았다. 니콜라스에게서 곧바로 시선을 거둔 하녀는 정원 주변을 호위하고 있는 기사들에게도 고함을 질러 댔다.

"뭘 꾸물거리고 있어요? 어서 영주님과 의사를 불러와, 얼른!"

화려한 문양이 새겨진 멋들어진 제복을 입은 기사들이 하녀의 말 한마디에 일사불란하게 움직였다. 그 모습이 퍽 기이해 계속 시선이 갔다. 어쨌든 공작의 위치를 아는 기사들이 그를 데리러 갔으니, 아무것도 모르는 자신까지 거들 필요는 없겠지.

소년의 침착한 회색 눈동자가 혼란에 빠진 정원을 천천히, 하지만 날카롭게 훑어 나갔다.

"공작 부인, 왜 그러세요?"

아장아장 걸어 다니던 사내아이를 품에 안아 든 귀부인이 그녀들을 향해 뛰어왔다.

'저 은발 여인이 리하르트 공작 부인인가 보군.'

니콜라스는 제 추측이 틀림없을 거라 확신했다. 현재 빌보 항 주변에 머무는 이들 중 공작 부인이라 불릴 만한 여인이 딱 한 명뿐이라는 가정을 제외해도 답은 하나니까. 일개 하녀가 기사들에게 지시를 내릴 정도의 힘을 가지고 있다는 건, 모시는 이의 권력이 막강하다는 뜻.

리하르트 공작령 유트레히트에 공작 부인보다 영향력이 큰 이는 없다고 들었다. 심지어 리하르트 공작이란 사내는 아내의 명성이 본인의 이름을 가리거나 심지어 우위로 거론되는 것에 대해 작은 불만도 없다고. 과거 수많은 전투와 정치 싸움에서 그가 보여 줬다던 용맹함과 악랄함, 교활함에 비추어 보면 납득되지 않는 부분이 있긴 했으나…….

'뭐…… 차갑고, 일견 잔인하다 할 만한 겉모습으로는 판단하기 어려운 사내들이 간혹 있긴 하지.'

오래 고민할 것도 없이 니콜라스는 그와 비슷한 유형의 사내를 곧바로 찾아냈다. 가령 '제국의 갈색 수호자', '명검 아스카론의 주인'이라는 듣기만 해도 질리는 어마어마한 수식어를 가졌음에도 사랑하는 여인 앞에선 하염없이 약한 사내가 되는 제 부친 같은.

친아들인 니콜라스에게조차 간간이 냉기를 숨기지 못하는 아버지도 어머니께만은 봄날의 햇볕처럼 한없이 따스하게 구셨다. 겨우 일곱 살에 제국의 대도서관에 있는 책을 반도 넘게 읽고 해석해 낸 니콜라스였지만, 어머니에 대한 아버지의 감정만큼은 당최 공감하기가 어려웠다.

"글쎄요. 황태자 전하께서 아버님을 이해하려면 최소한 스무 살은 되어야 하지 않을까요?"

근위대장 막스 슈바벤은 어른이 되어야 알 수 있다고 했지만, 니콜라스는 그 말도 영 못 미더웠다. 슈바벤 대장 역시 툭하면 니콜라스의 아버지를 향해 여전히 제정신이 아니라는 둥, 네 머릿속에 무슨 생각이 들어차 있는지 모르겠다는 둥 하며 투덜대곤 했으니까.

둘도 없는 친구이자 한참 전에 어른이 된 근위대장 역시 아버지의 심중을 모르는 걸 보면 나이의 문제는 아닌 것이 확실했다.

'그나저나 공작 부인의 상태가 영 안 좋아 보이는데.'

펄럭이는 커튼 사이로 보이는 은빛 여인은 몸을 제대로 가누지도 못할 만큼 힘들어하고 있었다.

갑작스레 주위 사람들이 부산을 떨어 대자 귀부인의 품에 안긴 아이가 놀라 울음을 터트렸다. 하녀는 기사들에게 그랬듯 아이를 어르는 귀부인에게도 거침없이 지시를 내렸다.

"보일드 남작 부인, 공작가의 하녀들을 시켜 어서 산파를 찾으라고 해 주세요. 아마 항구에서 배를 구경하고 있을 거예요. 빨리 찾아서 여기로 데리고 오라고 하세요. 빨리요. 아무래도 마님께 산통이 오는 것 같아요."

"맙소사. 이렇게나 빨리? 아직 한 달도 더 남았는데!"

산통? 한 달이나 남았다고? 니콜라스는 불현듯 지난해, 룅겐 제국의 황궁인 볼레듀 성을 떠들썩하게 만들었던 사건 하나를 떠올렸다.

"벌써 산통이 올 리 없잖아. 혹시 마차를 오래 타신 후유증으로 배가 뭉친 건 아닐까?"

공작 부인이 저를 부축하는 하녀의 손을 꽉 틀어쥐며 신음을 흘렸다.

"아, 아니요. 후우…… 로잘린 말대로 산통 같아요. 느낌이…… 아윽, 느낌이 좀 달라요."

그 순간 그녀의 은색 머리칼 위로 어머니 스카디아 황제의 흐트러진 붉은 머리칼이 겹쳐졌다. 아기자기한 꽃무늬가 수놓인 은은한 크림색 카펫이 어머니의 드레스를 적시던 검붉은 피로 물드는 듯한 환영도 펼쳐졌다.

니콜라스를 낳은 이후, 오랜만에 아이를 가진 어머니는 출산을 한 달 앞두고 유산을 하고 말았다. 어머니가 죽음의 문턱을 드나들던 끔찍한 사흘, 심지어 어머니가 사망했다는 헛소문이 걷잡을 수 없이 퍼져 나가던 그때.

절규하는 아버지 곁에서 여섯 살 소년은 더욱더 의연해야 했다. 어머니의 사망은 곧 자신이 황제가 되어야 한다는 뜻. 무서워도, 두려워도 흔들릴 수는 없었다. 그날과 닮은 광경들이 소년의 눈앞에 펼쳐졌다.

"마, 마님. 몸을 제게 기대고 숨을 쉬세요."

바닥으로 점점 무너져 내리는 가냘픈 여인의 몸, 창백한 얼굴에 흐르는 땀을 닦느라 바쁜 하녀.

"남작 부인, 얼른요!"

"알았어, 로잘린. 내가 산파의 얼굴을 아는 하녀들을 데리고 직접 항구에 다녀올게."

어수선하고 바쁘게 움직이는 사람들. 삽시간에 혼돈에 빠진 정원의 풍경을 물끄러미 바라보던 니콜라스는 뒤를 돌아 정원을 빠져나왔다. 무기력하게 동생을 잃었던 그날처럼, 이대로 가만히 보고만 있어선 안 된다고 결심했다. 소년은 여관 입구로 걸어 나가 경비를 서고 있는 기사 앞에 섰다.

"곡물 가게 옆 3층 여관으로 사람을 보내 그렉이라는 의사를 불러 주십시오."

기사는 난데없이 나타나 뜬금없는 소리를 하는 소년을 멀뚱멀뚱 내려다보았다.

"꼬마야, 지금 무슨 소리를 하는……."

"급한 일입니다."

소년답지 않은 진중한 회색 눈동자에서 거부하기 힘든 힘을 느낀 기사가 저도 모르게 어깨를 물리려던 찰나.

"리하르트 공작 부인을 살리고 싶다면 서둘러요. 어서!"

소년의 말을 들은 기사는 보라색 망토를 휘날리며 즉각 말 등에 올라탔다.

"후우…… 후우."

프리다는 로잘린의 팔을 꼭 잡고 길게 심호흡을 내쉬었다. 실은 빌보 항에 도착한 직후 배가 살살 아팠었다. 증세를 대수롭지 않게 여겼던 까닭은 아마 평온했던 임신 기간 때문에 방심해서였을 것이다. 그동안 아무 일도 없었는데, 이제 와 별다른 일이 생길 리 없다고 여겼다.

'후우, 마지막까지 조심해야 했었는데.'

뒤늦은 후회가 뼈아프게 밀려왔다. 많은 사람의 우려와 달리, 프리다는 임신 기간 내내 잘 먹고 잘 잤다. 거의 두 달 가까이 제대로 먹지도 마시지도 못한 다니엘과 달리 입덧이란 걸 아예 겪어 보지도 못한 채 배가 불러 왔다.

이후로도 프리다는 아델이 만들어 주는 맛있는 음식을 실컷 먹고, 아침까지 푹 자고, 틈나면 뮌하임 성 주변을 산책 겸 돌아다녔다. 첼리노에서 온 산파들이 하나같이 산모가 누워만 있으면 아이가 커져서 낳을 때 힘들다고 조언해 줬기 때문이었다.

다니엘은 노심초사하면서도 매일 그녀를 데리고 산책하러 나갔다. 그 덕분인지 크게 아픈 곳 없이 여름을 보내고 가을을 맞았다. 가을까지 아무 일도 일어나지 않자, 긴장을 놓지 못하던 다니엘의 표정도 한결 편해졌다.

그러던 와중 안드레아 공작이 찾아와 프리다의 출산 이후로 예정되어 있던 빌보 항의 개항식을 앞당겨 달라며 부탁해 왔다.

"리하르트 공작 부인. 제발 다니엘을 설득해 주십시오. 한시바삐 쿠펀 항의 대체 항을 열지 않으면 나는 큰 손해를 보게 됩니다. 지금도 정박 허가를 받지 못한 상선들이 남부 앞바다를 떠다니고 있단 말입니다. 이러다 해적이라도 몰려들면 큰일이에요."

물론 안드레아 공작의 부탁 때문이기도 했지만, 더 솔직해지자면 프리다도 출산 전에 바다를 보고 싶었다. 아이를 낳고 나면 성 밖으로 나오는 일이 쉽지 않을 테니 그 전에 봐 두고 싶어서.

그래서 안톤은 물론 대다수의 경험 많은 산파들이 안정기가 지났으니 크게 걱정할 일은 없다고 했다며 다니엘에게 고집을 피웠다.

"대포 덕에 지름길을 내긴 했지만 그래도 마차로 하루 거리야. 그런데 이 몸으로 어딜 가겠다는 거야?"

"덜컹대는 산길만 아니면 괜찮을 거예요. 보일드 남작 부인은 콜린을 가지고 얼마 되지 않았는데도 첼리노에서 여기까지 왔잖아요."

말을 타는 것이 아니니 괜찮다. 공작가의 크고 튼튼한 사륜마차로 쉬엄쉬엄 다녀오는 것 정도는 상관없다. 끝까지 불안해하는 다니엘을 조르고 졸랐다. 꼭 데려가 달라고. 이런 일이 생길지도 모르고 어리석게도.

"로잘린……."

배가 사르르 아프더니 다리 사이로 주르륵 뭔가 흘러내리는 느낌이 났다. 공포에 휩싸인 프리다는 배를 끌어안고 엉엉 울고 말았다.

"흑흑, 로잘린. 배가 아파. 나 배가…… 윽!"

내 잘못이다. 내가 경솔하게 굴어서 아이를 위험에 빠트렸다. 아이가 잘못되면 어떡하지? 내가 잘못되면 다니엘은? 프리다는 흐느끼며 남편을 찾았다.

"로잘린, 다니엘, 다니엘을 데려와 줘. 윽…… 로잘린, 어, 얼른."

"네, 네. 사람을 보냈으니 금방 오실 거예요. 마님. 의식을 놓으시면 안 돼요. 아기님을 생각하며 정신 붙들고 계세요."

맞아. 아이를 생각해, 프리다. 다니엘을 위해서라도 절대 약해지면 안 돼. 프리다는 길게 심호흡을 하며 부드럽게 배를 만졌다.

'아기야, 조금만 참아 줘. 제발 조금만.'

순간 뭔가가 가슴 밑을 푹 치고 올라왔다.

"안딘 프랑코, 드디어 자네를 보게 되는군. 자네의 상선은 아직 쿠펀 항에 드나들 수 있는 것으로 아는데 빌보 항엔 어쩐 일인가?"

리하르트 공작의 첫인상은 말 그대로 바위였다. 어디 한 군데 말랑말랑한 빈틈조차 보이지 않는 알타스 산맥의 단단한 얼음 바위.

'왜 내 주변엔 이런 인간들만 모이는지 모르겠네.'

상대하기 쉽지 않을 게 뻔한 사내를 앞에 둔 안딘은 속으로 불만스레 투덜거렸다.

"지난번 보수로 주신 금광에 대해 제대로 감사 인사를 드리지 못한 듯하여 이번 기회에 찾아뵙고 인사드리고 싶었습니다. 한 일에 비해 과한 보수를 받게 되어 몸 둘 바를 모르겠습니다. 역시 제국에 널리 퍼진 리하르트 공작 전하의 위대한 명성이 헛것이 아니었음을 새삼 깨달았습니다, 하하."

웃음기가 전혀 없는 눈을 안딘에게 고정한 다니엘의 입매가 살짝 비틀렸다.

"그 정도로 감사했다면 진즉에 날 찾아와 머리를 조아리지 그랬나. 입에 발린 소리를 하는 성격은 아니라고 들었는데……. 자네가 제 발로 나를 찾아온 목적이 뭘까 갑자기 흥미가 생기는걸."

다 늦게 이제 와 무슨 감사냐. 꿍꿍이가 있으면 의뭉 그만 떨고 꺼내 놔라. 뭐 대충 이런 얘기였다. 말 한마디 한마디에 어찌나 냉기가 흐르는지, 얼음으로 된 가시가 여기저기서 안딘을 푹푹 찔렀다.

능글능글하기론 가히 따를 자가 없는 안딘이었지만 뒷골이 싸늘하게 얼어붙는 것까지 막기는 힘들었다. 알타이카가 득실대는 맹수의 소굴에 제 발로 들어온 기분이라고나 할까.

자고로 나보다 힘세고 머리 좋은 놈들은 피하며 살아야 하건만, 니콜라스 그 겁 없는 꼬맹이 때문에 괜히 여기까지 끌려와서는 뭔 고생인지. 안딘은 일부러 크게 너털웃음을 터트렸다.

"입에 발린 소리라니요, 전하. 하하하."

자고로 궁지에 몰렸을 땐 웃는 게 최고다.

"목적이라니 당치도 않으십니다. 처형의 아들놈이 개항식을 구경하고 싶다고 해서 왔을 뿐입니다. 기왕 온 김에 겸사겸사 전하께 인사도 드리고, 하하하."

다니엘은 호탕하게 웃는 회색 머리칼의 사내를 찬찬히 훑었다. 안딘 프랑코. 룅겐의 황제와 어린 시절을 함께 보낸 막역한 사이. 해적 출신. 안드레아 공작과 룅겐 황실을 오가며 모종의 거래를 돕는 자.

도미닉이 그에 대해 알아 온 정보를 바탕으로 하나하나 퍼즐을 맞춰 가고 있는데, 갑자기 밖이 소란스러워지더니 벌컥 문이 열렸다.

"주군! 공작 부인께서 갑자기 산통이……"

도미닉의 말이 끝나기도 전에 다니엘은 이미 뛰고 있었다.

"이런 곳에서 산통이 오다니 꽤 곤란하겠는걸."

다니엘이 방을 뛰쳐나간 후 안딘은 어슬렁어슬렁 계단을 내려왔다. 그러다 우두커니 복도 중간에 서 있는 니콜라스를 발견했다. 후다닥 달려 나간 그는 소년의 어깨를 감싸 안아 슬그머니 제 옆으로 당긴 후, 한껏 목소리를 낮췄다.

"오늘은 이만 갑시다. 보아하니 꽤 시끄러워질 것 같아요."

니콜라스는 심드렁한 표정으로 제 어깨에 둘린 안딘의 팔을 쳐 냈다.

"이미 시끄러워. 그러니 수상한 행동으로 이목 끌지 말고 얌전히 있어."

안딘에게 얌전히 있으라던 니콜라스가 별안간 흰 수건을 팔 한가득 들고 가는 하녀의 뒤를 쫓아가며 그에게 소리쳤다.

"그렉이 도착하면 정원으로 데리고 와. 입구에서 소란을 피우면 다음은 내가 알아서 하겠다."

아니, 수상한 행동을 하지 말라면서 소란을 피우라는 건 또 뭔 소리야? 이해가 안 되는 건 그뿐만이 아니었다.

"그렉이 여긴 왜 와요? 그리고 황, 아니, 콜린 넌 어디 가는 건데?"

안딘의 말을 듣는 척도 안 하고 쌩하니 앞으로 달려간 니콜라스는 허겁지겁 뛰어가는 하녀의 앞을 가로막더니 수건을 달라며 팔을 뻗었다.

"정원으로 가져가시는 거죠? 그건 제가 들고 갈 테니 다른 일 보세요. 많이 바쁘시잖아요."

넋이 나간 하녀는 저를 돕겠다고 나서는 소년의 맑은 눈동자에 담긴 호의를 순순히 믿는 눈치였다.

"그럼 부탁할게, 고마워."

소년의 팔에 수건을 건넨 하녀는 고맙다는 인사까지 전한 후 다시 계단 아래로 뛰어 내려갔다. 그사이 니콜라스는 수건을 들고 유유히 정원으로 통하는 문으로 걸어갔다.

소년의 뒤통수에 대고 입술만 벙긋거리던 안딘은 오가는 하인과 기사들에게 치여 점점 옆으로 밀려났다.

"공작 부인께 드릴 수건을 들고 왔습니다."

순박한 얼굴로 경계가 삼엄해진 정원 입구를 단숨에 통과하는 니콜라스를 보며 안딘은 혀를 내둘렀다.

"와, 저 여우……."

차마 링겐의 황태자에게 여우 새끼라고 할 수는 없어 뒷말은 꿀꺽 삼켜
버렸다.

"프리다!"

정원에 도착한 다니엘은 시야를 가리는 천막을 젖히며 아내를 찾았다.
프리다가 맘껏 정원을 산책할 수 있게 하려고 건물과 정원을 잇는 아치를
만들어 지붕에 천막을 치고 사면에 커튼을 둘렀다. 그 길 끝에서 프리다
를 발견한 다니엘은 전속력으로 아내를 향해 뛰었다.

"영주님!"

먼저 와 있던 안톤이 급박하게 저를 부르는 소리가 들렸지만, 아내를 보
는 것이 먼저였다. 부리나케 프리다에게 달려간 그는 로잘린에게 기대고 있
는 아내를 안았다. 온몸이 땀으로 범벅이 된 프리다가 희미하게 웃으며 다
니엘을 반겼다.

"다, 다니엘. 우리 아이가…… 예정보다 빨리 나오려나 봐요. 아윽!"

"걱정하지 마, 프리다. 내가 너와 아이를 꼭 지켜 줄게."

땀으로 뒤범벅된 아내의 이마에 입을 맞춘 그가 그제야 안톤을 찾았다.

"어떻게 된 거야? 산통이 오려면 한 달도 넘게 남았다고 했잖아. 그런
데 왜 갑자기……."

"아기님이 거꾸로 앉아 계십니다."

안톤이 다급히 다니엘의 말을 막았다. 그만큼 상황이 급박했다.

"다리부터 밀고 내려오고 계세요. 잘못하면 아기님과 마님 두 분 모두
위험해집니다."

"그걸 지금 말이라고⋯⋯."

"아윽. 다, 다니엘."

다니엘의 팔을 잡고 버티던 프리다가 순간 고통을 이기지 못하고 소리를 질렀다.

"다니엘⋯⋯ 우리 아이 절대 포기하면 안 돼요. 그러면 안 돼. 절대 안⋯⋯."

남편을 기다리며 고통을 참고 있던 프리다가 결국 까무룩 정신을 잃었다. 어쩔 줄 몰라 하던 다니엘이 한쪽 팔을 뻗어 안톤의 멱살을 잡았다.

"보고만 있지 말고 뭐라도 해, 어서. 산파는? 그 많은 산파는 다 어디로 간 거야?"

"항구에 구경 나갔어요. 이런 일이 생길 줄 모르고 마님이 다녀오라고⋯⋯."

"젠장!"

다니엘이 손에 쥐고 있던 안톤의 멱살을 더 세게 흔들었다.

"괜찮을 거라며? 마차를 타도 문제없을 거라며? 네놈 입으로 그렇게 떠들어 놓고는 일을 이 지경으로 만들어?"

시뻘건 용암처럼 붉어진 눈이 프리다의 주위에 있는 사람들을 향해 불꽃을 뿜어 댔다.

"프리다가 잘못되는 날엔 네놈들 다 살아서 내일을 보지 못할 줄 알아. 그러니 방법을 찾아, 얼른!"

살기등등한 다니엘의 기세에 놀란 안톤이 허둥지둥 입을 열었다.

"이미 아기님의 발이 밀고 내려오고 있어요. 방법이 없습니다, 영주님."

"산모의 배를 가르고 아이를 꺼내면 됩니다. 그러면 둘 다 살릴 수 있을지도 모릅니다."

어디선가 난데없이 청아한 아이의 음성이 들려왔다. 모두가 소리 나는 쪽으로 고개를 돌렸다. 다니엘은 팔 한가득 흰 수건을 들고 있는 소년의 얼굴을 뚫어져라 바라보았다. 고작 열 살이나 되었으려나.

"뭐라고?"

이 급박한 순간에 아이가 꺼낸 황당한 말의 의미를 굳이 되물은 건, 거짓이 느껴지지 않는 고요한 회색 눈동자 때문이었다.

"아이가 다리부터 나오게 되면 열에 아홉은 출산 중 어미와 함께 죽습니다. 그러니 산모의 배를 가르고 아이를 꺼내야 합니다. 의사라면 그 정도는 알 텐데, 설마 경험이 없는 건가?"

소년의 매서운 눈빛을 받은 안톤이 저도 모르게 움찔 어깨를 떨며 도리질을 쳤다. 아들뻘의 소년이 제게 말을 놓고 있다는 것조차 인지하지 못했다.

"저도 얘기는 들어 봤지만, 그런 방법으로 살아남았다는 아이를 본 적은 없습니다. 너무 무모한……."

"눈앞에 있으니 실컷 봐."

소란스러워진 정원 입구를 흘깃 돌아본 소년이 다니엘과 눈을 마주쳤다.

"내가 바로 어미의 배를 가르고 태어난 아이입니다. 당시 내 출산 과정을 지켜본 의사가 지금 막 도착했으니, 그에게 물어보면 상황을 증언해 줄 겁니다."

소년의 시선을 따라 정원 입구로 고개를 돌린 다니엘의 눈에 경비병과 실랑이를 벌이고 있는 안딘과 낯선 사내가 보였다.

"넌 누구냐?"

그의 질문에 소년이 담담하게 대답했다.

"저기 있는 안딘 프랑코가 제 이모부 되십니다. 옆에 있는 사내는 제 주치의고요."

내내 침착하던 소년의 눈동자가 돌연 날카로워졌다.

"시간이 없습니다. 이대로 손도 써 보지 않고 아내와 자식을 죽일 작정입니까? 아버지라면, 남편이라면 뭐라도 해야 하잖아요."

소년의 당돌한 핀잔이 잠시 멍해졌던 다니엘을 깨웠다. 그는 의식을 잃고 늘어진 프리다를, 이 와중에도 아이를 지키려는 듯 배를 감싸고 있는 그녀의 손을 내려다보았다. 소년의 말대로 머뭇댈 시간이 없었다.

"도미닉, 이 소년의 주치의란 자를 데려와라."

"네? 네. 알겠습니다."

도미닉을 따라 헐레벌떡 뛰어온 그렉은 다니엘의 품에 안긴 프리다를 보자마자 이마를 짚으며 소리쳤다.

"맙소사, 대체 이게 무슨……."

대충 상황을 짐작한 그는 바로 산모 옆에 무릎을 꿇고 앉았다. 그의 옆으로 다가온 니콜라스가 깨끗한 면포를 바닥에 깔아 주며 말했다.

"시간 없어, 그렉. 아이가 거꾸로 서 있는 데다 심지어 이미 많이 내려 왔대. 나를 낳을 때 썼던 방식, 지금 가능하겠어?"

"그 방법은…… 아시다시피 두 가지 조건이 꼭 갖춰져야 합니다."

"두 가지?"

다니엘의 물음에 그렉이 어깨에 메고 온 가죽 가방 안의 도구를 면포 위에 하나씩 올리며 웅얼거렸다.

"우선 뛰어난 검술 실력을 갖춘 자가 있어야 하고요."

"있어. 스베르겐 제국 최고의 검사."

니콜라스의 손끝을 따라 다니엘을 돌아본 그렉이 주변에 서 있는 기사에게 물과 화로를 가져오라고 시킨 후 조금 전보다 더 낮은 목소리로 중얼거렸다.

"그리고 날을 잘 벼린 다마스쿠스 강철 검이……."

"있어. 아스카론과 견줄 만한 검, 콜다르의 주인이 리하르트 공작이야."

니콜라스의 말에 그렉이 바늘에 실을 꿰며 푹 한숨을 내쉬었다.

"에휴, 그럼 시작하시죠."

그해 겨울, 리하르트 공작령 유트레히트엔 유독 눈이 자주 내렸다. 리카르도는 겨울에 눈이 흔하면 다음 해 작물이 잘 자란다며 기뻐했다. 그러나 빌보 항 관리로 바빠진 도미닉 대신 막바지 도로 공사를 책임지게 된 뮤리엘은 쌓인 눈을 치우려면 얼마나 많은 인력과 시간이 소비되는지 아느냐며 투덜댔다.

뜀박질이 빨라진 아기 콜린은 겨우내 기사들의 품에 안겨 눈썰매를 탔다. 그렇게 겨울이 가고 뮌하임 성에 다시 봄이 찾아왔다. 이젠 뮌하임 성 산등성이도 모자라, 성 밖에 지천으로 핀 랄레 꽃 향기가 팔랑대는 얇은 봄 커튼을 타고 공작 부인의 방으로 날아들었다.

"프리다, 일어나."

부드러운 숨소리가 귀를 간지럽혔지만, 눈을 뜨고 싶진 않았다. 프리다는 눈꺼풀을 들어 올리는 대신 기분 좋은 미소를 지으며 목을 움츠렸다.

"프리다, 빌보 항에 가려면 지금 출발해야 해."

빌보 항? 맞다. 오늘이 그날이었지. 라파스 산맥 남쪽의 세 국가와 랄레 꽃 무역을 시작하기로 한 날. 역사적인 날을 꼭 제 눈으로 보고 싶어 일찍 깨워 달라고 했었는데, 깜박하고 말았다. 번쩍 눈을 뜬 프리다는 밀린 잠을 떨쳐 내려 눈꺼풀을 비볐다. 그러나 미처 두 번도 비비지 못하고 다니엘에게 손목이 잡혔다.

"쓰라려, 그러지 마."

입가에 잔잔한 미소를 머금은 다니엘이 그녀의 손에 깍지를 끼며 꾹 침대 위로 손을 눌렀다.

"손 놔줘요, 다니엘. 얼른 잠을 깨야 해요."

"그러니까 라우라를 재우는 건 로잘린에게 맡겨. 매번 아이 재운다고 새벽에야 잠이 드니까 아침에 못 일어나잖아. 아이 재우는 일이 얼마나 힘든지 누구보다 내가 잘 알아."

다니엘이 프리다의 눈꺼풀 위에 다정히 입술을 맞추며 소곤거렸다. 호기롭게 라우라를 재우겠다고 나섰다 사흘 만에 포기한 다니엘은 이후로는 딸과 밤을 보내는 것에 대해 극심한 두려움을 느끼고 있었다. 가벼운 입맞춤에서 미안해하는 다니엘의 감정을 느낀 프리다는 쿡쿡 웃고 말았다.

"로잘린은 라우라가 그만 놀고 싶다고 할 때까지 놀아 주느라 아예 잠을 안 잔단 말이에요. 도저히 맡길 수가 없어요."

"그럼 새 유모를 들여."

"안 돼요. 로잘린이 라우라를 돌보는 걸 얼마나 좋아하는데요. 새 유모를 들인다고 하면 실망해서 가출해 버릴지도 몰라요."

"하긴."

라우라를 향한 로잘린의 맹목적인 애정을 고려하면 가출보다 더한 짓을 할지도. 반박할 말을 찾지 못한 다니엘은 묵묵히 고개를 끄덕일 수밖에 없었다. 지난해 가을, 빌보 항의 개항식이 열리기 전날 태어난 '라우라 뮤리엘 리하르트'는 반년도 안 되어 공작령의 최고 권력자가 되었다.

동방에서 온 비단처럼 매끄러운 검은 머리칼에 엄마를 닮은 신비한 보랏빛 눈동자를 가진 아기는 도미닉의 차가운 심장을 버터처럼 녹여 버린 건 물론이고, 험상궂은 용병 출신 기사들의 혀를 일제히 짧아지게 만들었다.

검에 베인 상처가 곳곳에 새겨진 시커먼 얼굴을 하고서는 어느 나라 말인지 모를 소리를 옹알대는 한심한 꼴이라니. 라우라는 다니엘은 물론, 펜하임 성 식구들 모두에게 매일매일 전에는 겪어 보지 못한 신비한 삶을 선사하고 있었다.

문득 라우라가 태어났던 그 끔찍하고 환희에 찼던 날이 떠오른 다니엘은 깍지를 푼 손을 잠옷으로 가려진 아내의 배 위에 조심히 올렸다. 제 손으로 이 작은 배를 가르고 딸을 꺼냈다는 사실이 여전히 믿어지지 않았다.

살면서 검 끝에 그토록 신경을 집중했던 날이 또 있을까. 결단코 두 번은 하고 싶지 않은 경험이었다. 남편의 눈빛이 복잡해지자 프리다는 제 배를 감싼 다니엘의 손등 위에 가만히 손을 포갰다. 그리고 제 배에서 떨어지지 못하는 남편의 손을 쓰다듬으며 다정히 속삭였다.

"다니엘, 난요. 이 상처를 볼 때마다 새로 태어나는 기분이에요."

그녀는 무슨 말이냐고 되묻는 듯한 남편의 눈가를 톡톡 건드리며 빙긋 웃었다.

"당신이 라우라와 내 목숨을 구해 줬으니, 우리에게 새 삶을 준 거잖아요. 그러고 보니 당신한테 받은 게 너무 많네요."

"그 남자 나 맞아? 난 당신에게 뭘 준 기억이 없는데."

프리다는 능청 떠는 남편을 향해 밉지 않게 눈을 흘겼다.

"나한테 내일을 꿈꿀 수 있게 해 주고, 라우라를 가지게 해 줬잖아요. 아! 금광도 줬다."

해맑게 웃은 프리다가 두 손으로 다니엘의 목을 감싸 안았다.

"생각해 보니까 나만 받은 거 같네요. 다니엘은 원하는 거 없어요? 말해 봐요. 내가 뭐든 구해 줄게요. 알죠? 이번 랄레 꽃 무역으로 돈 엄청나게 번 거. 조만간 우린 제국 최고의 부자가 될 거라고요."

제국의 금화를 싹 쓸어 모을 야망에 부풀어 있는 깜찍한 아내를 찬찬히 내려다보던 다니엘이 피식 웃었다.

"내가 원하는 건 단 하나야. 당신과 평생 행복한 오늘을 사는 것."

오래오래 영원히.

"줄 거지?"

나지막이 묻자 프리다가 환하게 미소 지으며 입술을 포개 왔다. 완벽하게 행복한 오늘이었다.

에필로그. 다시, 봄

스베르겐 제국력 328년. 볼슈타크 2세 재위 14년 이른 봄. 반질반질하게 잘 닦인 브라반트 홀의 창문으로 눈부신 봄 햇살이 쏟아져 들어왔다.

"시몬, 저기 저거. 저거 내려 줘. 응? 나 저거 만져 보고 싶어."

신이 난 소녀가 깡충깡충 뛸 때마다 한낮의 햇살을 받은 검은 머리칼이 흑진주의 표면처럼 오묘한 무지갯빛으로 빛났다.

리하르트 공작이 하나뿐인 딸을 위해 제국을 이 잡듯이 뒤져 고르고 골라 온 호위 기사 시몬 로시발트는 무심한 얼굴로 한 발짝 떨어져 있는 소년을 바라보았다. 마치 라우라 리하르트의 응석을 감당하는 건 너의 일이라는 듯이.

저보다 족히 다섯 배는 더 커 보이는 사내의 오만한 시선을 받은 빌헬름 콜린스 보일드는 조금도 주눅 들지 않고 그와 눈을 마주쳤다. 아버지를 닮은 차분한 갈색 머리의 소년은 여덟 살이란 나이에 비해 훨씬 성숙해 보였고, 호기심을 담은 파란 눈동자 또한 침착하기 그지없었다.

콜린은 그저 궁금했다. 신중하고 현명하신, 존경해 마지않는 리하르트 공작께서 어째서 이토록 무심한 사내에게 귀한 딸을 맡겼는지. 로시발트 가문이 배출한 기사들 중에서도 최고로 꼽히는 시몬의 검 실력을 본 적이 없는 소년은 오늘도 겁 없이 사내를 노려본 후 라우라에게 눈을 돌렸다.

"라우라, 콜다르는 눈으로만 보겠다고 약속했잖아."

"그렇지만 콜다르는 하늘만큼이나 높이 있는걸. 라우라는 콜린 오빠만큼 크지 않아서 시몬이 콜다르를 내려 주지 않으면 잘 볼 수가 없단 말이야."

애초에 거부 자체를 불가능하게 만드는 영롱한 보랏빛 눈동자를 바라보던 콜린은 부질없는 후회의 한숨만 내쉬었다.

'하아, 라우라를 이곳에 데려오지 말았어야 했는데.'

지난밤 콜다르에 대해 무슨 얘기를 들었는지, 라우라는 로잘린이 잠깐 자리를 비운 틈을 타 콜린의 손을 냅다 끌고 여기로 뛰었다.

'어쩐지, 아침부터 유난히 초롱초롱 눈을 빛내더라니.'

언제나 그렇듯 시몬 로시발트는 보고만 있을 뿐 그들을 말리지 않았다. 그런 까닭으로 라우라를 말리는 나쁜 오빠 역할은 당연스레 콜린의 몫이 되었다.

"말했지만 콜다르는 리하르트 공작 전하의 명령으로 이 연회장에 봉인되어 있어. 다음번 주인이 정해질 때까지는 누구도 만져선 안 돼."

콜린이 제 말을 들어줄 것 같지 않자 라우라는 자신이 할 수 있는 최대한으로 까치발을 세웠다. 그러고도 여의치 않자 기사의 망토를 잡고 흔들며 칭얼댔다.

"시몬…… 도와줘."

으, 이 고집쟁이 아가씨를 어떻게 설득하지? 물러섬을 모르는 라우라의 고집을 익히 보아 온 콜린은 난감해졌다. 슬그머니 시몬을 올려다보니 역시나 이 건장한 기사는 오늘도 무슨 생각을 하는지 모를 얼굴로 담담히 그들을 내려다보고만 있었다.

저 얼굴은 분명 평소처럼 도와주지도, 방해하지도 않고 그저 보고만 있겠다는 뜻일 것이다. 콜린이 아는 한 시몬 로시발트라는 기사는 묵묵히 라우라를 따라만 다닐 뿐 결코 먼저 나서는 법이 없었으니까.

라우라가 흙바닥에 넘어지거나 복도를 뛰다 쾅당 자빠져도, 울거나 먼저

도와 달라고 하지 않는 한 일으켜 세워 주지도 않는 인간이니 오죽할까. 오늘처럼 로잘린이 잠시 자리를 비운 사이 온다 간다 말도 없이 몰래 도망을 쳐도 말리지 않고 조용히 따라 나오는 게 다였다.

"시몬, 시몬."

기사가 계속 가만히 서 있기만 하자, 라우라가 자그맣고 귀여운 발로 바닥을 탁탁 치며 제 호위 기사의 망토를 당겼다. 표현은 안 해도 펜하임 성 사람들 대다수가 이 과묵한 기사를 두려워하고 피하건만, 조금도 겁을 먹지 않는 라우라가 신기했다.

하긴 이 공작령에서 '라우라 뮤리엘 리하르트'가 어려워해야 할 사람이 누가 있긴 하겠냐마는. 기실 공작 부부 외에 라우라에게 '안 된다'고 말할 수 있는 이는 콜린이 유일했기에 소년은 언제나 제 본분에 충실하려 애썼다.

"로시발트 경을 졸라도 소용없어, 라우라. 말했잖아. 콜다르는 공작 전하의 허락 없이는 절대 꺼낼 수 없다고. 비록 네 호위 기사라 해도 로시발트 경은 리하르트 공작 전하의 신하니까 전하의 명령에 따라야 해. 함부로 어겼다간 항명으로 처벌받을 수도 있어. 오빠 말 알아들었지?"

어머니를 닮은 고집스럽고 신비한 보랏빛 눈동자를 몇 번 깜박이던 소녀가 망토를 꽉 틀어쥐고 있던 작은 손을 슬그머니 풀었다. 콜린의 말을 이해하긴 했지만, 검을 보고 싶다는 마음이 사그라지진 않았던지 라우라가 양 볼을 부풀리며 웅얼거렸다.

"그치만 콜다르 혼자 있으면 외롭잖아. 엄마가 그랬어. 콜다르가 라우라를 살렸다고. 그러니까 콜다르는 내가 돌봐 줘야 해. 내가 콜다르의 주인이 되어 줄 거야."

왜 아침부터 별스럽게 이 검을 찾나 했더니, 아마 태어날 당시의 얘기를 들은 모양이다. 라우라 리하르트가 태어난 날에 있었던 그 대단한 소란은 지금도 제국 내에서 가장 유명한 얘기 중 하나였다.

그래도 유트레히트에 사는 모든 사람은 한 명도 남김없이 영주인 리하르트 공작 전하의 명을 따라야 한다. 설령 딸이라 해도 그 원칙에 어긋남이 있어선 안 되고말고. 콜린이 짐짓 소년답지 않은 엄한 표정을 지었다.

"라우라, 리하르트 공작께선 최고의 기사에게 콜다르를 주겠다고 약속하셨어. 아무리 네가 그분의 딸이어도 마음대로 가질 수는 없어."

"아니야. 콜다르는 라우라 거야."

조막만 한 손을 불끈 쥔 라우라가 다부진 얼굴로 소리치며 콜린을 향해 다가왔다. 소녀는 평소와 달리 눈동자를 진한 보랏빛으로 물들이며 오빠에게 대들었다.

"콜다르의 주인은 라우라야. 내가 오래오래 함께 있어 줄 거야."

그러고는 제 편이 되어 달라는 듯 아련한 눈으로 시몬을 올려다보며 다시 그의 망토를 붙들었다.

"그치, 시몬. 콜다르는 내 거 맞지? 라우라 거지?"

물끄러미 소녀를 내려다보던 시몬이 내내 다물고 있던 입을 열었다.

"콜다르를 가지고 싶습니까?"

"응."

느닷없는 질문이었지만 라우라는 망설이지 않고 바로 대답했다. 그런 소녀를 빤히 바라보던 시몬이 라우라를 번쩍 안아 어깨 위로 올리곤 콜다르가 걸려 있는 벽 쪽으로 걸어갔다.

"그럼 최고의 기사가 되십시오. 훗날 저를 이기신다면 부친께서도 아가씨를 콜다르의 주인으로 인정해 주실 겁니다."

"정말?"

그저 신이 난 라우라는 손이 닿을락 말락 한 곳에 걸려 있는 콜다르를 향해 팔을 쭉 뻗었다.

"좋아, 난 기사가 될래. 시몬도 이기고 아빠도 이겨서 콜다르의 주인이 될 거야."

손에 다 쥐어지지도 않는 검 자루에 손가락 하나를 겨우 걸친 라우라가

신나 어쩔 줄 몰라 하며 해맑은 웃음을 터트렸다.

뒤뜰이 혼잡하다는 소식에 부랴부랴 뛰어나온 보일드 남작은 끝도 없이 이어진 말과 마차, 수레의 행렬과 맞닥트렸다. 원래도 오가는 사람들이 빈번한 공작 성이지만, 반나절 만에 뒤뜰이 수레로 가득 채워진 건 또 처음 있는 일이라 벌어진 입이 다물어지지 않았다.

"하아……."

아직 도로에 언 얼음도 다 녹지 않았다고 들었건만, 이게 웬 난리인지. 눈을 어디에다 두어야 할지 모를 정도로 어수선한 광경을 보고 있으려니 미처 다물지 못한 잇새로 긴 한숨부터 흘러나왔다.

물론 전혀 예상하지 못했던 일은 아니었다. 초창기만 해도 대규모 상단들은 알타스 산의 눈이 녹은 뒤에야 공작령을 찾아오곤 했었다. 그러나 해마다 방문 시기가 빨라지고 있던 터라, 올해는 이쯤이면 오겠구나 짐작하고 있던 차였다.

"그래도 그렇지. 작년처럼 사고라도 나면 어쩌려고."

혹여 다친 사람이 있진 않을까 걱정된 보일드 남작은 마부와 일꾼들이 물건을 내리고 있는 모습을 유심히 살폈다. 한 해 전, 밀라보 공국의 상단 마차가 살얼음이 언 응달진 도로에서 속도를 내다 수레바퀴가 미끄러져 도랑에 빠진 적이 있었다.

그래도 마을과 가까운 도로에서 사고가 난 터라 영지민들의 빠른 조치로 마부들의 목숨은 지켰다. 다행히 검은 줄무늬 자작나무 집 둘째 고드릭이 첼리노 의과 대학을 우수한 성적으로 졸업한 후 유트레히트에 자리를 잡고 있기도 했고. 아니었다면 마부들은 꼼짝없이 불구가 된 몸으로 남은 삶을 살게 되었을지도 모른다.

물론 매해 머리를 쥐어뜯어 가며 공작령에 드나드는 상단의 안전을 위해 여러 대책을 강구하고 있긴 했다. 그럼에도 인간의 힘으로는 어쩔 수 없는 자연의 심술도 있는 법이거늘, 상인이란 인간들은 다들 어쩜 이리 겁이 없는지. 그나저나 올해도 만만치 않게 바쁜 한 해가 되겠군.

'후우, 진즉에 공작 부인을 말렸어야 했는데…….'

후회해 봐야 이미 엎질러진 물임을 알기에, 보일드 남작은 한 번 더 길게 한숨을 내쉬는 것으로 심란한 마음을 다잡았다. 멘하임 성이 바람에 겨울의 냉기가 남은 이른 봄부터 상인들로 북적대는 이유는 바로 아직 피지도 않은 랄레 꽃 때문이었다.

여전히 이 상황이 믿기지 않는 보일드 남작은 튼실한 초록 새싹이 삐죽 삐죽 돋아나고 있는 산등성이로 눈을 돌렸다.

'저 꽃이 이토록 인기를 끌 줄 누가 알았겠냐고.'

처음 공작령 곳곳이 랄레 꽃으로 채워질 때만 해도, 고작 몇 년 정도 귀족들의 흥미를 끌다 말겠지 했었다. 제아무리 아름답다 해도 길어야 일주일이면 시들어 버리는 꽃 따위, 보석이나 땅처럼 오래 두고 볼수록 가치가 더해지는 것도 아니니 돈벌이가 돼 봐야 얼마나 될까 싶었지.

들불처럼 열광하다가도 쉬이 식어 버리는 첼리노 귀족들의 변덕을 고려하면 인기가 있어 봐야 고작 두 해? 그 정도만 해도 성공이겠거니 했던 보일드 남작의 예상을 깨고 랄레 꽃의 가치는 매해 쑥쑥 하늘 높은 줄 모르고 치솟았다.

해마다 특이하고 다양한 랄레 꽃을 피워 내는 리카르도 몰리의 신비한 재주와, 금화를 벌어들이는 능력을 타고난 리하르트 공작 부인의 비상한 재주가 더해져 이뤄 낸 결과였다.

"보일드 남작. 꽃의 진정한 가치는 바로 시든다는 거예요. 영원하지 않기에 소중한 우리의 삶과 똑 닮았잖아요. 두고 봐요. 이 사업은 무조건 성공하게 되어 있어요."

공작 부인의 호언장담대로 랄레 꽃 사업을 시작한 지 얼마 되지 않아 '골든 에른스트'라는 대박이 터졌다. 에른스트 황태자의 첫 번째 생일이 되던 해였으니 다섯 해 전일 것이다.

그해 리카르도가 피워 낸 오묘한 황금빛 랄레 꽃에 공작 부인은 '골든 에른스트'라는 이름을 붙였다. 그러곤 꽃의 빛깔이 에른스트 황태자의 금발을 닮았다는 정성 어린 편지와 함께 황실에 바쳤다.

이후 첼리노의 귀족들 사이에 랄레 꽃에 이름을 붙여 선물하는 유행이 생겨났다. 새로운 랄레 꽃이 피어나면 제 이름 혹은 자식의 이름, 연인의 이름을 붙여 달라며 너도나도 금화를 싸 들고 공작령으로 몰려들었다.

'리하르트 공작 부인의 진정한 능력이 발휘된 것이 그때부터였지.'

보일드 남작은 오늘처럼 끝이 없이 뮌하임 성으로 몰려들던 마차 행렬을 떠올리며 절레절레 고개를 저었다. 사람들이 몰려들자 공작 부인은 귀족들을 대상으로 경매를 열었다.

매해 봄, 새로 피어난 랄레 꽃 종류 중 한 가지에 이름을 붙일 수 있는 작명권을 걸고. 결과는 두말할 필요 없이 대성공이었다. 귀족들은 작명권에 어마어마한 비용을 지불했고, 덕분에 뮌하임 성의 금고는 날이 갈수록 더 풍요로워졌다.

'아무튼 돈 냄새 하나는 기가 막히게 맡는 분이라니까.'

보일드 남작은 수레에 싣고 온 나무 궤짝을 내리느라 바쁜 인부들을 보며 조용히 혀를 내둘렀다. 그사이 마차와 수레 한 대가 더 도착했다.

'하나, 둘…… 여섯, 일곱. 모두 총 스무 대인가?'

그때 소리 없이 숫자를 세고 있는 보일드 남작의 뒤로 다가온 도미닉이 거하게 기지개를 켜며 말했다.

"아으으. 오전부터 왜 이렇게 시끄러운 겁니까?"

졸린 눈을 비비던 그는 벽에 털썩 어깨를 기대며 뻐근한 목을 쭉 늘였다.

"아직 도로에 눈도 다 안 녹았던데 많이도 몰려왔네."

일어나자마자 주방에 들렀다 오는 길이었던지 도미닉이 손에 들고 있던 빵을 입 안에 욱여넣으며 투덜댔다.

"그나마 겨울 몇 달 편하게 사나 했더니 젠장. 어째 매해 봄이 점점 더 빨리 오는 것 같지 않습니까?"

"그렇군요."

보일드 남작은 크게 고개를 끄덕이며 격하게 동의를 표했다. 빌보 항이 완전히 자리 잡은 이후로는 사계절 내내 바쁘긴 했지만, 그래도 다른 계절에 비해 겨울은 좀 한가한 편이었다.

그러나 이대로 가다간 겨우 몇 달, 여유 있게 보낼 수 있는 유일한 계절인 겨울이 아예 사라져 없어질 판이다. 멘하임 성의 치안과 영주의 호위를 맡은 제1 기사단장이자 휘하 기사단원만 삼백 명이 넘는 도미닉 몰리에게 이는 아주아주 곤란한 일이 아닐 수 없었다.

물론 보일드 남작도 마찬가지였다. 눈보라가 잦아드는 봄이 되면 상선에 실려 온 온갖 물건들이 빌보 항으로 몰려들었다. 그리고 스베르겐 제국에서 가장 완벽한 도로가 놓인 유트레히트를 통과해 제국 곳곳으로 퍼져 나갔다.

유동 인구가 많아지니 당연히 갖가지 사건 사고가 빈번하게 벌어졌다. 자연스럽게 공작령의 치안을 담당하는 인원도 대폭 늘어났다. 성 밖 마을에서 벌어지는 여러 분란을 감독하는 제2 기사단이 생겼고, 뮤리엘 로시발트가 단장이 되었다.

로시발트 단장이 이끄는 단원들도 어느새 이백여 명. 거기에 리하르트 공작 부인의 개인 기사단인 아메티스 기사단 오십여 명까지. 이 많은 봉신 기사들을 관리하는 집사장인 보일드 남작은 언젠가부터 시간의 흐름을 잊고 살았다. 정신을 차리고 보면 시간이 뚝뚝 잘려 나간 듯한 느낌을 받곤 했다.

예를 들어 아장아장 걷던 아들 콜린이 어느 날 갑자기 또박또박 정확한 발음으로 그를 '아버지'라고 불렀다든가. 분명 어제까지만 해도 번쩍 안아

들었던 것 같은데, 누가 봐도 그를 닮은 차분한 파란 눈을 한 소년의 키가 제 허리춤까지 자라 있다거나 하는.

그래도 도로가 얼어붙어 수레가 다니기 힘든 겨울이 오면 짧게라도 여유가 생겼건만, 이젠 그런 시간조차 가지지 못하게 되는 건 아닐까.

"후우······."

"하아······."

동시에 한숨을 쉬던 두 사람은 서로를 마주 보며 피식 웃음을 터트렸다. 그때 그들 뒤편에서 청아하고 힘찬 여인의 목소리가 들려왔다.

"보일드 남작, 여기 계셨군요."

동시에 고개를 돌린 두 사람은 하녀들과 함께 걸어오는 프리다를 발견하자마자 역시나 동시에 한 번 더 짧은 한숨을 터트렸다. 보일드 남작이 도미닉에게 양해를 구한 후 먼저 뒤를 돌았다.

"가 봐야겠습니다. 아카데미 부지 문제로 공작 부인과 얘기를 나누기로 했거든요."

"아······ 공작령에 신학과 의학을 전문으로 하는 아카데미를 세운다면서요? 우리 공작 부인께서 또 일을 벌이셨다는 얘기는 들었습니다."

안쓰럽게 보일드 남작을 바라보던 도미닉이 돌연 걱정스러운 표정을 지으며 몸을 바로 세웠다.

"그런데 괜찮을까요? 홀몸도 아닌 분이 이리 무리하시다 라우라 아가씨 때처럼 갑자기 출산이 앞당겨지기라도 하면 어쩌시려고."

"말 나온 김에 몰리 경이 좀 말려 보십시오. 제발 일 좀 줄이시라고요."

도미닉이 대번에 손을 내저으며 도리질을 쳤다.

"아이고, 차라리 알타스에 곰 사냥을 하러 가겠습니다. 리하르트 공작 부인을 말리는 것보다 그 편이 더 수월하겠네요."

보일드 남작이 맞는 말이라며 고개를 끄덕이던 찰나, 임신 초기라고는 믿어지지 않을 만큼 화사한 얼굴의 프리다가 두 남자를 향해 다가오며 반갑게 인사를 건넸다.

"도미닉, 보일드 남작. 계속 날씨가 좋은 걸 보니 조만간 완연한 봄 날씨가 될 것 같지 않아요?"

오랜만에 아이를 가진 터라 힘들 만도 하건만, 보기 좋게 살이 오른 하얀 얼굴엔 생기만 가득했다. 두 남자의 어깨 너머로 어수선한 뒤뜰의 풍경을 바라보던 프리다가 별안간 이마를 좁혔다.

"상단들이 공작령을 방문하는 일정이 점점 더 빨라지고 있네요."

곰곰이 뭔가를 고민하던 그녀는 얼마 지나지 않아 금세 결정을 내렸다.

"내년부턴 상단별로 방문 날짜를 아예 정해 줘야겠어요. 그래야 하루라도 더 빨리 오려고 위험을 무릅쓰는 일을 방지할 수 있죠. 우리도 겨울엔 좀 쉬어야지, 일 년 내내 방문객을 받을 순 없잖아요."

이토록 정확한 상황 판단과 신속하고 현명한 결정이라니. 이러니 누군들 공작 부인을 존경하지 않을 수가 있겠냐고. 보일드 남작은 약간 허탈해하며 웃고 말았다.

"그러는 게 좋겠습니다. 그리고 죄송하지만, 아카데미 얘기는 오후로 미뤘으면 합니다. 우선 이곳을 먼저 정리해야 할 것 같아서요."

"그럼요, 당연하죠. 오히려 잘됐어요. 저도 마침 다니엘에게 들르려던 참이었거든요. 아델이 다니엘을 위해 특별한 수프를 만들어 줬어요."

"주군께서 벌써 식사하신다고요?"

도미닉이 하녀가 들고 있는 트레이 위, 김이 모락모락 나는 수프 그릇에 시선을 주며 갸웃거렸다.

"이번엔 전보다 회복이 빠르시네요. 두 번째라 그런가."

"안타깝지만 그건 아니에요. 그냥 억지로라도 먹여 보려고요. 냄새가 심하지 않으니 조금씩이라도 넘기지 않을까 해서요."

그러면 그렇지 하고 중얼거린 도미닉이 절레절레 고개를 내저으며 말했다.

"우리 주군도 참 한결같이 요란하시다니까요. 살다 살다 임신 초기 증상을 아내보다 빨리 겪는 남편은 처음 봅니다. 그것도 두 번이나."

"요란하다뇨. 다니엘이 지금 얼마나 힘들어하는데……"

도미닉을 노려보던 프리다가 갑자기 눈을 가늘게 좁히며 그의 어깨 뒤편을 바라보았다. 무슨 일인가 싶어 그녀의 시선을 따라가던 도미닉은 누가 봐도 수상쩍게 수레 주변을 두리번거리는 로잘린을 발견하곤 알 만하다는 듯이 혀를 찼다.

"쯧쯧. 우리 라우라 아가씨가 또 사라지신 모양이네요. 참 신기하단 말이죠. 로잘린이 예전엔 나름 스베르겐 제국에서 손꼽히는 자객이었거든요. 그런데 어쩌다가 고작 여섯 살 먹은 아가씨를 매번 놓치는 신세가 된 건지 모르겠어요. 우리 아가씨가 대단한 건지 로잘린이 머저리가 된 건지, 원."

"로잘린에게 머저리라뇨. 몰리 경, 품위를 지켜 주세요."

조용히 목소리를 낮추고 도미닉을 노려본 프리다가 허리를 빳빳하게 세운 후 위엄 있는 목소리로 마차 사이를 기웃거리는 로잘린을 불렀다.

"로잘린!"

막 수레의 덮개를 들춰 보던 로잘린이 저를 부르는 소리에 놀라 흠칫 뒤를 돌았다. 몇 년 사이 부쩍 어른스럽고 매서워진 리하르트 공작 부인과 마주한 그녀는 슬그머니 천막을 내려놓곤 종종걸음으로 도망쳤다.

커튼을 젖히는 소리와 함께 다니엘의 감은 눈앞에 빛무리가 출렁였다. 어느덧 햇살에서 온화한 기운이 느껴졌다. 유트레히트에 다시 봄이 오고 있었다. 따스하고 잔잔하고 한없이 평온한 기분에 빠진 다니엘은 잠을 깨고 싶지 않아 스르르 몸을 돌려 누웠다.

그러자 머리칼 사이로 들어온 손가락이 부드럽게 그를 쓰다듬었다. 좀처럼 졸음을 이겨 내지 못하던 다니엘은 결국 스르르 눈을 떴다. 반만 젖혀진 침대 커튼 사이로 눈부신 빛이 흘러들어 왔다. 그 가운데 서 있던 프리다가 그의 머리칼을 매만지며 빙긋 웃었다.

"깼어요?"

다니엘이 말없이 끔벅끔벅 눈을 감았다 뜨자 프리다가 조심히 물었다.

"다니엘, 벌써 정오예요. 더…… 잘 거예요?"

머뭇거리며 묻는 걸 보니 그만 일어났으면 하는 눈치다. 아마 제게 할 말이 아주아주 많은 모양이었다. 보나 마나 우리 귀여운 꼬마 아가씨가 또 사고를 친 거겠지.

겨우 여섯 살짜리가 도망가는 솜씨가 어찌나 날랜지 천하의 로잘린이 매번 놓치고 쩔쩔맬 정도라고. 라우라가 요즘 들어 부쩍 검술에 관심을 보이는 것도 프리다의 걱정거리 중 하나일 것이다. 뮤리엘이 장난삼아 쥐여 준 목검을 손에서 놓지 않는다나.

물론 라우라가 매해 남다르게 쑥쑥 자라나는 데다 아이답지 않게 두려움을 모르는 담대한 성격을 가진 건 맞다. 다니엘이 보기에도 여러모로 좋은 기사가 될 재목이지만 아직은 먼일이었다. 그런데 내 아내는 뭐가 이리 걱정스러운 걸까. 그가 일어나길 바라며 우두커니 서 있는 프리다를 바라보던 다니엘이 빙긋 웃었다.

"프리다, 이리 와."

다니엘이 일어나는 대신 제 옆자리를 손바닥으로 툭툭 두드리자, 프리다는 망설임 없이 침대 위로 올라와 그의 옆에 누웠다. 프리다의 머리 아래로 팔을 밀어 넣은 그는 아내의 어깨를 감싸며 하얀 머리칼에 입을 맞췄다.

"좋은 향기가 나는걸."

그의 품에 안긴 프리다가 빼꼼히 고개를 들며 물었다.

"아델이 수프를 끓여 줘서 가져왔는데, 한 입 먹어 볼래요?"

"수프 말고 당신한테 하는 말이야."

프리다의 등을 슬그머니 감싸 안은 다니엘은 고개를 숙이고 프리다의 뺨에 얼굴을 비비며 자잘한 입맞춤을 퍼부었다.

"아이참."

간지럽다며 어깨를 움츠리던 프리다가 걱정스레 그의 머리칼을 쓸어내리며 속삭였다.

"안 힘들어요? 어제도 제대로 먹은 게 없잖아요."

"힘들어. 하지만 당신이 이걸 겪지 않아도 된다고 생각하면 참을 만해."

한참 동안 프리다의 뺨과 목을 지분거리던 다니엘이 울상이 된 프리다의 눈을 바라보며 피식 웃었다.

"난 정말 괜찮아. 라우라를 가졌을 때보다는 훨씬 견딜 만해, 진짜야."

뼈만 남은 다니엘의 턱선을 매만지던 프리다의 눈꼬리가 아래로 처져 내렸다. 다니엘의 품에 쏙 안긴 그녀는 눈꼬리만큼 축 가라앉은 목소리로 속삭였다.

"내가 아이를 가질 때마다 당신이 아파서 너무 속상해요."

"치명적인 아내의 유혹을 참지 못하고 무너진 내 잘못인데 어쩌겠어."

프리다를 다시 위험에 빠트릴지도 모른다는 걱정에 더는 아이를 가지지 않으려고 그토록 조심했건만. 오랜 노력을 속절없이 허물어 버린 열정적이고 뜨거웠던 그날 밤을 떠올린 다니엘은 실소를 터트렸다. 뺨을 붉힌 프리다가 셔츠 사이로 드러난 다니엘의 가슴을 만지작거리며 중얼거렸다.

"미안해요, 다니엘. 하지만 난 또 아이를 가지게 돼서 너무 좋아요. 비록 함께했던 시간은 짧았지만 로테 언니와 지냈던 어린 시절이 정말 행복했거든요. 그래서 라우라에게 꼭 동생을 만들어 주고 싶었어요."

"당신 마음 알아. 그리고 나도 당신이 아이를 가져서 기뻐. 그러니 이번 일로 내게 미안해할 거 없어, 프리다."

한동안 부쩍 아이를 가지고 싶다고 어리광을 피우던 프리다였다. 함께 목

욕하자며 야릇한 눈길을 보낼 때부터 이런 일이 생기고 말겠구나, 어느 정도는 각오했었다. 프리다의 뺨을 감싼 다니엘이 콧등에 입을 맞춘 후 단호한 표정으로 아내를 응시했다.

"하지만 이번에도 라우라를 낳을 때처럼 운이 좋을 거라고 기대해선 안돼. 무엇보다 당신과 아이의 안전을 가장 먼저 챙겨야 해. 알았지?"

야무지게 입술을 다문 프리다가 진지한 표정으로 고개를 끄덕였다.

"그럴게요. 약속할게요, 다니엘."

"맹세해."

"맹세해요."

"한 번 더."

"그럼……."

돌연 입꼬리를 끌어 올린 프리다가 응석을 부리는 아이처럼 다니엘을 향해 턱을 내밀었다.

"맹세할 테니까 수프 딱 한 입만 먹어 줄래요?"

"먼저 다른 것부터 맛보고 난 뒤에."

다니엘이 씩 웃으며 프리다의 입술을 머금었다.

프리다의 고집 덕에 다니엘은 수프를 반 그릇이나 비웠다. 테라스로 나온 프리다는 다니엘의 품에 폭 안겨 여전히 눈으로 덮인 윔터 호른의 전경을 바라보았다. 프리다가 팔을 쭉 뻗어 알타스 숲 한가운데를 가리켰다.

"다니엘, 저 산맥을 넘어가면 링겐 제국의 수도인 즈네부가 있는 거죠?"

"응. 하지만 해로를 이용한다면 모를까, 육로로 알타스를 넘어가는 건 불가능해."

"왜요?"

프리다의 등 뒤에 서 있던 다니엘은 그녀가 추위를 느끼지 않도록 어깨를 더 꽉 끌어안았다. 요사이 프리다의 관심이 알타스로 향해 있는 까닭을 짐작하기에, 그는 자세한 설명을 덧붙였다.

"겨울엔 얼어 죽을 테고, 그 외의 계절엔 늑대 밥이 되거나 알타이카의 먹이가 될 테니까. 알타스는 아주 위험한 곳이야, 프리다. 물론 그래서 더 도전해 볼 가치가 있는 곳이기도 하지."

"나 언젠간 저 알타스 산맥을 가로지르는 도로를 만들고 싶어요. 유트레히트와 룅겐 제국의 수도인 즈네부를 연결하는 길이요. 그래도 되죠?"

이럴 줄 알았지. 다니엘은 지치지 않는 아내의 열정에 경의를 표하며 가볍게 입술을 겹쳤다.

"당신 뜻대로."

내가 언제나 뒤에 있을 테니 뭐든지 당신이 원하는 대로.

"엄마아……. 아빠아……."

문득 저 멀리 라우라가 방방 뛰며 그들을 부르는 소리가 들렸다. 두 사람은 라우라의 목소리가 들려오는 아래쪽을 내려다보았다. 뭐가 그리 신이 나는지 제자리에서 빙글빙글 돌던 라우라가 중심을 잃고 벌러덩 넘어지자, 콜린과 로잘린이 아이를 일으켜 세우기 위해 모여들었다.

프리다는 다니엘의 품에 안겨 절로 미소가 피어나는, 그림처럼 아름다운 이른 봄의 풍경에 눈을 두었다.

로잘린에게 잡히지 않기 위해 후다닥 일어나 흙바닥을 내달리는 라우라, 괜찮냐며 쫓아가는 로잘린. 라우라를 쫓는 걸 포기하고 숨을 헐떡이는 콜린, 그 뒤에 우직하게 서 있는 시몬. 기사들을 훈련시키는 도미닉의 우렁찬 목소리까지. 오늘도 소란한, 그래서 행복한 뮌하임 성의 하루가 지나가고 있었다.

-마침-

작가 후기

뒹굴뒹굴이 특기이자 취미인 게으름뱅이 작가 Gaskelle입니다.

이런 저를 밀고 끌고 당겨 여기까지 오게 해주신 모든 분께 감사 또 감사 드립니다.

'공작 부인은 오늘만 산다.'는 애초 계획했던 3연작 중 두 번째 작품입니다.

첫 번째 작품을 잘 도와주신 데 이어 프리다와 다니엘의 이야기가, 그들의 사랑이 종이에 새겨져 영원히 기억될 귀한 기회를 주신 와이엠 식구 여러분께 진심으로 감사를 전합니다.

한 개의 글이 하나의 단어가 되고 한 줄의 문장이 되어 이야기가 되는 과정은 정말 즐겁고 놀라우며 환상적인 경험입니다.

이 경험을 오래오래 하기 위해 지금처럼 자주 멍하니 틈만 나면 뒹굴뒹굴하며 살겠습니다. ^^

마지막으로 언제나 무조건 편파적으로 저를 응원해주는 예쁜 동생들

SH, HJ, SW 그리고 절세 미녀.

  항상 같은 자리에서 흔들림 없이 빛나는 북극성처럼, 내가 어디에 있든 어디를 가든 방향을 잃지 않도록 도와주는 선 자매, HS, AS.

  내 인생의 기쁨 Daniel에게 사랑한다고 전하고 싶습니다.

                          여러분, 이야기는 계속됩니다, 쭈욱~

  P.S. Smokie님, 저녁밥 챙겨줘서 고마워요.